보고 배우는 순환기

See & Learn, Circulatory System

감수 : MICHIMATA Yukihiro

편집 : KUBOTA Hiroshi, OOTSUKI Naomi, HIRASAWA Eiko

역자 : 조용애

편저자 일람

■ **감수**

道又元裕 교린대학의학부부속병원 간호부장

■ **편집**

窪田博 교린대학 의학부 부속병원 심장혈관외과 주임교수/진료과장
大槻直美 교린대학 의학부 부속병원 순환기내과·심장혈관외과병동 간호사장
平澤英子 교린대학 의학부 부속병원 순환기내과·심장혈관외과병동 간호사장

■ **집필(집필순)**

西峯亞希子 교린대학 의학부 부속병원 순환기내과·심장혈관외과병동 부주임
島村久美子 교린대학 의학부 부속병원 순환기내과·심장혈관외과병동 주임보좌
石井理惠 교린대학 의학부 부속병원 순환기내과·심장혈관외과병동
尾川知里 교린대학 의학부 부속병원 순환기내과·심장혈관외과병동 주임보좌
鈴木亜希子 교린대학 의학부 부속병원 순환기내과·심장혈관외과병동 주임보좌
遠藤英仁 교린대학 의학부 부속병원 심장혈관외과 강사
千木良寬子 교린대학 의학부 부속병원 순환기내과·심장혈관외과병동 주임보좌
大槻直美 교린대학 의학부 부속병원 순환기내과·심장혈관외과병동 간호사장
池田優子 교린대학 의학부 부속병원 순환기내과·심장혈관외과병동 사장보좌
平澤英子 교린대학 의학부 부속병원 순환기내과·심장혈관외과병동 간호사장
津島由紀 교린대학 의학부 부속병원 순환기내과·심장혈관외과병동 주임보좌
高橋有加 교린대학 의학부 부속병원 순환기내과·심장혈관외과병동 부주임
小澤眞弓 교린대학 의학부 부속병원 순환기내과·심장혈관외과병동 주임보좌
松谷裕梨 교린대학 의학부 부속병원 순환기내과·심장혈관외과병동 주임보좌
小坂絵理子 교린대학 의학부 부속병원 순환기내과·심장혈관외과병동
大場美幸 교린대학 의학부 부속병원 순환기내과·심장혈관외과병동 사장보좌
窪田博 교린대학 의학부 부속병원 심장혈관외과 주임교수/진료과장
高橋雄 교린대학 의학부 부속병원 심장혈관외과 조교
土屋博司 교린대학 의학부 부속병원 심장혈관외과 조교
野間美緒 교린대학 의학부 부속병원 심장혈관외과 강사
吉本明浩 교린대학 의학부 부속병원 심장혈관외과 조교
松下健一 교린대학 의학부 부속병원 순환기내과 강사
谷合誠一 교린대학 의학부 부속병원 순환기내과 조교
布川雅雄 교린대학 의학부 부속병원 심장혈관외과 임상교수
細井溫 교린대학 의학부 부속병원 심장혈관외과 준교수
吉野秀朗 교린대학 의학부 부속병원 순환기내과 주임교수/진료과장
合田あゆみ 교린대학 의학부 부속병원 순환기내과 조교

머리말

임상간호실천의 철칙은 의료서비스를 받는 대상자에게 안전하면서도 안정적인 간호를 제공하는 것이다. 이 철칙은 몇 개의 요소에 따라 실현된다. 그것은 환자의 입장을 토대로 지지자로서의 위치를 전제로 한, 환자의 자연치유력의 촉진, 자가간호 능력의 향상, 스트레스에 대한 적응의 도움, 일상생활의 조정, 안전의 보장이다. 그리고 환자가 가진 건강문제의 반응을 정확하게 지켜보고 적절한 간호를 수행하는 것이 중요하다.

적절한 간호를 실천하기 위해서는 환자의 정서적인 측면의 이해와 지원은 물론이지만, 환자가 갖고 있는 질병구조와 그에 대한 치료나 검사에 관한 올바른 이해, 과학적 근거를 배경으로 한 간호와 의료정보의 지식이 꼭 필요하다 할 것이다.

그래서 각과별 「간호순서」와 「질환의 지식」을 사진과 그림으로 알기 쉽게 몸에 익혀두었으면 하는 의도에서 기획한 것이 이 「보고 배우는」 시리즈이다.

본서 「보고 배우는 순환기」에서는 Part 1 「수술 후 케어의 포인트」로서, 심전도 모니터링이나 전기적 제세동 등 긴급 시에 대응하는 것 외에, 중심정맥카테터나 수액·실린지펌프, 드레인, 창부의 관리 등 일상에서 자주 시행되는 처치 순서를 상세하게 서술하였다. Part 2 「케어를 위해 알아두어야 할 증상과 대처」에서는 심계항진이나 흉통, 호흡곤란 등 특히 주의가 필요한 증상의 메커니즘·초기대응을 해설하였다. 간호의 실천에 있어서는 검사·치료의 지식도 중요하다. 그 처치가 신체에 어떤 영향을 미치는가를 이해하고, 환자·가족에게 정확하게 설명할 수 있는 것이 간호사에게 요구된다. 그리고 Part 3 「익혀두어야 하는 검사」에서는 실시목적, 주의점, 영상의 기본적인 견해 등을 검사의 흐름을 따라 정리했다.

대표적인 질환의 이해에 도움이 되는 것이 의사의 집필에 의한 Part 4 「알아두어야 할 심장질환의 지식」, Part 5 「알아두어야 할 혈관질환의 지식」이다. 병태, 검사, 치료, 간호까지 망라하고 있으므로 Part 1부터 Part 3에서 소개한 기술·지식과 아울러 반드시 임상에서 활용해 주었으면 한다. 심도자술·심장재활, 치료약의 지식(Part 6)도 망라하여, 신입간호사에서 베테랑간호사, 교육을 담당하신 여러분까지 만족할 수 있는 내용으로 꾸며 보았다.

다만 일본의 간호케어 기술에 정확하고 근거를 바탕으로 한 골든 스탠다드가 확립되어 있지 않은 이상, 일본 내의 모든 병원에서 동일한 표준적인 간호가 전개되고 있지 않다는 것은 틀림없을 것이다. 그래서 감히 교린대학의학부 부속병원에서 현재 실천하고 있는 것을, 일선에서 환자를 매일 접하고 있는 간호사가 집필해 주었다. 이러한 하나의 병원의 실천이 기초가 되고 독자 여러분으로부터 많은 의견을 받아, 머지않아 근거에 기초한 최고의 지침이 완성될 것을 기대한다.

의사담당영역을 편집해 주신 심장혈관외과 주임교수 窪田博 선생님, 간호사 담당부분을 편집해 주신 순환기내과·심장혈관외과병동의 大槻直美, 平澤英子 간호사장에게 깊은 감사를 드립니다.

2013년 3월

道又元裕

CONTENTS

part1 수술 후 케어의 포인트

- 중심정맥카테터의 관리 ··· 2
- 수액펌프, 주사기펌프의 관리 ··· 10
- 심전도 모니터링 ··· 18
- 12유도심전도 ··· 23
- 전기적 제세동 ··· 31
- 체외식 페이스메이커의 관리 ··· 40
- 항혈전요법 ··· 45
- 배액관리 ··· 54
- 수술부위 통증조절 ··· 68
- 감염증상 ··· 71
- 영양관리 ··· 75
- 수분섭취배설 ··· 78

part2 케어를 위해 알아두어야 할 증상과 대처

- 심계항진 ··· 84
- 흉통 ··· 87
- 호흡곤란 ··· 91
- 청색증 ··· 97
- 부종 ··· 100
- 현기증, 실신 ··· 104
- 부정맥 ··· 108
- 쇼크 ··· 115
- 기흉 ··· 118
- 흉수 ··· 121
- 무기폐 ··· 124

part3 익혀두어야 하는 검사

- 혈압측정 ··· 128
- 심전도검사 ··· 135

● 심에코검사 ··· 142
● 흉부X선검사 ··· 148
● 심장핵의학검사 ··· 154
● 심도자검사, 관상동맥조영술 ··· 159
● MRI검사 ··· 165

part4 알아두어야 할 심장질환의 지식

● 허혈성심질환 ··· 168
● 판막증 ··· 178
● 감염성심내막염 ··· 182
● 압축성심낭염 ··· 186
● 심낭압전 ··· 189
● 성인선천성심질환 ··· 193
● 부정맥 ··· 196
● 심부전 ··· 205
● 고혈압 ··· 212

part5 알아두어야 할 혈관질환의 지식

● 급성대동맥박리 ··· 220
● 대동맥류 ··· 227
● 급성동맥폐색 ··· 235
● 폐색성동맥경화증 ··· 239
● 버거씨병 ··· 242
● 하지정맥류 ··· 245

part6 그 밖에 알아두어야 할 지식

● 심도자술(검사와 치료) ··· 250
● 심장재활 ··· 257
● 알아두어야 할 순환기 치료약 ··· 263
색인 ··· 268

심장

심장은 심근으로 만들어진 장기로 흉곽내의 거의 중앙에 위치하며, 전신에 혈액을 보내는 펌프로서의 역할을 하고 있다. 우[심]방, 좌[심]방, 우[심]실, 좌[심]실의 4개로 나뉜다.

심장의 위치

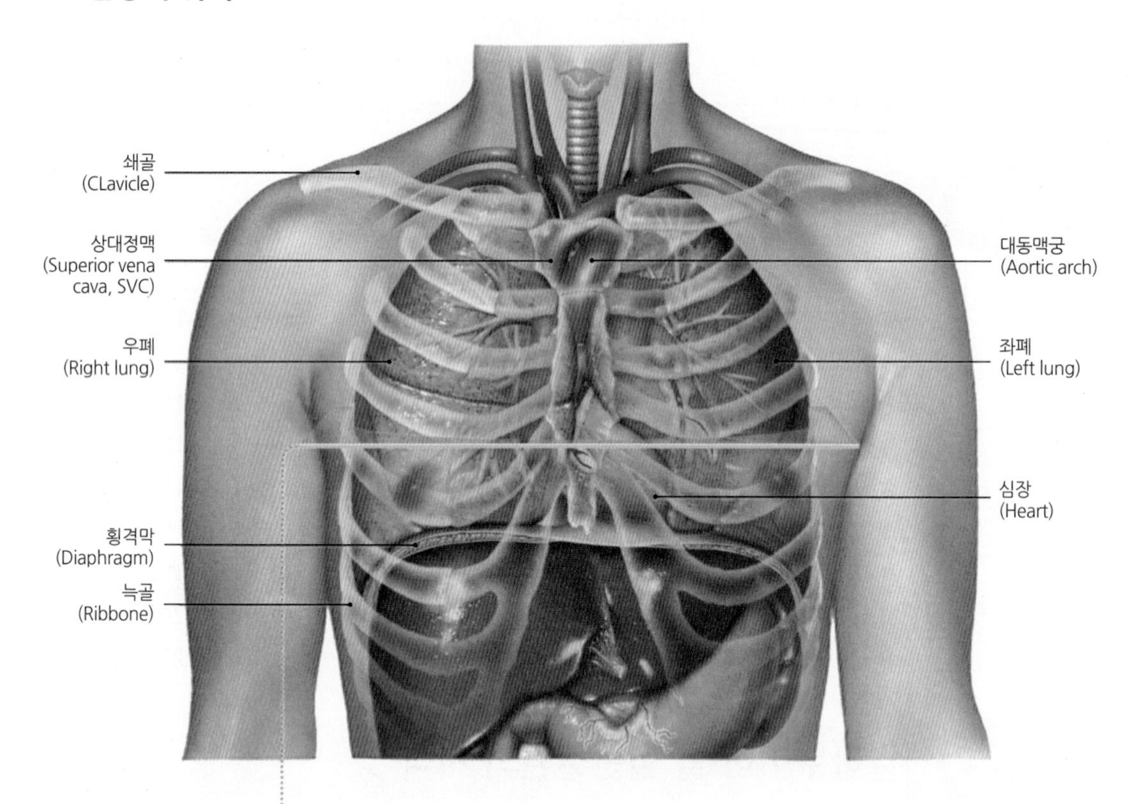

심장의 횡단면

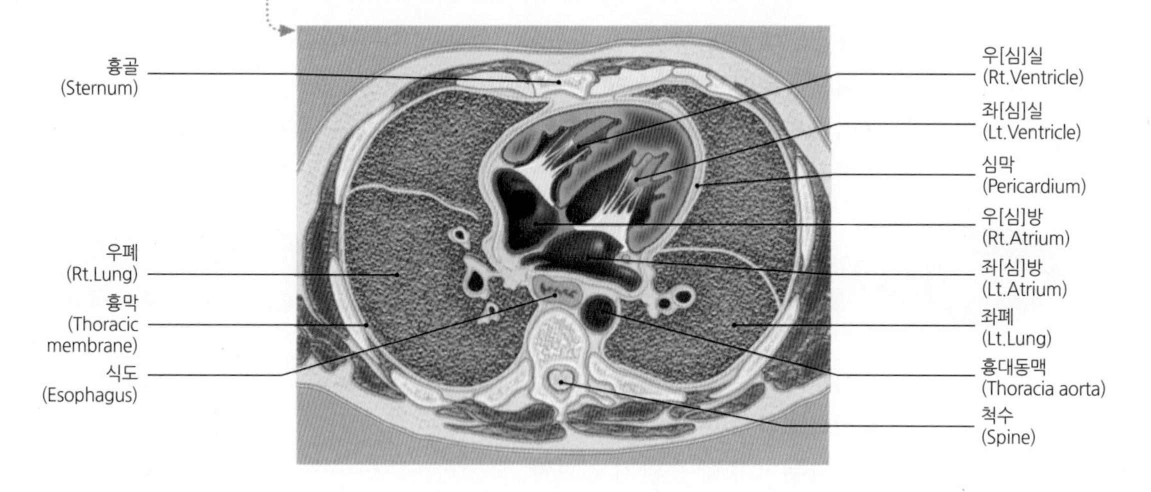

■ 심장의 전면

■ 심장의 후면

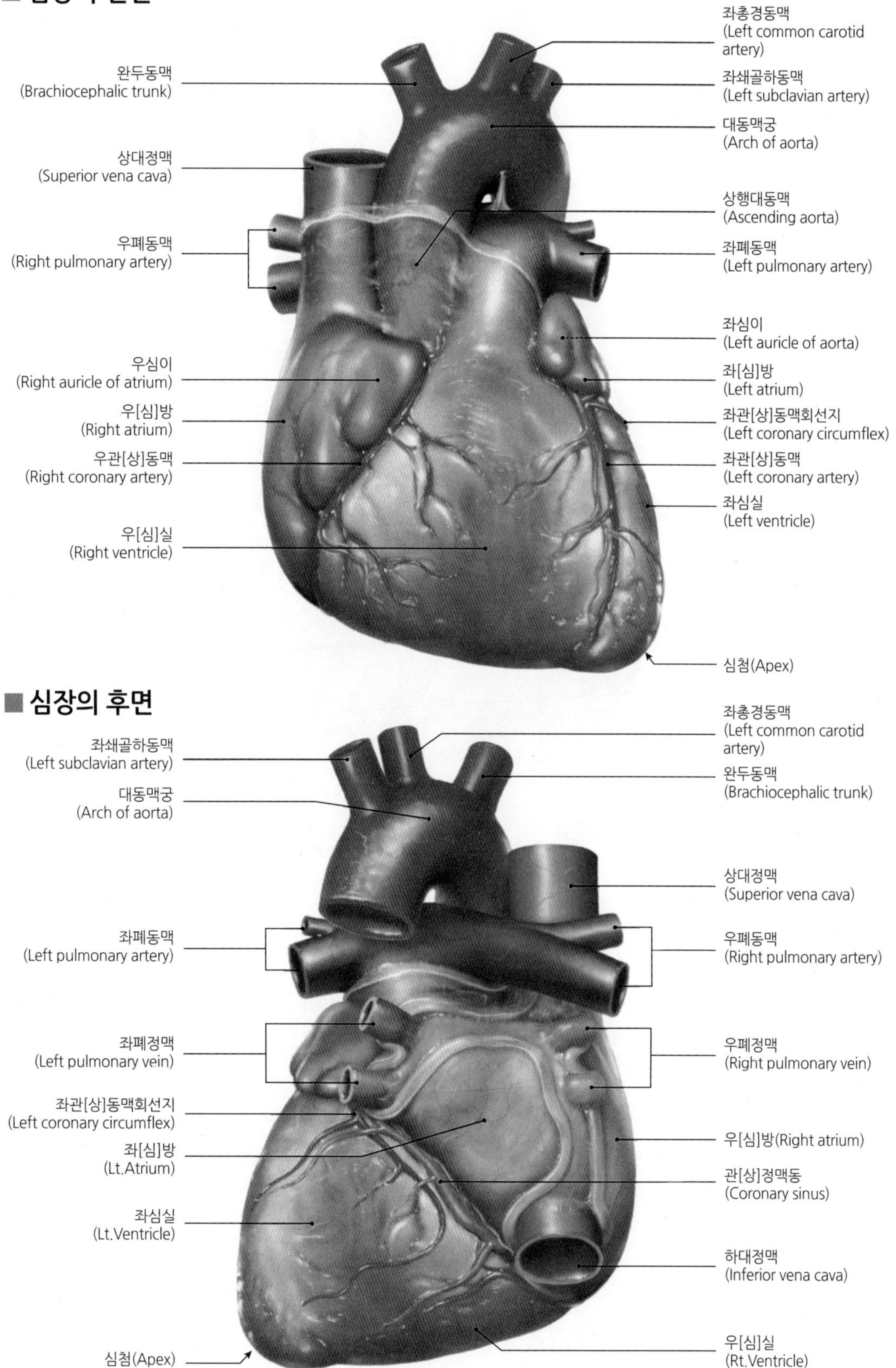
좌총경동맥
(Left common carotid artery)
완두동맥
(Brachiocephalic trunk)
좌쇄골하동맥
(Left subclavian artery)
대동맥궁
(Arch of aorta)
상대정맥
(Superior vena cava)
상행대동맥
(Ascending aorta)
우폐동맥
(Right pulmonary artery)
좌폐동맥
(Left pulmonary artery)
좌심이
(Left auricle of aorta)
우심이
(Right auricle of atrium)
좌[심]방
(Left atrium)
우[심]방
(Right atrium)
좌관[상]동맥회선지
(Left coronary circumflex)
우관[상]동맥
(Right coronary artery)
좌관[상]동맥
(Left coronary artery)
좌심실
(Left ventricle)
우[심]실
(Right ventricle)
심첨(Apex)
좌총경동맥
(Left common carotid artery)
좌쇄골하동맥
(Left subclavian artery)
완두동맥
(Brachiocephalic trunk)
대동맥궁
(Arch of aorta)
상대정맥
(Superior vena cava)
좌폐동맥
(Left pulmonary artery)
우폐동맥
(Right pulmonary artery)
좌폐정맥
(Left pulmonary vein)
우폐정맥
(Right pulmonary vein)
좌관[상]동맥회선지
(Left coronary circumflex)
우[심]방(Right atrium)
좌[심]방
(Lt.Atrium)
관[상]정맥동
(Coronary sinus)
좌심실
(Lt.Ventricle)
하대정맥
(Inferior vena cava)
심첨(Apex)
우[심]실
(Rt.Ventricle)

■ 심장의 내강과 혈액의 흐름

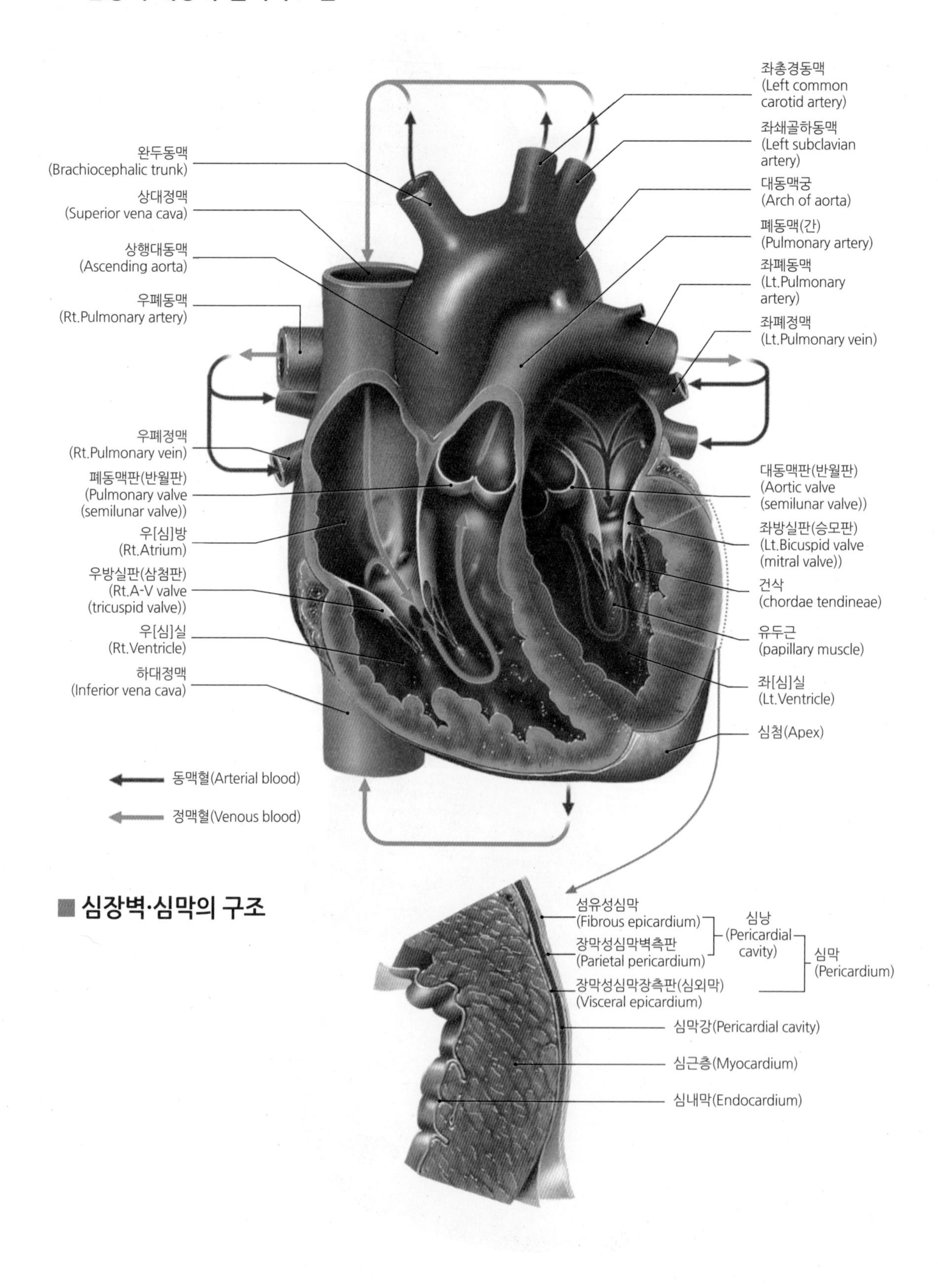

심장의 판막

심장에는 좌우에 방실판과 폐동맥판, 대동맥판이라는 4개의 판막이 있다. 판막은 혈류로부터 받은 압력(혈압)의 변화에 따라 열리고 닫히며, 혈액의 역류를 방지한다.

■ 확장기

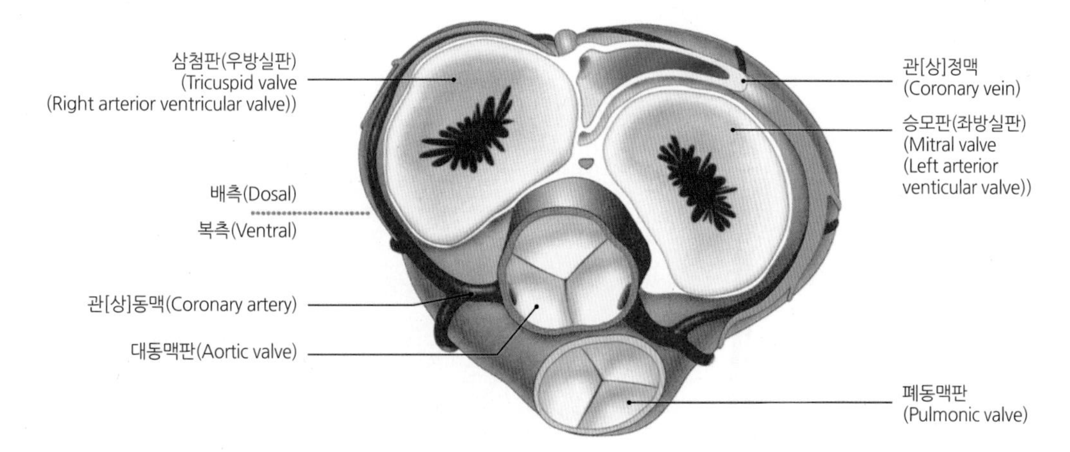

■ 수축기

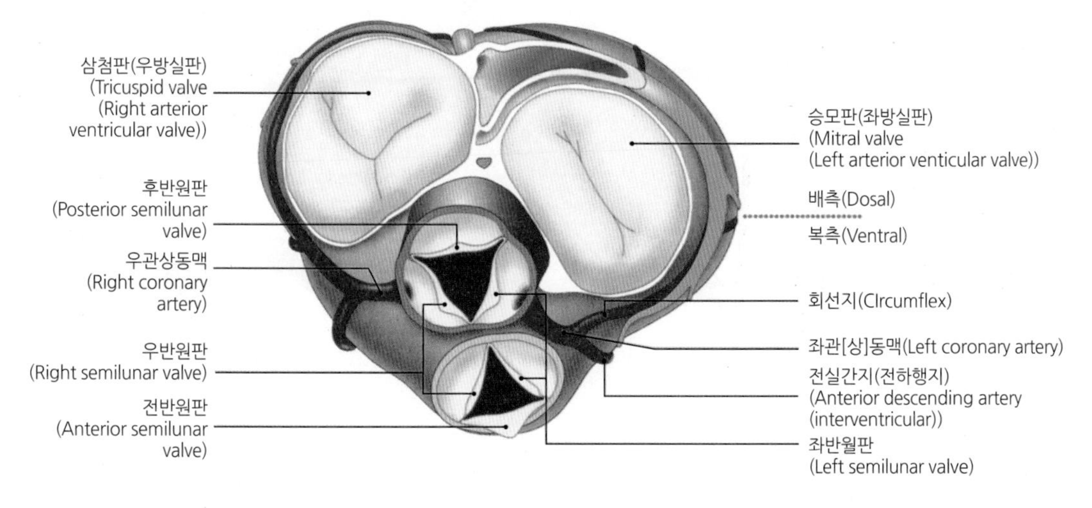

■ 판막의 작용

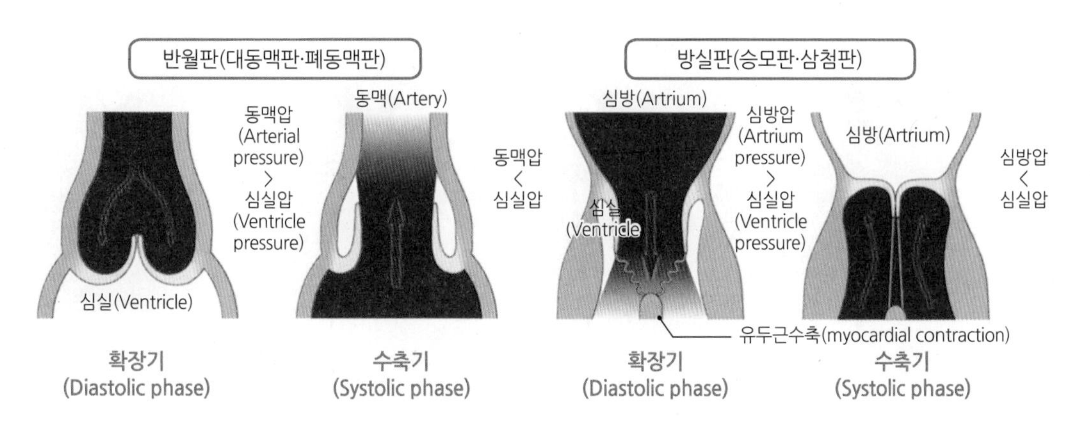

자극전도계

심장은 심근의 수축과 이완에 의해서 항상 움직이고 있다. 그 사령탑의 역할을 담당한 것이 동결절이며, 동결절에서 생긴 흥분(탈분극)은 자극전도계를 통해 심실로 전해진다.

■ 자극전도계와 심장의 활동

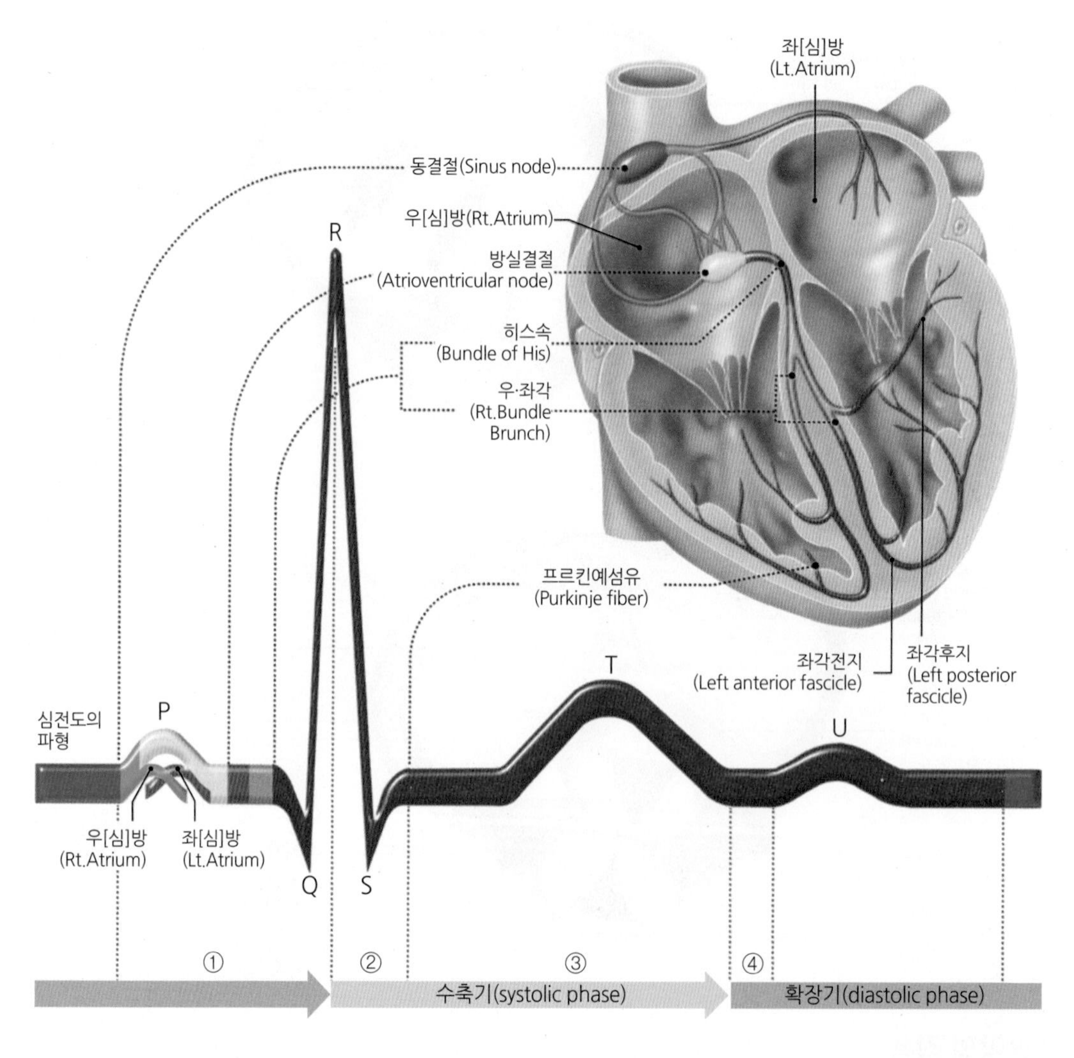

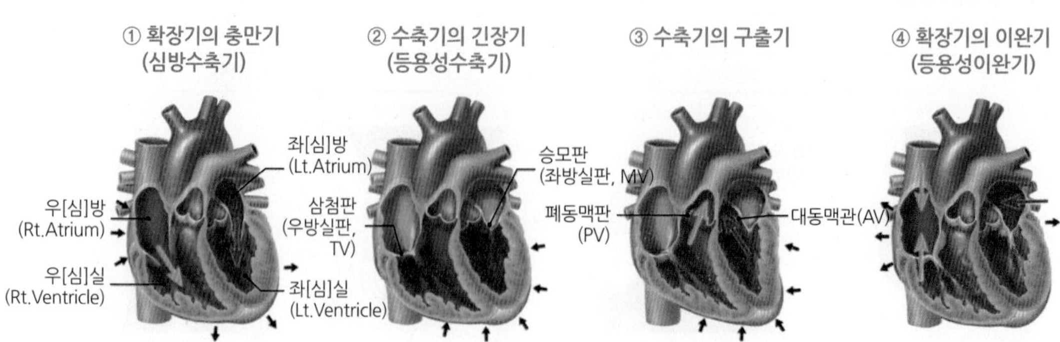

혈액순환

순환기계는 혈액을 운반하는 회로이다. 혈액순환에는 동맥혈을 전신으로 내보내는 체순환과 전신에서의 정맥혈을 폐로 보내는 폐순환이 있다.

■ 체순환과 폐순환(Systemic circulation & Pulmonary circulation)

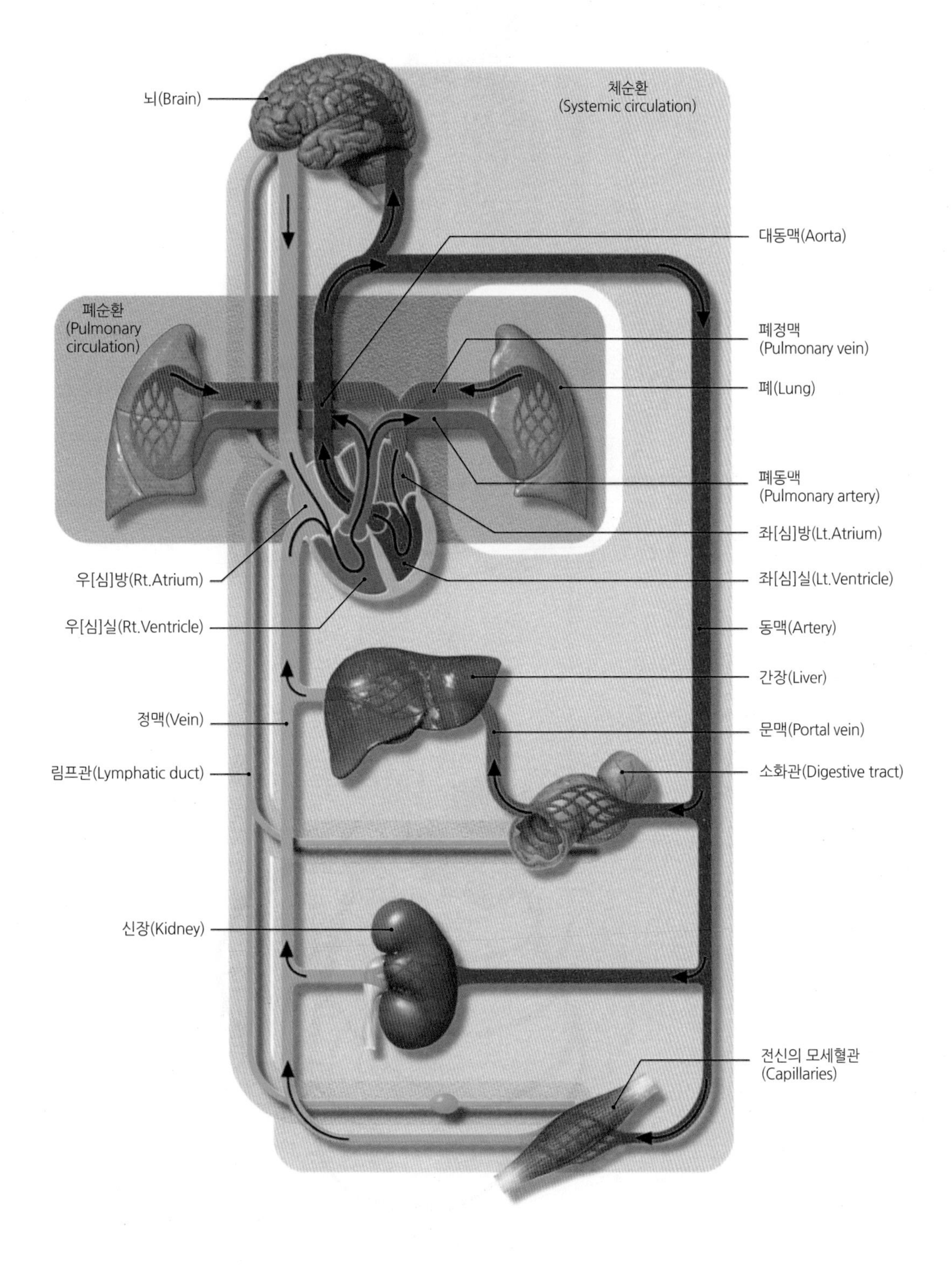

심장의 혈관

심장벽에 분포하는 관[상]동맥은 영양혈관으로서 심근에 영양이나 효소를 보내고 있다. 관상동맥은 대동맥기부에서 좌우로 나뉘며 왼쪽은 다시 회선지와 하행지로 분기한다.

관[상]동맥입체도

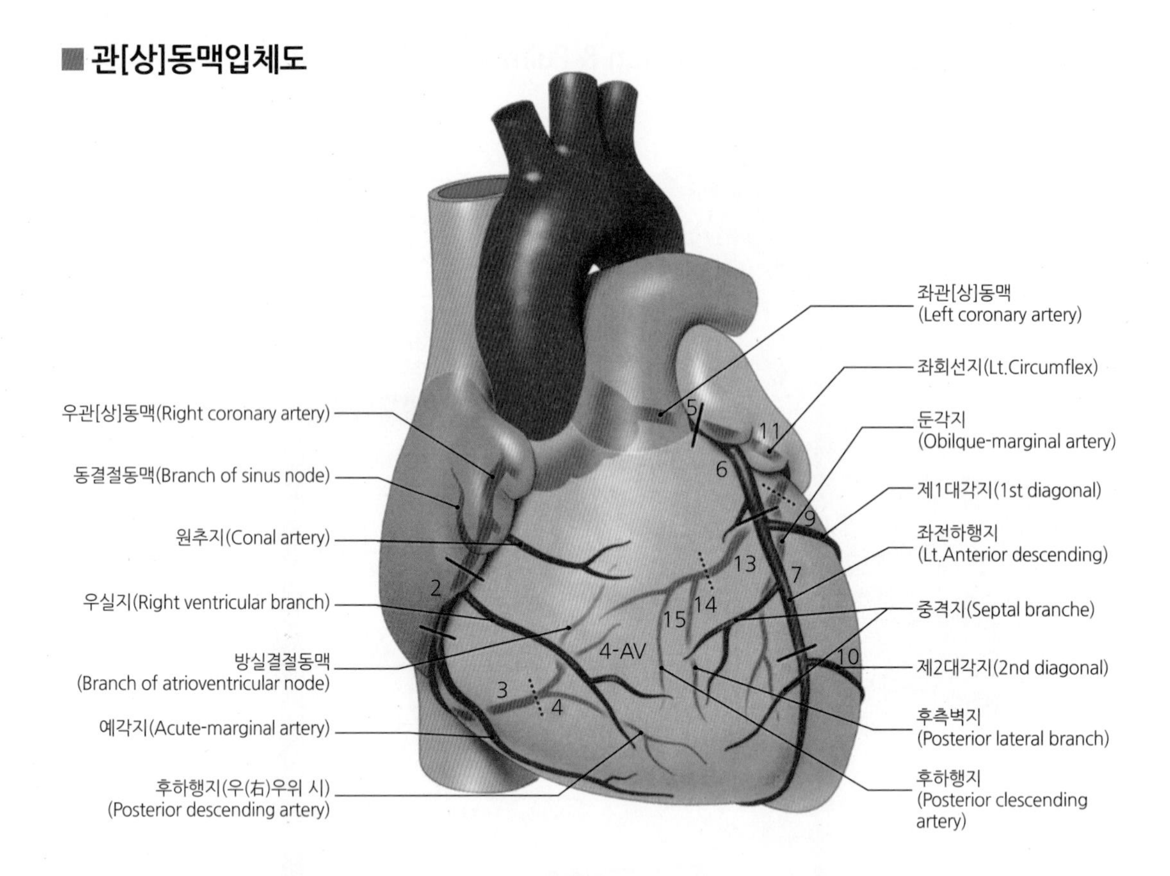

관[상]동맥평면도

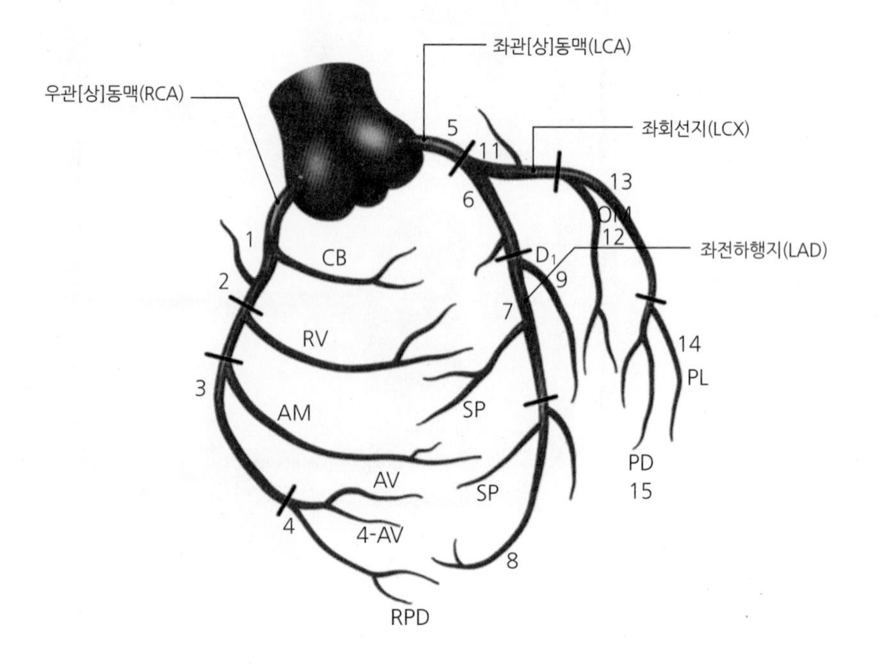

혈관의 구조

혈관벽은 내막, 중막, 외막의 3층으로 되어 있다. 동맥은 단면이 원형이며 중막이 두껍다. 정맥은 단면이 편평이고 중막이 얇으며, 혈액의 역류를 예방하는 판이 있다. 모세혈관은 단층인 내피세포로 이루어졌다.

■ 동맥

■ 정맥

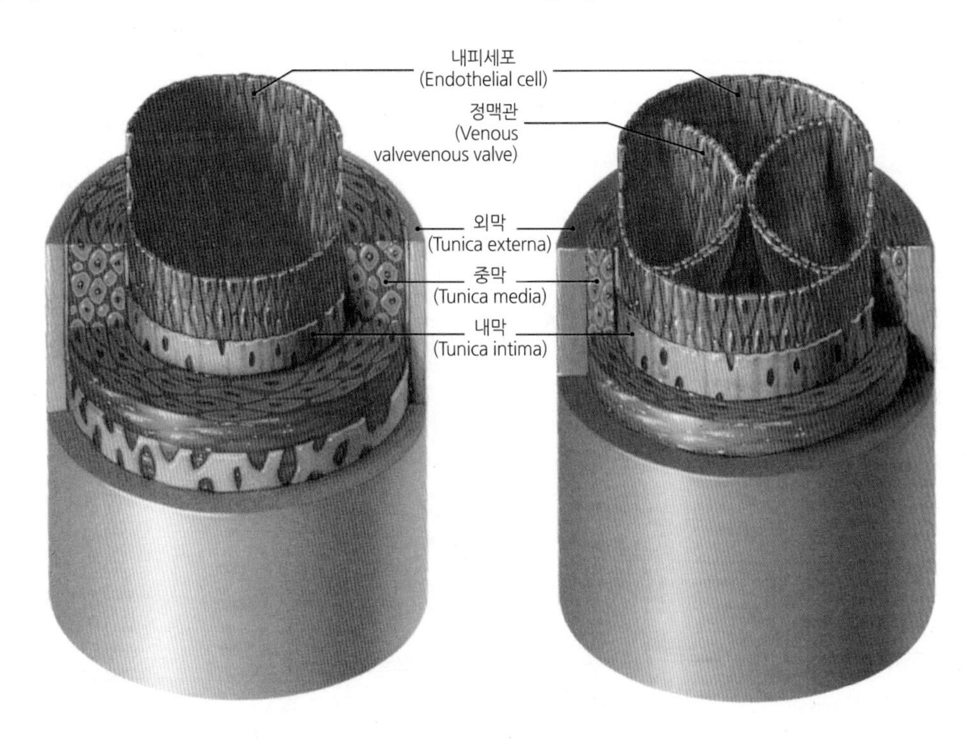

■ 모세혈관

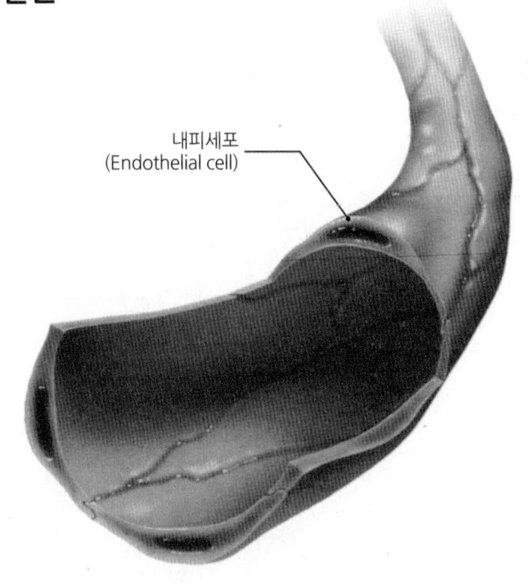

■ 전신의 동맥

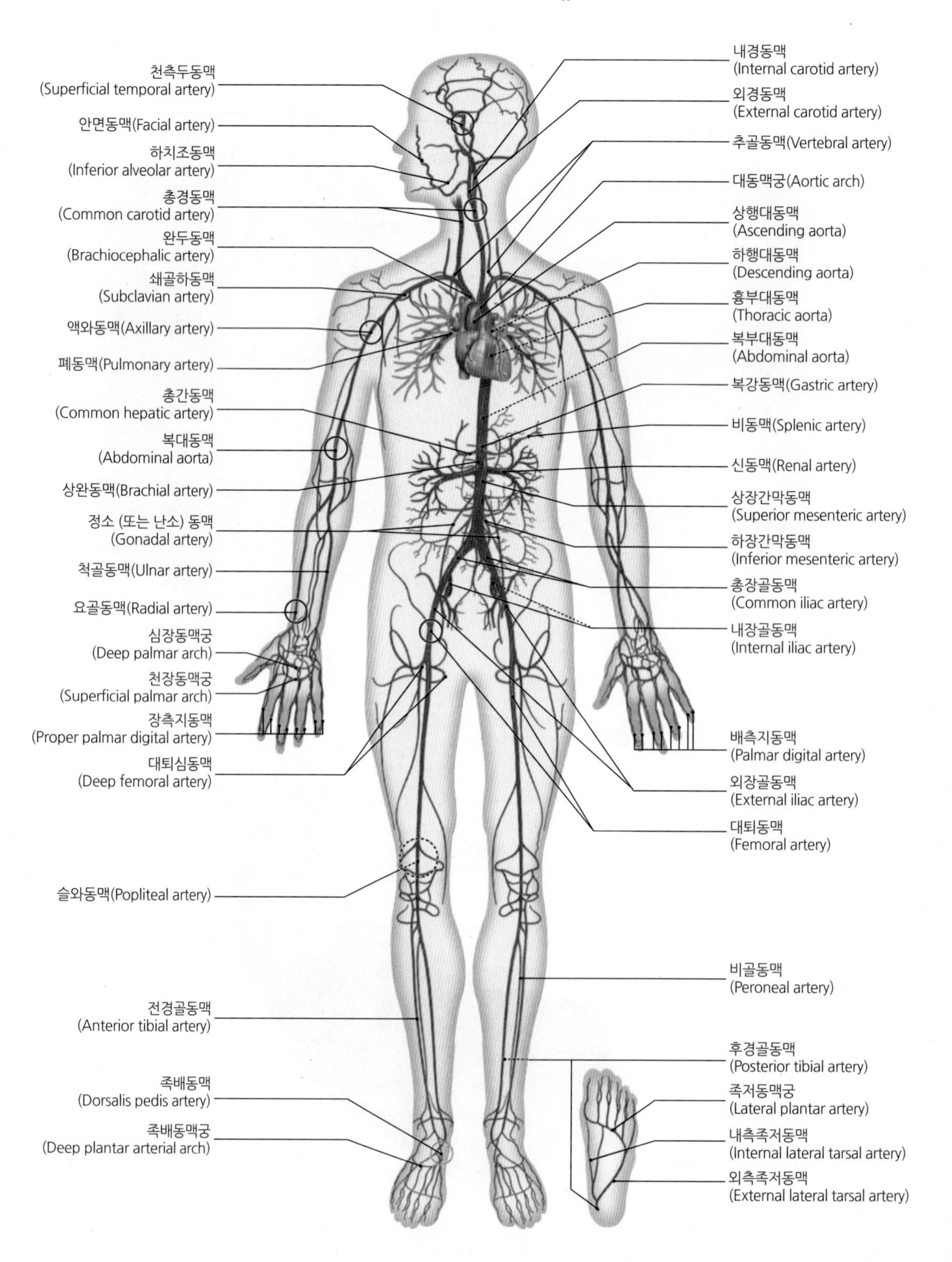

맥박을 촉지하기 쉬운 부위
는 후면
천측두동맥
(Superficial temporal artery)
안면동맥(Facial artery)
하치조동맥
(Inferior alveolar artery)
총경동맥
(Common carotid artery)
완두동맥
(Brachiocephalic artery)
쇄골하동맥
(Subclavian artery)
액와동맥(Axillary artery)
폐동맥(Pulmonary artery)
총간동맥
(Common hepatic artery)
복대동맥
(Abdominal aorta)
상완동맥(Brachial artery)
정소 (또는 난소) 동맥
(Gonadal artery)
척골동맥(Ulnar artery)
요골동맥(Radial artery)
심장동맥궁
(Deep palmar arch)
천장동맥궁
(Superficial palmar arch)
장측지동맥
(Proper palmar digital artery)
대퇴심동맥
(Deep femoral artery)
슬와동맥(Popliteal artery)
전경골동맥
(Anterior tibial artery)
족배동맥
(Dorsalis pedis artery)
족배동맥궁
(Deep plantar arterial arch)
내경동맥
(Internal carotid artery)
외경동맥
(External carotid artery)
추골동맥(Vertebral artery)
대동맥궁(Aortic arch)
상행대동맥
(Ascending aorta)
하행대동맥
(Descending aorta)
흉부대동맥
(Thoracic aorta)
복부대동맥
(Abdominal aorta)
복강동맥(Gastric artery)
비동맥(Splenic artery)
신동맥(Renal artery)
상장간막동맥
(Superior mesenteric artery)
하장간막동맥
(Inferior mesenteric artery)
총장골동맥
(Common iliac artery)
내장골동맥
(Internal iliac artery)
배측지동맥
(Palmar digital artery)
외장골동맥
(External iliac artery)
대퇴동맥
(Femoral artery)
비골동맥
(Peroneal artery)
후경골동맥
(Posterior tibial artery)
족저동맥궁
(Lateral plantar artery)
내측족저동맥
(Internal lateral tarsal artery)
외측족저동맥
(External lateral tarsal artery)

■ 전신의 정맥

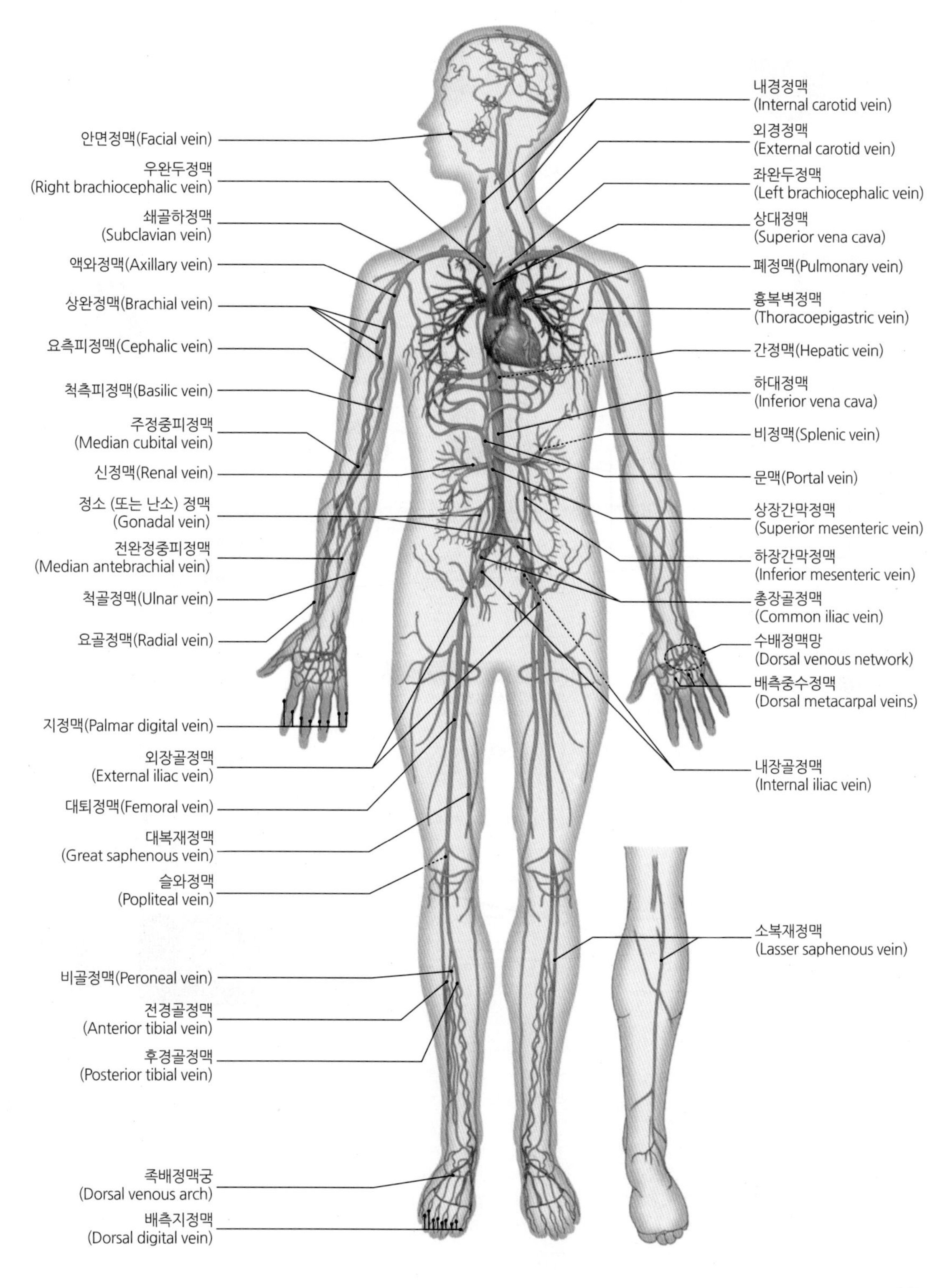

안면정맥(Facial vein)
우완두정맥
(Right brachiocephalic vein)
쇄골하정맥
(Subclavian vein)
액와정맥(Axillary vein)
상완정맥(Brachial vein)
요측피정맥(Cephalic vein)
척측피정맥(Basilic vein)
주정중피정맥
(Median cubital vein)
신정맥(Renal vein)
정소 (또는 난소) 정맥
(Gonadal vein)
전완정중피정맥
(Median antebrachial vein)
척골정맥(Ulnar vein)
요골정맥(Radial vein)
지정맥(Palmar digital vein)
외장골정맥
(External iliac vein)
대퇴정맥(Femoral vein)
대복재정맥
(Great saphenous vein)
슬와정맥
(Popliteal vein)
비골정맥(Peroneal vein)
전경골정맥
(Anterior tibial vein)
후경골정맥
(Posterior tibial vein)
족배정맥궁
(Dorsal venous arch)
배측지정맥
(Dorsal digital vein)
내경정맥
(Internal carotid vein)
외경정맥
(External carotid vein)
좌완두정맥
(Left brachiocephalic vein)
상대정맥
(Superior vena cava)
폐정맥(Pulmonary vein)
흉복벽정맥
(Thoracoepigastric vein)
간정맥(Hepatic vein)
하대정맥
(Inferior vena cava)
비정맥(Splenic vein)
문맥(Portal vein)
상장간막정맥
(Superior mesenteric vein)
하장간막정맥
(Inferior mesenteric vein)
총장골정맥
(Common iliac vein)
수배정맥망
(Dorsal venous network)
배측중수정맥
(Dorsal metacarpal veins)
내장골정맥
(Internal iliac vein)
소복재정맥
(Lasser saphenous vein)

이 책의 특징

간호기술이 「보인다!」 질환을 「안다!」

2대 구성

「간호기술」, 「질환의 지식」

보고 배운다

간호기술

● 자주 시행되는 간호기술의 순서를 사진의 흐름으로 알 수 있도록 구성되어 있습니다.

알아 두어야 할 간호요령이나 행동
리스크 관리상, 주의가 필요한 점을 강조

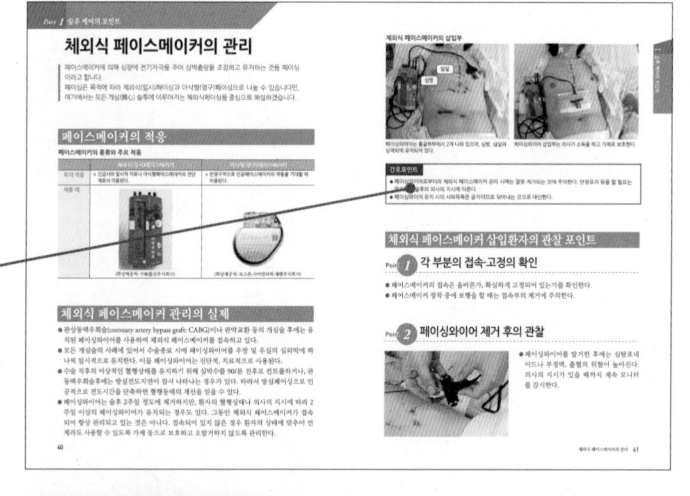

질환의 지식

● 자주 만나는 주요 질환, 드물지만 알아 두어야 할 질환, 주요 수술 방법 등의 기본지식을 영상이나 일러스트로 알기 쉽게 해설하고 있습니다.

개념, 증상, 진단, 치료, 간호를 한눈에 알 수 있다

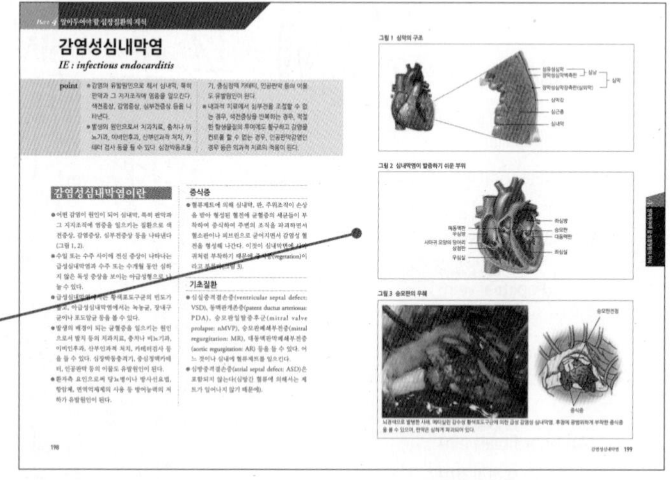

● 본서에서 소개하고 있는 치료·간호방법 등은 각 집필자가 임상의 예를 중심으로 하여 전개하고 있습니다. 실천에 의해 얻어진 방법을 보편화하려고 노력하고 있습니다만, 만일 본서의 기재 내용에 의해 예측하지 못한 사고 등이 일어난 경우, 저자, 출판사는 그 책임을 질 수 없다는 것을 양해해 주시기 바랍니다. 또한 본서에 게재된 사진은 임상의 예 중에서 환자본인·가족의 동의를 얻어 사용하고 있습니다.

● 본서에 기재되어 있는 약제·재료·기기 등의 선택·사용법 등에 대해서는 출판 당시의 가장 새로운 것입니다. 약제 등의 사용에 있어서는 개개의 첨부 문서를 참조하여 적응, 용량 등은 항상 확인해 주세요.

수술 후 케어의 포인트

중심정맥카테터의 관리

카테터의 끝부분을 심장 주위의 굵은 혈관(중심정맥)에 유치하는 것을 중심정맥카테터(central venous catheter: CVC)라고 합니다. 카테터에 주사기나 튜브를 접속하고 수액이나 주사를 합니다. 중증환자의 치료에 있어서 필수불가결한 수기(手技)이며 치료효과는 상당히 높습니다만, 관리할 때는 천자에 동반하여 생기는 합병증과 삽입 중의 감염에 충분히 주의하는 것이 중요합니다.

중심정맥카테터(CVC) 삽입의 목적

CVC삽입의 목적

1. 고칼로리수액(중심정맥영양)	● 경구섭취, 경장영양이 불가능, 영양상태가 불량한 경우에 실시한다.
2. 중심정맥압 (central venous pressure: CVP)측정	● CVP=우심방압=흉강내대정맥압 ● 우심의 펌프작용을 반영한다.
3. 투약루트의 확보	● 혈압상승제나 항부정맥약 등, 급속하게 효과를 기대하는 약제의 투여가 가능

중심정맥

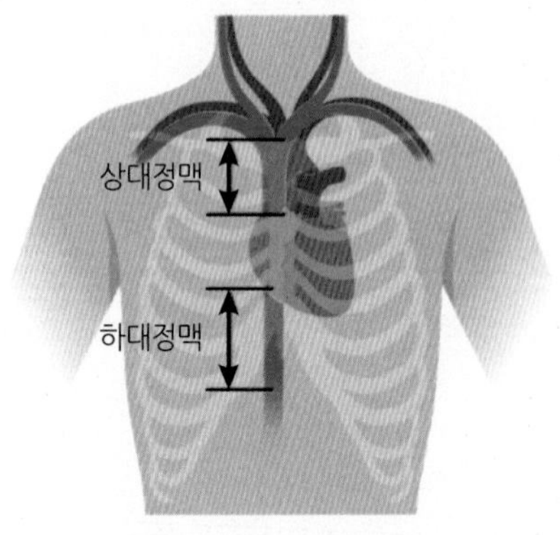

중심정맥이란 우(심)방에서 약 5cm 이내의 상대정맥과 하대정맥을 가리킨다.

CVC의 주요 삽입부위

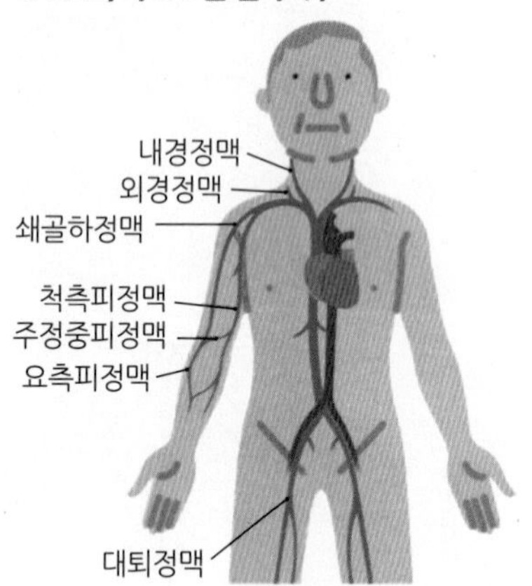

주요 CVC삽입부위의 장점과 단점

부위	장점	단점
① 내경정맥천자	● 천자가 쉽고, 카테터의 삽입거리가 짧아 확실하게 중심정맥에 도달할 수 있다.	● 천자점이 자주 움직이는 경부이기 때문에 고정이 어렵다. ● 눈에 띄기 쉬운 위치이다. ● 천자조작은 의식이 있는 환자에게는 공포이다.
② 우쇄골하천자 (쇄골하정맥)	● 천자점이 움직임이 적은 전흉부이며, 카테터의 고정이 쉽다. ● 착용복 밑에 숨겨져 있어서 눈에 띄지 않는다.	● 기흉의 합병증 발생 가능성이 있다. ● 동맥을 잘못 천자한 경우 지혈이 곤란하다.
③ 대퇴정맥천자	● 천자에 따른 합병증이 가장 적다.	● 대퇴가 움직이므로 고정이 곤란하다. ● 서혜부에 가깝기 때문에 쉽게 오염된다. ● 장기간 삽입한 경우 정맥혈전을 일으킬 가능성이 높다.

교린대학의학부 부속병원 CVC삽입·관리메뉴얼에서

중심정맥영양법·시행시의 관리 포인트[1]

- 중심정맥영양법의 시행 중에는 1, 2시간 마다 주입 속도를 관찰한다.
- 필요 시(인슐린·칼륨제제가 혼합되어 있을 때 등)에는 수액펌프(10항 참조)를 사용한다.
- 환자에게는 혈액이 역류하거나 주입되지 않은 것을 발견하면 바로 연락하도록 설명해 둔다.

대표적인 합병증과 그 대처

합병증	대처
기흉	● 경증인 경우, 경과 관찰 ● 흉강천자, 흉강배액
동맥천자·혈종	● 압박지혈
카테터의 위치 이상	● 올바른 위치로 삽입길이를 조절한다.
천자부위의 조영	● 카테터 제거, 카테터 끝부분의 배양제출, 혈액배양

Point 1 혈액이 수액루트로 역류하지는 않는가

- CVC삽입부에서 혈액이 수액루트로 역류하고 있지 않은지를 확인한다.
- 수액루트에 혈액이 역류하고 있는 경우, 혈액이 응고하고 혈전이 형성된다. 혈전이 혈류를 타고 폐색전증이나 심근경색, 뇌경색을 일으킬 우려가 있다.

Point 2 수액은 처방된 수액량이 처방된 시간 내에 투여되고 있는가

- 처방된 점적속도로 주입이 유지되고 있는가를 확인한다.
- 수액펌프의 유량·주입량, 수액백의 잔량을 확인한다.

Point 3 투여경로에 문제는 없는가

- 투여되고 있는 경로를 손으로 만져서 확인한다.
- 여러 개의 경로가 있는 경우에는 루트에 테이프를 붙여 약제명을 명기한다.

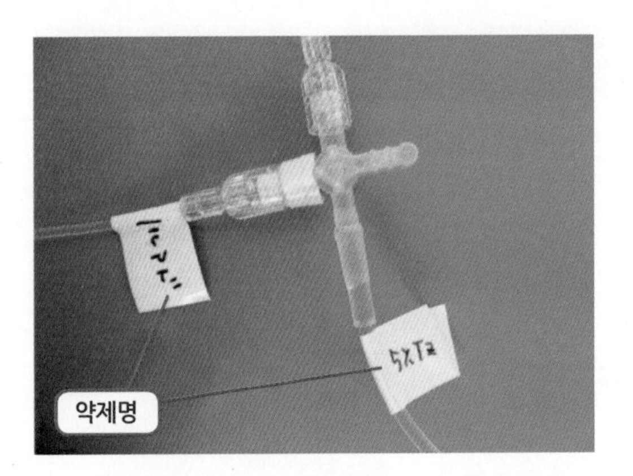

Check 투여경로

- 수액루트의 접속불량·굴곡
- 삽입부의 봉합사의 상태
- 삽입의 길이
- 고정상황
- 감염징후(출혈, 발적, 부종, 삼출액, 열감, 동통)

Point 4 감염대책은 가능한가

- 조제, 측관의 접속, 삽입부에서의 감염이 많다.
- 수액루트의 교환은 72시간보다 자주하지 않도록 한다. 다만, 혈액제제·지방유제 투여에는 주입개시로부터 24시간 이내에 루트를 교환한다.
- 삽입부는 필름드레싱재인 경우는 7일을 기준으로, 거즈인 경우는 매일 소독하고 교환한다.

요령!

루트의 고정(내경정맥인 경우)

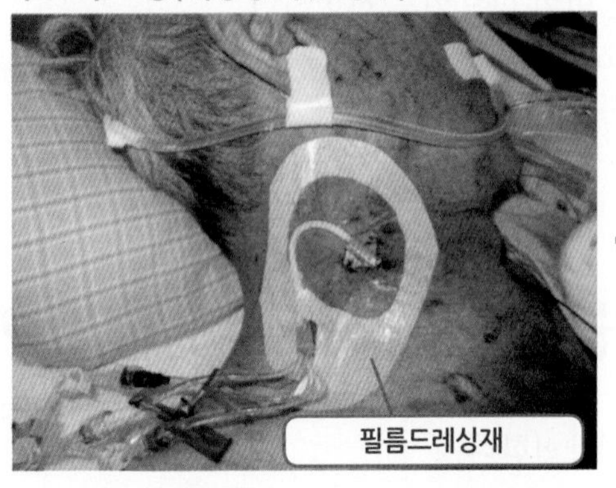

→

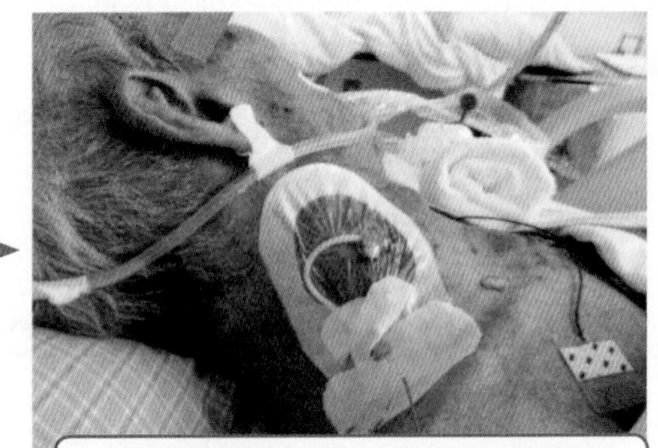

Y커트테이프 후방에 다른 테이프로 한 번 더 고정한다(두 군데 고정으로 인해 고정력이 강화된다).

- 삽입부위, 봉합부위에서 지속적으로 출혈하는 경우는 가제로 고정한다.
- 출혈이 없는 경우는 플름드레싱재를 사용하여 고정한다.
- 고정할 때는 잡아당겨서 잘못 제거되지 않도록 루트로 루프를 만든다.

Point 5 고열이 계속되지는 않는가

- CVC가 대혈관에 지속적으로 삽입되어 있기 때문에 감염되면 전신으로의 혈류감염으로 이어진다. 이것을 방치하면 패혈증을 일으킨다.
- 오한을 동반한 발열이 있는 경우, 고열이 지속되는 경우는 카테터관련 혈류감염(소위 카테터열)을 의심한다.
- 카테터관련 혈류감염의 가능성이 있는 경우는 의사에게 보고하고 조기에 카테터를 제거한다.

혈당치의 변동은 없는가

- 고칼로리수액 개시 후에는 의사의 지시에 의해 혈당이나 요당의 추이를 보면서 관리한다.
- 성인의 포도당의 내인성은 0.5g/kg/시로 되어 있다. 또 혈당치가 170~180mg/dL(요당배설역치)을 넘으면 요당이 양성으로 된다.
- 중심정맥영양법에서 고장당질액을 지속적으로 주입하면 고혈당을 초래하는 경우가 있다. 또 고칼로리수액을 중단했을 때는 저혈당으로 인한 발작이 일어날 수 있다.

전해질의 큰 불균형은 없는가

- 전해질의 균형이 무너지면 구역질이나 구토, 지각이상, 혹은 드물게 경련 부정맥을 초래하는 일이 있다.
- 미량원소인 Zn(아연)이 부족하면 피부염, 탈모, 설사, 미각이상 등을 일으키는 경우가 있다.
- 종합비타민제제가 장기적으로 투여되지 않으면 뇌증을 일으키는 경우가 있다.
- 포도당의 대량 투여에 의해 P(인)이 세포내로 이동하여 저인혈증을 일으킬 가능성이 있다. 마찬가지로 K(칼륨)도 변동하기 쉽다.
- 소화흡수장해가 있는 환자는 Mg(마그네슘)이나 Ca(칼슘)의 결핍을 흔히 볼 수 있다.
- 채혈에 의한 전해질의 검사가 정기적으로 이루어져야 한다.

중심정맥압(CVP)의 측정

- 중심정맥압(central venous pressure: CVP)이란 말초정맥(내경정맥, 쇄골하정맥등)에서 중심정맥으로 삽입된 카테터에 의해 측정되는 압력을 가리킨다.
- 우심장기능의 파악, 울혈성심부전의 진단을 위해 측정된다.

Check CVP 측정의 목적

- 순환혈류량과 심기능의 지표가 된다.
  - 우심장기능의 파악
  - 쇼크시의 환자의 상태나 치료에 대한 반응 파악
  - 울혈성심부전의 상태 파악

필요한 물품

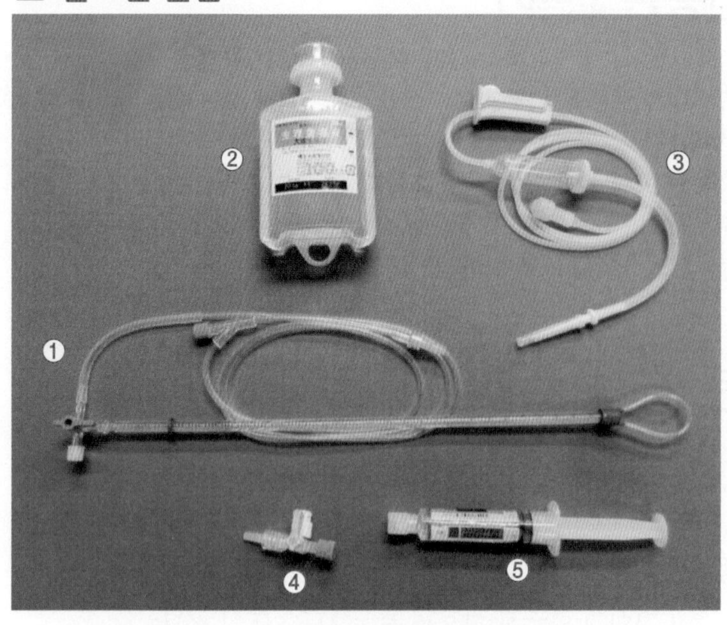

① 마노미터부착 CVP세트
② 생리식염액
③ 수액세트
④ 3-way
⑤ 헤파린희석용액(헤파린 100 단위/mL 주사기 10mL)

순서 1 환자의 상태를 준비한다

- 환자에게 검사내용을 설명하고 협력을 구한다.
- 몸을 움직이거나 힘이 드는 경우, 간호 제공 직후 등은 측정치가 달라지기 때문에 시간을 두고 안정시에 측정한다.

순서 2 수액세트를 연결한다

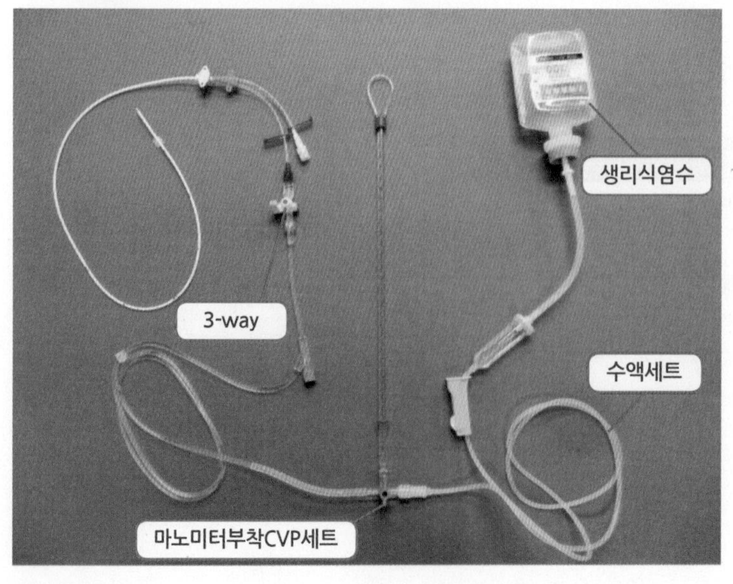

제로지점을 설정한다

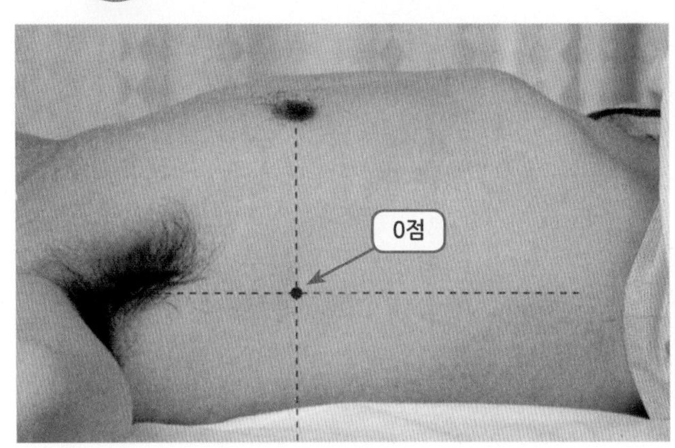

- 일정한 기선을 확보하기 위해 0점을 설정한다(제4늑간과 중액와선이 만나는 점).

이럴때 어떻게 하지?

수평앙와위가 곤란한 경우

- 침대높이를 30도 올리기까지는 CVP측정에 영향을 주지 않는다고 한다.
- 중증심부전 등으로 수평앙와위가 곤란한 경우에는 측정시마다 매번 침대상승각도나 체위를 통일하여 측정한다.

마노미터를 연결한다

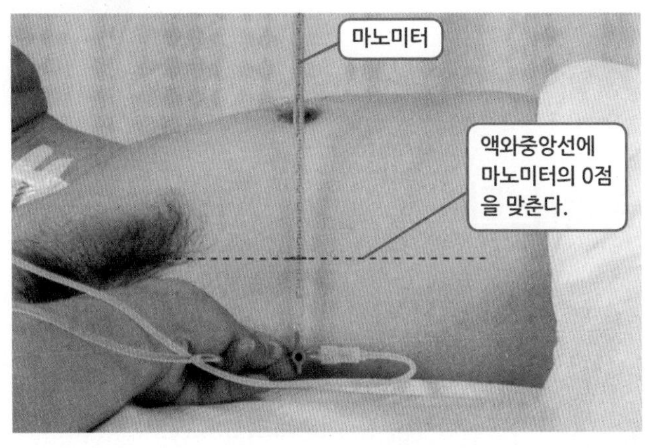

순서 5 3-way를 잠근다

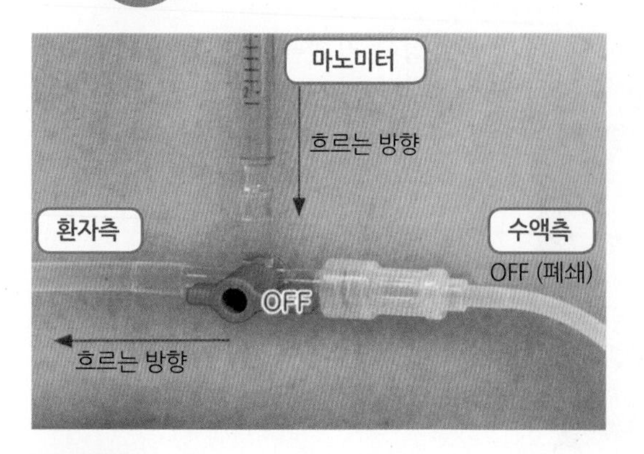

- 마노미터, 수액세트 안이 생리식염액으로 채워져 있는 것을 확인하고, 3-way을 체내와 연결하는 방향으로 돌려서 잠근다.
- 예측되는 측정치보다 10~20cmH_2O 위까지 천천히 수액을 유입시킨다.
- CVP루트를 연결하는 3-way는 환자에게 가장 가까운 3-way로 한다.

주의!

- 3-way에 연결하는 경우 중요약제(혈압상승제나 항부정맥제 등)의 측면에 연결된 주입구에는 연결하지 않도록 주의한다.
- 만일, 측정 시에 약물을 플러시해버리면 순환변동을 초래할 위험이 있다. 따라서 원칙적으로 CVP주입관은 단독으로 사용한다.

순서 6 호흡성이동을 확인한다

- 환자에게 2,3회 심호흡을 하게 해서 CVP측정관의 수액의 호흡성이동을 확인한다.
- 카테터 끝부분이 중심정맥(흉강내)에 삽입되어 있으면 수면의 호흡성이동이 있다.

호흡성이동이 보이지 않는 경우

- 호흡성이동이 없는 경우에는 삽입의 길이, 고정상황 등을 확인하고, 필요하면 X선으로 확인을 한다.

순서 7 마노미터의 수치를 읽는다

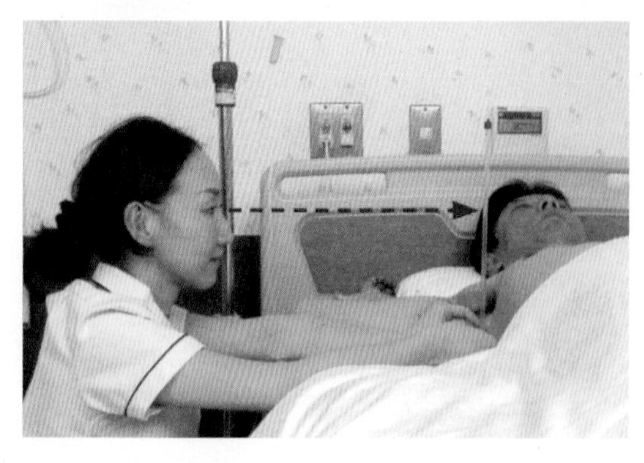

- 수액면의 하강이 멈추고 일정한 높이에서 안정되면 호흡성이동의 중간점의 눈금을 읽는다.

요령!

눈금 읽는 법

- 수면의 눈금을 읽는 경우에는 같은 눈높이에서 읽는다. 눈금을 밑에서 올려다보면 높아지고, 위에서 내려다보면 낮은 수치가 된다.
- 측정에 시간이 너무 걸리면 혈액의 역류로 카테터가 폐색되기 때문에 재빠르게 확인한다.

순서 8 측정 후 3-way를 원래의 방향으로 되돌린다

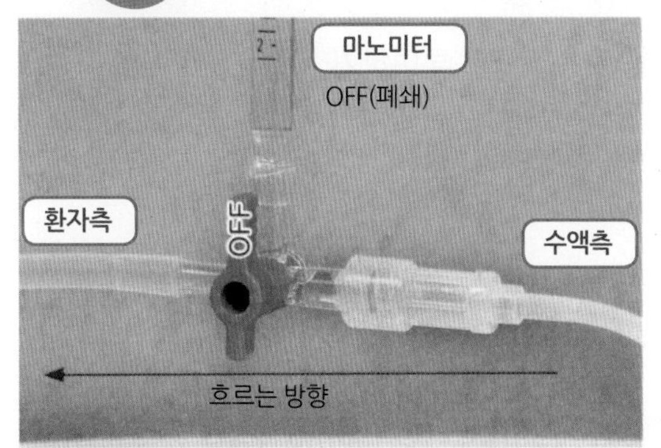

- 측정 후에는 3-way를 원래의 방향으로 되돌려 놓고 수액으로 플러시한다.

주의!

- 수액주입세트의 측면의 주입관을 이용하여 CVP측정을 한 경우에는, 측정 후에 수액이 들어가도록 잊지 말고 한다.

Check CVP측정치

- 기준치: 5 ~ 10cmH_2O

중심정맥압(CVP)	원인	대책
5cmH_2O 이하인 경우	● 순환혈류량부족 ● 쇼크, 탈수 등	● 수혈 또는 수액 강심제, 혈압상승제 등
10cmH_2O 이상인 경우	● 순환혈류량 과다 ● 수액과다·수혈, 심부전	● 이뇨제, 강심제 등

※인공호흡기 장착 중에는 양압환기에 의해 정맥환류한다. 호기종말양압(PEEP)을 설정하고 있는 경우는 그 만큼 항상 흉강 내가 양압으로 유지되기 때문에, CVP는 본래보다 높은 수치로써 측정되는 경향이 있다.

(西峯亞希子)

문헌

1. 南保幸代, 吉中麻美子:중심정맥영양법, 결정판비주얼 임상간호기술 가이드, 坂本스가, 山元友子, 井手尾千代美 감수, 照林社, 도쿄, 2011:90.
2. 佐藤晃子:혈압모니터 (동맥압·중심정맥압·폐동맥압). 실천순환기케어 매뉴얼, 하트널싱 편집실편, 하트널싱 2008 ;283 (2008년 추계증간):175.
3. 江口秀子:혈관확보. 엑스퍼트널스 MOOK개정판최신·기본수기 매뉴얼, 高橋章子 책임편집, 照林社, 도쿄, 2005: 98.

수액펌프, 주사기펌프의 관리

수액펌프, 주사기펌프는 일정한 속도에서 약제를 지속적으로 투여하기 위한 기기이며, 지시받은 수액속도로 수액을 확실하게 관리하고 싶은 경우에 이용합니다.
주사기펌프는 수액펌프보다 더욱 기밀하게 미량의 약제를 투여할 때나, 고농도의 약제를 투여할 때 이용합니다.

수액펌프, 주사기펌프의 특징과 적응

- 일정시간에 약제를 정확하게 투여할 때, 소량투여(10mL/시 이하)가 필요할 때 사용한다. 특히 순환기질환에서는 소량의 투여로 순환상태에 작용하는 약제를 많이 사용하기 때문에 수액펌프·주사기펌프를 사용할 기회가 많다.
- 수액펌프는 1mL/hr, 주사기펌프는 0.1mL/hr 단위로 투여하는 것이 가능하다. 시간투여량이 3mL/시 이하인 경우는 주사기펌프를 사용한다.

	수액펌프	주사기펌프
특징	● 약제나 수액을 설정한 속도로 주입한다. 보통의 점적에서는 주입속도가 정확하지 않기 때문에, 정확하게 주입하고 싶은 경우에 사용한다. ● 1mL/hr부터 조절할 수 있지만, 미량인 경우는 주사기펌프 쪽이 정확하게 투여할 수 있다. ● 수액세트라는 펌프튜브를 사용한다. ● 수액펌프에는 유량제어형과 주입속도(滴數)제어형이 있다. · 유량제어형: 펌프튜브와 펌프의 회전에 의해 제어한다. · 주입속도제어형: 방울수(점적수)를 카운트하여 제어한다.	● 수액펌프보다 소량으로, 보다 정확한 주입을 필요로 할 때 사용한다. ● 0.1mL/hr부터 조절할 수 있다.
적응	● 제 시간에 오차 없이 문제 없이 정확하게 수액을 넣고 싶은 경우 ● 시간 안에 정확하게 주입량을 조사하고 싶은 경우 ● 측관으로 수액펌프를 사용하고 있는 약이 있는 경우	● 미량으로 정확하게 넣어야만 하는 약의 경우 ● 순환작동약이나 이뇨제, 항응고제를 원액이나 고농도·미량으로 투여하는 경우
병동에서 주로 사용하는 것	● 순환작동약, 항응고약, 급속 주입했을 때 생명에 관계되는 것(인슐린, 고칼로리수액 등), 마약	● 순환작동제, 이뇨제, 항응고제

수액펌프 사용 시의 주의점

수액펌프의 구조

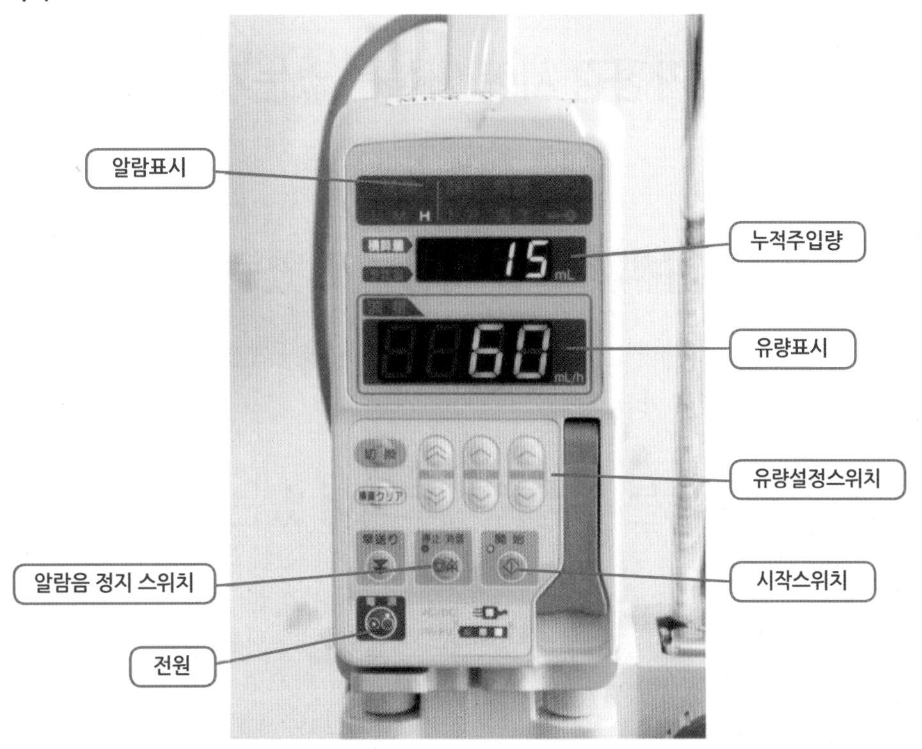

Point 1 스탠드는 발이 5개 이상인 것을 사용하고 있는가

- 넘어짐 방지를 위해 가능한 한 안정감이 있는 스탠드를 사용한다.

Point 2 수액펌프는 적당한 높이에 설치되어 있는가

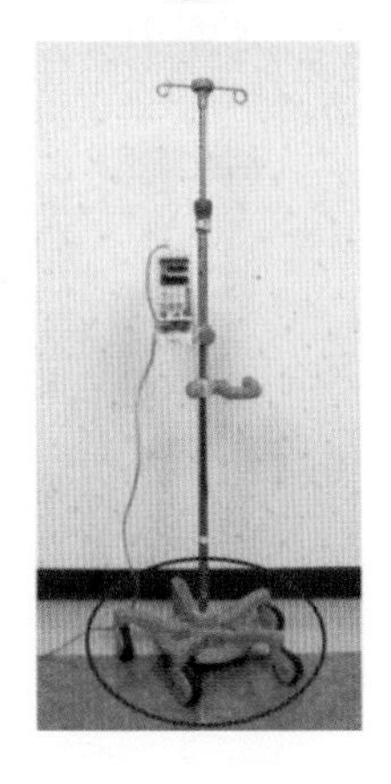

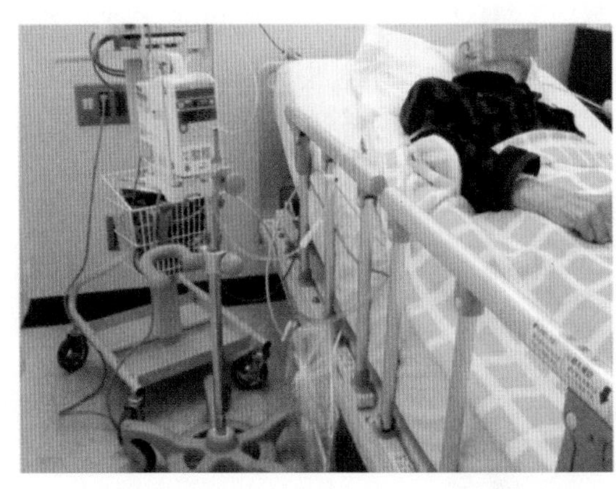

- 넘어짐 방지를 위해 펌프는 될 수 있는 한 낮은 위치(침대와 비슷한 높이)에 설치한다.
- 수액펌프를 장착한 채 보행하는 경우는 환자의 허리 정도의 높이로 조절한다.

Point 3 펌프의 외부몸체에 파손은 없는가

Point 4 기계 자가점검 시에 이상은 없는가

- 전원이나 설정버튼 등이 제대로 작동하는가, 확인한다.

Point 5 지정된 수액세트를 사용하고 있는가

- 지정된 것 이외의 수액세트는 튜브구경(徑)이 다르기 때문에 유량이 맞지 않는다. 알람 기능도 올바르게 작동하지 않는다.

Point 6 수액세트는 똑바로 세트되어 있는가

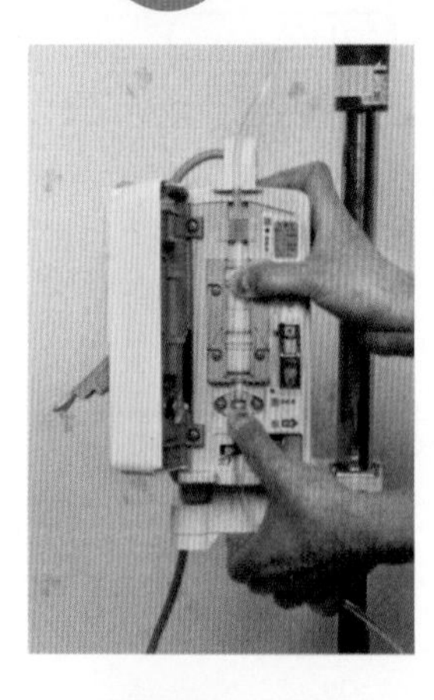

- 튜브가 구부러져 있거나 도어에 눌려 있으면 수액을 잘 보낼 수 없으며, 반대방향으로 대량 흐를 위험이 있다.
- 느슨해 있거나 너무 당겨져 있으면 유량오차의 원인이 되어 올바른 양이 투여되지 못하므로 주의한다.
- 펌프에 삽입된 튜브는 마모하기 때문에 하루 1회는 튜브의 위치를 변경한다.

Point 7 클램프는 수액펌프 밑에 있는가

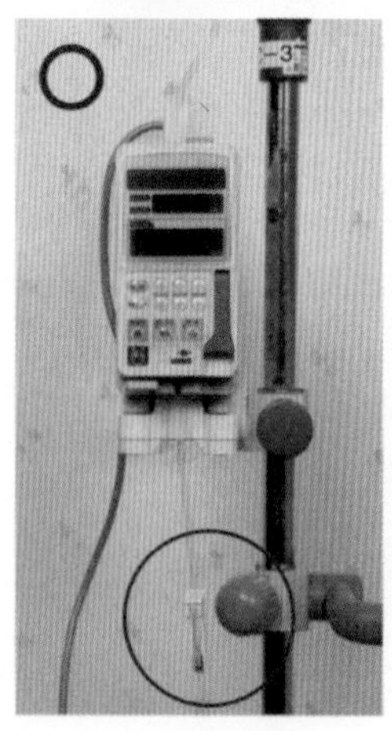

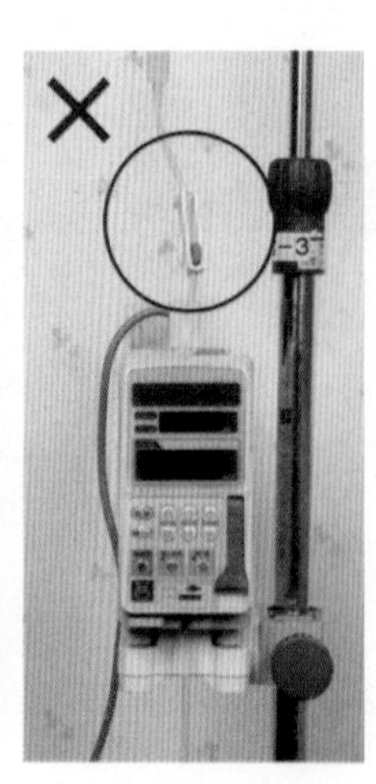

- 수액펌프 밑에 클램프가 있으면 폐색이나 공기 알람의 대응을 쉽게 할 수 있다.
- 수액펌프보다 위쪽에서는 폐색 감지를 할 수 없는 기종이 있다.

Point 8 유량설정은 올바르게 되어 있는가

● 수액주입 예정량과 실제로 들어가는 양의 차이에 주의한다.

주의!

● 점적교환 시에는 반드시 누적주입량을 클리어로 한다.

Point 9 수액이 정상적으로 떨어지고 있는가

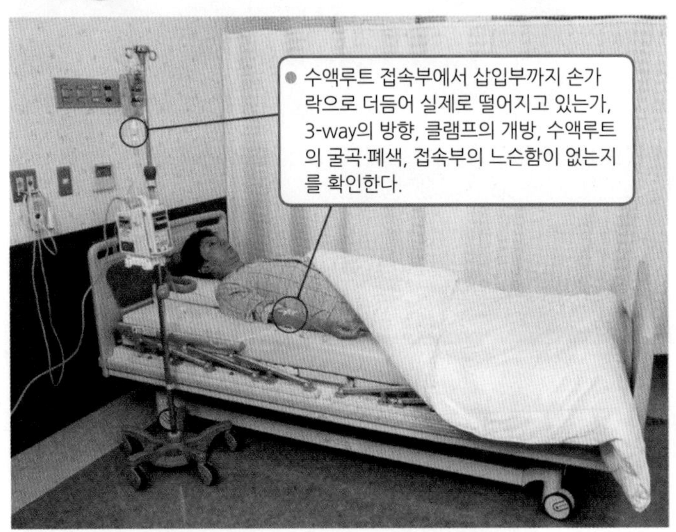

● 정기적으로 수액방울이 떨어지는 상태를 확인한다.

Check 수액주입 상태

● 유량이 맞는가
● 누적주입량과 수액의 감소 상태가 맞는가
● 폐색이나 누출이 없는가
● 루트에 파손이나 누출은 없는가

Point 10 정지 시에는 우선 클램프를 닫는다

● 주입되는 수액이 개방되어 급속히 투여되는 것을 방지하기 위해 정지 시에는 반드시 클램프를 닫고 나서 조작한다. 알람을 확인하기 위해 조작할 때도 마찬가지이다.

이럴 때 어떻게 하지?

「폐색알람」의 대응

● 클램프나 3-way, 수액세트 튜브가 구부러지지 않았는지를 확인한다. 또 기계에 들어가 있는 수액세트의 튜브 위치를 바꾼다.
● 그렇게 해도 알람이 울릴 때에는 말초혈관의 폐색을 의심한다.

주사기펌프의 사용 시의 주의점

주사기펌프의 구조

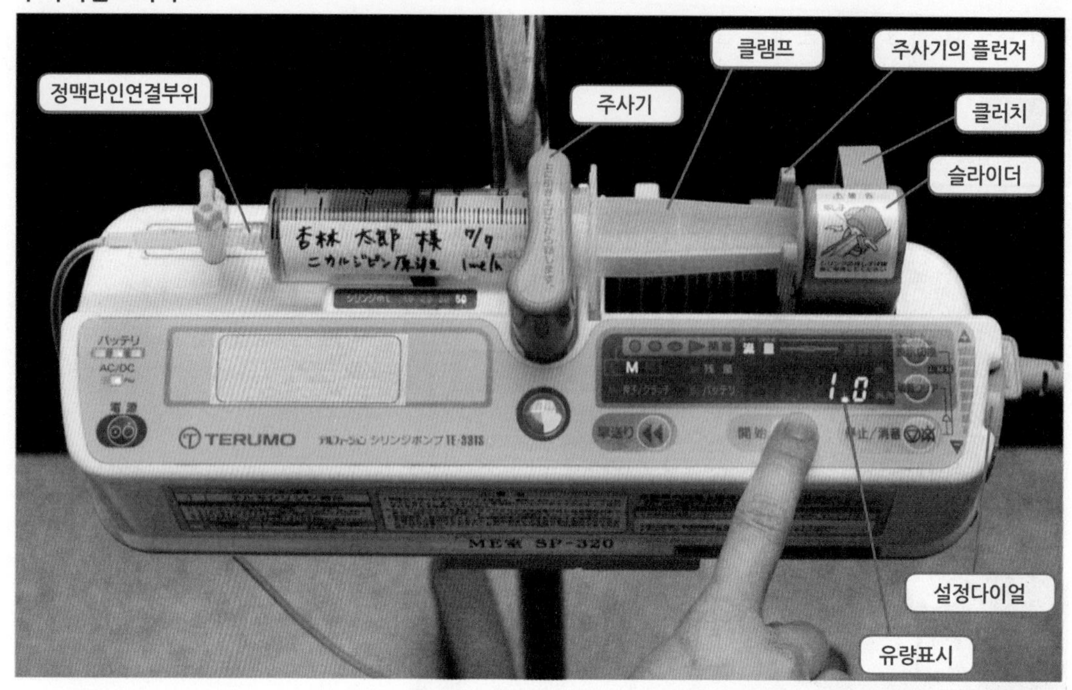

Point 1 스탠드는 발이 5개 이상인 것을 사용하고 있는가

- 넘어짐을 방지하기 위해 안정감 있는 스탠드를 사용한다.

Point 2 주사기펌프는 적당한 높이에 설치되어 있는가

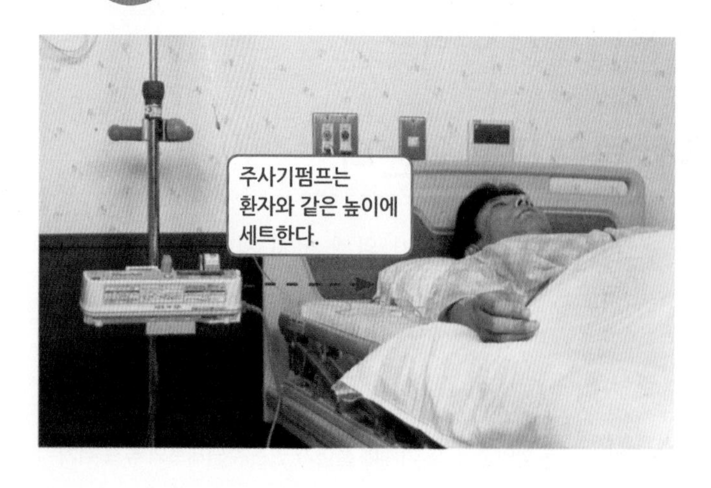

- 급속주입을 예방하기 위해 주사기펌프는 침대 위에 누웠을 때의 환자의 높이에 맞추어 설치한다.
- 급속주입 현상이란 주사기의 고정 불량으로 일어나는 약제의 대량주입 현상이다. 주사기펌프가 환자보다 높은 위치에 있으면 높낮이의 차이에 의해 음압이 걸리며, 주입액이 단시간에 투여되기 때문에 주의가 필요하다.

Point 3 지정된 수액세트를 사용하고 있는가

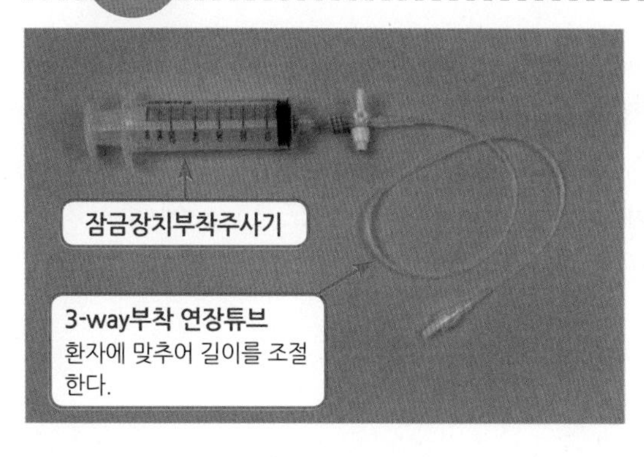

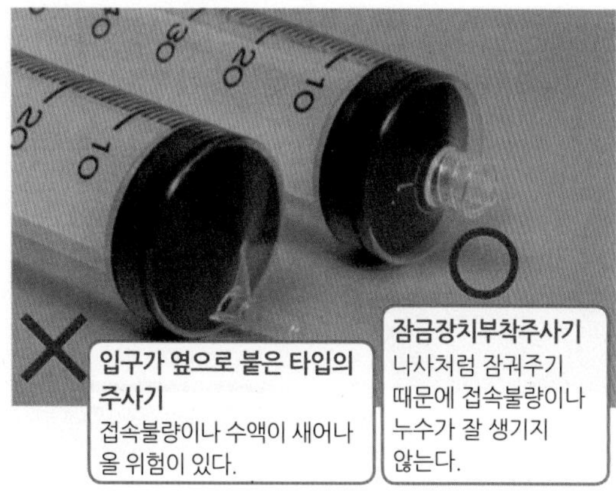

- 주사기, 수액루트 등은 탈락, 느슨함을 방지하기 위해 모두 잠금장치(나사식)가 있는 것을 이용한다.
- 지정 이외의 주사기는 유량오차, 센서에러의 원인이 된다.

Point 4 기계 자가점검 시에 이상은 없는가

- 주사기를 세트하기 전에 기계 자가점검(전원이 들어오는지, 표시부가 모두 점멸하는지 등)을 한다.

Point 5 주사기는 바르게 세트되어 있는가

- 주사기는 눈금이 보이도록 장착한다.
- 슬릿에 플랜지가 똑바로 들어가 있는지 확인한다.

Point 6 유량설정은 바르게 되어 있는가

- 유량설정은 소수점이 있기 때문에 자릿수 차이에 주의한다.

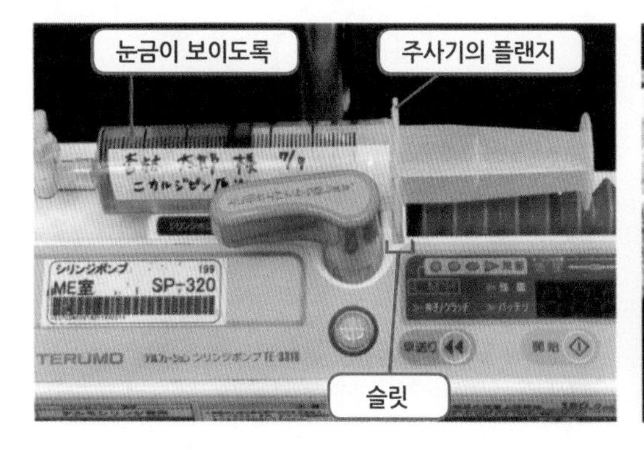

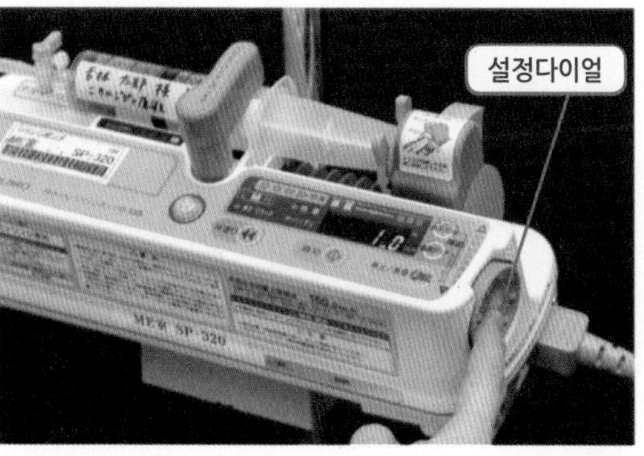

Point 7 지정된 수액세트를 사용하고 있는가

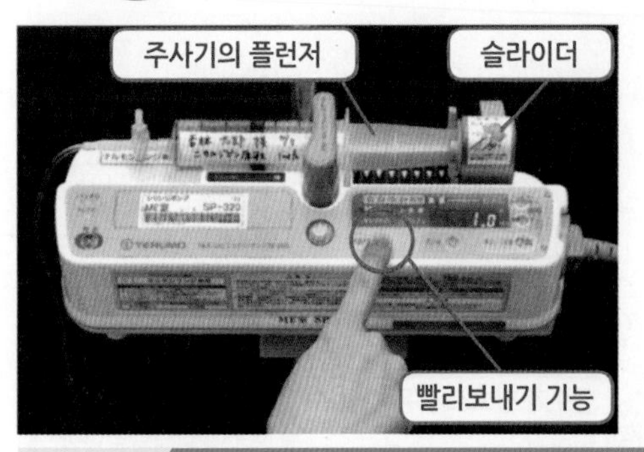

- 개시 전에 프라이밍하여 슬릿과 플랜지, 플런저와 슬라이더의 틈을 없앤다.
- 틈이 있으면 그만큼 주입액이 투여되지 않기 때문에 점적을 교환할 때도 3-way에 주사기를 대고 프라이밍한다.

Check 프라이밍

- 투여를 개시하기 전에 주사기가 슬릿과 슬라이더에 밀착되도록 빨리보내기를 한다.
- 밀착해 있지 않으면 최초의 몇 분 동안 주입액이 공급되지 않는 경우가 있다.
- 특히 혈압상승제나 혈압강하제 등은 순환변동을 초래하기 쉽기 때문에, 반드시 프라이밍을 한다.
- 주입액교환 시의 프라이밍도 주사기를 이용해서 한다.

Point 8 올바른 양으로 투여되고 있는가

- 투여 중에는 투여량과 실제의 투여량이 맞는지 주사기에 라인을 그리고 확인한다.

이럴 때 어떻게 하지?

「고압알람」의 대처

- 고압알람 시에는 수액튜브가 주입액으로 팽창되어 있기 때문에, 순환에 영향을 주는 약을 사용하는 경우에는 폐색을 해제하기 전에 감압할 필요가 있다.
- 고압알람은 함부로 해제하면 지금까지 폐색하여 투여되지 않았던 만큼의 약액이 급속하게 투여되고 만다. 반드시 압력을 낮춘 후에 다시 시작한다.

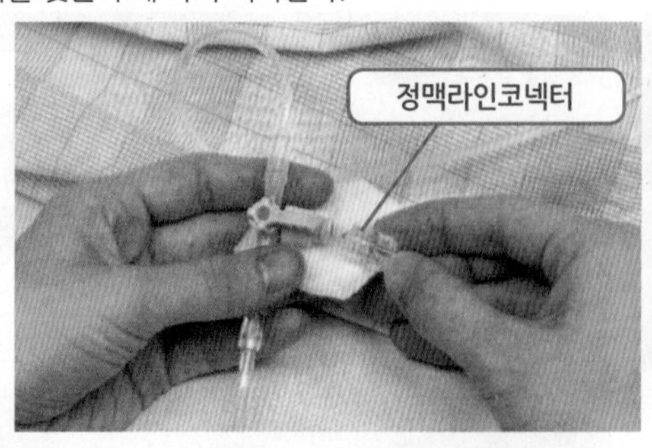

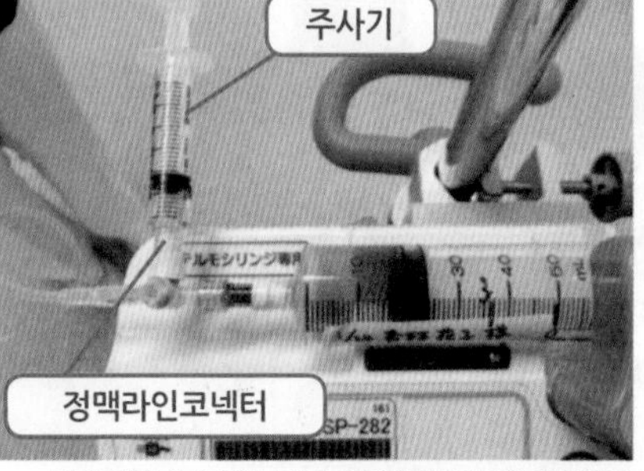

정맥라인코넥터주사기를 이용하여 압력을 해제한다.

수액에러의 방지대책

약제표시·루트 정리를 한다

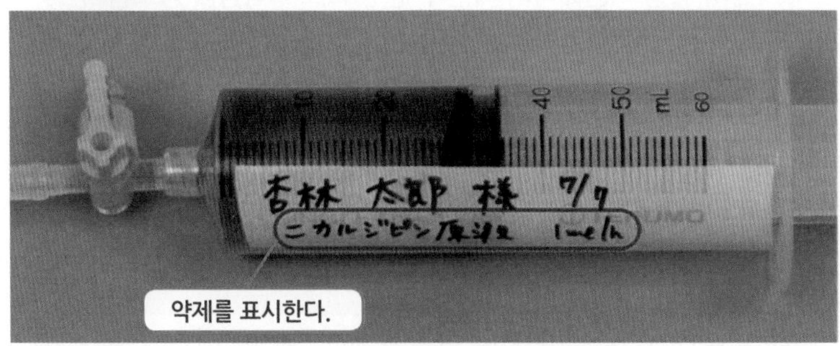
약제를 표시한다.

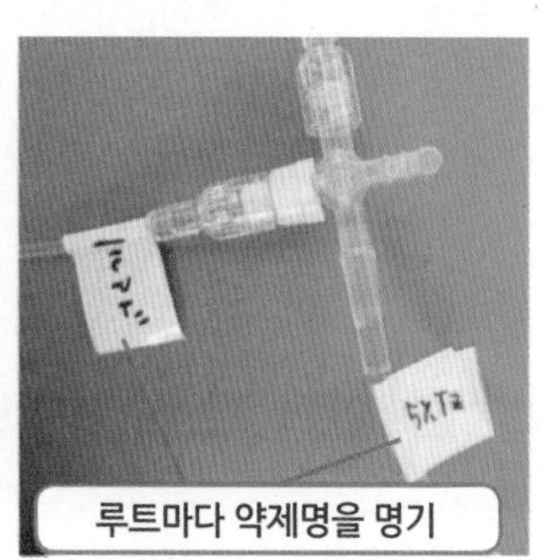
루트마다 약제명을 명기

- 한 명의 환자에게 여러 대를 사용하는 경우, 실수를 방지하기 위해 약제표시·루트의 정리를 한다.

Point 2 기계에만 의존하지 않는다

- 실제의 주입량을 수액병이나 주사기에 표시하여 눈으로 직접 보고 확인한다.
- 접속불량이나 파손으로 주입액이 새지 않는지 확인한다.

Point 3 주입부위의 관찰을 한다

- 수액이 새는 것은 기계에서 폐색으로 감지하지 않아 기계로는 판별되지 않기 때문에 육안으로 주입부위를 관찰한다.
- 주사기펌프는 미량점적이기 때문에 3mL/시 이하에서 말초정맥라인으로부터 단독사용하면 라인 내에서 혈액이 응고하고, 막힐 가능성이 있다. 필요에 따라 의사의 지시 하에 미량점적을 보조하기 위해 수액을 병용하는 경우도 많다.

순환기질환 환자에게 수액할 때의 주의점

- 순환기병동에서는 이뇨제나 항응고제 등 많은 약제를 병용하여 투여하는 경우가 많다. 약제에 따라 약물상호작용에 따른 변화를 일으키는 것도 있으므로 주의가 필요하다.

(島村久美子)

문헌

1. 米山多美子:수액펌프·주사기펌프. 결정판비주얼 임상간호기술 가이드, 坂本스가, 山元友子, 井手尾千代美 감수, 照林社, 도쿄, 2011: 92-107.
2. 교린대학의학부 부속병원:아프리코트 연수자료

심전도 모니터링

심장수술 후에는 심장자체를 수술조작하는 것에 의해 부정맥이 쉽게 나타나게 됩니다.
수술조작에 의한 심근에의 기계적 자극의 위험도 존재하기 때문에, 심전도 모니터링이 중요합니다.
수술 직후나 재활을 시작할 때는 특히 부정맥이 출현할 가능성이 있으므로, 심전도 모니터링을 하여 충분히 관찰해 갈 필요가 있습니다.

심전도 모니터링의 목적

- 수술 직후는 부정맥이 출현하기 쉬우므로, 순환·호흡의 관찰을 바로 할 수 있도록 침상모니터에서 관찰을 한다.
- 수술 후의 이상 재활을 시작했을 때도 심부하가 걸리기 쉬우며 부정맥이 나타날 위험이 높기 때문에 침상모니터를 사용하면서 시행한다. 그 후에는 환자의 안정도에 따라 침상모니터에서 텔레미터로 변경한다.
- 침상모니터는 받침대에서 떼어 운반할 수 있다. 전신상태·순환상태가 불안정, 중증부정맥이 나타날 위험이 있는 환자는 장착한 채 검사를 가는 것이 가능하다.

침상모니터와 텔레미터

	침상모니터	텔레미터
장점	● 그 자리에서 모니터를 볼 수 있다. ● 환자의 반응에 맞추어 관찰할 수 있다. ● 긴급 시에 쉽게 대응할 수 있다. ● 유도(誘導)를 선택할 수 있다.	● 작고 비교적 가벼워서, 들고 다니기 쉽다. ● 침상 밖 이동이 가능한 환자도 사용이 용이하다.
단점	● 크고 무겁기 때문에 소지하고 다니기 곤란하다. ● 활동이 제한된다.	● 그 자리에서 심전도를 볼 수 없다
사용례		텔레미터송신기

모니터심전도의 유도법

- 모니터심전도를 장착할 때는 의사의 지시를 확인하고 장착한다.
- 환자마다 모니터링의 목적에 맞추어 유도법을 선택한다.
- 3유도 또는 5유도를 이용하여 심전도파형을 표시한다.

모니터심전도의 전극 붙이는 법

3유도의 예

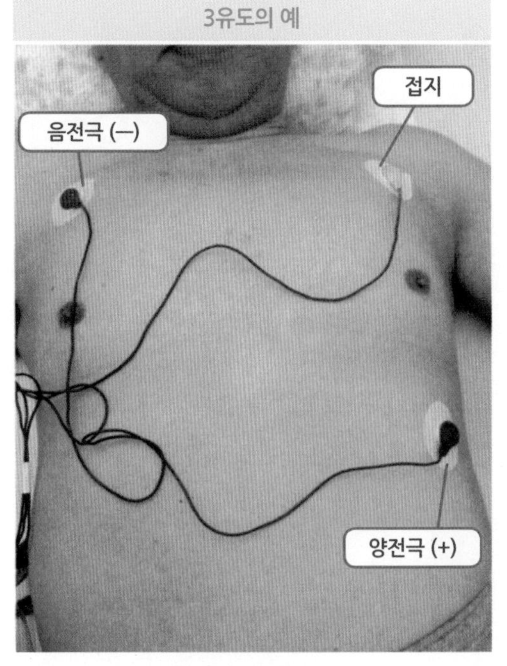

5유도의 예

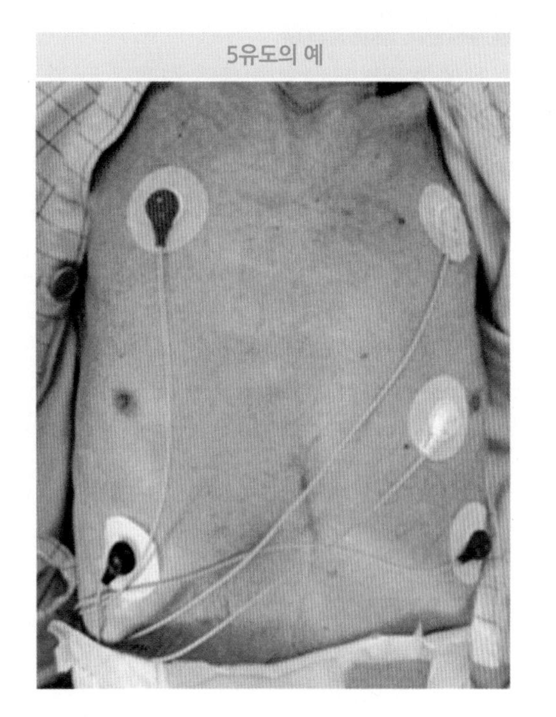

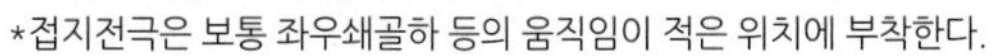
*접지전극은 보통 좌우쇄골하 등의 움직임이 적은 위치에 부착한다.

모니터심전도의 대표적인 유도법

도출법	제 II 유도	NASA유도	CM 유도
		【유사한 표준 12유도】 V_2	【유사한 표준 12유도】 V_5
전극의 위치	양전극: 왼쪽 허리 음전극: 오른쪽 허리	양전극: 검상돌기 음전극: 흉골병	양전극: V_5 의 위치 음전극: 흉골병
특징	● 일반적으로 표준 유도로 가장 많이 이용된다.	● P파의 인식이 양호 ● 체위의 영향이 적다. ● 근(筋)전도의 혼입이 적다.	● 파형이 크다. ● P파의 인식이 양호
사용례			

⊕ 양전극 ⊖ 음전극 ○ 접지전극

이럴때 어떻게 하지?

수술 후에 흉복부에 상처(정중앙 절개선 등)가 있을 때

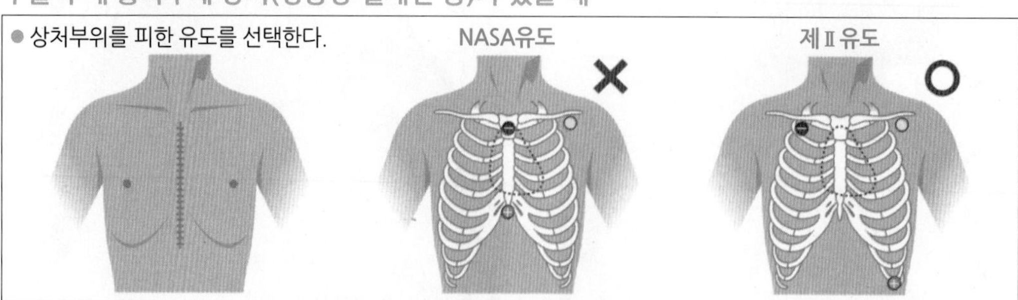

페이스메이커가 이식되어 있을 때나 제세동을 할 때

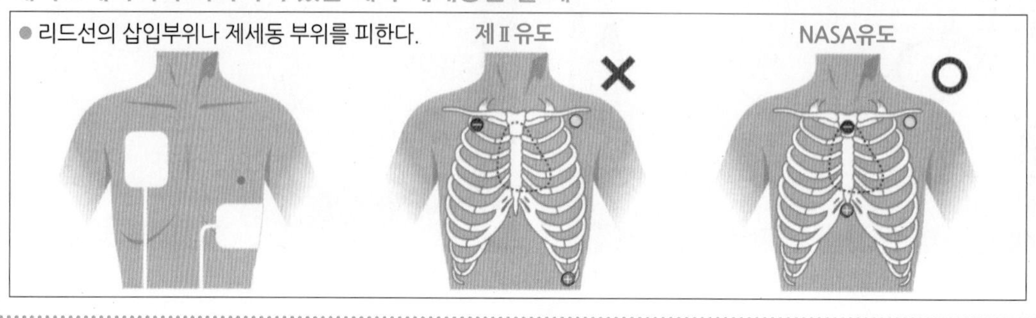

명료한 심전도파형을 표시하기 위한 포인트

① 수술 후는 정중앙에 수술부위가 생긴 경우가 많아 가제로 보호하고 있는 경우도 있으므로, 수술 상처를 피해 전극을 장착한다.

② 전극부착부위의 피부를 알코올솜으로 닦는다.

왜? → 피부의 습윤·건조·오염·피지가 부착되어 있으면 쉽게 어긋나기 때문

③ 주름이 많은 곳이나 올록볼록한 곳은 피해서 부착한다.

왜? → 몸을 구부렸을 때 등 전극이 떨어지지 않도록

④ 움직임이 적은 부위, 근육이 적은 부위를 선택한다.

⑤ 리드선을 테이프 등으로 피부에 고정하고 리드선에 약간 여유를 둔다.

왜? → 전극에 불필요한 힘이 가해지지 않도록 하기 위해

⑥ 접촉이 나빠진 경우는 신속하게 새로운 전극으로 교환한다.

심전도 모니터의 체크포인트

정상심전도의 모니터화면(예)

※ 모니터화면은 기종에 따라 다르다.

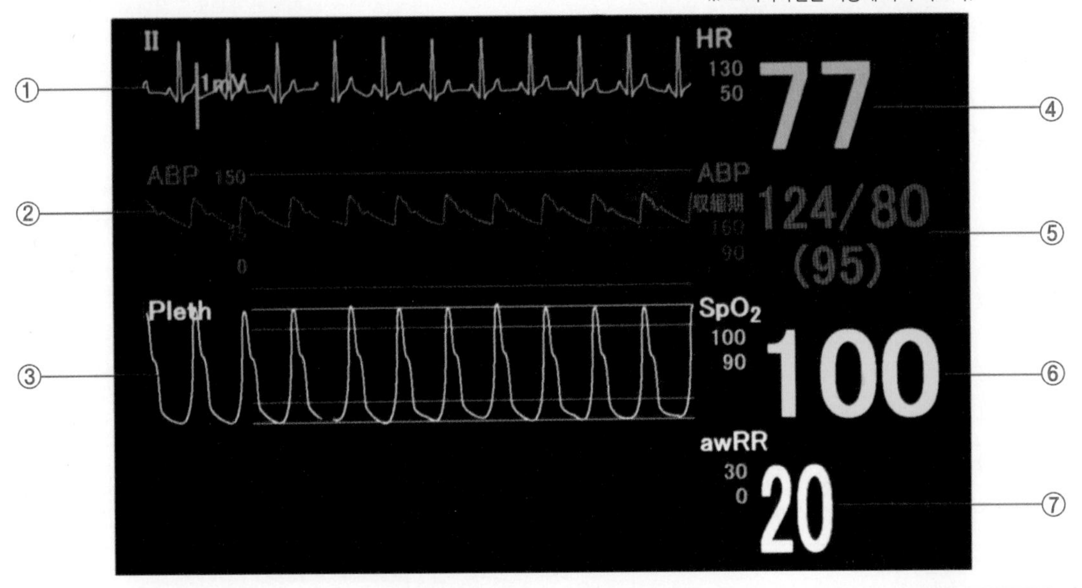

① 심전도파형
- 현재의 파형을 나타낸다.
- 위험한 부정맥이 아닌가를 확인

② 혈압파형
- 동맥압모니터를 하는 경우 측정치만이 아니고 파형도 표시된다.

③ 맥박파형
- 맥박의 패턴

④ 심박수
- 보통은 1분간의 QRS파의 수를 표시
- 100회/분 이상→빈맥
- 55~60회/분 이하→서맥

⑤ 혈압
- 비관혈적 혈압 또는 관혈적 혈압이 있다.

⑥ SpO_2
- 혈액 속의 산소량을 %로 나타낸다.
- 정상치: 98% 이상

⑦ 호흡수
- 흉곽의 움직임을 파악하여 호흡수를 나타낸다.
- 정상치: 10~20/분

Check 심전도 모니터의 이곳을 본다

- P파와 QRS파가 명료하고 기준선이 클리어로 표시되어 있는가
- 페이스메이커에 의한 파형인 경우 스파이크와 감지실패를 확인
- 목적에 맞는 유도를 선택하고 있는가
- 심전도패턴이 변화하면 12유도심전도의 추가검사를 한다.
- 알람설정은 적절한가
- 알람이 울리면 바로 확인하고 원인검색을 한다.
- 모니터 화변만으로 심전도파형을 잘 알 수 없을 때는 인쇄해서 확인한다.

모니터심전도에의 대응

- 수술 직후는 수술조작에 의해 자극전도계 손상, 체외순환 등에 의한 심근 손상, 전해질의 불균형 등의 영향을 받기 때문에 부정맥이 쉽게 출현한다.
- 심장수술을 받는 환자는 이미 심근장해를 일으키고 있는 경우가 많기 때문에, 수술조작 등 온갖 부정맥이 순환상태의 변동을 초래하는 일도 생각할 수 있다. 부정맥이 발생했을 때 조기 발견할 수 있도록, 모니터에 치명적부정맥출현 시에 알람이 울리도록 설정을 한다.

주요 부정맥으로의 대응

심전도의 이상	환자의 증상·반응	대응
심실세동(VF)	의식소실, 심인성쇼크	**알람** ● 심폐소생, 전기적 제세동을 하면서 신속하게 의사에게 보고
심실빈박(VF)	의식소실, 심인성쇼크	**알람** ● 의식장애의 유무, 경동맥에서의 맥박촉지 확인을 한다. ● 맥박촉지불능·또는 미약하고 의식장애를 확인한 경우는 심폐소생과 전기적 제세동을 하면서 신속하게 의사에게 보고 ● 의식수준이 명료하고 맥박촉지가능하다면 신속하게 활력징후를 측정하고 의사에게 보고, 12유도심전도를 한다.
심방세동(Af)	심계항진, 흉부불쾌감, 심부전, 혈전형성	● 자각증상의 관찰·활력징후 측정, 모니터심전도의 기록, 의사에게 보고, 의사의 지시에 따른다.
심방조동(AF)	심계항진, 흉부불쾌감, 혈압저하, 의식소실	● 자각증상의 관찰·활력징후 측정, 모니터심전도의 기록, 의사에게 보고, 의사의 지시에 따른다.
동기능부전증후군(SSS)	의식소실	**심박수 알람 설정** ● 의식소실의 유무, 모니터심전도의 기록, 동기능이 정지한 시간·활력징후 측정, 의사에게 보고 ● 체외식 페이스메이커 삽입 시에는 페이스메이커 접속의 확인, 페이스메이커 부전의 확인
1도 방실블록	자각증상이 출현하는 일은 적다.	● 자각증상의 관찰, 활력징후 측정, 의사에게 보고
2도 방실블록	서맥을 동반한 현기증, 실신	● 자각증상의 관찰, 활력징후 측정, 의사에게 보고 ● 체외식 페이스메이커의 적응이 된다.
3도(완전) 방실블록	현기증, 실신	● 자각증상의 관찰, 활력징후 측정, 의사에게 보고 ● 체외식 페이스메이커의 적응이 된다.
심정지	의식소실, 혈역학 상태 악화	**알람 설정** ● 심폐소생

(石井理惠)

문헌

1. 中村惠, 柳澤厚生 감수: 간호사를 위한 NEW심전도 교실. 学習연구사, 도쿄, 2005
2. 2011년 직원교육 심전도 장착 순서
3. 하트널싱 편집실편: 실천 순환기케어 매뉴얼. 하트널싱 2008; 추계증간
4. 南家俊彦 편: 급변에 강해진 모니터심전도 읽는법·대응법. 照林社, 도쿄, 2009

12유도심전도

심전도는 심장에 흐르는 전류를 기록합니다. 이 전류를 다른 12방향에서 기록한 것이 12유도심전도입니다.
기록시간은 짧지만 많은 전극을 장착함으로써 보다 자세한 심장의 상황을 확인할 수 있습니다.

장착에 필요한 기초지식

● 파형을 측정함으로써 심근의 이상, 전해질이상, 자극전도장해, 약물의 부작용 등을 확인하기 위한 정보를 얻을 수 있다.

12유도심전도의 목적

- 심근의 이상성 판정
- 부정맥의 진단
- 전해질이상의 진단
- 심장의 위치, 전기축의 판정

Point 1 심전도의 파형

자극전도과정과 심전도파형

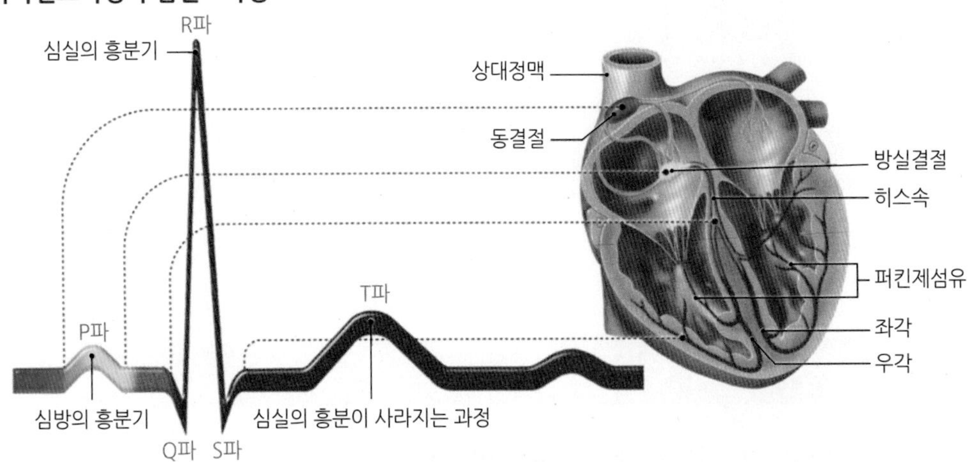

① 동결절에서 발생 → ② 심방전체에 전달한다. → ③ 방실결절에 집합 → ④ 히스속, 우각·좌각에서 퍼킨제섬유로 → ⑤ 심실전체에 전달한다. → ⑥ 천천히 흥분이 사그러든다.

Point 2 12유도심전도의 유도명과 기호

사지유도

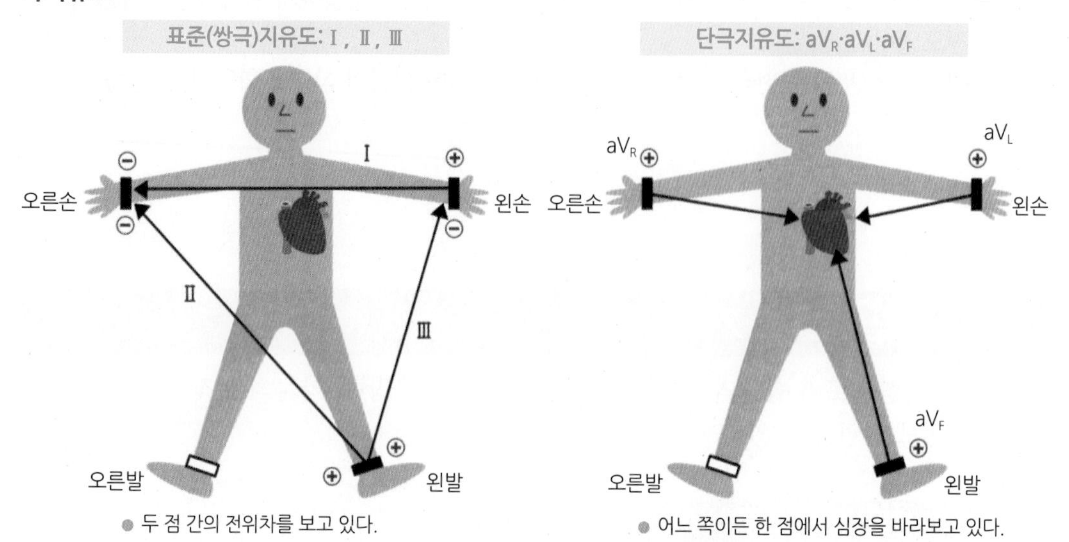

- 두 점 간의 전위차를 보고 있다.
- 어느 쪽이든 한 점에서 심장을 바라보고 있다.

흉부유도

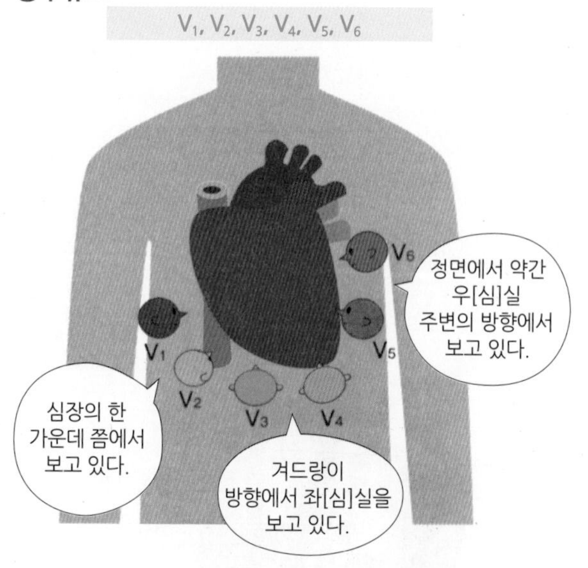

유도와 심장부위와의 관계

유도	부위
Ⅰ, aV_L, V_5, V_6	좌실
Ⅱ, Ⅲ, aV_F	좌실의 하벽
aV_R, V_1, V_2	우실
V_3, V_4	심실중격

12유도심전도의 취급법

순서 1 심전도기계의 점검을 한다

- 심전계는 바로 사용할 수 있도록 검사 전에 점검을 한다.

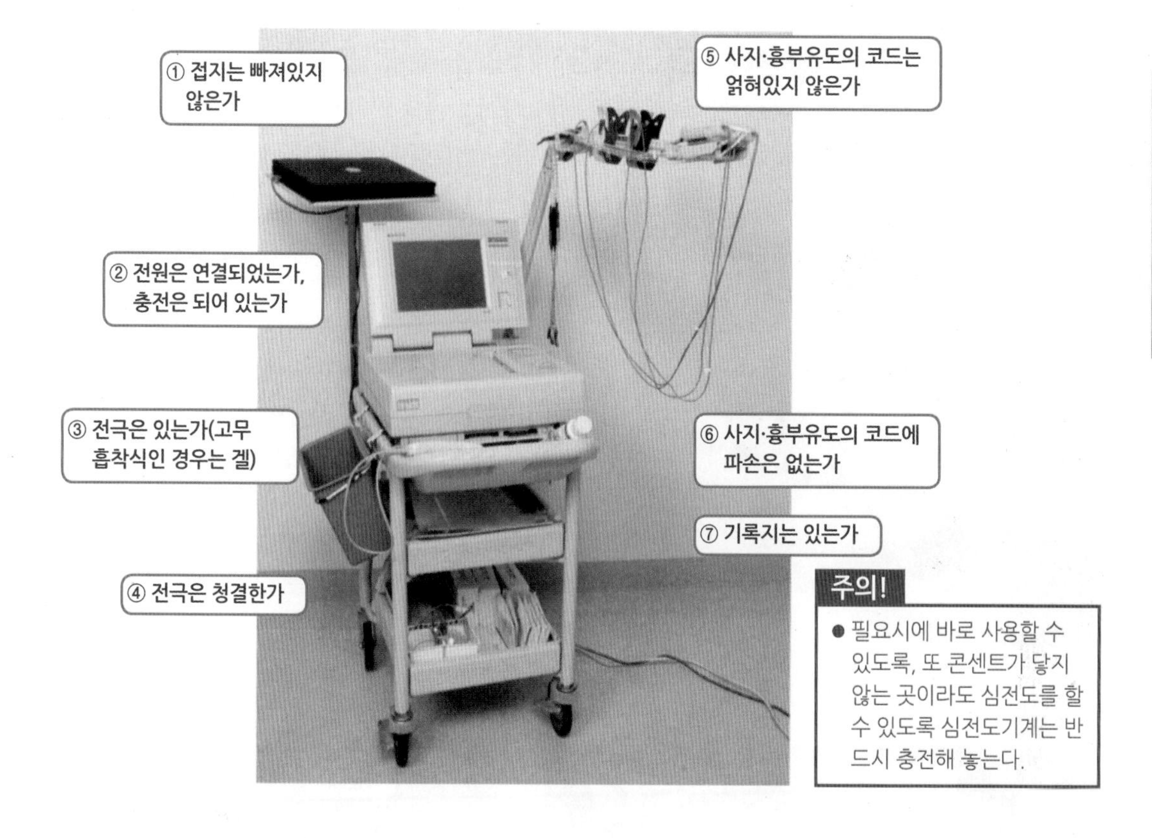

주의!

- 필요시에 바로 사용할 수 있도록, 또 콘센트가 닿지 않는 곳이라도 심전도를 할 수 있도록 심전도기계는 반드시 충전해 놓는다.

순서 2 환자의 상태를 정비한다

- 환자에게 심전도의 필요성을 설명하고 자각증상의 유무를 확인한다.
- 스크린 또는 커튼을 닫아 환자의 사생활을 존중한다.
- 시계나 양말 등은 벗게 한다.
- 환자에게 침대에 앙와위로 눕게 한다.

간호포인트

- 긴장에 의한 근전도가 나타나지 않도록 안정시킨다.
- 불필요한 노출을 피하고, 사생활을 보호한다. 수치심에 의한 정신적인 긴장이나 추위 등에 의해 힘이 들어감으로써 근전도출현의 원인이 된다.

순서 3 전원을 연결한다

- 콘센트에 전원플러그를 꽂아 전원을 연결한다.

순서 4 전극을 부착한다

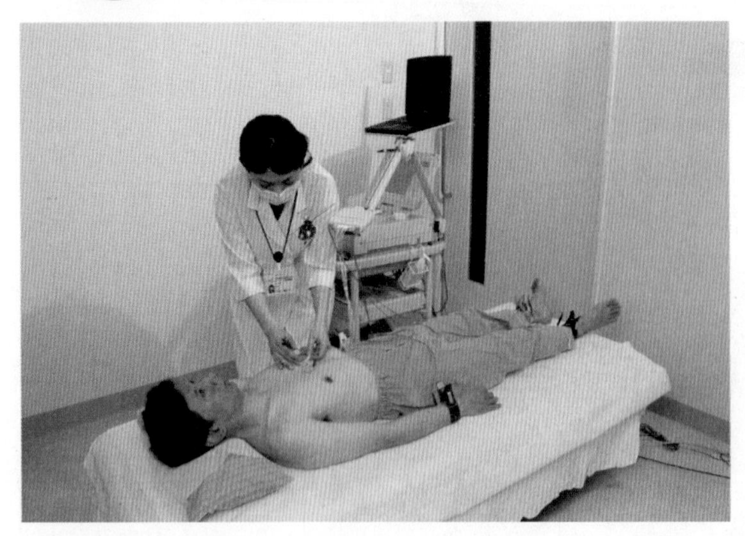

- 피부에 오염이나 피지가 있는 경우, 피부가 건조한 경우는 알코올솜으로 잘 닦고 나서 전극을 장착한다.
- 가슴에 털이 있는 경우는 전극이 정확하게 붙지 않고 떨어지기 쉬워, 전극과 피부의 사이에 공기가 들어가 심전도를 제대로 얻을 수 없으므로 제거하는 것이 바람직하다.

사지유도

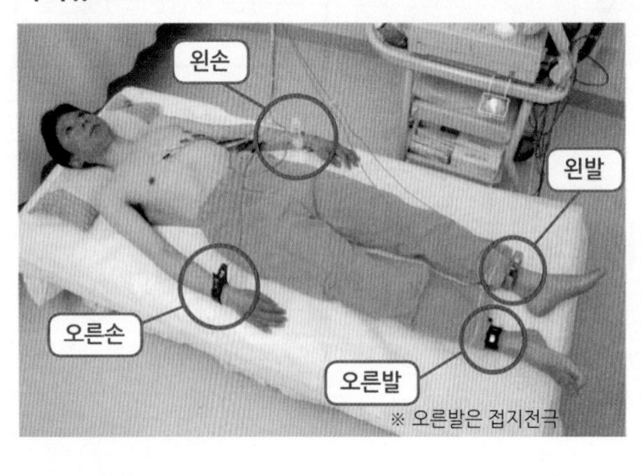

흉부유도

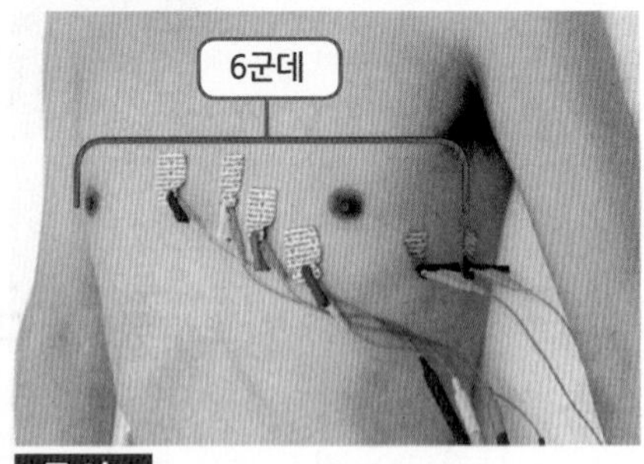

주의!

- 전극끼리 접촉하지 않도록 장착한다.

좌측흉부유도

- 표준12유도심전도의 $V_1 \sim V_6$

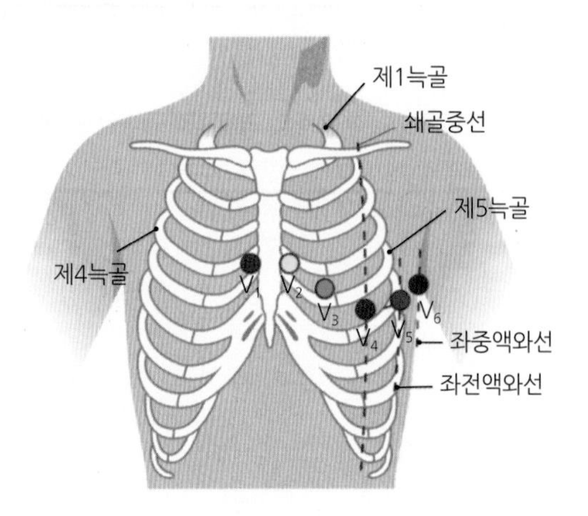

우측흉부유도

- 주로 심근경색에 빈발하는 우심실경색이나 우측심장인 경우에 기록된다.

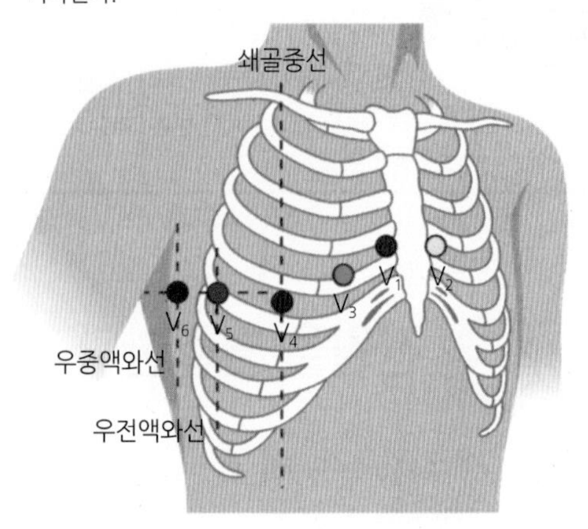

사지 및 흉부전극의 위치와 색

	전극의 색	전극의 장착위치	유도
사지유도	빨강	오른손	—
	노랑	왼손	
	녹색	왼발	
	검정	오른발	
흉부유도	빨강	제4늑간흉골우연	V_1
	노랑	제4늑간흉골좌연	V_2
	녹색	V_2와 V_4의 중간점	V_3
	갈색	좌쇄골중선과 제5늑간의 교점	V_4
	검정	V_4를 수직으로 밑으로 내려서 좌전액하선과의 교점	V_5
	보라	V_4를 수직으로 밑으로 내려서 좌중액하선과의 교점	V_6

순서 5 유도코드를 전극에 연결한다

순서 6 심전도를 기록한다

- 몸에 힘이 들어가 있으면 흔들림이 생기기 때문에 환자에게 힘을 빼도록 이야기한다.
- 기록속도가 25mm/초로 되어 있는지 확인한다.
- 파형이 안정된 곳에서 기록버튼을 눌러 기록을 시작한다.
- 종이를 자르기 쉬운 곳까지 기록지를 출력한다.

순서 7 종료 후

- 전원을 끈다.
- 종료되면 환자에게 종료한 것을 알리고 전극을 떼어낸 후 젤을 닦아내고 의복을 정비한다.
- 심전도를 기록지에 붙이고 이름, 날짜, 시간, 증상 등을 기록한다.
- 긴급할 때에 대비하여 바로 사용할 수 있도록 심전도장치를 정해진 위치에 되돌려 놓고 충전해 둔다.

12유도심전도의 읽는 법 포인트

Point 1 기록지 보는 법

- 심전도기계는 일반적으로 25mm/초의 속도로 기록된다(기록지의 칸의 폭 1mm는 0.04초).
- 기록지의 가로축은 시간을 세로축은 전위를 나타내고 있다.

심전도파형의 시간과 눈금 보는 법

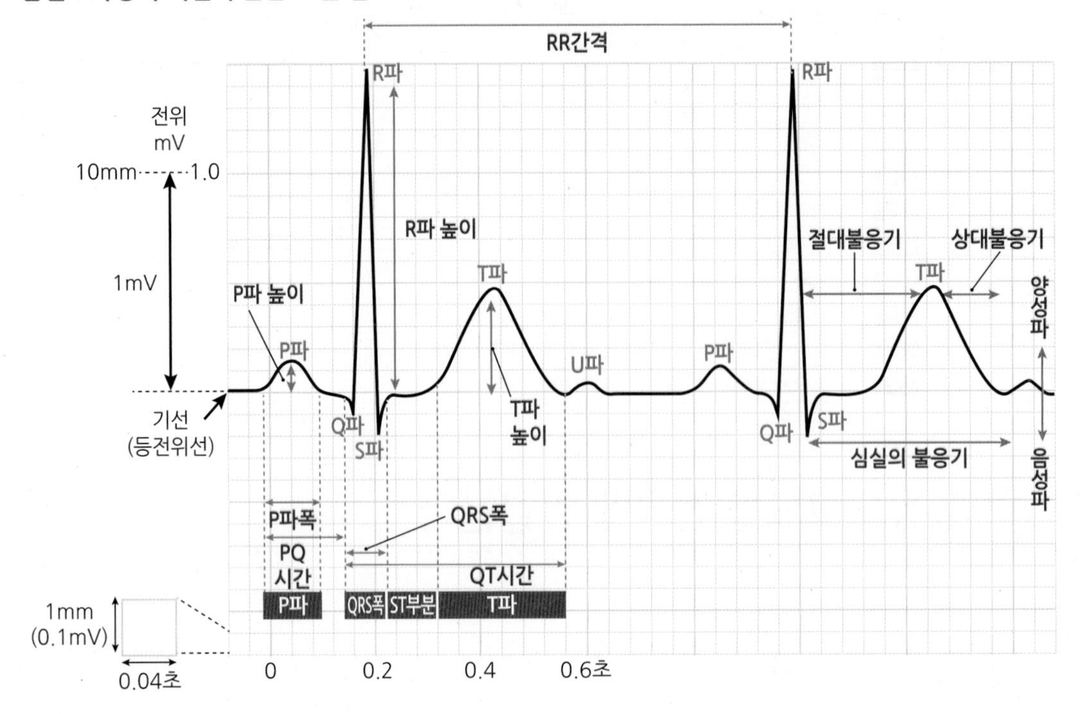

심전도파형의 계측부위와 정상범위

① P파의 폭	P파의 시작부터 종료까지	시간: 0.08~0.10초, 전위: 0.25mV 미만
② PQ시간(간격)	P파의 시작부터 Q파의 시작까지의 간격	시간: 0.12~0.2초 미만
③ QRS시간	QRS파의 시작부터종료까지	시간: 0.06~0.08초(0.1초 미만)
④ ST부분	QRS파의 끝부터 T파의 시작까지	상승과 하강
⑤ T파의 폭	T파의 시작부터 종료까지	시간 0.2~0.3초
⑥ QT시간(간격)	QRS파의 시작부터 T파가 기선에 되돌아올 때까지의 간격	간격: R-R간격의 1/2

Point 2 심박동수의 측정법

- 정상심전도인 경우 심박수는 P-P간격 또는 R-R간격을 측정함으로써 구한다.
- 파형을 판별하기 쉬운 R-R간격에서 측정하는 쪽이 간단하고 정확하다.

12유도심전도의 파형의 특징

표준12유도심전도의 정상파형

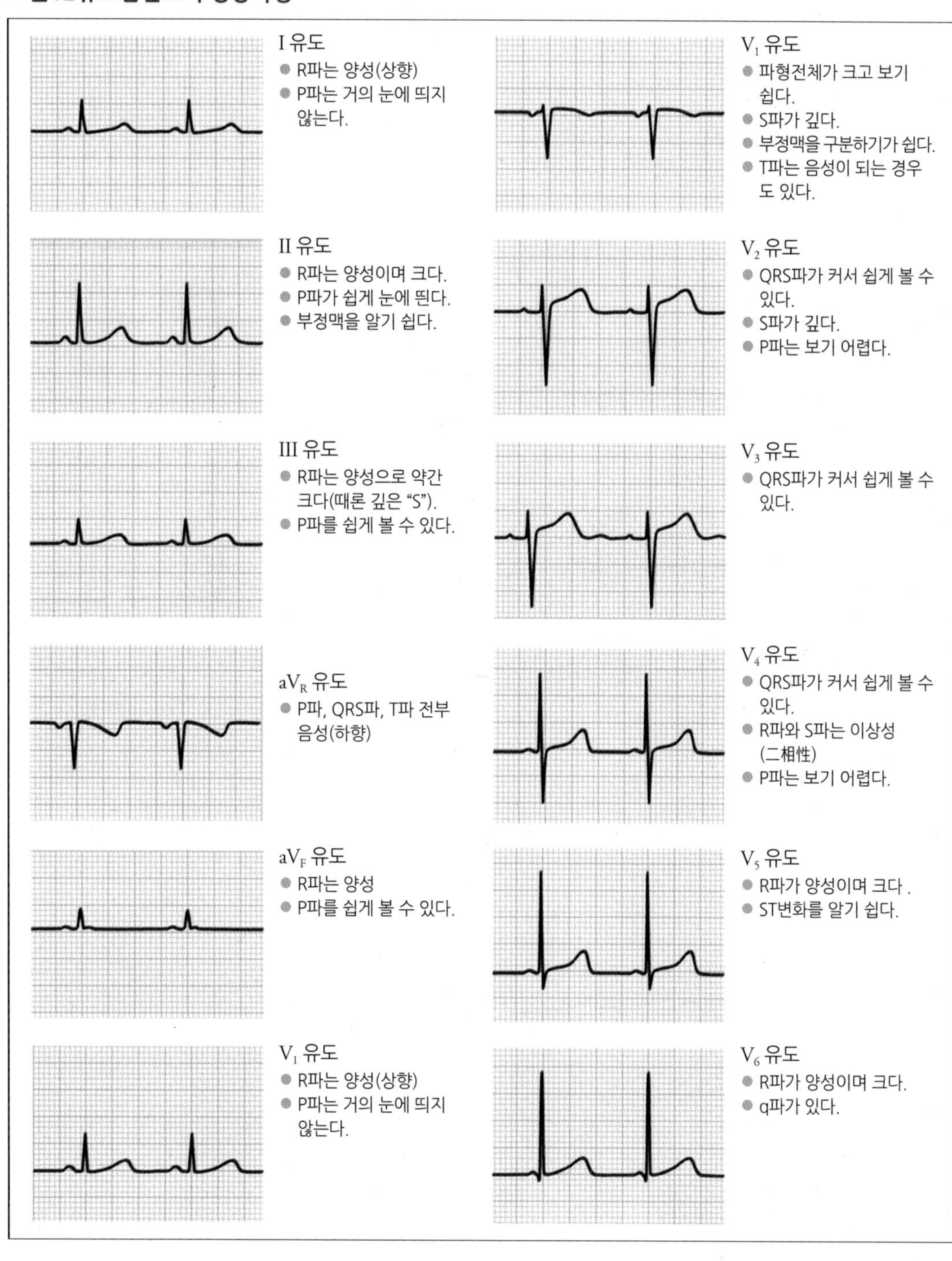

질환에 따른 이상파형(예: 심근경색)

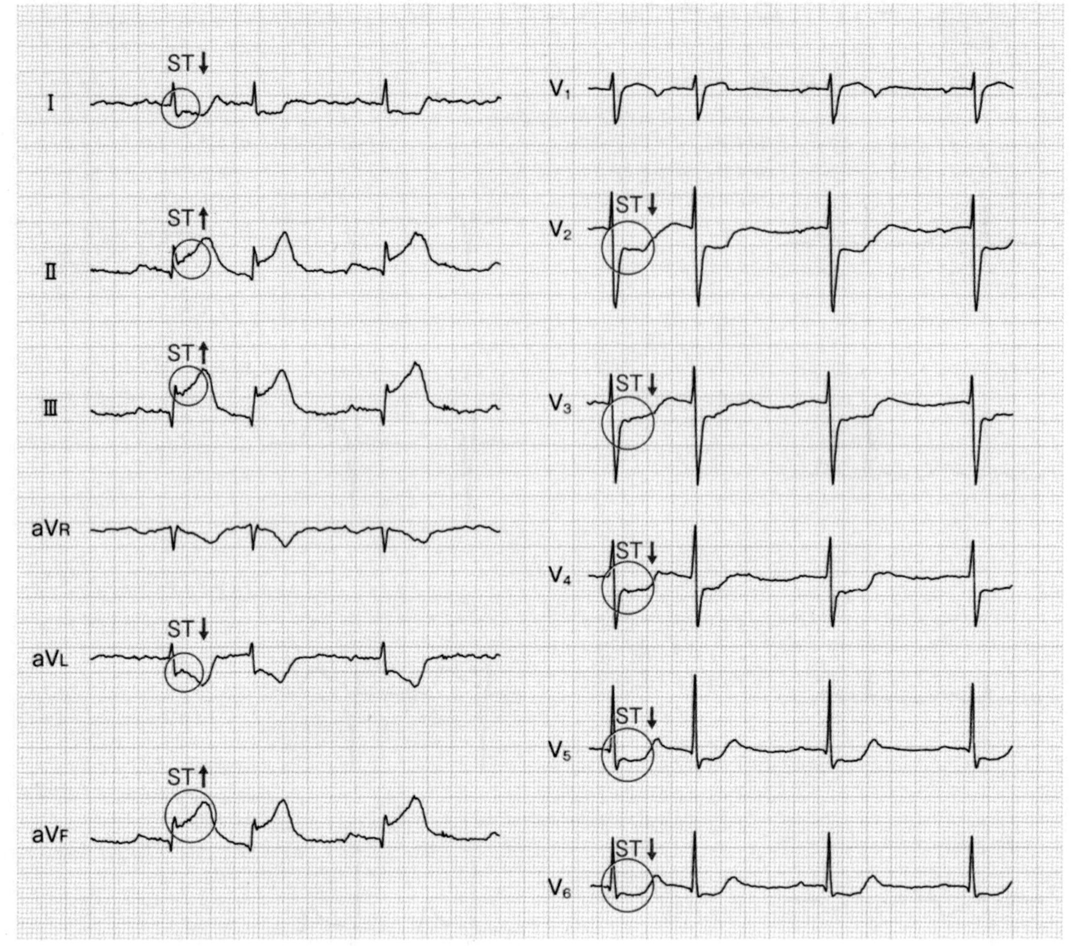

(尾川知里)

문헌

1. 中村惠子, 柳澤厚生 감수: 간호사를 위한 심전도교실. 학습연구사, 도쿄, 2007.
2. 布田伸一 편: 순환기질환 널싱. 학습연구사, 도쿄, 2001.
3. 三宅良彦 편저: 만화로 간단! 모니터심전도. 照林社, 도쿄, 2008.

전기적 제세동

전기적 제세동이란 심장의 고도빈맥상태나 세동(심실세동, 심방세동)에 대해서, 전류를 심장에 전달하여 동성박동으로의 복귀를 목적으로 한 치료방법입니다.
치명적인 부정맥에 한하지 않고 상실성부정맥(심방조동, 심방세동 등)에 대한 치료의 하나로써 선택됩니다.

전기적 제세동의 적응

- 전기적 제세동에는 심박동과 관계없이 전기충격을 가하는 제세동(카운터쇼크: electrical defibrillation)과 심실세동(VF)을 유발하지 않도록 심박동과 동시에 충격을 가하는 카디오버전(cardioversion)이 있다.

1 제세동(카운터쇼크: electrical defibrillation)

- 심박동과 관계없이 시행하는 전기적 제세동을 말한다.
- 치명적 부정맥에 대해 심근조직전체를 단번에 탈분극시킴으로써 세동을 정지시키는 것을 목적으로 한다.

2 카디오버전(cardioversion)

- 심박동과 일치시켜 동시에 전기 충격을 가하는 전기적 제세동을 말한다.
- 빈맥의 원인으로 되어 있는 심근내의 반복성 리엔트리 회로의 전기적 순환을 정지시키는 것을 목적으로 한다. 일반적으로 급격한 혈행 상태의 악화를 초래하는 일은 드물기 때문에 예약에 의해 시행하는 경우가 많다.

전기적 충격의 종류와 적응부정맥

충격의 종류	적응부정맥의 종류
제세동·카운터쇼크 (비동시 충격)	● 심실세동(Vf), 심실조동(VF)은 절대적응 ● 맥박이 만져지지 않는 심실빈맥(pulseless VT)
카디오버전(동시 충격)	● 심실빈박(VT) ● 심방조동(AF) ● 심방세동(Af) ● 발작성상실빈맥(PSVT)

주의!

- 심정지는 전기적 제세동의 적응은 아니다.
- 심정지란 심장의 전기자극이 정지된 상태이기 때문에 통전해도 효과를 얻을 수 없다.
- 심정지인 경우는 흉골압박을 계속한다.

전기적 제세동의 방법과 간호 포인트

■ 필요한 물품

① 직류전류(direct current: DC)식 제세동기 ② 일회용전극(전기전달패드) ③ 12유도심전도장치
④ 침상모니터 ⑤ 구급카트(백밸브마스크, 진정약 등) ⑥ 산소유량계 ⑦ 산소가습병
⑧ 산소마스크
* 그 외, 점적봉, 일회용 장갑

※긴급하게 하는 카운터쇼크인 경우는 필요한 물품 ③ 이외의 물품이 있으면 대응가능

제세동기의 구조

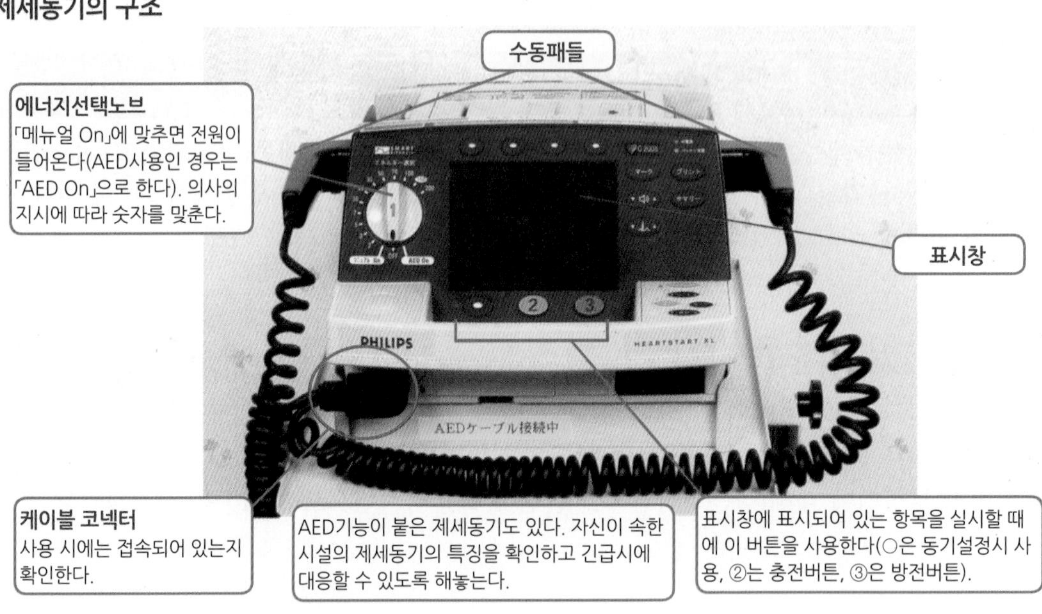

순서 1 환자의 상태를 정비한다

※다음의 순서는 카디오버전의 경우

● 카디오버전은 환자에게 일정을 알리고 나서 시행하기 때문에 시술 전부터 환자에게 정신적 간호가 필요하다.

● 식사직후에 시행하지 않도록 미리 확인한다.

● 가슴털이 많으면 제모해 둔다.

왜? 제세동용 패드를 밀착시키기 위해

● 환자에게 귀금속·의치를 빼놓았는지 확인한다.

왜? 열상예방을 위해

● 부착제를 사용하고 있는 경우는 그것들을 떼어낸다.

왜? 열상예방을 위해

● 환자의 피부가 젖어 있지 않은지 확인한다.

> 왜? 피부가 젖어 있으면 모니터전극이나 제세동용패드가 밀착하지 않는 것뿐 아니라, 심장에 흘러야할 전류가 수분 쪽에도 흘러버리기 때문에.

순서 2 침상모니터 또는 제세동기의 모니터의 전극을 장착한다

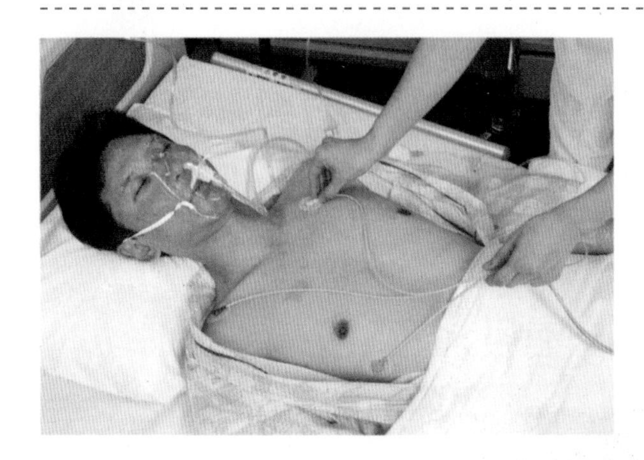

● 모니터전극은 패드를 붙일 때 방해받지 않는 위치에 장착한다(사진은 제세동기의 모니터를 장착).

순서 3 전원을 넣는다

● (사진에 게재되어 있는 제세동기의 경우)에너지선택노브를 좌측의「메뉴얼 On」에 맞추면 전원이 들어온다.

제세동기의 모니터화면

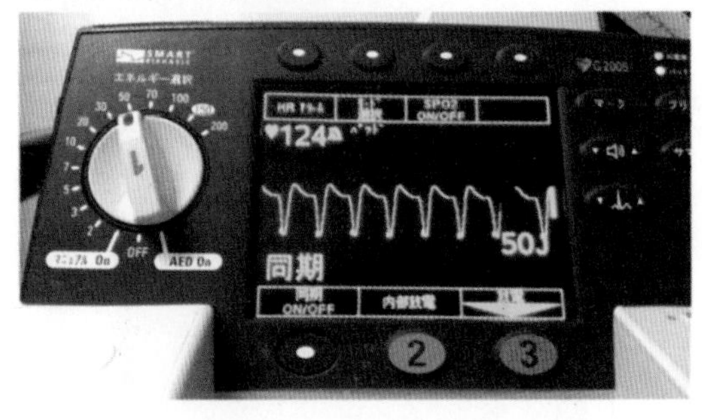

동기모드: VT충전완료

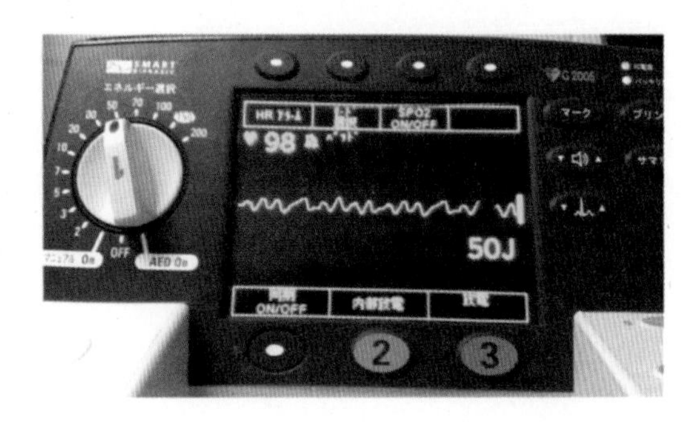

보통: VF충전완료

순서 4 활력징후의 측정, 심전도의 기록을 한다

● 전기적 제세동 시행 전의 활력징후(BP·HR·SpO_2)측정, 심전도기록을 한다.

순서 5 필요에 따라 진정제를 투여한다

● 환자의 의식이 명료한 경우는 의사의 지시 하에 진정제를 투여한다.
● 사용한 약제의 양과 투여시간을 기록한다.
● 진정제를 사용했을 때는 호흡억제가 되지 않도록 주의한다.
● 필요에 따라 백밸브마스크로 환기보조를 한다.
● 진정제 투여 후의 의식수준·호흡상태의 관찰을 하고 기록한다.
● 환자가 진정될 때까지 의사의 지시로 진정제를 투여한다.

※긴급하게 하는 카운터쇼크인 경우 진정제 투여는 불필요(적응이 되는 부정맥의 출현 시에는 환자의 의식은 없기 때문에)

순서 6 제세동용 패드를 장착한다

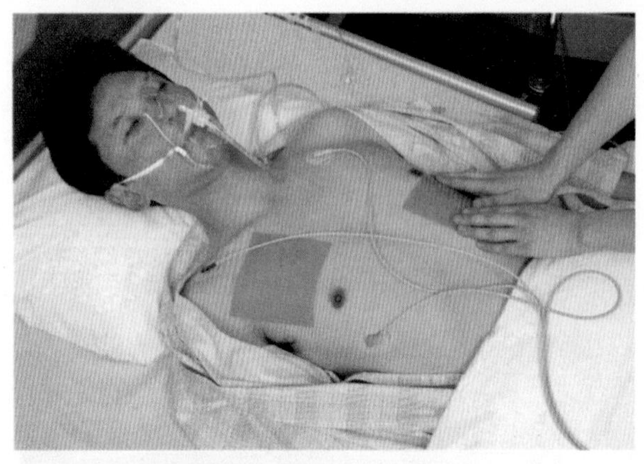

● 환자가 진정되면 제세동용 패드(전기전달용 겔 패드[필요한 물품②])를 장착한다.
● 패드는 오른쪽앞흉부와 왼쪽흉부에 장착한다.

요령!

제세동용 패드의 부착방법

● 제세동용 패드는 반드시 심장을 사이에 끼우듯이 붙인다.

왜? 심장에 전류가 정확하게 흐르도록 하기 위해.

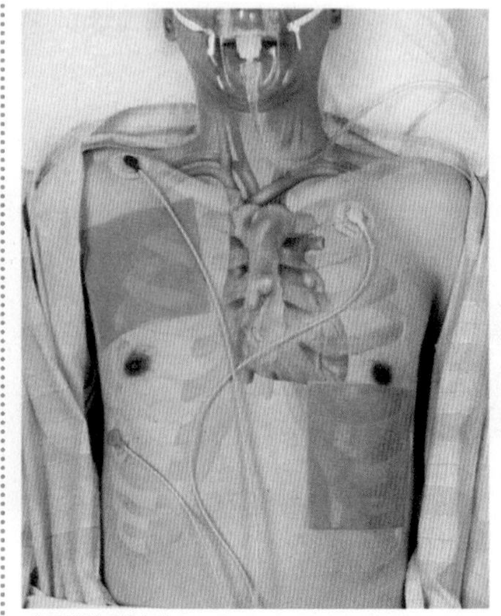

패드부착 이미지

● 페이스메이커나 ICD(이식형제세동기)를 삽입하고 있는 경우는 그들로부터 약 5cm(손가락 3개 분량) 떨어져서 패드를 장착한다.

순서 7 심박동기설정을 하고 의사의 지시 하에 출력(주울)수를 맞춘다

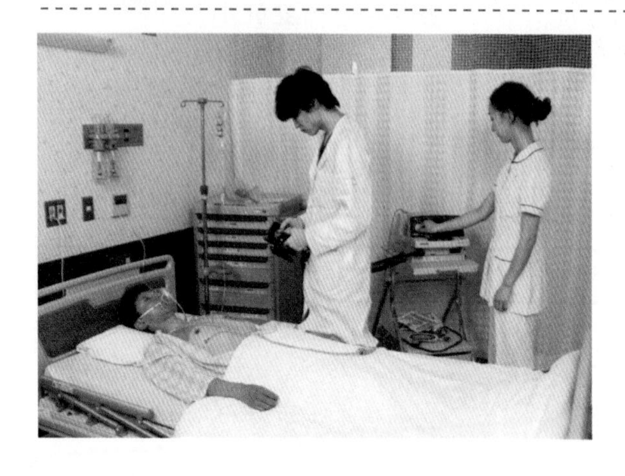

[사진에 게재되어 있는 제세동기의 경우]

- 심박동기설정: 표시창에 표시되어 있는 항목을 확인하고, 심박동기설정을 한다.
- 출력(Joule)수: 에너지선택노브를 의사가 지시한 숫자에 맞춘다. 출력(J)수의 설정은 환자의 질환·심기능 등에 따라 다르다. 일반적으로 첫 회는 50~100J로 충분하다.
- 첫 회의 카디오버전 쇼크가 성공하지 못하면, 단계적으로 출력(J)수를 늘린다.

※카운터 쇼크인 경우는 심박동기설정을 한다.

column

제세동용 패드

- 요즘에는 카디오버전을 할 때는 수동패들보다 부착형패드가 권장되고 있다.

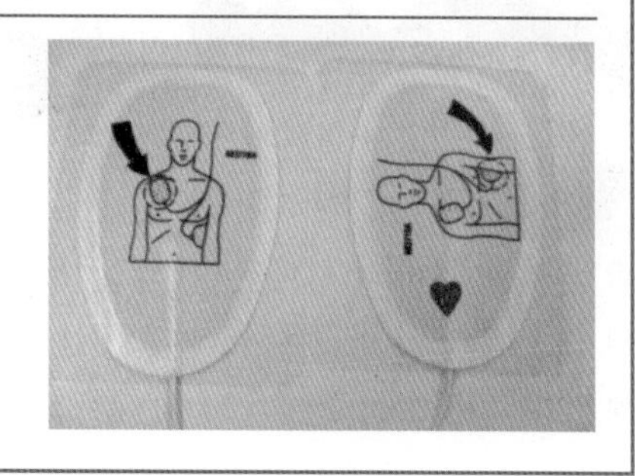

이유

· 효과에 차이가 없고 심실세동(VF) 발생 시에 신속한 제세동이 가능
· 심박정지 후의 증후성서맥 출현 시에 경피적 페이싱이 가능
· 시행자에 있어서 보다 안전
· 스파크의 발생이 적기 때문에

순서 8 환자·침대에서 떨어진다

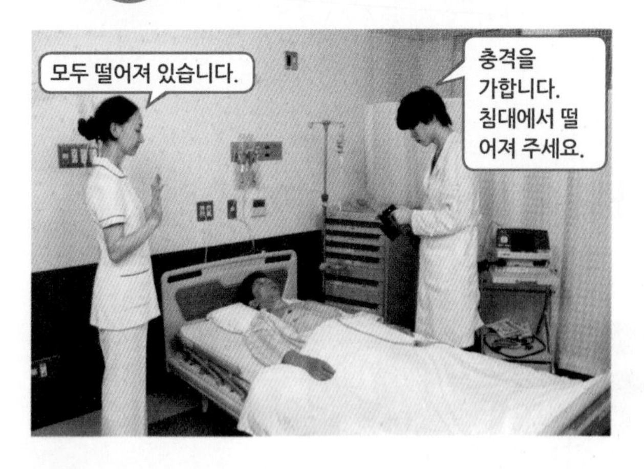

① 충격을 가하는 의사가 「침대에서 떨어져 주세요」라고 침대 주변에 있는 모두에게 말한다.
② 침대 주변에 있는 사람은 환자·침대로부터 떨어져 있다는 것을 나타내기 위해 손을 들어 침대에서 떨어져 있다는 것을 표현한다.
③ 모두가 떨어져 있다는 것을 확인하고 「모두 떨어져 있습니다」라고 말한다.

주의!

- 산소투여 시는 폭발의 위험이 있기 때문에 멀리 떨어진다.

순서 9 충격을 시행한다

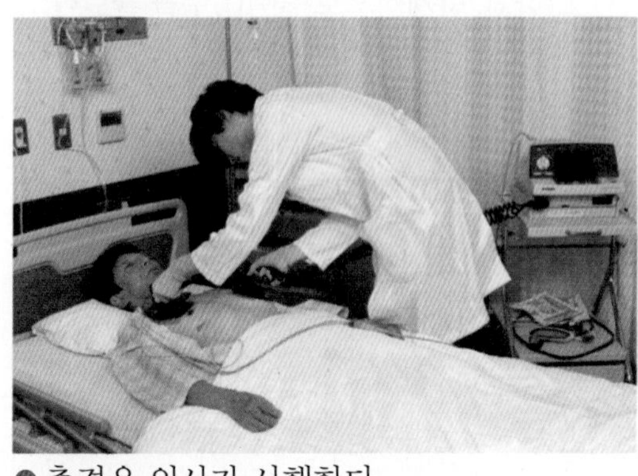

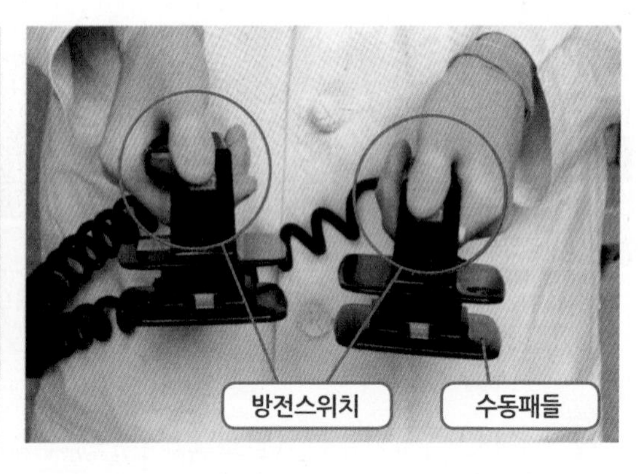

- 충격은 의사가 시행한다.
- 수동패들을 가슴에 부착하고 있는 제세동패드에 밀착시킨다.
- 방전스위치를 누름으로써 충격을 한다.

주의!

- 충격을 시행하는 의사는 감전방지를 위해 고무장갑(일회용 장갑)을 착용하고, 자신의 몸에 있는 금속류 등을 제거해 놓는다.

전기충격 전후의 파형의 예

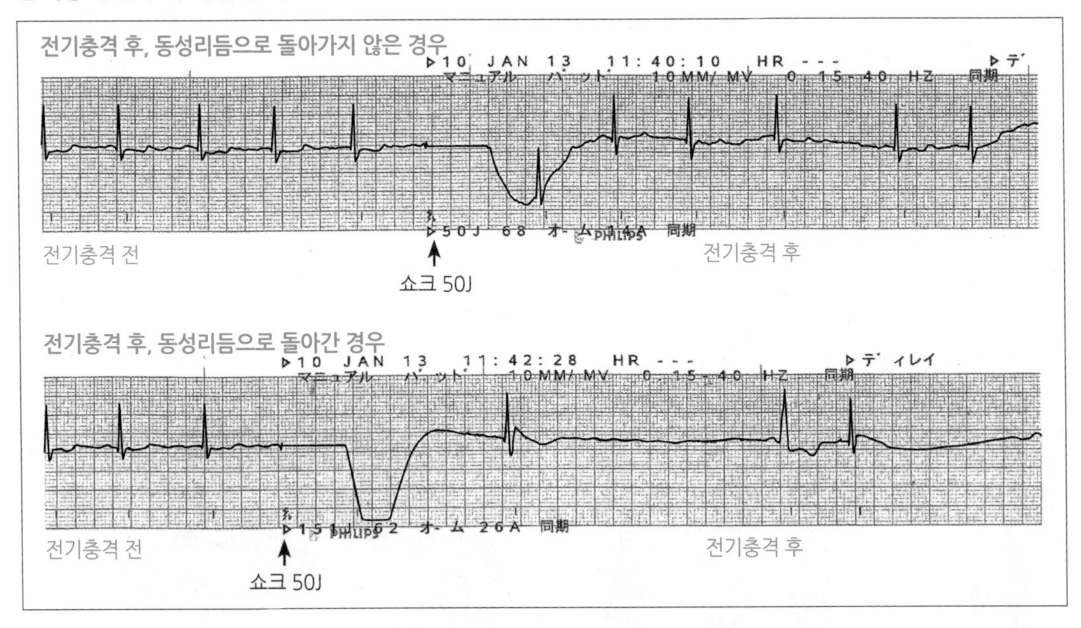

동성리듬으로 회복된 경우
● 시행 후의 활력징후(BP·HR·SpO$_2$)측정, 심전도기록을 하고, 의식수준, 호흡상태 등 환자의 상태관찰을 계속한다.

부정맥 그대로인 경우
● 동성리듬으로 돌아가거나 또는 의사의 중지 지시가 있을 때까지 의사의 지시로 「순서 ⑦」부터 똑같이 시행한다.

순서 10 환자의 상태를 관찰, 기록한다

● 심전도파형, 호흡상태, 의식수준, 혈압, 동공 크기의 관찰을 하여 기록한다.

주의!

● 충격에 따른 합병증으로서는 열상, 전기충격 후부정맥(심정지, 심실기외수축 [PVC], 방실블록 등), 혈전색전증, 급성좌심부전 등이 있으므로, 제세동 후에는 반나절 정도 심전도 모니터 관리를 한다.

합병증	관찰
열상	패드 장착부의 발적·부종·열감·동통의 유무
전기충격 후부정맥	심전도 모니터 관찰
혈전색전증	의식수준, 말투가 어눌함·마비·저림 등의 출현의 유무
급성좌심부전	호흡곤란감, 식은 땀 등의 유무

AED(자동체외제세동기)

- 자동체외제세동기(automated external defibrillator: AED)는 자동적으로 심전도를 해석하여 심실세동(Vf)이나 맥이 만져지지 않는 심실빈박(VT)을 검출하고, 필요한 경우에 전기쇼크를 주는 제세동기이다.
- 2004년에 일반시민의 사용이 허가되어 현재 대부분의 공공시설에 설치되어 있다. 음성안내에 따라 조작을 할 수 있기 때문에 일반시민이라도 조작할 수 있다.

AED의 사용 방법

① AED를 장착할 때까지 심폐소생을 계속한다.

② AED를 준비한다.

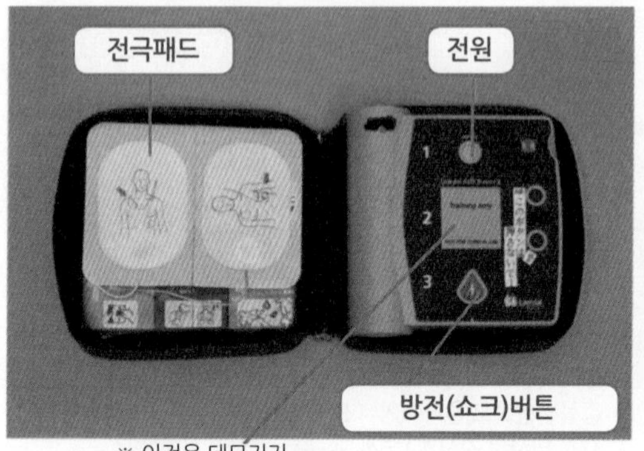

※ 이것은 데모기기
실물은 이 부분은 디스플레이 화면으로 되어 있으며, 심전도파형이 표시된다.

③ 전원을 켠다.

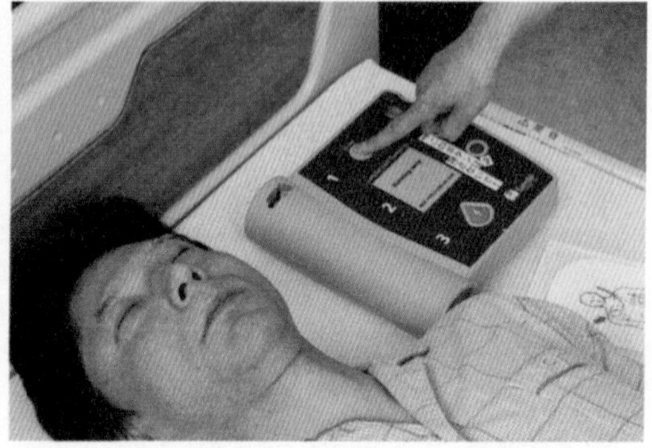

④ 음성안내에 따라 전극패드를 부착한다.

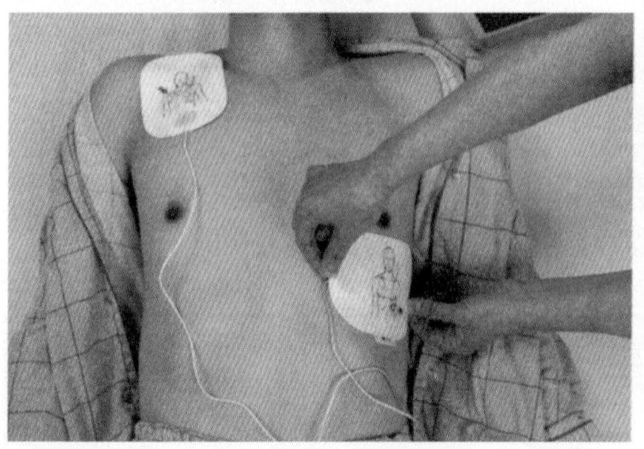

- 전극패드 부착 시의 주의점은 34페이지 참조.
- 패드를 부착하고 나서 떼어내면 제모를 할 수 있다. 패드는 반드시 예비가 들어있기 때문에 제모했을 때는 새로운 패드를 장착한다.

⑤ 전극패드를 연결부위에 접속한다.

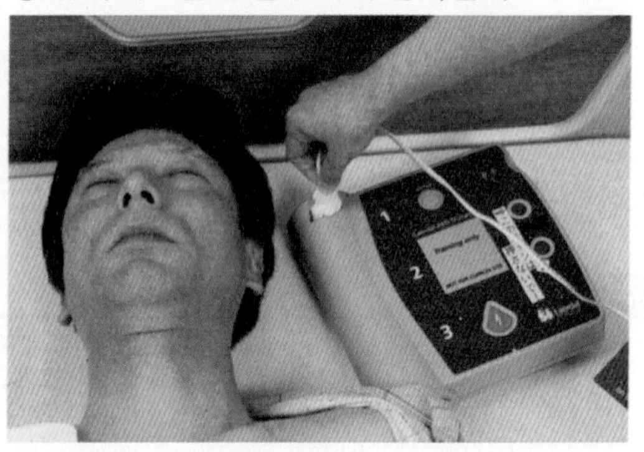

- AED본체가 쇼크의 유무를 해석한다. 음성안내에 따라 해석 중에는 환자에게 닿지 않도록 주의한다.

⑥ 음성안내에 따라 쇼크를 실시한다.

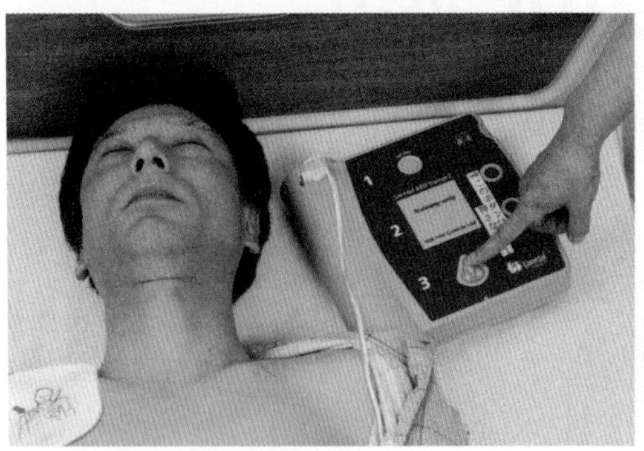

- 쇼크를 실시할 때는 그 자리에 있는 모두가 환자에게서 떨어져 있는지를 확인한다.
- 쇼크버튼을 누르는 사람이 「나는 떨어져 있습니다」, 「모두 떨어지세요」 등 말을 하고, 떨어져 있는 것을 확인하고 나서 쇼크버튼을 누른다.

⑦ 음성안내에 따라 심폐소생을 다시 시작한다.

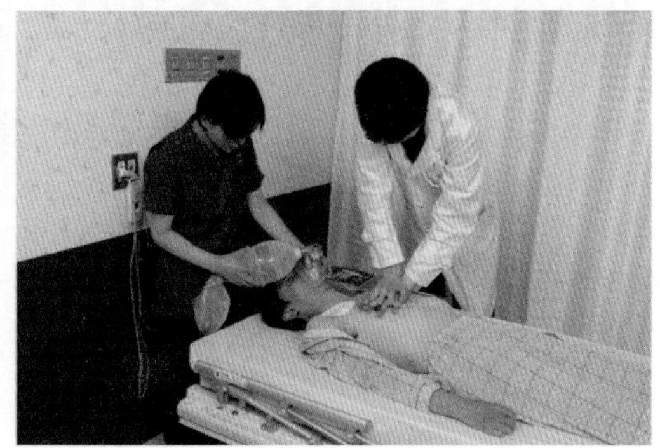

⑧ 2분마다 AED가 자동적으로 쇼크의 유무를 해석한다.

- 음성안내에 따라 필요하다면 「순서 ⑥」 또는 「순서 ⑦」을 한다.
- 병원 안이라면 의사가 올 때까지, 병원 밖이나 옥외인 경우는 구급대가 올 때까지 「순서 ⑥」「순서 ⑦」을 반복한다. 그 후에는 의사나 구급대의 지시에 따른다.

column

심폐소생

현재 「AHA＊가이드라인2010」에 따라 흉골압박: 환기=30: 2로 하고 있다. 그리고 근래는 흉골압박의 중요성이 강조되고 있다.

가이드라인의 개정에 따라 내용이 일부 변경된 것이 있기 때문에, 개정마다 새로운 내용을 파악하는 것이 필요하다.

＊AHA(American Heart Association): 아메리카 심장협회

(鈴木亜希子)

문헌

1. 西村重敬 감수:전기적 제세동. 널싱실렉션③순환기질환, 友池仁暢 감수, 학습연구사, 도쿄, 2005:291-294.
2. 교린대학의학부 부속병원:간호기준· 순서검사·처지·치료Ⅱ 순환기.4. 전기적 제세동을 받는 환자의 간호순서.
3. 深澤利惠, 内藤滋人, 大島茂:전기적 제세동. 순식간에 마스터! 순환기케어의 트레이닝북, 西村重敬 감수, 하트널싱 2009; 秋季증간: 136-137.
4. 교린대학의학부 부속병원 리스크 메니지먼트 위원회 편: 교린대학병원 의료안전 매뉴얼 제8판. 2011:17.
5. PHILIPS: 하트 스타트 XL; 유저즈가이드. 유저트레이닝워크북
6. 佐藤美保子:제세동기. 간호사를 위한 ICU, CCU에서 사용하는 ME기기 퍼펙트북, 又吉徹 편저, 하트널싱 2008; 춘계증간: 108-112.
7. 화상협력: 후쿠다 전자주식회사

체외식 페이스메이커의 관리

페이스메이커에 의해 심장에 전기자극을 주어 심박출량을 조정하고 유지하는 것을 페이싱이라고 합니다.
페이싱은 목적에 따라 체외식(일시)페이싱과 이식형(영구)페이싱으로 나눌 수 있습니다만, 여기에서는 모든 심장수술 후에 이루어지는 체외식페이싱을 중심으로 해설하겠습니다.

페이스메이커의 적응

페이스메이커의 종류와 주요 적응

	체외식(일시) 페이스메이커	이식형(항구) 페이스메이커
목적·적응	● 긴급시의 일시적 치료나 이식형페이스메이커의 전 단계로서 이용된다.	● 반영구적으로 인공페이스메이커의 작동을 기대할 때 이용된다.
제품 예	(그림제공: 平和물산주식회사)	(그림제공: 보스톤·사이엔티픽·재팬주식회사)

체외식 페이스메이커 관리의 실제

- 관상동맥우회술(coronary artery bypass graft: CABG)이나 판막교환 등의 심장수술 후에는 유치된 페이싱와이어를 사용하여 체외식 페이스메이커를 접속하고 있다.
- 모든 심장수술의 사례에 있어서 수술종료 시에 페이싱와이어를 우방 및 우실의 심외막에 하나씩 일시적으로 유치한다. 이들 페이싱와이어는 진단적, 치료적으로 사용된다.
- 수술 직후의 이상적인 혈역학상태를 유지하기 위해 심박수를 90/분 전후로 조절하거나, 관동맥우회술 후에는 방실전도지연이 잠시 나타나는 경우가 있다. 따라서 방실페이싱으로 인공적으로 전도시간을 단축하면 혈역학상태를 개선할 수 있다.
- 페이싱와이어는 수술 후 2주일 정도 지난 후에 제거하지만, 환자의 혈역학상태나 의사의 지시에 따라 2주일 이상 페이싱와이어가 유치되는 경우도 있다. 그동안 체외식 페이스메이커가 접속되어 항상 관리되고 있는 것은 아니다. 접속되어 있지 않은 경우 환자의 상태에 맞추어 언제라도 사용할 수 있도록 가제 등으로 보호하고 잘못 제거하지 않도록 관리한다.

체외식 페이스메이커의 삽입부

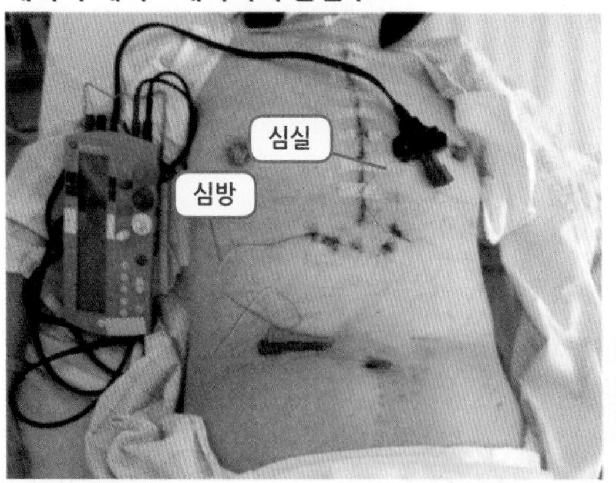

페이싱와이어는 흉골하부에서 2개 나와 있으며, 심방, 심실의 심막외에 유치되어 있다.

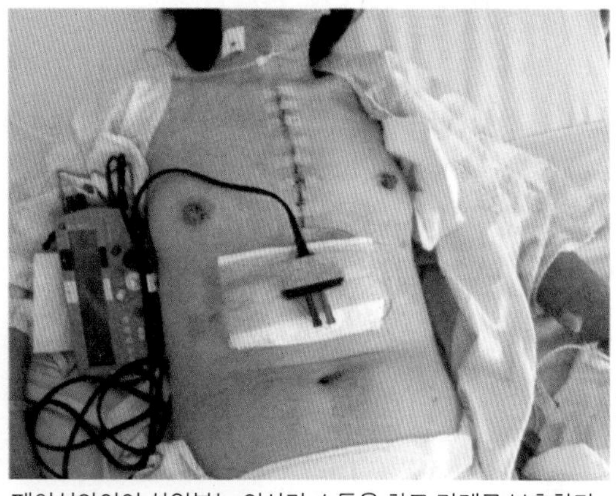

페이싱와이어 삽입부는 의사가 소독을 하고 가제로 보호한다.

간호포인트

- 페이싱와이어로부터의 체외식 페이스메이커 관리 시에는 잘못 제거되는 것에 주의한다. 안정유지 등을 할 필요는 없지만 수술후의 의사의 지시에 따른다.
- 페이싱와이어 유치 시의 샤워목욕은 금지이므로 닦아내는 것으로 대신한다.

체외식 페이스메이커 삽입환자의 관찰 포인트

Point 1 각 부분의 접속·고정의 확인

- 페이스메이커의 접속은 올바른가, 확실하게 고정되어 있는가를 확인한다.
- 페이스메이커 장착 중에 보행을 할 때는 접속부가 제거되지 않도록 주의한다.

Point 2 페이싱와이어 제거 후의 관찰

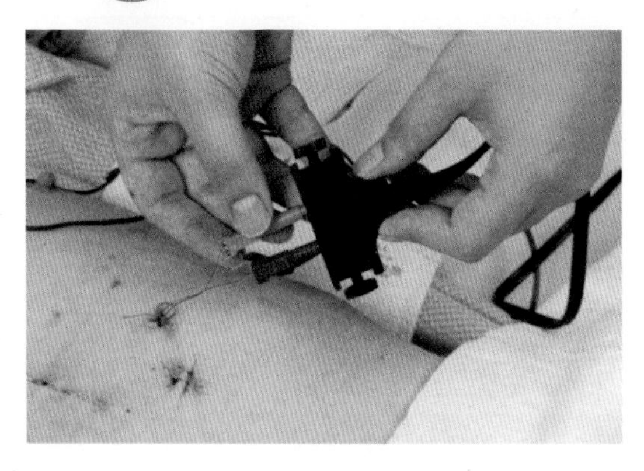

- 페이싱와이어를 제거한 후에는 심낭압전이나 부정맥, 출혈의 위험이 높아진다. 의사의 지시가 있을 때까지 계속 모니터를 감시한다.

Point 3 설정의 확인

- 페이스메이커가 바르게 설정되었는지, 의사의 지시와 대조하여 확인한다. 체외식 페이스메이커를 기준으로 해설하겠다.

체외식 페이스메이커의 구조(예)

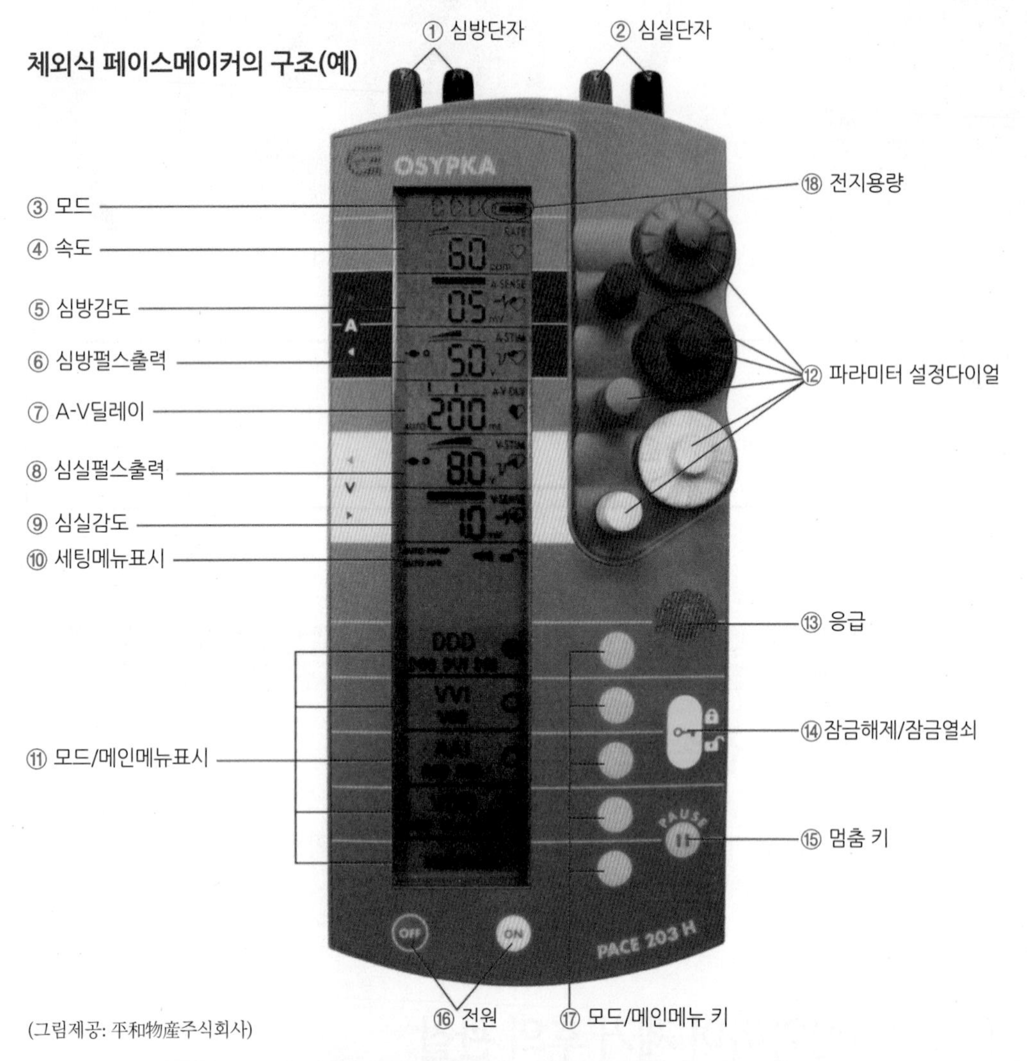

(그림제공: 平和物産주식회사)

Check 설정의 확인항목

- 모드설정: 페이싱양식(③⑪)
- 횟수설정: 심박수의 최소치를 정하는 기본횟수와, 최대치를 정하는 최대레이트가 있다(④).
- 출력설정(output): 페이스메이커가 심근을 자극하는 전기의 강하기를 설정(⑥⑧)
- 감도설정(센싱): 자기의 심장이 수축하여 발생하는 전기를 감지하는 레벨설정(⑨)

※색깔이 있는 번호는 위의 사진의 번호와 대응

페이스메이커의 모드표시코드

제1문자	제2문자	제3문자
자극(페이싱)부위	감지(센싱)부위	반응양식
A: 심방 V: 심실 D: 양쪽(심방과 심실)	A: 심방 V: 심실 D: 양쪽 (심방과 심실) O: 기능 없음	I: 억제*1 T: 동기*1 D: 양(兩)기능 O: 기능 없음

*1 억제형: 자기심박이 있을 때는 전기자극이 억제된다.
*2 동기형: 센싱에 의해 자기심박을 감지하고 방전한다.

Point 4 건전지용량의 확인

- 건전지가 소모되어 페이스메이커가 작동하지 않는 사고를 확실하게 예방하기 위해 반드시 확인한다.
- 반드시 리치움전지를 사용하며, 7일마다 교환을 하고 있다.

Point 5 잠금장치의 확인

- 잠금장치가 되어있지 않은 상태라면, 버튼이나 다이얼에 닿으면 설정이 변경되어버릴 위험이 있다. 잘못된 변경이 생기지 않도록 반드시 잠금장치를 확인한다.

Point 6 활력징후의 관찰

Check 활력징후의 관찰항목

- 혈압, 체온, 심박수, 호흡상태(SpO_2포함), 의식수준

Point 7 심전도 모니터의 관찰

- 심전도 모니터에서는 반드시 페이스메이커 설정이 사용으로 되어 있는 것을 확인한다.
- 페이스메이커 부전(페이싱 부전, 센싱 부전)의 유무를 확인한다. 페이스메이커 부전을 나타낸 경우는 증상, 활력징후를 확인하고 신속하게 의사에게 보고한다.

심전도 모니터의 페이스메이커 설정

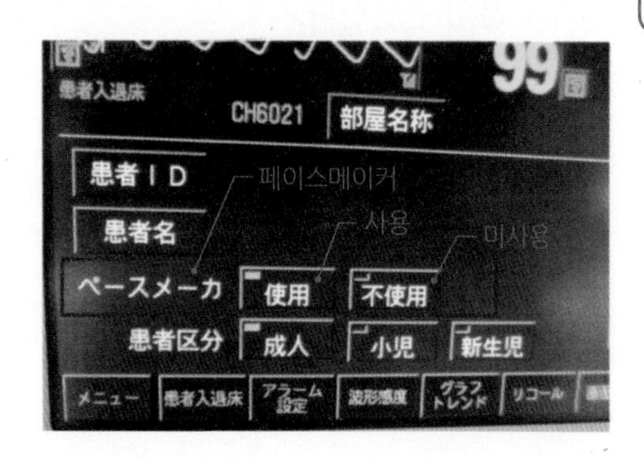

페이스메이커 심전도

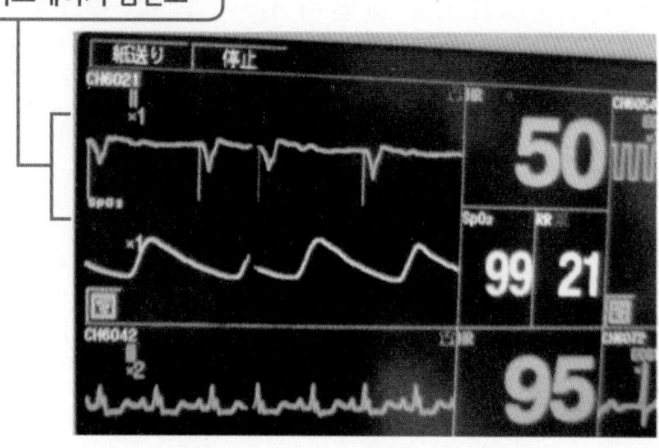

페이스메이커 부전의 예

페이싱 부전(페이싱 실패)

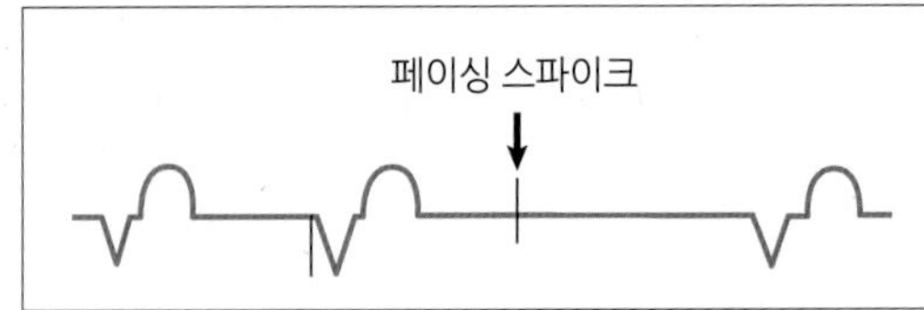

페이스메이커에서 자극은 나오고 있지만, 심방·심실이 반응하지 않는 상태

원인 출력부족, 페이싱리드가 위치를 벗어나거나 단선

감지 부전(센싱실패)

① 감지부족

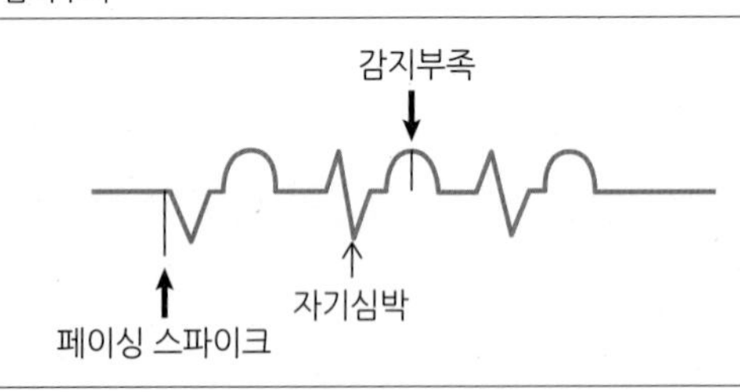

자기P파·QRS파가 출현한 경우 페이스메이커는 이것을 감지하여 작동하지 않고 억제되는데, 자기파를 감지하지 않고 페이싱이 작동해 버린다.

원인 감도의 설정이 낮아 페이싱리드의 위치를 벗어남

② 과다감지

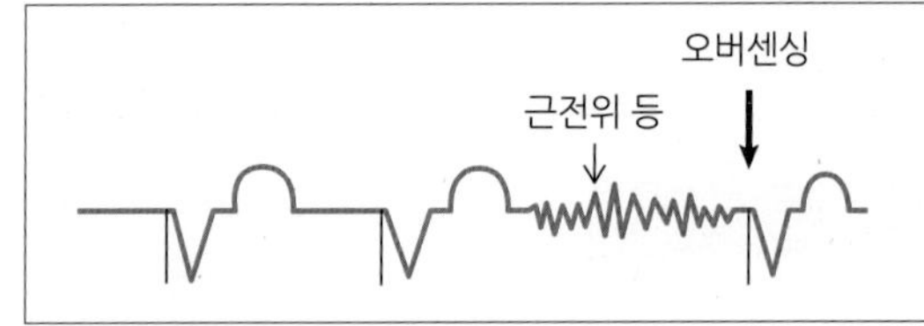

자기P파·QRS파만을 감지해야 하는데 그 이외의 전기자극을 감지하여, 페이스메이커가 작동하지 않는다.

Point 8 알람음의 확인

- 페이스메이커의 기종에 따라서는 접속 등이 불충분하면 알람음이 울리는 경우가 있다.

Point 9 와이어 삽입부의 관찰

- 와이어삽입부의 출혈의 유무, 발적, 피부문제가 없는지 충분히 관찰한다.

(尾川知里)

문헌

1. 布田伸一 편: 순환기질환 널싱. 学習연구사, 도쿄, 2002.
2. 高橋章子 책임편집:엑스퍼트 널스 MOOK17개정판최신·기본수기 매뉴얼. 照林社, 도쿄, 2005.
3. 로버트 M 보셔 저, 天野篤 감역: 심장수술의 주술기관리. 메디컬·사이언스·인터내셔널, 2008:372.

항혈전요법

혈전형성을 예방하는 치료로써 항혈전요법이 있습니다.
항혈전요법을 필요로 하는 심장수술은 주로 허혈성심질환에 대한 관상동맥우회술 (CABG) 및 판막증에 대한 판막치환술, 판막성형술입니다. 혈전형성에 따라 일어나는 합병증이 치명적이 될 가능성이 높고, 또 이로 인해 삶의 질을 떨어뜨리는 경우가 있으므로 항혈전요법은 필수입니다.

항혈전제의 작용구조[1, 2, 3]

● 혈전형성에 관계되는 주요 인자는 응고계와 혈소판이 있으며, 항혈전요법은 항응고요법과 항혈소판요법으로 나뉜다.

1 응고계

● 항응고요법에 이용되는 약제는 경구복용약인 와파린과 정맥내투여약인 헤파린이다.

항응고요법에 이용되는 주요 약제

경구복용약 **와파린**
- 비타민K대사 길항약
- 간장에서 생합성되는 제Ⅱ, Ⅶ, Ⅸ 및 Ⅹ인자를 저해하고 항응고작용을 얻는다.
- 모니터링은 PT-INR로 한다.
- 경합하는 약제도 많아 다른 복용약에 주의를 요한다.

경구복용약 **헤파린**
- 안티트롬빈Ⅲ과 결합하고 제Ⅱ인자의 저해뿐만 아니라 제Ⅻ, Ⅺ, Ⅸ, Ⅹ인자도 억제하여 항응고작용을 얻는다.
- 모니터링은 활성화부분 트롬보플라스틴 시간 (activated partial thromboplastin time: APTT)으로 한다(APTT 60~80초를 목표).

2 혈소판

● 임상에서 가장 많이 사용되고 있는 약제는 아스피린이다.

항혈소판요법으로 이용되는 주요 약제

경구복용약 **아스피린**
- 통상 사용량은 81~330mg/일(일본의 경우)
- 아스피린금기 사례에 있어서는 티클로피딘 또는 클로피도그렐의 투여가 이루어지고 있다.

혈액응고인자의 활성화

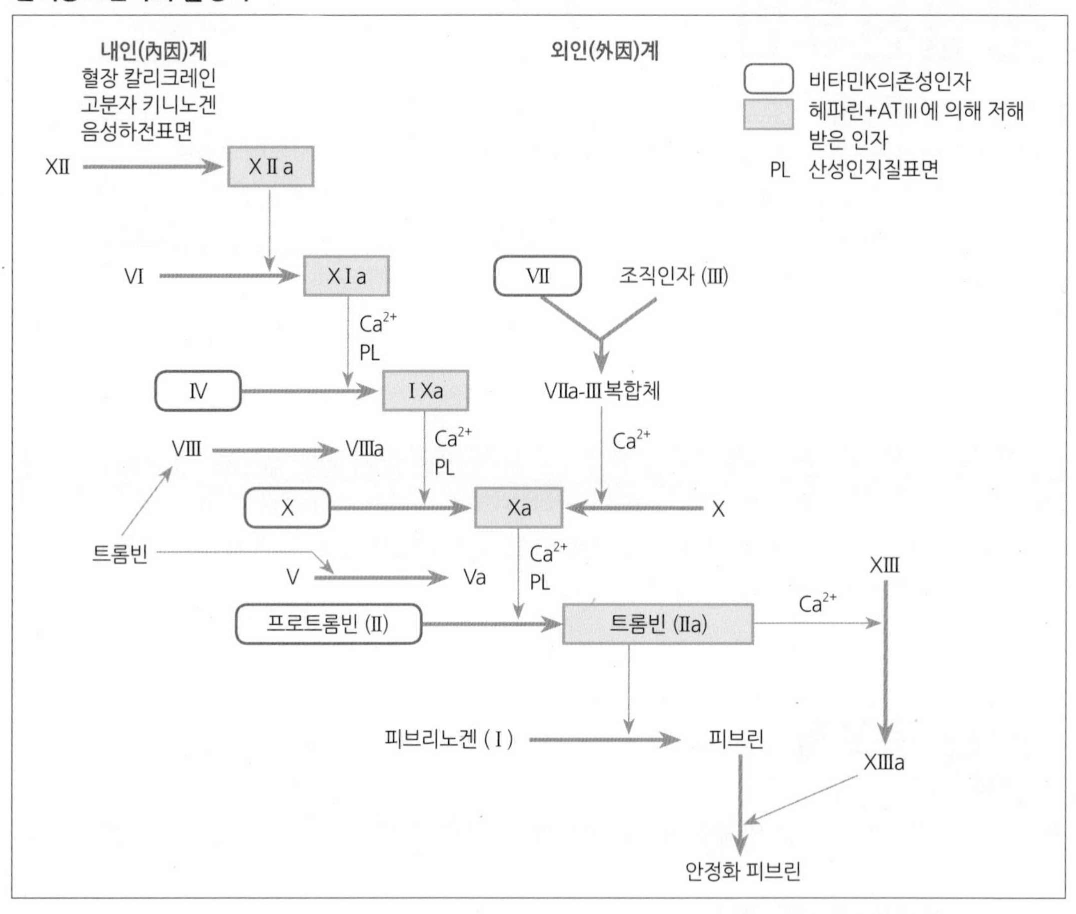

파탄된 플래크에 있어서 혈전형성과정

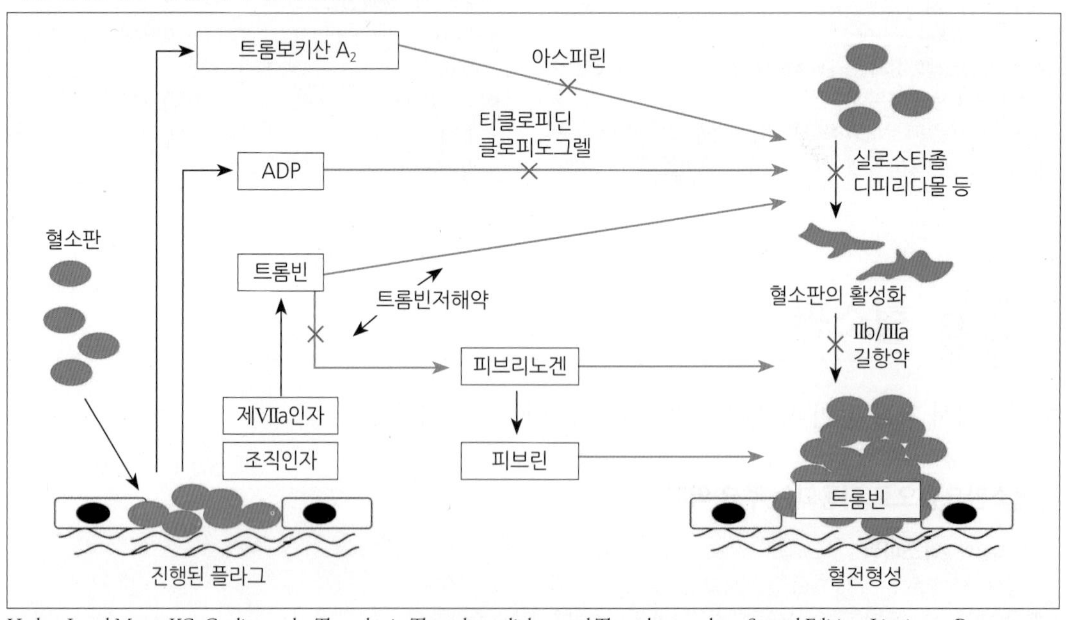

Harker, L and Mann, KG. Cardiovascular Thrombosis: Thrombocardiology and Thromboneurology, Second Edition, Lippincott-Raven, Philadelphia, 1998: 5.에서 개정

질환별 항혈전요법[1]

인공판막술, 판막성형술

- 판막증에 대한 심장수술 후 항응고요법은 필수이며 또 각 환자가 안고 있는 위험에 따라 항혈소판요법을 병용한다.
- 기계판막은 생체판막 및 판막성형보다 색전의 위험이 높아 엄격한 항응고요법을 필요로 한다. 승모판치환술은 대동맥판치환술보다 색전의 위험이 높아 PT-INR을 높게 유지해서는 안 된다. 또 혈전색전의 발생은 인공판막 이식 후 조기에 높다는 것을 염두에 두어야 한다.
- 생체판막 및 판막성형술 후에는 각 수술부위별로 수술 후 3개월간의 와파린투여가 필요하며, 저위험군은 수술 후 3개월 이후에 와파린의 투여중지를 할 수 있다.

인공판막치환술 및 판성형술사례에 있어서의 항응고요법

술식	와파린 PT-INR2.0~2.5	와파린 PT-INR2.0~3.0	비와파린
판막치환술(기계판막)			
A. AVR저위험			
· 3개월 미만	Class I	Class I	
· 3개월 이후	Class I*		
B. AVR고위험		Class I	
C. MVR		Class I	
판막치환술(생체판막)			
A. AVR저위험			
· 3개월 미만	Class I	Class I	
· 3개월 이후			Class II a
B. AVR고위험			
· 3개월 미만		Class I	
· 3개월 이후	Class I		
C. MVR저위험			
· 3개월 미만		Class I	
· 3개월 이후			Class II a
D. MVR고위험			
· 3개월 미만		Class I	
· 3개월 이후	Class I		
판막형성술			
· 3개월 미만	Class I		
· 3개월 이후			
· MVP고위험			Class II a
· MVP고위험	Class I		

고위험이란 심방세동, 혈전색전증의 기왕, 좌심실기능의 저하, 응고항진상태 등을 가진 경우, 또 저위험은 어떤 경우도 갖고 있지 않은 경우
*대동맥판디스크형-엽판막이나 Starr-Edwards판막에서는 PT-INR을 2.0~3.0으로 유지해야 한다.
AVR: 대동맥판막치환술, MVR:승모판치환술, MVP: 승모판성형술

순환기병의 진단과 치료에 관한 가이드라인. 순환기질환에 있어서 항응고·항혈소판요법에 관한 가이드라인 (2009년개정판) http://www.j-circ.or.jp/guideline/pdf/JCS2009_hori_h.pdf (2013년 2월 열람)

- 일본교린병원에서는 기계판치환술 후에는 와파린 및 항혈소판약의 투여를 하고 있다. 항응고요법의 관리는 대동맥판막위: PT-INR 2.0~2.5, 승모판위: PT-INR 2.5~3.0으로 하고 있다. 기계판막치환술 후는 평생동안 항응고요법 및 항혈소판요법을 한다. 생체판막치환술 및 판막성형술 후는 술후 6개월간 와파린투여를 하며, 고위험이 나타나지 않는 경우 복용중지하고 항혈소판약의 복용만 실시하고 있다.

【항혈전요법의 실제】(일본교린병원)

- 판막증수술 후에 대한 와파린 복용은 출혈이 허용범위 내라면 수술당일부터 실시하고 있다.
- 삽관 시에는 경비 위관으로 환자의 연령 등을 고려하여 2~5mg/일의 범위에서 투여 개시한다(수술 전부터 와파린 복용을 하고 있는 환자는 수술 전의 투여량을 기준으로 1.5~2.0배의 양으로 개시한다).
- 항혈소판약의 투여는 수술 후 제1일부터 개시한다.
- 와파린 복용 후 수술 후 3일 째 되는 날 목표 PT-INR에 도달하지 못한 경우 헤파린의 지속투여를 병용하여, 헤파린 10000단위+생리식염액 90mL(전량 100mL, 1mL=100단위)의 조성으로 4mL/시부터 개시하고, 볼러스(bolus)투여는 하지 않는다.
- 5~6시간 후에 APTT검사를 시행하고 APTT 70전후를 목표로 하여 관리한다.

2 관상동맥우회술

- 관상동맥우회술(coronary artery bypass grafting: CABG)에 있어서 항혈전요법은 이식혈관 폐색예방의 관점뿐만 아니라 개개의 환자 배경에 따른 관상동맥위험을 고려한 새로운 관상동맥병변의 발생을 예방하는 등 삶의 질의 향상 및 유지하는 목적이 있다.
- 아스피린의 원위부 이식혈관 개존율에 대한 (특히 대복재정맥) 유효성을 나타낸 보고는 많이 있으며, 기본적으로 수술 후 조기부터 아스피린의 복용을 개시하고 평생 지속한다. 아스피린 금기 증례에 있어서는 클로필도그렐의 투여가 바람직하다.
- 와파린의 원위부 이식혈관 개존율에 대한 유효성은 의견이 엇갈리는 바이므로, 출혈의 위험을 고려할 필요가 있다. 일본교린병원에서는 아스피린(또는 클로필도그렐)의 투여를 수술 후 조기에 시행하고, 와파린도 출혈의 리스크를 고려하여 병용하고 있다. 와파린은 PT-INR 2.0으로 관리하며 술후 6개월간의 투여로 고리스크가 아니라면 중지하고 있다.

【일본교린병원에 있어서의 항혈전요법의 실제】

- 관상동맥우회술(CABG) 후에 대한 항혈소판약 투여는 48시간 이내의 투여가 권장되고 있으므로 수술 당일부터 개시한다.
- 와파린의 복용 개시는 수술 후 제1일부터 하고 있다.

항혈전요법 중의 간호

Point 1 출혈의 유무 확인

● 항혈전요법을 하고 있는 환자는 약의 효과에 의해, 지혈이 될 때까지 시간이 걸리거나 쉽게 출혈이 일어난다. 따라서 출혈의 유무를 관찰하고 출혈의 조기발견, 출혈의 예방을 위해 노력할 필요가 있다.

항혈전요법 중의 관찰 포인트

채혈 후의 지혈 확인	● 채혈 종료 후에는 충분한 지혈을 하고 지혈이 끝난 것을 확인하고 나서 병실을 나가도록 한다. ● 환자에 대해서 출혈을 일으켰을 때는 바로 알리도록 설명한다. ● 말초루트의 제거 후나 출혈을 동반하는 처치후 등도 마찬가지로 대처한다.
비(鼻)출혈의 유무	● 세게 코를 풀면 쉽게 출혈을 일으킨다. 또 건조함으로써 출혈하는 경우도 있다. 이러한 것을 예방할 수 있도록 환자에게 설명한다
안구결막의 출혈의 유무	● 안구결막의 어디에서 출혈이 일어나는지, 출혈의 정도를 관찰한다.
보라색 반점의 유무	● 압박이나 접촉 등에 의해 쉽게 나타난다. ● 보라색 반점이 나타난 부위, 범위, 색을 관찰한다. 보라색 반점의 범위를 표시함으로써 보라색 반점의 확대의 유무를 쉽게 관찰할 수 있다
흑색 변의 유무	● 흑색 변은 (하부) 소화관출혈의 가능성을 나타낸다.

Point 2 낙상사고의 예방

● 낙상사고의 예방에 노력하는 것은 다음의 위험을 피하기 위해서이다.
· 낙상으로 인한 출혈·혈종
· 낙상은 눈에 보이는 외상만이 아니고 신체내부에 있어서의 출혈·혈종(예: 머리를 부딪친 경우), 뇌출혈의 위험성이 높아진다.
● 낙상사고 예방에 관해서 환자·가족에게 설명을 하고 협력을 구하도록 한다.

Point 3 식사

● 낫토는 비타민 K를 많이 함유하여 와파린의 효과를 감약시키므로, 와파린을 복용하고 있는 경우에만 식사는「낫토 금지」로 한다.
● 와파린 이외의 항혈전요법의 약제로는 특별한 금기 식품은 없다.

Point 4 환자지도

- 환자가 약제에 관해서 이해하고 복약관리를 할 수 있도록 지도한다.
- 약제에 대해서 뿐만 아니라 일상생활을 보내기 위한 주의사항에 관해서 지도하는 것도 필요하다.
- 항혈전요법으로써 사용되는 와파린은 식사·다른 약의 병용 등에 의해 효과가 증강·감소하기 쉬운 특징이 있다.

환자지도의 포인트

- 항응고요법으로써 사용되는 와파린은 식사·다른 약의 병용 등에 의해 효과가 증강·감소하기 쉽다. 따라서 환자가 약제에 대해 이해하고 복약관리를 할 수 있도록 지도한다.
- 다음에 와파린을 복용하는 데 대해 교육할 주요사항(①~④)과 모든 항혈전요법약에 공통된 포인트(⑤~⑨)를 제시하였다.

Point 1 와파린의 효과는 개인차가 크다

- 와파린은 환자의 체격이나 식생활, 체질 등에 따라 복용량에 개인차가 생긴다.

Point 2 채혈검사로 와파린용량을 결정하고 있다

- 채혈검사(PT-INR)를 하여 복용량을 정하고 있다. 같은 사람이라도 와파린의 효과는 변동되기 때문에 정기적인 채혈검사가 필요해진다.

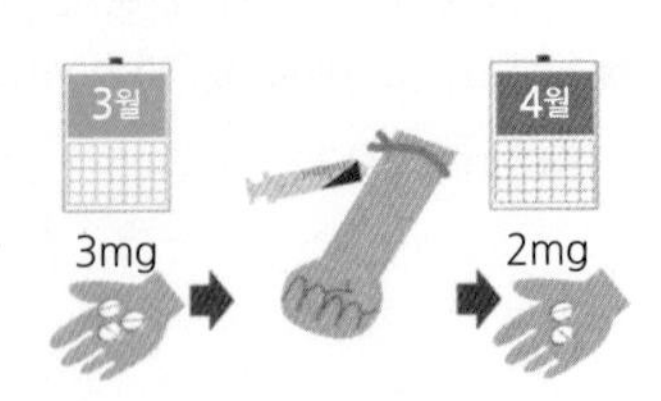

Point 3 와파린의 양과 질병상태는 관계가 없다

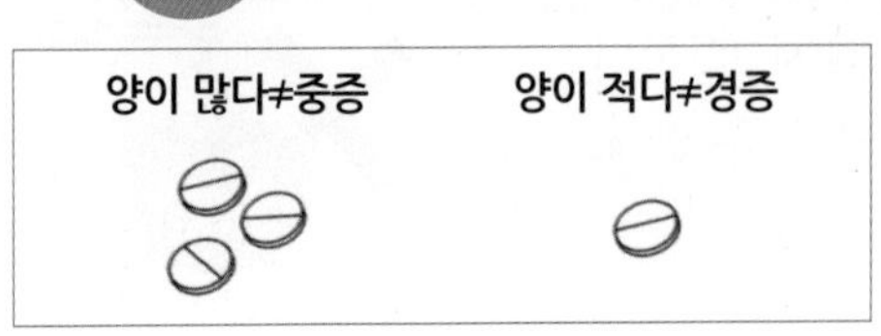

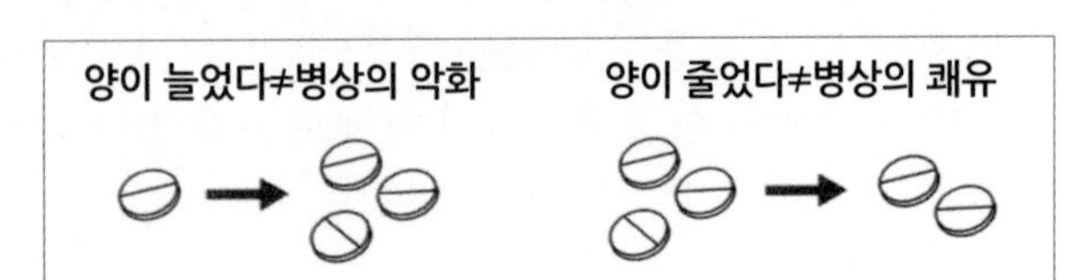

Point 4 비타민 K를 다량 함유한 식품의 섭취는 피한다

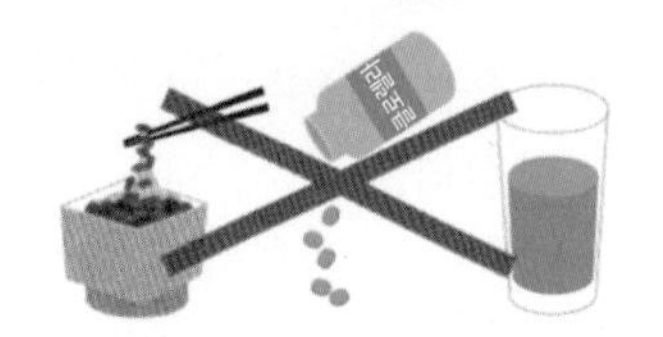

- 비타민 K에 의해 와파린의 효과가 약해진다는 것을 설명한다.
- 주위의 협력을 얻을 수 있도록 환자본인만이 아니고 가족에게 설명한다.

Check 금기식품의 예

- 절대로 섭취해서는 안 되는 식품
  - ·낫토
  - ·클로렐라
  - ·녹즙
- 대량섭취를 피하는 게 좋은 식품
  - ·녹황색채소
  - ·알코올

주의!

- 끈적끈적한 식품이나 야채류를 모두 먹으면 안 된다는 잘못된 인식이나 와파린양이 줄면 낫토 등을 먹을 수 있다고 생각하는 환자도 많다.
- 금기식품 이외에는 식사는 균형에 맞추어 섭취하도록 지도하는 것이 중요하다.
- 영양보조식품이나 건강식품은 와파린과의 조합에 관해서 명확하지 않은 것이 많으므로, 섭취는 될 수 있는 한 피하는 게 좋다. 섭취하고 싶은 경우는 의사나 약사에게 상담한다.

Point 5 매일 일정한 시간에 정해진 용량을 복용한다

- 체내에 있어서 약의 효과를 일정하게 유지하기 위해 일정 시간에 복용하는 것이 필요하다.

Point 6 약 먹는 것을 잊어버렸을 때는 모아서 한꺼번에 복용하지 않는다

- 약 먹기를 잊었을 때는 약의 효과에 변동을 주기 때문에 잊은 분량을 모아서 한 번에 복용하지 않도록 반드시 설명한다.
- 잊었을 때의 대처법을 지도하는 것보다 잊지 말고 복용할 수 있도록 환자나 가족과 함께 노력하는 것이 중요하다.

Point 7 자기 판단으로 복용을 중지하지 않는다

- 항혈전요법은 혈전형성을 예방하기 위해 시행한다. 의사의 판단에 따르지 않고 자기의 판단으로 항혈전요법의 약제를 중지해버림으로써 혈전형성에 의한 합병증의 출현 위험을 높이게 된다.

Point 8 항혈전요법의 약제를 복용하고 있다는 것을 전달한다

- 다음의 경우는, 항혈전요법의 약제를 복용하고 있다는 것을 전달한다.
  - · 발치 등 출혈을 동반한 처치·치료를 할 때
  - → 왜? 복용을 일시적으로 중지할 필요가 있으므로 의사에게 상담하도록 지도한다.
  - · 다른 질환으로 검진을 받을 때
  - → 왜? 다른 질환에 필요한 치료약과의 조합이 좋지 않은 등의 문제가 생기는 경우가 있기 때문에

> 예: 골다공증치료용 비타민 K_2치료약은 와파린 복용중인 사람은 병용금기이다(비타민 K는 와파린의 작용을 약화시키기 때문에).

  - · 시판약을 구입할 때
  - → 왜? 시판약과 복용하고 있는 약의 조합이 좋지 않은 등의 문제가 일어날 수 있기 때문에

주의!

- 환자가 약의 상호작용에 관해서 자세한 정보를 아는 것으로 인해, 너무 걱정하거나 필요한 약의 복용을 중단하는 경우가 있다. 항혈전요법의 약제를 복용하고 있다는 것을 전달하도록 지도하는 것이 중요하다.

Point 9 그 밖에 일상생활상의 주의점

- 출혈을 예방하도록 지도한다.

> 예: 낙상사고를 예방할 것, 코를 세게 풀지 않도록 할 것, 이를 닦을 때는 잇몸을 세게 닦지 않도록 할 것 등

- 만약 출혈이 일어났을 때는 출혈부위를 압박하여 지혈하도록 지도한다.
- 다음과 같은 경우에는 의료기관을 방문하도록 지도한다.
  - · 출혈이 멈추지 않는다
  - · 멍이 넓게 퍼지고 있다
  - · 눈의 충혈이 있다
  - · 변의 색이 검다 등
- 혈전형성에 의한 합병증의 징후가 보이는 경우에는 바로 의료기관을 방문하여 검진을 받도록 지도한다.

Check 약을 복용 중지 기간의 예(일본교린병원)

와파린	4일 전
바이아스피린	7일 전
파날딘	10~14일 전
프라빅스	14일 전

※약을 복용 중지하는 기간 중에는 의사의 지시로 헤파린 투여를 하는 경우가 있다.

Check 합병증의 징후

- 심근경색: 흉통 등
- 뇌경색: 손발 저림·움직임이 둔하다, 말투가 어눌하다 등
- 심부정맥혈전증: 하지의 통증, 하지의 종창 등
- 폐혈전색전증: 심부정맥혈전증과 같은 증상, 활동 시에 숨이 막힘 등

주의!

● 행동을 너무 제한하여 환자가 평소대로의 일상생활을 보내지 못하는 지도는 피한다. 지도할 때는 너무 불안을 조성하지 않도록 유의한다.

(遠藤英仁, 鈴木亜希子)

문헌

1. 순환기병의 진단과 치료에 관한 가이드라인. 순환기질환에 있어서 항응고·항혈소판요법에 관한 가이드라인(2009년 개정판). http://www.j-circ.or.jp/guideline/pdf/JCS2009_hori_h.pdf(2013sus 2월 열람)
2. Hirsh J, Fuster V, Ansell J, et al:American heart association/American college of cardiology foundation guide to warfarin therapy. Circulation 2003; 107: 1692-1711.
3. 原田芳照:혈액·면역계의 약리. 의계약리학, 遠藤仁, 橋本敬太郎, 後藤勝年 편저, 中外의학사, 도쿄, 1997: 328-346.
4. 堀井学, 斎藤能彦:순환기질환의 약물요법 근거를 바탕으로 한 순환기 간호의 실천 헬스프로모션에서 종말기케어까지 기초편 순환기 간호의 실천의 기반이 되는 것 순환기질환의 치료에 관한 기초적 이해. 간호기술 2006; 52: 43-46.
5. 上塚芳郎 감수: 항응혈약요법수첩 와파린수첩. 에이자이.
6. 의약품·의료정보 찾기 의료관계자 대상 사이트 내「와파린」 http://www.eisai.jp/medical/products/warfarin/about/
7. 심장혈관외과 쿠마모토(熊本)적십자병원 홈페이지 내「술후의 환자에게 와파린의 주의사항」 http://cv.kumamoto-med.jrc.or.jp/warfarin/
8. .교린대학의학부 부속병원 순환기내과 뇌졸중센터작성: 와파린 복용 중인 뇌경색·심근경색 등의 환자에 대한 술전의 대처법
9. 교린대학의학부 부속병원 리스크 메니지먼트 위원회 편: 교린대학의학부 부속병원 의료안전메뉴얼 제8판. 2011: 55-57.
10. 교린대학의학부 부속병원 리스크 메니지먼트 위원회 정맥혈전색전증WG: 정맥혈전색전증 예방가이드리인 2010년 2월 22일 개정판.

column

수술 후의 혈전예방

수술 후는 수술조작이나 장기(長期)와상 등에 의해 정맥성으로 쉽게 혈전이 형성된다. 정맥성 혈전에 의한 질환, 심부정맥혈전증·폐혈전색전증, 이들을 총칭하여 정맥혈전색전증이라고 한다.

정맥혈전색전증 예방 가이드라인을 기초하여 당원에서도 정맥혈전색전증 예방 가이드라인을 작성하고 있다. 위험 분류를 하고 위험도에 따른 예방책을 해나가는 것, 폐혈전색전증 또는 심부정맥혈전증이 의심될 때의 대응에 관한 매뉴얼이 나와 있다.

수술 후의 정맥혈전색전증의 예방으로써 리스크 레벨에 따라 ① 하지의 운동(조기 이상), ② 탄력 스타킹, ③ 간헐적하지압박장치, ④ 항응고요법을 실시하고 있다.

②의 탄력스타킹은 일반적으로 수술 직후부터 착용하며, 이상(離床)이 진행되면 불필요해진다. 그러나 심장혈관질환인 환자의 경우는 수술 중에 헤파린 투여를 하는 경우가 많고, 하지에 상처가 되는 일 등을 고려하여 수술종료 후부터 착용하는 경우가 많다.

배액관리

원칙적으로 심장수술, 흉부대동맥수술을 받은 모든 환자에 대해서 체내에 고인 혈액, 농즙, 삼출액 등을 체외로 배출하기 위해 배액이 이루어집니다. 주로 전종격과 심낭, 상황에 따라 좌우의 흉강에 드레인을 유치합니다. 유치 중일 때는 합병증에 주의하고 배액이 제대로 기능하고 있는지, 배액의 양이나 양상, 색깔 등의 관찰이 중요합니다.

심장수술 후 드레인의 목적

- 흉강 내에나 심낭 내, 종격 내에 고인 흉수나 혈액을 배액하여 제거한다.
- 심장수술이나 기흉으로 양압이 된 흉강 내, 종격 내의 공기를 제거하여 정상압(음압)으로 한다.
- 수술 후, 배액관을 유치함으로써 드레인으로부터 나온 배액의 양·양상, 공기의 유무에 따라 수술부위의 치유상태를 확인한다.

개심술 후 드레인의 삽입부위

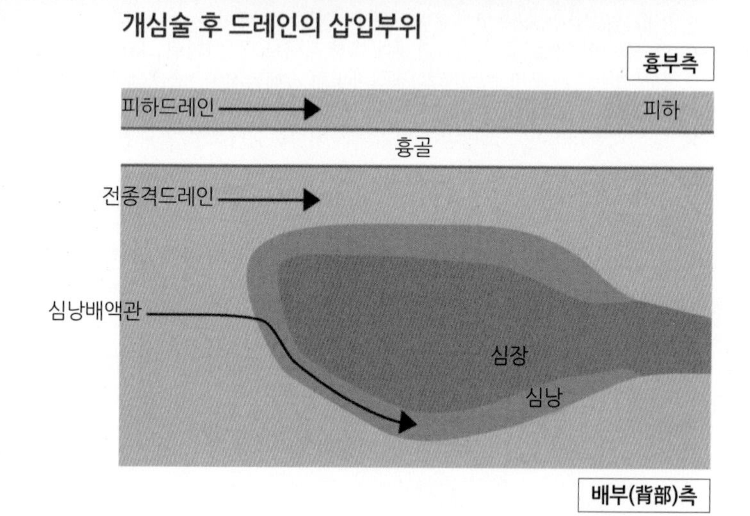

1 심낭배액관

목적·적응

- 심낭 내에 혈액, 장액 또는 공기가 체류되어 심장을 압박하고, 순환장해를 동반할 위험이 있는 경우(심장압전)에 필요하다.
- 수술 후 출혈에 따른 심장압전의 예방과 감시를 위해 이루어진다.

주의사항

- 이식부위에 가까운 때가 있으므로, 밀킹에 주의한다. 밀킹을 함으로써 이식부위에 상처를 줄 위험이 있다.

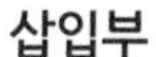

삽입부

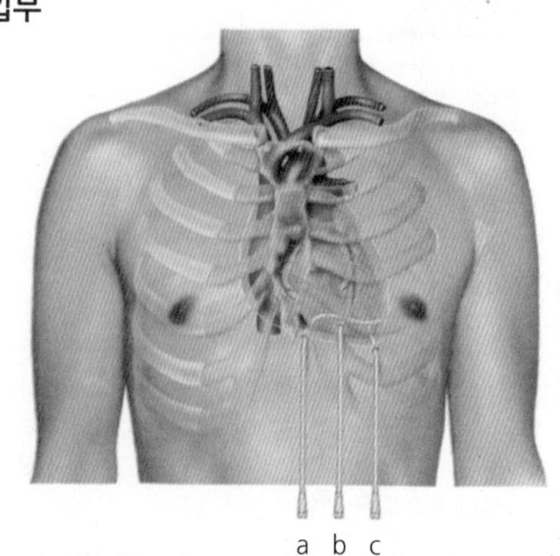

a: 검상돌기아래
b: 왼쪽 제4 또는 제5늑간 흉골왼쪽경계부위
c: 심첨박동부위(왼쪽 제5늑간)

전종격배액

목적·적응

- 종격은 흉곽 내에 있고 좌우의 폐·횡격막·척추에 둘러싸인 중심부로, 심장·흉부대혈관·기관·식도 등 중요한 장기를 포함하고 있다. 심장·종격 수술후의 종격배액에서는 수술 후 출혈의 감시, 출혈에 의한 종격내장기의 압박을 피하기 위해 필수적으로 시행한다.
- 종격의 화농성염증은 전신에 혈행성으로 파급되고 패혈증을 일으키기 쉽다. 따라서 조기발견·진단을 하여 적절한 치료를 하는 것이 필요하다.

주의사항

- 인조혈관이 가깝기 때문에 밀킹에 주의한다. 밀킹을 함으로써 인조혈관에 배액관이 닿으며 상처를 줄 위험이 있다.

삽입부

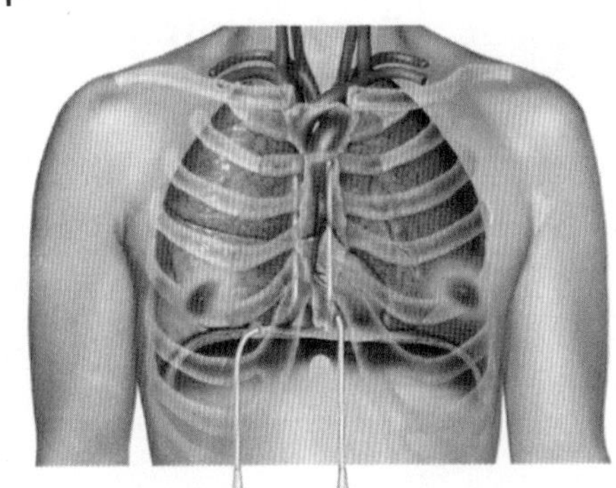

흉강배액

목적·적응

- 폐바깥부위의 흉강은 정상적으로는 극히 소량의 흉수가 존재할 뿐이지만, 질환 또는 수술조작에 의해 흉강에 액체나 기체가 체류될 수 있다. 이런 경우에 충분한 환기가 이루어지지 않으므로 호흡기능저하를 일으킨다. 이것을 막기 위해 체류물을 체외로 배액시키기 위해 시행된다.

주의사항

- 배액관이 빠지지 않도록 정확하게 고정한다.
- 의사의 지시에 따라 흡인압을 설정한다.

삽입부

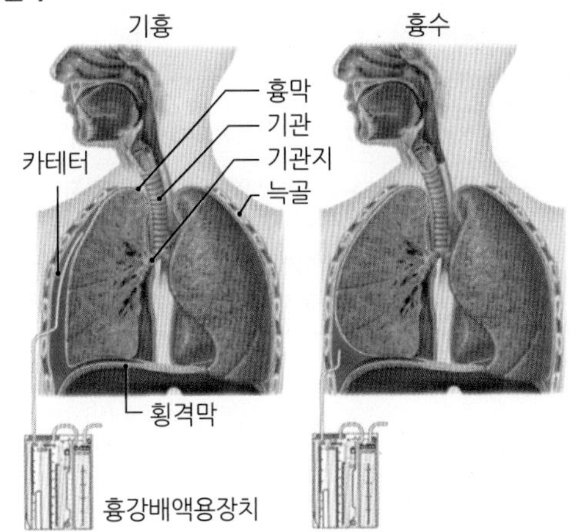

피하배액

목적·적응

- 피하배액은 흉골 위의 피하에 삽입된 상태로 유지한다. 피하에 고인 혈액이나 삼출액의 체류를 예방하며, 또 음압을 거는 것으로 지방의 압착을 촉진하여 염증을 예방하고 상처치유를 촉진시킨다.
- 대략 3~4일에 제거한다.

주의사항

- 흡인이 제대로 걸려 있는지, 압력이 해제된 것은 아닌지를 확인한다.
- 실리콘의 부드러운 소재이기 때문에 구부러지며 흡인이 걸리지 않으므로 주의가 필요하다.

삽입부

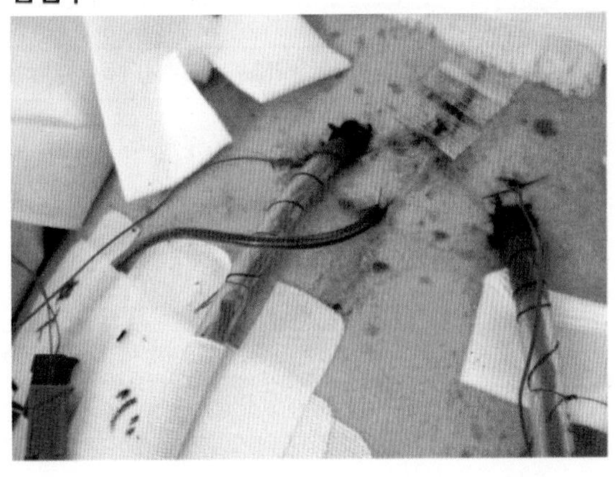

배액에서 사용되는 주요 물품

■ 수술 후 배액

흉강 카테터

사용목적	● 수술 후에 체내에 고인 혈액·농즙·삼출액 등을 체외로 배출할 목적으로 이용한다. ● 심낭배액, 전종격배액, 흉강배액을 폐흉 시에 유치
특징	● 항혈전성 배액용카테터. 카테터에는 유로키나제가 고정화되며, 항혈전성을 갖고 있기 때문에 장기(長期)유치가 가능 ● 폴리염화비닐제이고 유연성이 있다. 직각형 직선형
주의사항	● 구멍이 여러 개 있는 24Fr 이상의 것이 이용된다. ● 라운드 타입(구형), 플랫타입(타원형)을 이용함으로써 늑골간을 지날 때 창부를 넓히지 않고 환자의 고통을 경감시킬 수 있다.

브레이크 실리콘 배액관

사용목적	● 수술 후에 고여있는 혈액·농즙·삼출액 등을 체외로 배출할 목적으로 이용한다. ● 피하배액으로써 폐흉 시에 유치
특징	● 다른 드레인에 비해 잘 찌부러지지 않으며, 잘 막히지 않는다. 또 조직과의 접촉 면적이 넓어 모세관현상으로 배액효율이 높다. ● 실리콘소재로 부드럽고 J-VAC 드레이너지 시스템에 접속하여 사용한다.
주의사항	● 실리콘제이기 때문에 밀킹롤러를 이용하는 밀킹은 피한다.

■ 흉강배액

트로카카테터

사용목적	● 수술 이외에서 기흉이나 흉수의 체류에 대한 치료목적으로 이용한다.
특징	● 트로카카테터: 8-32Fr ● 금속의 단단한 내관이 들어 있어서 흉곽외로부터 강한 힘으로 찔러 넣어 삽입한다. 내침 외통
주의사항	● 싱글루멘과 더블루멘이 있으며, 배액목적인 경우는 싱글을 이용한다. ● 기흉=전·중액와선 제4·5·6늑간으로 삽입 ● 흉수=중·후액와선의 제7·8늑간으로 삽입

2 트로카 아스피레이션 키트

사용목적	● 수술 이외에 기흉이나 고여있는 흉수의 치료목적으로 사용된다.
특징	● 아스피레이션키트: 6-12Fr ● 금속의 단단한 내관이 들어가 있으며 흉곽외에서 강한 힘으로 찔러 넣어 삽입한다. 일방향의 아스피레이션 밸브가 붙어 있어서 그 판의 3-way에 주사기를 달아 적극적으로 배액이나 공기제거를 할 수 있다. ● One-way valve가 붙어 있기 때문에 역류나 공기가 들어가는 일이 없다.
주의사항	● 사이즈가 작고 사이즈 선택도 한정되어 있기 때문에 혈성이나 농성 흉수인 경우 쉽게 막히는 경향이 있다 ● 흉부배액백에 설치할 때는 밸브 내의 역류방지판의 폐색으로 인한 흡인불량에 따라 긴장성기흉이 발생할 우려가 있으므로, 반드시 아스피레이션밸브를 제거한다.

드레인의 삽입(흉강천자)

필요한 물품

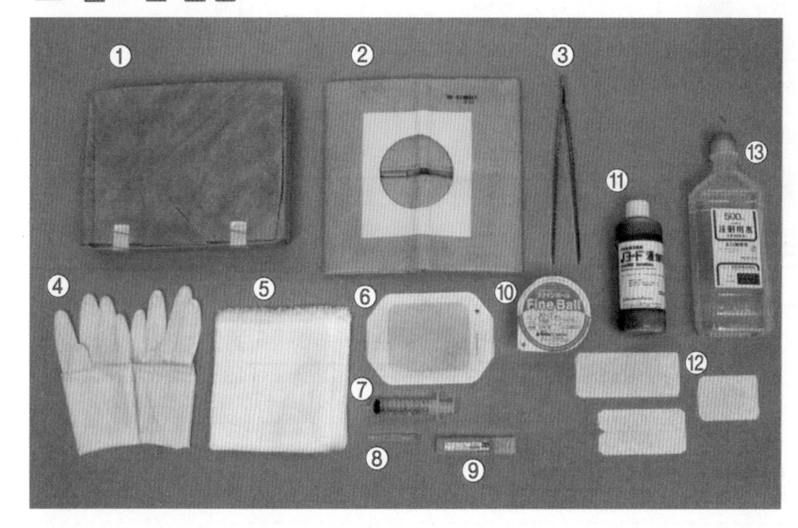

① 봉합세트
② 멸균된 구멍 뚫린 복포
③ 겸자 ④ 멸균장갑
⑤ 가제
⑥ 필름드레싱재
⑦ 주사기 ⑧ 주사침
⑨ 국소마취제 (1%키시로카인)
⑩ 멸균솜
⑪ 소독약(J요오드액)
⑫ 고정용 반창고(3장)
⑬ 주사용 멸균수

트로카 아스피레이션 키트

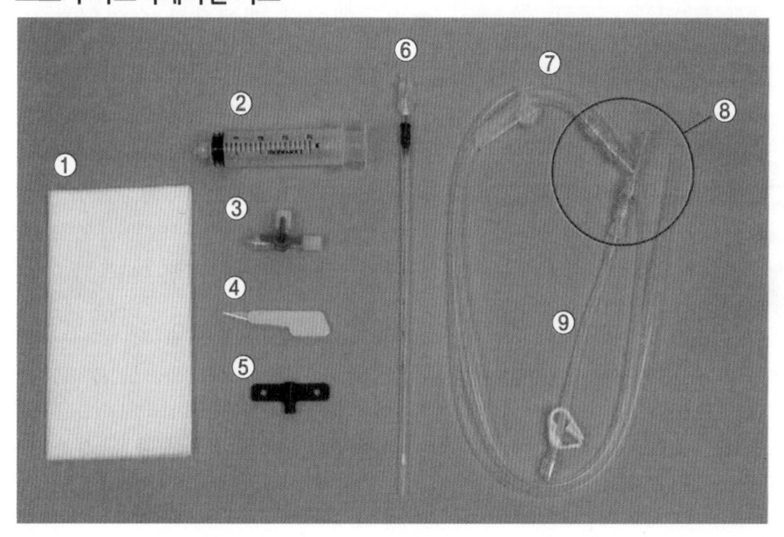

① 드레이프
② 주사기
③ 3-way
④ 스칼펠
⑤ 고정날개
⑥ 카테터 본체 (천자구 부착)
⑦ 배액튜브
⑧ 아스피레이션 밸브
⑨ 연장튜브

순서 1 흉강배액용 장치를 준비하고 밀봉여부를 확인해 놓는다

- 배액에는 흡인의 원리에 기초한 일회용제품을 이용한다.
- 필요한 흉강배액장치(여기에서는 체스트 드레인 백 Q-1타입)를 준비하고 수봉부에 필요량의 멸균증류수를 넣어 준비해 놓는다.

체스트 드레인 백(Q-1타입)

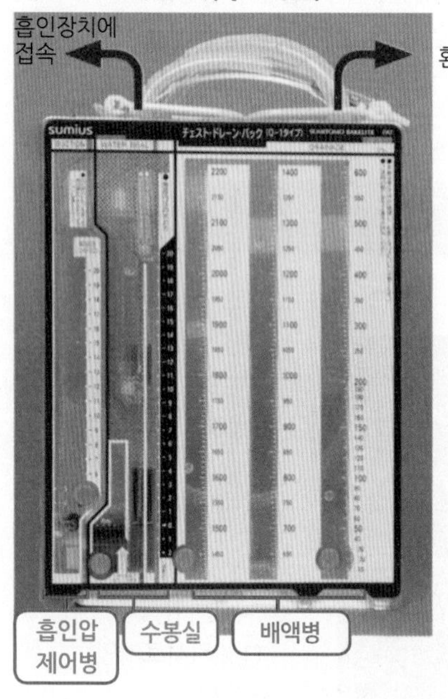

Check 흉부배액백의 작동원리

- 흉부배액백은 3개의 병렬병 장치와 같은 기능을 갖는다.

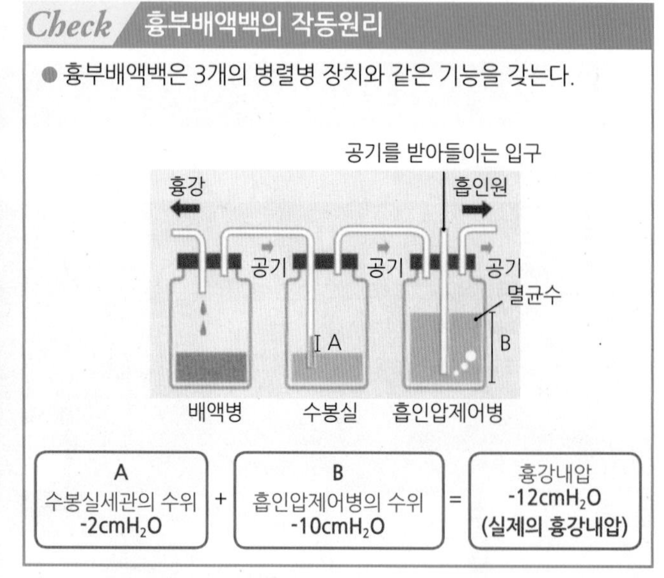

순서 2 환자의 상태를 정비한다

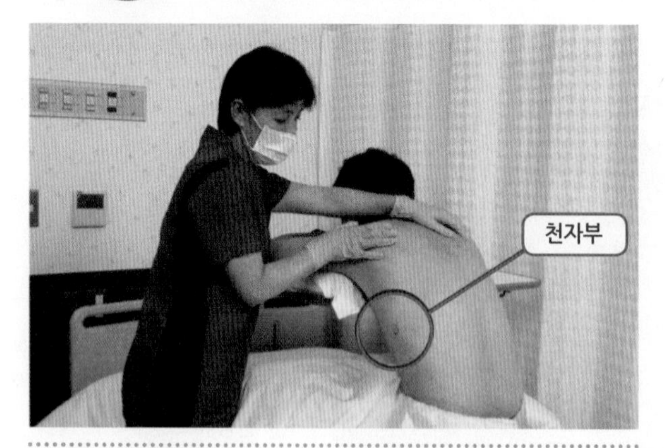

왜 하는가? 좌위에서의 천자

- 흉수는 흉강 밑에 고이기 때문에 좌위 쪽이 천자하기가 쉽다.

- 소독액이나 배액으로 오염되는 경우가 있으므로 상반신은 바로 벗을 수 있도록 하던가, 수술복으로 갈아입는다.
- 천자부위는 흉부옆쪽인 경우가 많아 앞으로 구부린 자세를 취하게 한다. 상두대나 베개 등으로 체위를 조정한다.
- 춥지 않게 실온을 조절한다.
- 처치에 시간이 걸리기 때문에 사전에 용변을 마치도록 한다.

천자부위를 소독하고 멸균상태를 확보한다

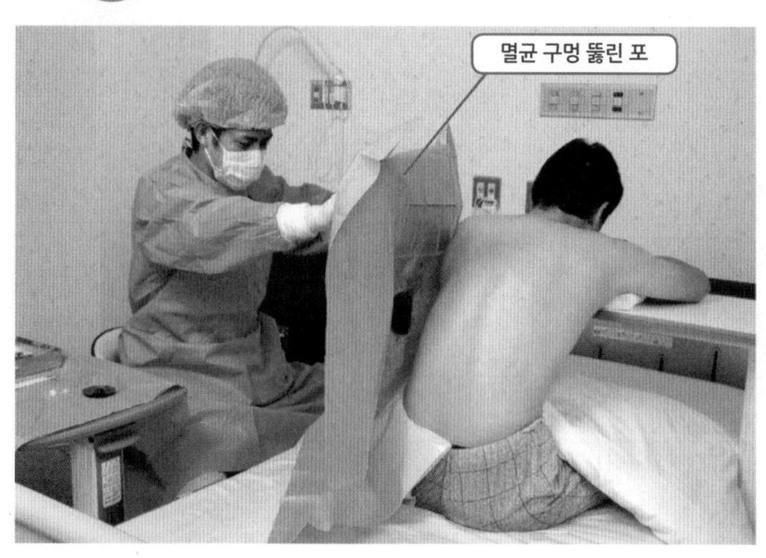

- 천자부위를 소독액으로 소독한다. 필요 시 초음파로 천자부위를 표시하고 나서 시행한다.
- 멸균대를 만들고 그 위에 필요한 물품을 위생적으로 전부 준비한다.
- 카테터 등 기구류의 오염을 방지하기 위해 멸균 구멍 뚫린 드레이프를 넓게 덮는다.

간호포인트

- 시행 전에 혈압, 맥박, SpO_2를 측정한다.
- 멸균 구멍 뚫린 드레이프를 걸치면 환자의 얼굴이 잘 보이지 않으므로 다음에 무엇을 할 것인지 이야기해주면서 환자의 고통의 유무에 주의한다.

주의!

- 흉강천자 시에는 카테터 관련 혈류감염을 방지하기 위해 무균적 조작으로 시행한다(최대 미생물 방어 주의).

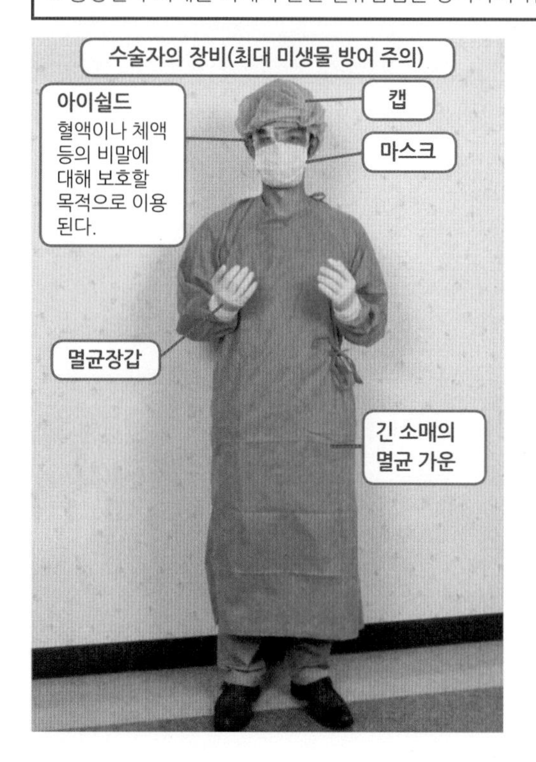

간호사의 장비
(표준 방어 장비)

- 일회용 장갑
- 일회용 에이프런
- 캡
- 마스크

- 최대 미생물 방어란 고도의 무균차단예방책을 말한다. 손위생에 모자(캡), 마스크, 멸균가운, 멸균장갑, 대형 멸균드레이프를 이용하여 환자를 감염으로부터 지키기 위해 무균조작을 한다.

순서 4 카테터를 삽입한다

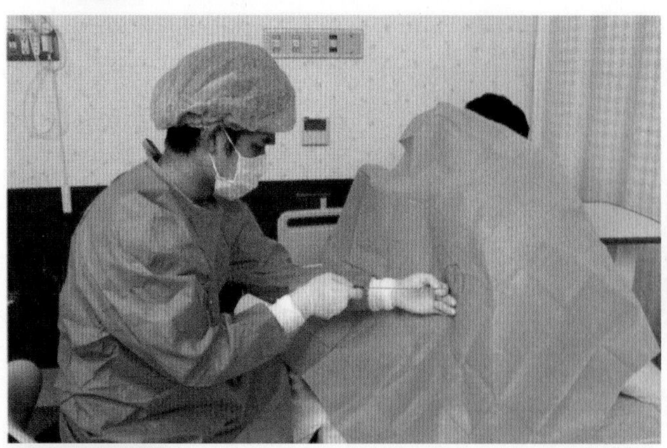

● 천자예정 주변에 국소마취를 하고 스칼펠을 이용하여 늑간의 삽입위치에 작게 절개를 한다.
● 작게 절개를 한 부위에 카테터를 삽입한다. 삽입 후 카테터의 외부를 누르고 어긋나지 않도록 하면서 내침을 뽑아낸다.

간호포인트

● 간호사는 천자 중에도 혈압, 맥박, SpO_2 등의 활력징후, 호흡상태의 확인을 하고, 시행 전부터의 변화는 없는지 주의한다.

순서 5 흡인한다(흉수인 경우)

● 내침을 뺀 후 바로 주사기를 부착한다(흉강내는 음압이기 때문에 그대로 놔두면 공기가 흉강내에 유입되어 버리기 때문).
● 지속흡인이 필요한 경우에는 흉부배액백에 연결한다.

배액 중의 관리와 관찰 포인트

● 붕대교환 할 때 이외의 관찰은 활력징후 측정과 정기순회시 환자가 이상을 호소했을 때 확인하며 기록에 남긴다.
● 이상하다고 느낀다면 곧 의사를 부른다.

배액 중의 필수관찰사항

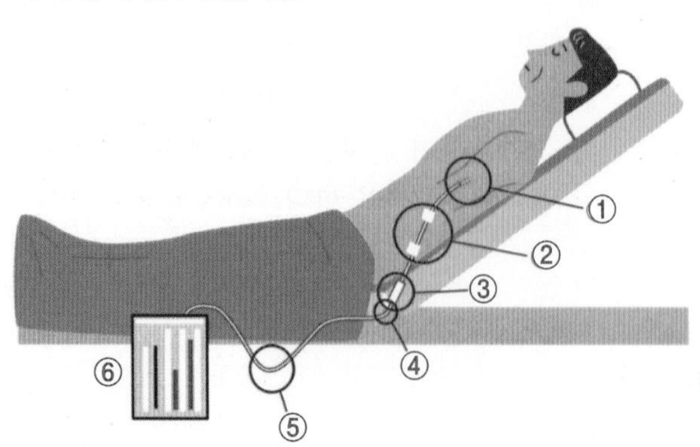

① · 삽입부의 발적, 열감, 열감의 유무
· 피하기종의 유무
· 삽입부 고정매듭이 느슨해지지 않았는가
· 삽입부위에서의 삼출액·출혈은 없는가
② · 테이프는 단단하게 고정되었는가
③ · 똑바로 접속되어 있는가
④ · 튜브는 구부러지거나 베드에 감겨있지는 않은가
⑤ · 배액량, 양상
· 배액이 관내에 정체되어 있는 건 아닌가
⑥ · 배액관과 배액백의 고정
· 흡인압은 적정하게 설정되어 있는가(증류수가 없어지지 않았는가)
· 흡인압설정의 기포는 1초에 1개 정도로 조절되어 있는가
· 플럭추에이션(호기·흡기시의 호흡성이동)의 확인
· 공기방울 유무의 확인

Check 1 삽입부위에 이상은 없는가

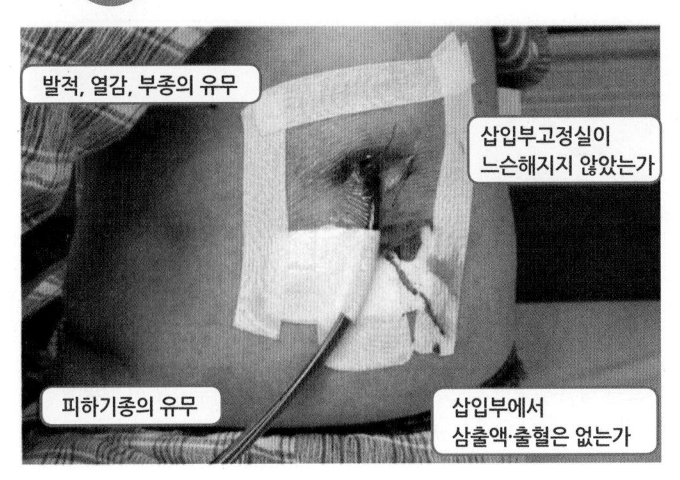

- 삽입부에서 삼출액·출혈이 보이는 경우 배액관의 굴곡·응혈에 의한 폐색으로 충분히 배액되지 않아 삼출액이 흘러나오는 것이라고 생각할 수 있다.
- 소독의 간격은 의사의 판단으로 결정한다.
- 삽입부위의 상처 관찰은 적절하게 할 필요가 있지만 삽입부위를 함부로 개방하는 것이 감염으로 연결되는 경우도 있으므로, 소독은 반드시 매일 해야 할 필요는 없다.

Check 2 튜브가 단단하게 고정되어 있는가

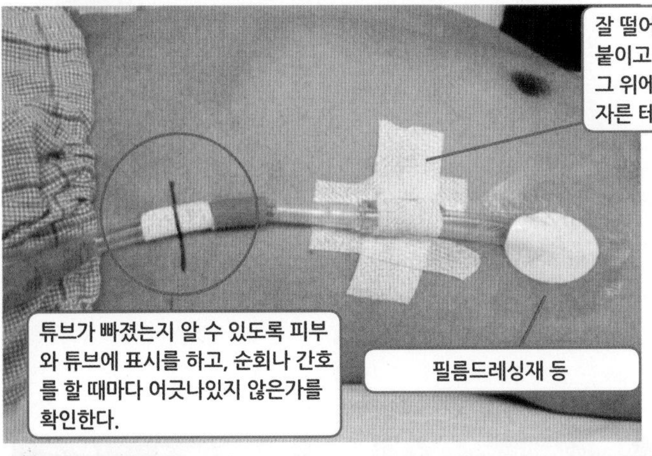

- 튜브는 자기발관예방을 위해 반드시 피부에 고정한다.
- 드레인이 빠져 나오지 않았는지 확인하기 위해 튜브와 테이프, 피부에 표시를 한다(어긋나 있지 않은지를 확인).

튜브의 고정방법

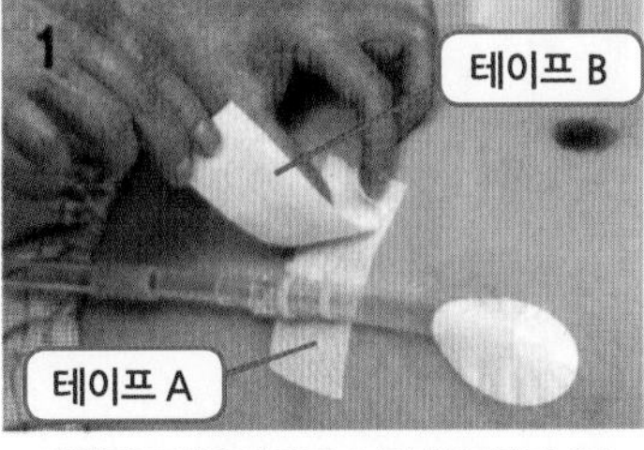

- 배액관고정용테이프 A(잘 떨어지지 않는 것. 실키포어 등)를 피부에 붙이고 그 위에 테이프 B를 붙인다.
- 배액관으로 피부를 압박하지 않도록 띄워서 부착한다.

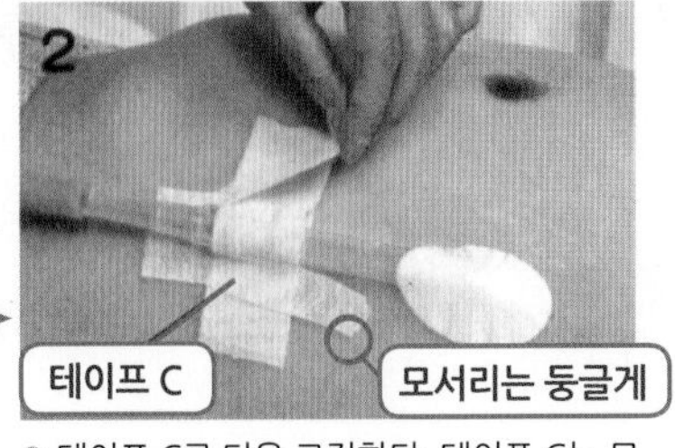

- 테이프 C로 더욱 고정한다. 테이프 C는 모서리를 둥글게 하고 한 쪽(Y자)에 가위집을 넣는다.
- 삽입부는 가제가 아니고 필름드레싱재 등으로 막는다(삽입부를 통한 공기의 유입에 따른 기흉을 예방하기 위해).

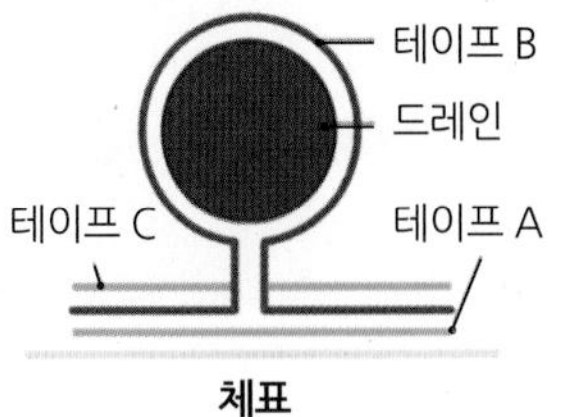

Check 3 튜브의 접속에 느슨함은 없는가

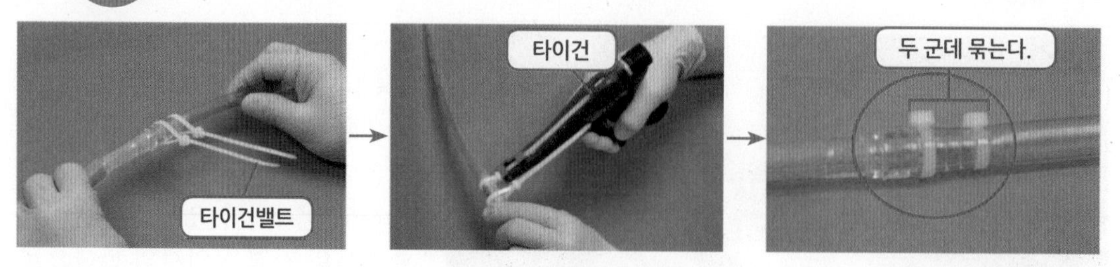

- 접속부가 벗겨지면 감염이나 공기유입의 위험이 있으므로 타이건밸트 등으로 고정한다.

주의!

- 불안정하여 튜브가 잡아당겨진 경우 타이건밸트를 하고 있으면 튜브까지 잡아당겨져 버리는 경우가 있기 때문에, 시설이나 과에 따라 굳이 타이건밸트를 사용하지 않는 경우도 있다. 그런 경우에는 순회할 때마다 느슨해지지 않았는지 충분히 주의한다.

Check 4 배액량, 양상은 정상인가

- 배액량은 눈금으로 확인해 가지만 이동 시 배액이 옆으로 흘러버리는 경우가 있기 때문에 주의한다.
- 배액의 양상은 튜브 내에서 확인한다.
- 보통 술후의 배액은「혈성→담혈성→담담혈성→장액성」으로 변화된다.
- 급격하게 혈성의 배액이 나타난 경우는 혈흉을 의심한다.
- 배액의 급격한 감소·소실은 삽입부위로부터의 배액의 유무와 함께 드레인의 굴곡·응혈에 의한 폐색을 의심한다.
- 배액이 하얗고 탁한 것은 감염을 의심한다.

배액색의 예

담혈성

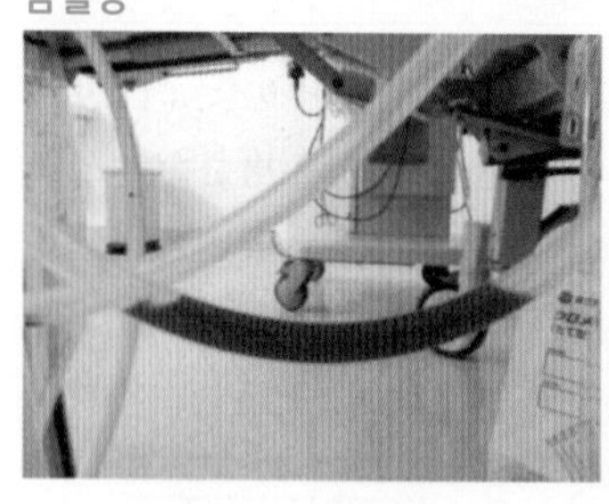

담담혈성

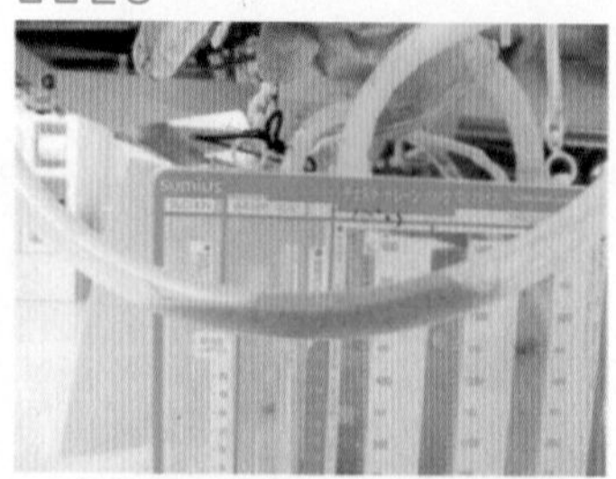

장액성

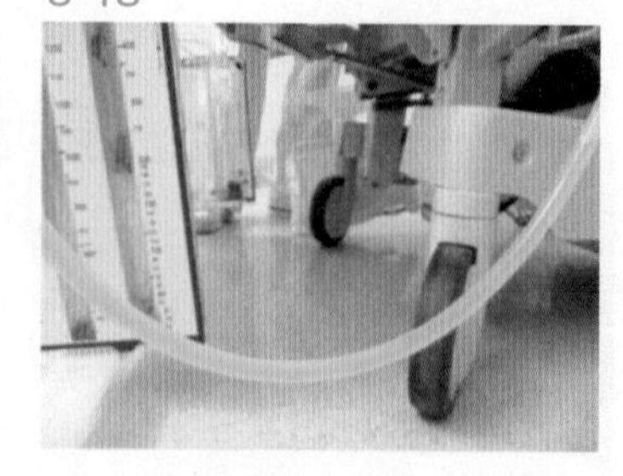

Check 5 배액이 관내에 정체되어 있지 않은가

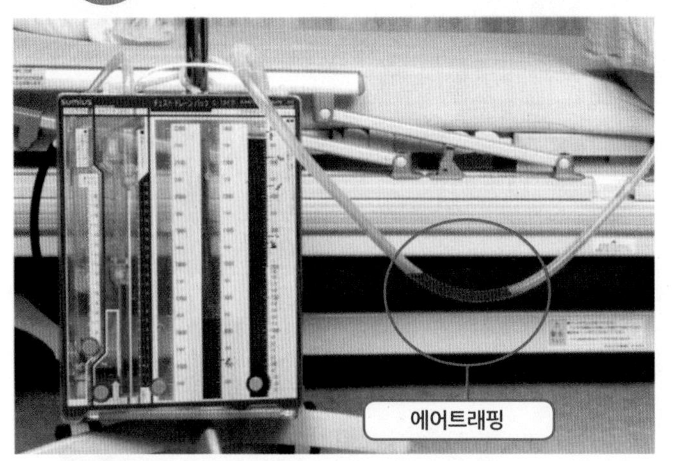

- 배액이 관내에 정체되어 있으면 에어트래핑 상태로 흡인압이 사라지기 때문에 튜브의 길이는 처지지 않을 정도로 한다.
- 배액이 고이는 경우는 적절하게 유도한다.

Check 배액백의 교환

- 원칙적으로 의사 또는 (의사의 지도하에) 간호사가 한다. 틀린 순서로 하면 기흉이 일어날 수 있다.
- 드레인겸자 2개를 이용하여 클램프 한다(사진). 이때 직접 겸자를 사용하면 드레인이 파손되는 경우가 있으므로 가제 위에서 겸자를 사용한다.
- 배액백은 설정흡인압까지 멸균수를 넣어둔다.

Check 6 드레인과 배액백은 똑바로 고정되어 있는가

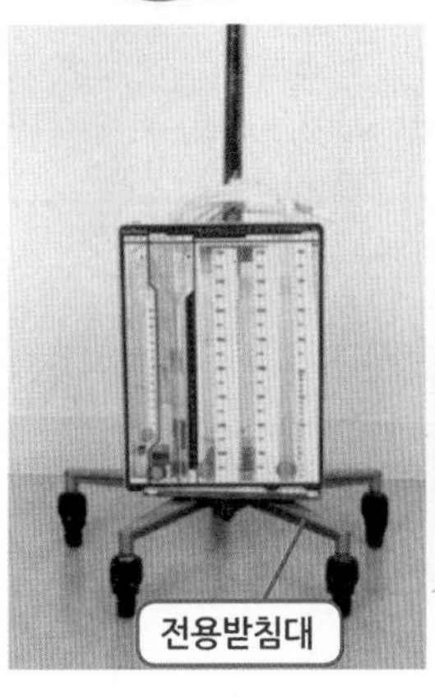

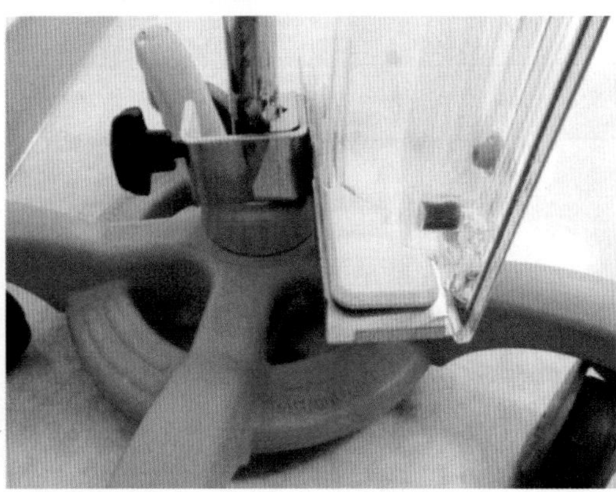

- 점적스탠드와 배액백의 고정은 전용받침대를 이용하는 것이 바람직하다. 똑바로 고정되어 있지 않으면 백이 벗겨지고 파손이나 튜브제거의 위험이 있다.

주의!

- 배액백은 드레인삽입부보다 높게 하지 않는다.→ 왜? 배액이 역류될 위험이 있다.
- 배액백은 환자나 침대에서 멀리 설치하지 않는다.→ 왜? 사고로 발관될 위험이 있다.
- 배액백은 기울어지게 하지 않는다. 거꾸로 하는 것은 엄금. 충격을 주지 않는다.
  → 왜? 배액의 역류나 누출, 파손으로 이어진다.

이럴 때 어떻게 하지?

드레인 설치 중의 보행

- 이동 시에는 잘못 제거되기 쉽다, 정확하게 접속되어 있는가, 튜브는 억지로 당겨져 있는 것은 아닌가, 배액백은 스탠드에 똑바로 고정되어 있는가 등을 확인한다.
- 이동 시에는 클램프 하지 않고 수봉 * 의 상태로 한다.

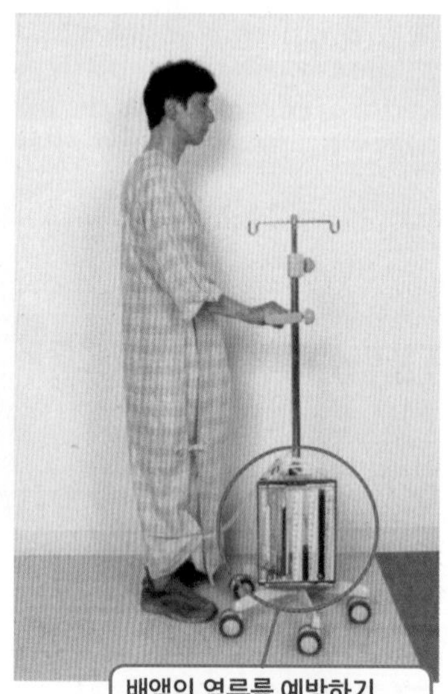

배액의 역류를 예방하기 위해 배액백은 배액관삽입부보다 높게 하지 않는다.

검사시(예: CT검사)

- 스탠드를 빼내고 세워서 양하지 사이에 낀다. 벨트로 배액백을 고정하고 쓰러지지 않도록 한다(사진).
- 전용고정대를 이용하는 경우는 검사대가 미끄러워도 잡아당겨지지 않는 위치를 정하고 검사대의 옆에 놓는다.

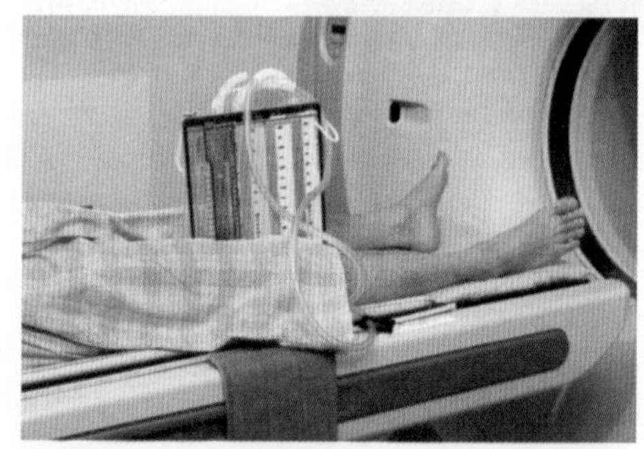

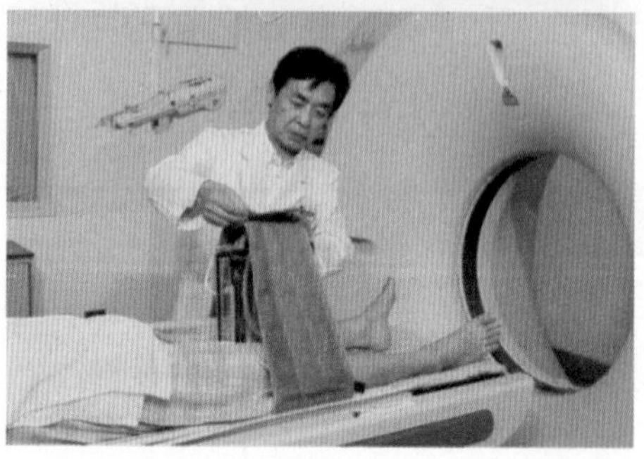

* 수봉(워터실): 흉강드레인시스템에 흡인압을 걸지 않고 수봉실의 기능을 이용하여 호흡 등을 할 때에 밖에서 공기가 흉강내에 흡입되는 것을 물로 막아 (수봉하여) 방지하는 방법.

흡인압은 적정하게 설정되어 있는가(증류수가 없어지지 않았는가)

● 증류수는 사용하면 증발되기 때문에 적당한 때에 흡인압의 물의 양을 확인한다.

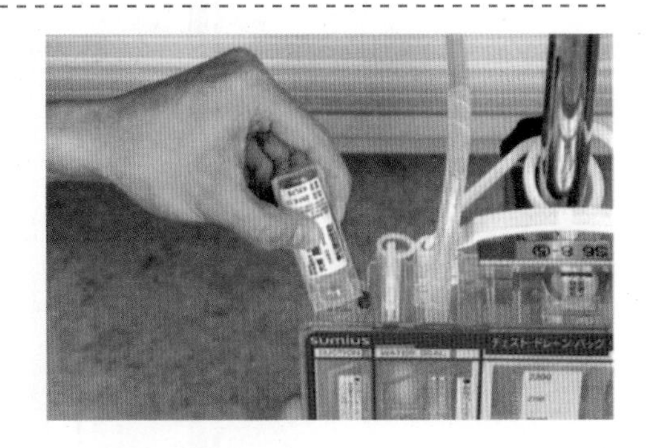

압력설정의 기포는 1초에 1개 정도로 조절되고 있는가

● 정확하게 압력이 걸려있지 않으면 수봉상태 그대로 되기 때문에 호흡으로 기포의 변화가 없도록 한다.

플럭추에이션(호기·흡기 시의 호흡성 이동)은 몇 cm인가(흉강드레인 시)

● 플럭추에이션의 소실은 폐가 완전히 확장되어 흉강내에 스페이스가 없어졌거나, 튜브가 피브린덩어리(塊)나 응혈, 굴곡 등으로 폐색된 것을 의미한다.

밀킹의 방법

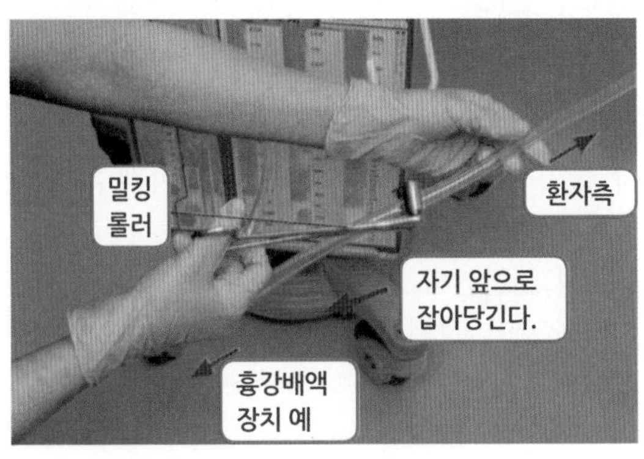

● 밀킹은 엄지와 검지로 드레인을 집듯이 해가는 방법과 밀킹롤러를 이용하는 방법(사진)이 있다.
● 수술 후에 삽입된 흉강카테터나 브레이크드레인은 실리콘제이며, 드레인이 쉽게 손상되기 때문에 밀킹롤러는 사용하지 않는다.

공기방울의 유무

● 배액목적으로 흉강배액관이 삽입되어 있는 경우 원칙적으로 공기방울(수봉실의 기포)은 일어나지 않는다. 공기방울이 있을 때는 튜브의 손상이나 잘못제거됨, 드레인에 의한 흉강과의 교통, 흉강병변의 악화를 의심한다.

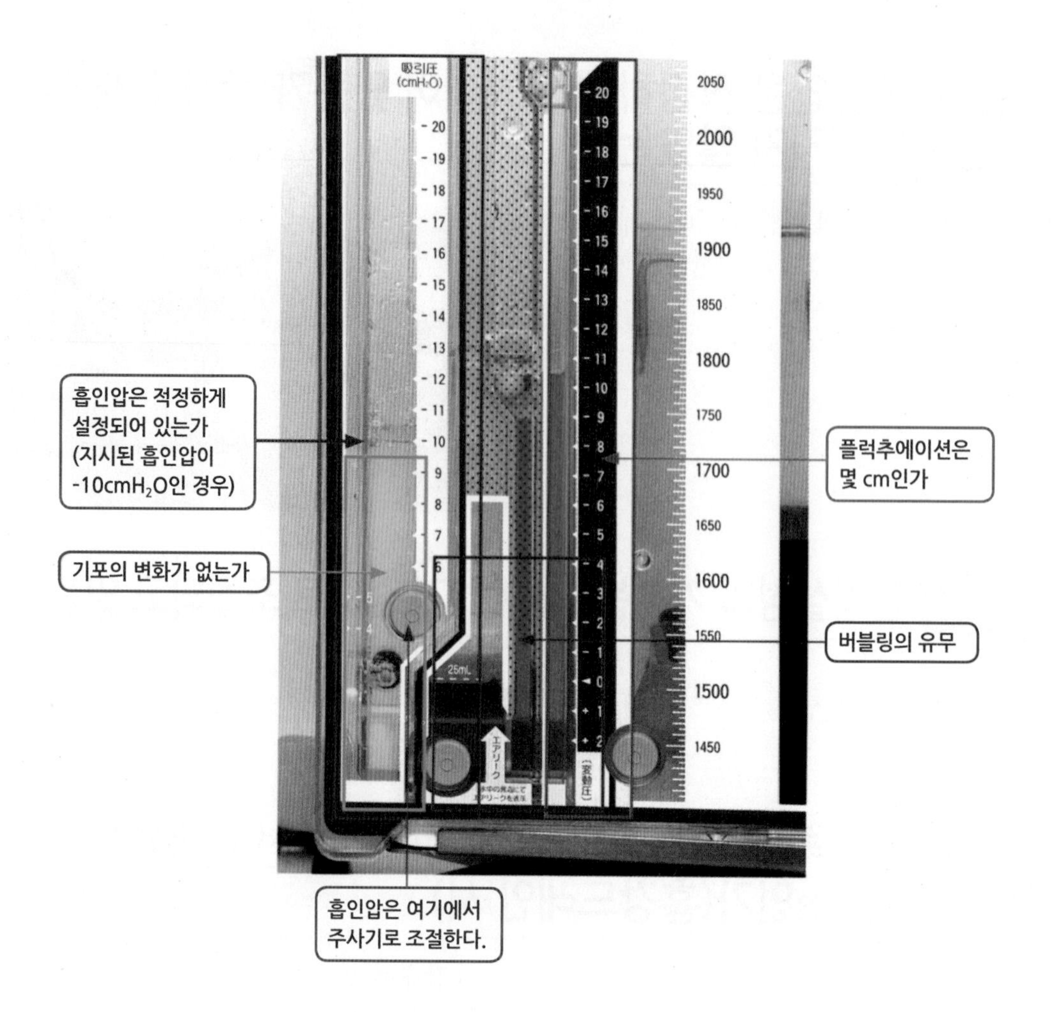

Check 11 심낭배액 및 전종격배액의 관찰

- 배액관의 경우 튜브내의 배액이라도 호흡성이동을 확인할 수 있다.
- 급격한 배액의 증가는 출혈을 일으키고 있는 가능성이 있다. 그런 경우는 신속하게 의사에게 보고한다.
- 응고된 혈액 등으로 배액관이 폐색되어 있지 않은지 확인한다.
- 심낭배액의 경우 배액관이 직접 심장에 닿는 자극으로 부정맥을 유발할 위험이 있기 때문에, 모니터에 주의한다.

배액관의 제거

- 심낭내, 종격내, 흉강내는 음압이므로 제거시에 공기가 들어가지 않도록 주의한다.
- 제거부위는 가제가 아니고 점착필름드레싱재 등으로 보호한다.

심낭배액, 전종격배액

1. 제거의 시기

- 감염위험이 있기 때문에 수술 후 72시간 이내에 제거하는 것이 바람직하다.
- 배액량이 100mL/일 이하에서 혈성·농성의 배액이 없는 경우

2. 제거시의 유의점

- X선촬영이나 초음파검사를 하여 심낭내, 전종격내에 출혈이나 삼출액이 고이지 않았는지 확인하고 나서 제거한다.
- 통증이 일어나는 경우가 있기 때문에 배액관을 제거하는 것, 제거 시에 통증이 있는 것, 처치는 단시간에 종료하는 것을 환자에게 설명한다.
- 제거 후에는 삽입부를 봉합하고 소독 후 피복재를 붙인다.

2 흉강배액

1. 제거의 시기

- 흉수의 1일량이 4mL/kg(성인이라면 100mL/일)보다도 적어진 경우.
- 혈흉·농흉의 경우를 제외한다.

2. 제거시의 유의점

- 드레인 제거를 할 때 공기가 흉강 내에 흘러들어가는 것을 예방하기 위해 제거를 할 때에는 환자에게 숨을 참으라고 부탁한다.
- 드레인은 무균조작으로 가능한 한 신속하게 빼고 제거와 동시에 트로카카테터가 삽입되어 있던 구멍을 봉합·폐쇄한다.

(島村久美子)

문헌

1. 교린대학의학부부속병원 리스크메니지먼트 위원회:흉강드레인에 관한 간이메뉴얼.
2. 藤村智恵美: 흉강드레인의 삽입개조와 관리(트로카카테터의 삽입개조와 관리). 결정판 비주얼 임상간호기술, 坂本すが, 山元友子, 井手尾千代美 감수, 照林社, 도쿄, 2011: 286-304.
3. 松浦厚子: 드레이너지의 포인트. 関口敦 감수, 하트널싱 2007; 2007년추계증간: 75-79.
4. 田村智子: 심낭드레이너지, 종격드레이너지, 드레이너지관리 &케어가이드, 佐藤憲明 편, 中山書店, 도쿄, 2008: 74-82.
5. 佐藤美樹: 흉강드레인. 복강드레인의 관리& 드레인감염의 토픽스, Expert Nurse 2011; 27(12): 30-31.

수술부위 통증조절

수술 후는 수술조작에 의한 상처부위의 통증을 비롯하여 여러 가지의 통증을 일으킵니다. 특히 개흉수술로 흉골을 절개한 환자는 인공적으로 흉골을 골절시킨 상태이기 때문에 그 통증은 비교적 강하고 장기간 지속됩니다. 조기이상을 재촉하기 위해서라도 통증의 조절이 중요합니다.

수술부위 통증조절의 목적

- 통증을 과도하게 참으면 전신에 영향을 미치고 재활의 지연 등 악순환을 초래한다.
- 환자에게는 무리하게 참지 않고 통증을 완화시키는 것은 수술 후 회복에 도움이 된다는 것을 전달하고, 적극적으로 통증을 조절을 한다.
- 통증의 느낌이나 정도는 개인차가 크다.
- 특히 고령자는 통증의 표현이 어려워 수술 후에 「가슴이 아프다」, 「배가 아프다」라고 호소하는 일이 있다. 이것이 수술통증을 가리키는 것인지, 원질환의 재발·악화나 장폐색 등의 합병증에 의한 것인지를 감별하는 데에는 청진·촉진이라는 신체사정이 중요하며, 필요에 따라 심전도나 X선을 확인한다.

수술 후에 환자가 느끼는 통증

- 수술 통증
- 정맥주입
- 방광유치카테터
- 수술 중의 동일체위나 수술 후의 장시간 침상안정에 의한 등허리 통증
- (위관)
- (흉강배액)

통증이 미치는 영향

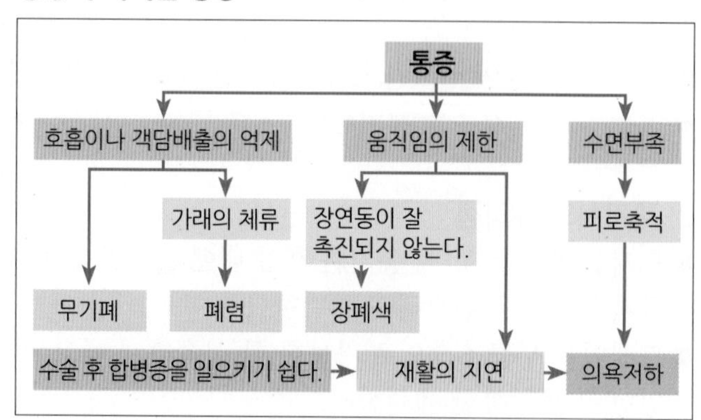

수술부위 통증조절의 포인트

- 통증의 종류·원인에 따라 적절하게 대처하기 위해 어디가 어떻게 아픈지, 그로 인해 환자가 생활에 어떤 지장을 받고 있는지를 물어보고 사정한다.

Point 1 환자에게 설명·지도

- 수술 전 오리엔테이션 시에 수술 후의 통증과 그 완화에 관해 설명하고 환자가 대비할 수 있도록 한다.
- 해소나 객담 시에는 수술부위를 누르면 약간 통증이 완화된다는 것을 전해준다.
- 카테터류에 의한 두려움·고통에 관해서는 삽입기간의 기준을 환자에게 전달하고 미리 예측할 수 있도록 한다.

Point 2 진정제의 사용

- 수술 후는 정기적으로 통증의 부위·정도를 관찰한다.
- 수술통증의 정도에 따라 진통제를 사용하고 그 효과를 평가한다. 효과가 불충분한 경우에는 환자 개개의 신장기능이나 소화기 질환의 기왕력에 따라 진통제의 변경이나 추가가 가능한지 의사와 상담한다.
- 침상 안정이 해제되면 조기이상(離床)을 시작하고 재활을 진행한다. 그때 수술통증이 강하면 미리 진통제를 사용하고 나서 진행해도 된다.

주요 진통제

	주사약	복용약
일반명(주요 제품명)	● 펜타조신(소세곤) ● 부프레놀핀염산염(레페탄) ● 하이드록시진 염산염(아타락스P) ● 펜타닐구연산염(펜타닐) *	● 록소프로펜나트륨수화물(록소닌) ● 디클로페낙나트륨(볼타렌) ● 슐린다크(크리노릴) ● 아세트아미노펜(아세트아미노펜) ● 프레가발린(리리카)

* 피하지속

Point 3 수술부위의 보호

- 허혈성심질환으로 내과적인 카테터 치료를 했을 때의 수술부위는 일반적으로 카테터를 천자한 부위의 몇 mm이며, 반창고로 며칠 동안 보호만 하더라도 조기에 막히고 치유된다. 그러나 외과적 수술로는 흉부정중앙에 15cm 정도의 절개부위가 생기고, 관상동맥우회술의 경우는 또한 우회혈관을 주로 채취하는 하지에도 15～20cm 정도의 수술절개부위가 생긴다. 수술 후 1, 2주 사이에 발사(拔糸)하기까지 매일 의사에 의해 소독·가제교환이 이루어진다.
- 대복재정맥(saphenous vein)을 채취한 하지에 부종이 보일 때는 탄성붕대나 탄성스타킹을 사용한다.
- 복부대동맥류로 동맥류절제·혈관 치환술을 한 경우는 하복부에 15cm 정도의 수술부위가 생기며, 수술 후 2주 동안에 드레싱재(예: 카라야헤시브)로 보호하고 복대를 두른다.
- 개흉술 후의 환자는 흉부밴드를 장착하는 경우도 있다.

체위의 조정

- 수술 중의 장시간 동일체위에 의한 근육통에 대해서는 통증의 원인을 환자에게 알기 쉽게 설명하고 불안을 경감시킨다. 따뜻한 타올을 대고 가벼운 마사지로 근육을 푸는 것이나 습포를 사용하는 것이 유효하다.
- 침상 안정에 따른 등과 허리통증에 대해서는 정기적으로 체위변환을 하고 무릎 밑에 베개를 삽입하는 등 편안한 자세를 갖춘다.

동통을 완화시키는 체위의 예

앙와위

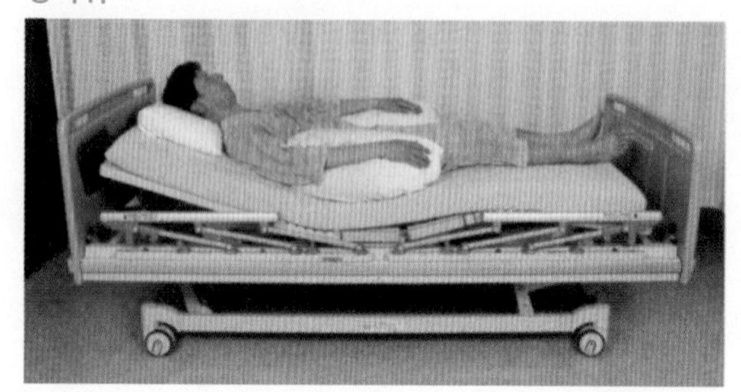

측와위

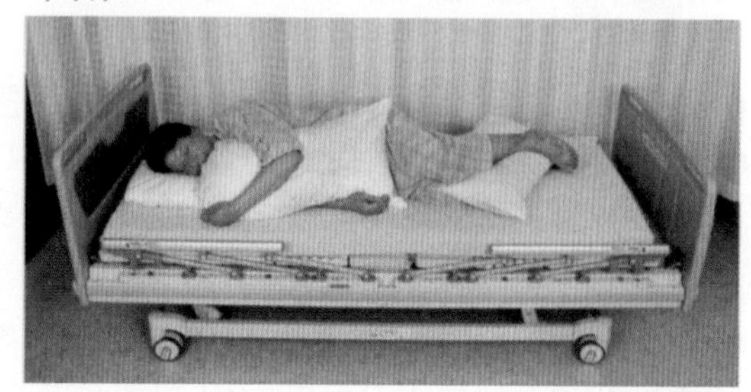

(千木良寬子)

문헌

1. 北村惣一郎 감수: THE BEST NURSING 개정2판 새로운 심장외과간호의 지식과 실제. 메디카출판, 大阪, 2006.
2. 龍野勝彦: 심장외과 엑스퍼트 널싱 개정2판. 南江堂, 도쿄, 1996.
3. 中村惠子, 柳澤厚生 감수: 간호사를 위한 NEW심전도의 교실. 학습연구사, 도쿄, 2005.
4. 西田博, 下川智樹, 松田均, 외: 심장수술의 술후 관리에서 헤매지 않기 위해 "상정내"의 지식을 늘린다. 하트널싱 2006; 19(2): 67-85.

감염증상

수술 후에는 일시적으로 며칠간의 발열이 보이고 인공혈관을 사용한 경우에는 1주일 정도 지속되는 경우도 있습니다.
이것은 흡수열이라고 하며 수술침습에 의한 일반적인 반응입니다. 그러나 고열이 며칠 동안 계속되는 경우나 발열이 다시 일어나는 경우는 감염의 가능성을 의심합니다.

수술 후의 감염징후

- 심장혈관수술을 받는 환자는 수술 전의 환자 자신이 갖고 있는 당뇨병·비만이나 고령이라는 요인 외에, 수술 중의 체외순환사용에 의한 면역력의 저하, 다수의 배액관·카테터류의 유치와 같은 감염의 요인이 잠재해 있다.
- 감염으로 인한 염증 증상 외에 수술부위나 튜브류의 삽입부는 삼출액이나 농, 악취 등에 주의하여 관찰을 하고 청결을 유지한다.
- 혈당의 조절도 중요하다.

주요 수술 후 감염증

- 상처감염
- 인공판막, 인조혈관(인공혈관), 페이스메이커의 리드감염
- 종격염, 감염성심내막염
- 인공호흡기관련폐렴
- CV, 요도수치 등의 카테터감염

Check 감염에 기인하는 염증징후

- 통증
- 발적
- 부종
- 열감
- 활동범위의 저하(기능장해)

주의!

- 수술부위는 수술방식·부위나 환자의 상태에 따라 드레싱재가 떼어지기 쉽다. 정기적으로 고정상태를 관찰하고 어긋나 있으면 테이프를 다시 붙이는 등 감염경로가 되는 것을 예방한다.

심장외과의 정중앙 수술절개선
여성이나 비만인 사람은 가제가 떼어지기 쉽다.

대복재정맥(saphenous vein)

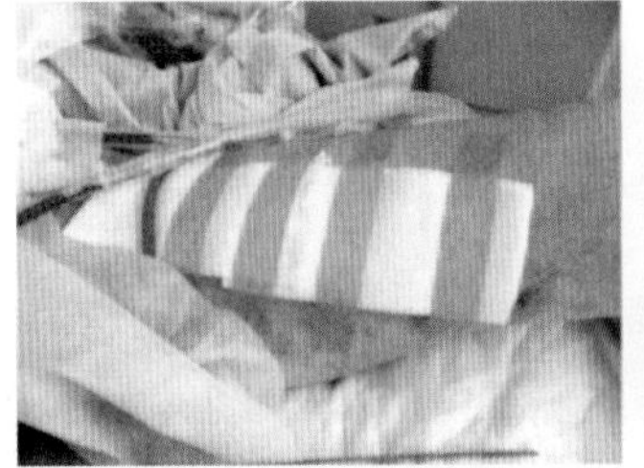

보행 시에 가제가 떼어지기 쉽다.

복부대동맥류, 폐색성동맥경화증

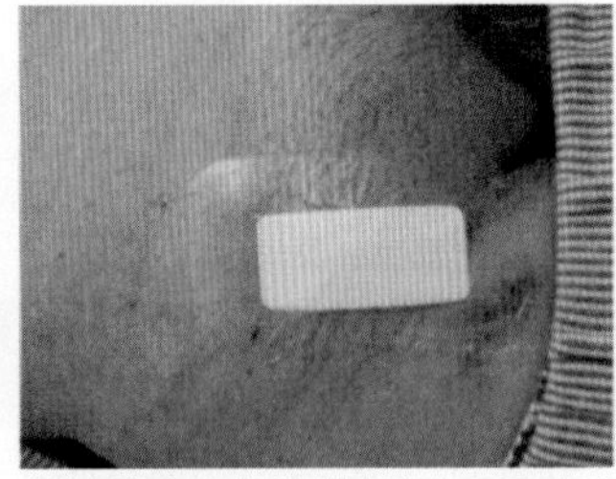

복부하방이나 서혜부위가 오염되지 않도록 주의한다.

수술부위·튜브삽입부의 감염징후의 예

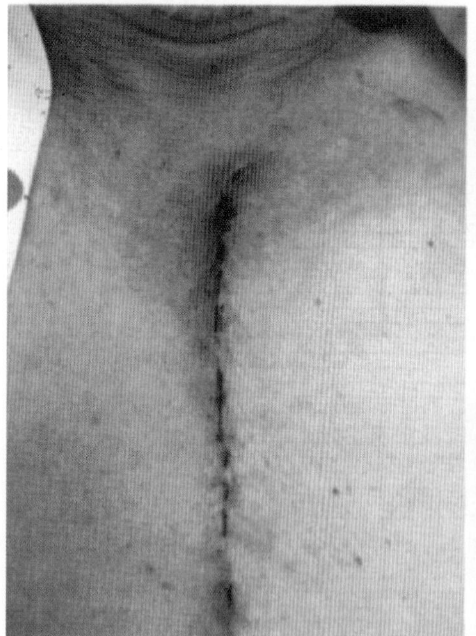

정중창. 상부에 발적이 보인다.

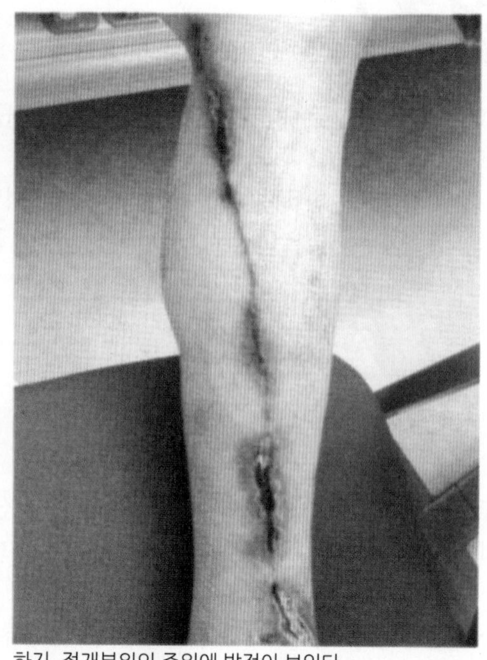

하지. 절개부위의 주위에 발적이 보인다.

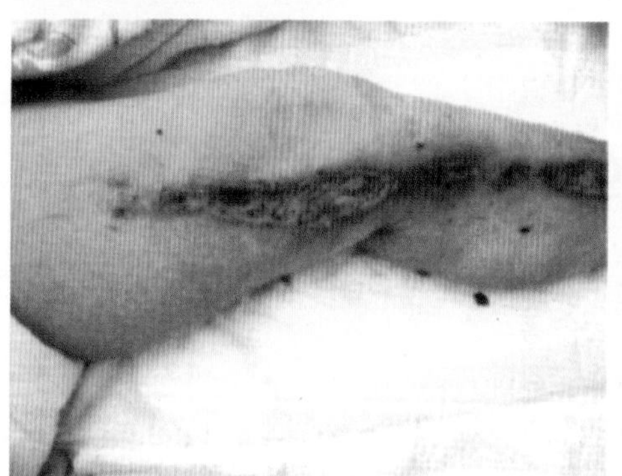

하지. 수술부위가 벌어지고 있다.

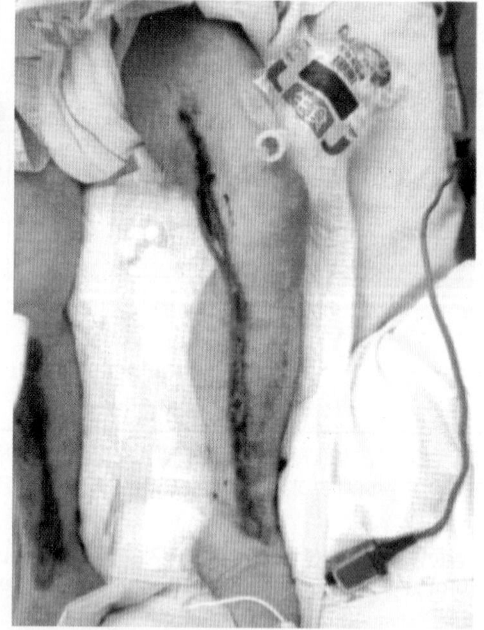

하지. 수술부위가 일부 벌어지고 있다. 상황에 따라 생리식염수로 세정하는 경우가 있다.

발열에의 대처

- 질환이나 발열의 원인에 따라 특유의 양상을 나타내는 일이 있다.
- 발열양상은 약물요법(특히 해열진통약의 사용)의 영향을 받아 본래의 정확한 양상을 알기가 어렵게 되는 일이 있으므로 주의한다.

온도판의 예

교린타로 님	혈액형	Wa-R	HB	HCV	HIV	약제테스트

7/29	30	31	8/1	2	3	4	월/일
5	6	7	8	9	10	11	병(病) 일

ICU에서 전동

온도

맥박

R	P	T
50	140	40.0
40	120	39.0
30	100	38.0
20	80	37.0
10	60	36.0

7/29	30	31	8/1	2	3	4		
1,020/ 유치	1,008 / 유치	1,014 / 유치	1,007 / 8	1,011 / 5	1,010 / 8		요(尿)	비/회
1,688	1,688	1,130	2,796	1,394	2,031		요(尿)	전량
0	0	1	0	1	0			분변
							배액	심낭드레인
22cc	15cc						배액	
담담혈성	발거						배액	
하기(下記)	92 / 57	96 / 57	97 / 60	104 / 64	103 / 65	93 / 50	아침	Bp
86 / 59	105 / 65	101 / 65	98 / 51	107 / 59	106 / 57		점심	Bp
96 / 58	91 / 67	98 / 54	103 / 67	119 / 80	100 / 57		저녁	Bp
								수혈
	118-	92-	104-				아침	BS
208 휴물린 R2단위	103-	998-					점심	BS
110-	82-	108-					저녁	BS
106-	88-	117-					취침	BS
금(禁) / 1/1 / 1/1	6/0 / 7/1 / 4/0	5/5 / 10/10 / 10/10	10/10 / 10/10 / 10/10	10/10 / 10/10 / 10/10	10/10 / 10/10 / 10/10	10/10 / 10/10 / 10/10		식이(食餌)
R 98 / 61 R 92 / 67								검사·소견
		77.7kg	77.7kg	78.1kg	78.4kg	78.5kg		체중
					CRP 1.8↓ WBC 9100↑ BNP 103.6			비고

주의해야 할 발열유형(熱型)

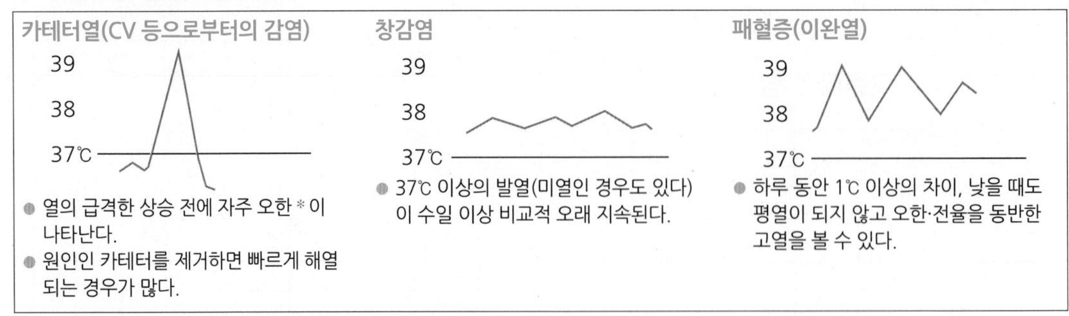

＊ 오한(shivering)=몸이 떨린다는 의미. 열이 오르기 시작하는 등, 추울 때 몸이 부들부들 떨리는 것. 체온이 내려갈 때에 근육을 움직임으로써 열을 발생시켜 체온을 유지하려는 생리현상이다.

Point 1 안정, 냉요법

- 감염을 일으키는 발열을 나타냈을 때는 전신의 체력을 소모하는 것 뿐만 아니라 빈맥이나 혈압저하에 의해 순환변동을 초래하기 쉽기 때문에 안정이 필요하다.
- 환자의 고통완화와 해열을 위해 냉요법을 한다.

Point 2 검사

- 감염징후가 보이면 혈액검사(CRP, WBC), 혈액배양, 소변·변검사(배양 포함), 흉부 X선검사(폐렴에서는 폐에 투과성이 저하하고 새하얗게 된다)를 한다.
- 환자의 상태에 따라 가래나 수술부위·제거한 카테터 끝의 배양을 하는 경우도 있다.

Point 3 약물요법

- 해열제, 항생물질의 투여, 상태(탈수·경구섭취가 불충분한 것 등)에 따라 수액을 보충(補液)한다.
- 필요에 따라 환자의 저항력을 높이는 γ글로브린이나 영양투여를 한다.
- 인공혈관 치환술후에 고열이 지속되는 경우는 체내이물질에의 반응으로 인한 환자의 고통을 완화하고 전신의 소모를 제한하기 위한 목적으로 적극적으로 해열제를 사용하는 경우가 많다. 그 이외의 수술 후에는 각종 배양검사 등으로 열이 나는 원인을 파악하면서 주로 항생물질에 의한 치료를 한다.

Point 4 카테터의 제거, 교환

- 카테터열이 의심되는 경우는 카테터의 제거, 교환을 검토한다.

(千木良寛子)

영양관리

심장수술 후에는 전신마취·기관삽관이나 시술조작의 영향에 의해 연하장해나 연하기능의 저하, 소화·흡수기능의 저하를 일으키는 경우가 있습니다.
또 고령의 환자는 특히 연하기능의 저하를 쉽게 일으켜, 식사섭취의 형태가 변경되는 경우가 있으므로 주의가 필요합니다.

수술 후의 영양관리시의 포인트와 주의점

Check 1 수술 직후

● 심장수술 후의 환자는 수술방식에 따라 경구섭취 개시의 시기가 다르다. 전신마취의 영향과 수술 후의 심폐기능에 문제가 없으면 조기부터 경구섭취가 가능해진다. 그러나 수술의 침습에 의해 순환변동을 초래하기 쉬운 수술 직후는 금식으로 하고 영양관리는 수액투여로 한다.

Check 2 수술 후 1, 2일째

● 심장수술 후의 환자는 소화관의 직접조작은 이루어지지 않기 때문에 전신마취의 영향과 수술 후의 심장기능에 문제가 없다면 수술 후 1, 2일 경부터 경구섭취가 가능해 진다.
● 소화관에 흐르는 혈액의 양은 전체의 1/3을 차지한다. 식사를 섭취함에 따라 소화·흡수능력을 향상시키기 위해 소화관에 흐르는 혈액의 양은 더욱 증가한다. 따라서 심장으로 흐르는 혈액량은 감소하고 식후에 혈압이 저하하고 심장에 부담이 가기 쉬운 상태가 된다.
● 수술 후 스스로 영양섭취나 복용이 곤란한 경우, 식사섭취에 따라 심장에의 부담이 증대하는 경우 및 수술 직후는 고칼로리수액이나 위관을 삽입하여 영양섭취나 관리를 하는 경우도 있다.
● 스스로의 식사섭취는 체위유지에 더하여 젓가락이나 스푼을 쥐고 먹는 노력을 함으로써 골격근의 긴장이 생긴다. 골격근의 긴장은 심장에 있어서 부담이 되는 동작이며, 식사섭취 동작이 심장에 대한 부하가 된다는 것을 가리킨다.

Check 술 후, 심장의 부담이 되는 인자
● 체위의 유지 및 섭취동작에 따른 운동부하
● 식사섭취·소화에 따른 혈액량의 변화

Check 3 경구섭취시

● 소화기계의 순환은 심박출량의 약 30%를 차지하고 있기 때문에 전신의 순환상태에 커다

란 영향을 준다.

- 식사는 체위유지·식사행동·소화에 따라 심장에 다중부하가 더해지는 동작이라는 것을 고려하여 지원을 한다.
- 체위유지의 시점에서 순환상태를 평가하고 순환변동이 없는 것을 확인 후 섭취를 시작한다.
- 순환상태에 따라서는 스스로 섭취가 가능해도 심장에의 다중부하를 피하기 위해 식사섭취를 지원한다.
- 식사섭취 중의 자각증상, 모니터 감시에 주의한다. 자각증상이 출현하거나 심박수가 ±20% 이상의 변동이 있을 때는 식사를 중단하고 안정을 취한다.
- 단시간의 식사섭취는 심부하 증대를 조장하기 때문에 식사시간은 30분 이상 걸려 섭취하고 식후에는 20분 이상의 휴식을 취한다.
- 의사·영양사와 연계하여 식사섭취·소화에 부담이 되지 않도록 섭취하기 쉽고 소화·흡수가 좋은 식사내용을 검토한다.
- 삽관조작에 따른 연하장해가 출현했을 때에는 언어청각사의 도움을 받아 연하훈련을 한다. 수분으로 사래가 걸리는 경우는 걸쭉한 것을 사용하거나 연하훈련식(食)의 섭취부터 시작한다.
- 고령자나 삽관조작에 의한 연하기능의 저하를 일으킨 환자에서는 체위가 유지되지 않음으로 인한 기도흡인의 위험이 있기 때문에, 순환상태(활력징후이나 심전도)를 확인하면서 상체를 올리고 섭취를 진행시킨다.

Check 4 경관영양시

- 조기부터 경구섭취가 불가능한 경우는 경장영양·정맥영양을 검토한다.
- 평균혈압이 60mmHg 미만인 경우, 혈역학상태가 현저하게 불안정하여 대량의 수액이나 카테콜라민제제가 필요한 상태에서 경관영양의 투여는 삼간다.

경관영양투여 시의 주의점

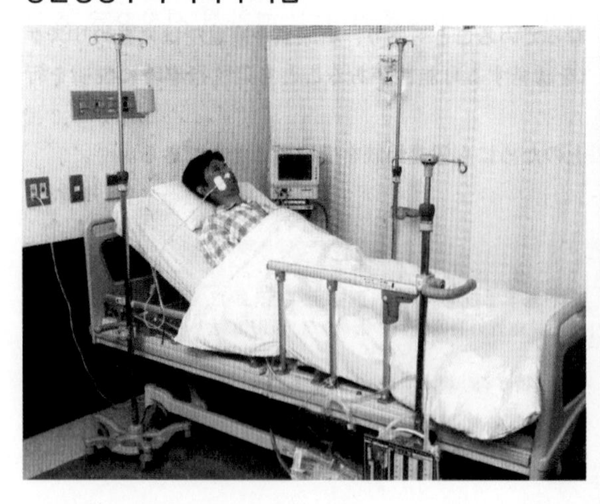

① 자각증상·순환변동은 없는가

- 경장영양 중에는 상체거상을 장시간 하기 때문에 체위유지에 따른 순환의 변동이나 소화에 따른 소화관으로의 혈류의 이동이 생겨 전신의 순환상태에 커다란 영향을 초래한다.
- 심전도 모니터링, 혈압측정, 자각증상의 유무를 확인한다.

② 설사의 유무

- 경장영양은 고농도의 영양이 장관으로 투여되는 것으로써 설사를 일으키기 쉽다. 수술 후에는 수분섭취 배설량의 균형을 맞출 필요가 있다. 설사에 의해 체내의 수분이나 전해질 균형이 무너지면 부정맥이나 혈압저하를 일으킨다.
- 설사를 일으키면 엄밀한 수분섭취배설관리가 곤란해진다. 설사가 자주 있는 경우 경장영양의 내용이 적합하지 않기 때문에 의사나 영양사와 영양제의 내용을 검토한다.

③ 투여속도의 조절

- 고농도의 영양이 급속하게 투여되면 급격한 소화관으로의 혈류의 이동이 일어나고 전신의 순환변동이 생긴다.

흉부대동맥류, 복부대동맥류의 수술 후

- 흉부대동맥류나 복부대동맥류의 수술 후는 식사형태를 변경하는 일이 많다.
- 연하상태나 수술 후의 경과를 확인하면서 식이형태를 변경해 나간다.
- 흉부대동맥류의 환자는 수술조작의 영향에 의해 반회신경마비를 일으켜 연하기능이 일과성으로 저하되는 경우가 있다. 또 복부대동맥류는 수술부위가 장관 근처이기 때문에 수술조작에 따른 수술 후 장폐색을 쉽게 일으킨다. 식사는 X선으로 확인하면서 시작시기나 형태를 변경해 나간다.
- 복부대동맥류 수술 후는 쉽게 장폐색을 일으키기 때문에 우선은 수분 섭취부터 개시한다. 그 후에 식사를 개시하고 복부증상·장폐색 징후가 없는지 복부 X선으로 확인하면서 변경을 해나간다.

연하장해인 경우의 식이형태의 변경

- 연하장해인 경우 연하훈련용 젤리를 소량 섭취하는 것으로 경구섭취를 개시한다.
- 젤리를 사래걸리는 일 없이 섭취할 수 있고 흉부X선상(上) 폐렴상(像)·흡인의 징후가 없는 것을 확인하고 식사의 형태를 올려 나간다.
- 부식은 연하의 상태를 확인하면서 자르고 한입 크기로 변경해 나간다.
- 젤리가 섭취가능하게 되어도 수분으로는 사래걸리는 경우가 있기 때문에 수분은 걸쭉한 것을 사용하여 마시게 한다.

퇴원 시

- 영양은 지질·과잉 칼로리 섭취나 염분·수분을 지나치게 섭취하지 않도록 주의시킨다. 식생활이나 생활양식의 변화에 따라 지질대사이상·당뇨병·비만증 등의 환자가 증가하고 있다. 이들 질환은 심장병, 특히 관동맥질환의 위험인자로써 알려져 있다.
- 심질환을 안고 있는 환자의 대다수는 합병증을 갖고 있는 경우도 있고, 당뇨병이나 고혈압은 재발의 위험이 증가할 뿐만 아니라 뇌경색이나 타질환을 유발할 가능성이 있다는 것도 퇴원교육 시에 설명을 한다.
- 퇴원 후에는 재발예방·자기관리능력의 향상을 위해서라도 영양상담을 받는 것도 가능하다.

(石井理惠)

문헌

1. 高橋章子 책임편집: 엑스퍼트 널스 Mook 최신·기본수기 매뉴얼. 照林社, 도쿄, 2002.
2. 細田由美: 영양관리. 일러스트로 술식&케어를 이해! 심장혈관 외과술식 별 술후 케어, 西田博 편, 하트널싱 2005; 추계증간: 41-44.
3. 小野寺智子: 경비경관영양법. 비주얼 임상간호기술 가이드, 坂本すが, 山元友子 감수, 照林社, 도쿄, 2007: 145-148.

수분섭취배설

인체의 모든 기능은 내부환경을 유지하기 위해서 작용하고 있습니다. 수술 후 관리의 목적은 외과적 침습에 의해 깨어진 인체의 항상성의 회복을 촉진하고 조정하는 일입니다. 순환기 질환에서는 심기능에 의해 전신의 수분량을 조절할 필요가 있기 때문에 수술 후의 수분섭취균형을 환자 개개인에게 맞추어 적정하게 유지하는 일이 중요한 포인트가 됩니다.

수분섭취배설의 기본

- 심장수술을 하는 환자는 이미 심근손상에 의해 심기능 저하를 초래하고 있다. 기능저하를 일으키고 있는 심장에 수술을 함으로써, 수술 후에는 일시적이지만 한층 더 심기능 저하를 일으키는 경우가 있다. 따라서 수분관리를 적절하게 하는 것은 유효한 순환혈액량의 유지로도 이어지며, 전신에 안정된 혈류·산소를 골고루 미치게 해 장기부전을 예방할 수 있다.
- 수술 후의 수분관리의 목표는 체내 수분량을 파악하고 수분의 과다, 과소를 조절하는 데 있다.

소변량의 파악

Point 1 핍뇨기: 수술 후 2~4일

- 수술 직후에는 유효한 순환혈장량을 유지하고 전신에 혈류나 산소를 공급하기 위해 가능한 만큼의 수액이나 수혈, 순환보조제를 투여하여 항상성의 유지를 도모하는 일이 중요해진다.
- 수술 후 인체는 혈액량과 혈압의 유지를 위해 체내에 수분을 유지하려는 경향이 있지만, 수술침습에 의해 혈관벽이나 조직이 파괴되어 혈관의 투과성이 증가하고 수분이나 나트륨(Na)이 혈관외(제3의 공간=비기능적세포외액)로 이동하기 때문에 순환혈액량의 감소 및 소변량의 감소가 일어난다.
- 이와 같이 수술 후의 인체는 수분유지경향에 있기 때문에, 항상성유지를 위해 투여한 수액이나 수혈, 순환작동제 등에 의해 체내는 수분과다가 된다. 그러므로 환자의 혈역학상태와 함께 체내수분 균형의 변화를 파악하기 위해 Swan-Ganz 카테터(폐동맥카테터)를 이용한다.

Check

- 혈관 밖으로 이동한 수분은 체내에 있음에도 불구하고 유효한 순환혈액량으로써는 사용할 수 없다.
- 세포 밖으로의 수분이동은 혈압의 저하나 저심박출량증후군＊을 일으키는 요인으로도 될 수 있기 때문에 수술 후 수액에 의해 순환혈액량을 증가시킬 필요가 있다.
- 수술 후에 잃어버린 수분으로서 불감성 수분감소(insensible loss)나 혈관외에 이동하는 수분량 등, 눈에 보이지 않은 채 상실되는 체액량도 고려할 필요가 있다.

＊ 저심박출량증후군이란 심장의 펌프 기능이 장해를 받아 혈액을 보내는 힘이 현저하게 저하된 상황을 가리킨다.

침습시의 세포외액의 변동

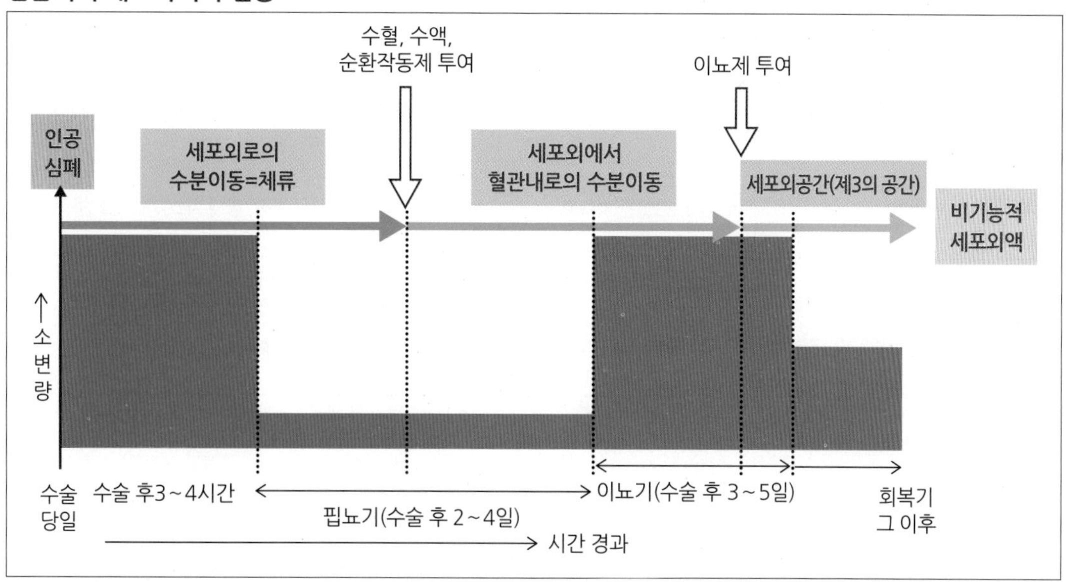

Point 2 이뇨기: 수술 후 3~5일

- 염증반응이 회복되면 세포 밖에 체류한 체액은 혈관내로 돌아오고 소변으로 배설된다. 따라서 소변량이 증가한다.
- 혈관 밖에 체류한 체액이 돌아옴으로써 혈관내에 급격한 수분이 증가하게 된다. 수술에 의해 심기능 저하를 일으키고 있는 환자는 혈관내의 급격한 수분증가에 심장이 견디지 못하고 심부전을 병발할 가능성이 있다.
- 혈행상태가 안정된 시점에서 적극적인 이뇨를 하여 핍뇨기에 투여한 과잉 수분의 배설을 도모하며, 수술 전의 체중을 목표로 체내수분량을 마이너스 밸런스로 한다.

Check

- 수술 후 0.5~1mL/kg/시 이상의 소변량이 있으면 순환혈액량 및 장기혈류량이 유지되고 있다고 생각할 수 있다(예: 체중 50kg의 사람인 경우 25~50mL/시의 소변량이 있으면 순환혈액량은 유지되고 있다).
- 수술회복기, 심장수술을 한 환자는 심기능이 개선되어 있지만, 심부전을 일으킬 위험은 남아있기 때문에 계속적으로 소변량측정·관찰이 필요하다.
- 퇴원 후에는 정확한 소변량측정이 곤란하기 때문에 체중측정을 하여 수분섭취배설을 관리한다.

Moore의 수술 후의 회복과정

구분	상태	술후시기	생체반응의 특징/주요 증상
제1기	이하(異下)기(급성 상해기)	수술 후 2~4일	● 고혈당, 수분정체 ● 동통, 무기력, 장운동 정지, 소변량감소, 소변 중 N과 K의 증가, 체중감소, 발열
제2기	이화(異化)~동화(同化)기 (전환기)	수술 후 3~5일에 시작하여 1~3일간 지속된다	● 내분비반응의 정상화 ● 동통의 경감, 주위에의 관심, 장내 가스, 이뇨, 소변 중 N과 K의 정상화
제3기	동화기(회복기)	수술 후 6일부터 몇 주간	● 새로운 조직이 만들어지지만 단백질의 이용은 불충분 ● 활력징후의 안정, 소화흡수기능의 정상화
제4기	지방축적기(지방증가기)	제3기 후부터 몇 개월	● 근육의 재생, 지방조직의 회복 ● 체중의 증가

竹內登美子: 수술 및 마취침습과 생체반응. 강의에서 실습으로 주(周)수술기 간호2 술중/술후의 생체반응과 급성기간호, 竹內登美子 편저, 医歯薬出版, 도쿄, 2000: 68.에서 인용

체중의 파악

- 수술 후는 매일 체중을 측정하여 세포 밖에 체류한 수분량의 추이를 파악한다.
- 심장수술을 한 환자의 심기능은 수술 전보다 양호해졌다. 세포외액이 혈관내에 돌아올 때의 혈액량증가에 심장이 견딜 수 있게끔 되었기 때문이다. 그러나 판막증이나 만성심부전을 가진 환자는 이때의 혈액량 증가에 견디지 못하고 심부전으로 이행할 가능성이 있기 때문에 혈관내·외에 존재하는 양쪽의 수분량을 알 필요가 있다.
- 수술 직후부터 세포 밖으로 수분의 정체가 시작된다. 수술침습이 크면 클수록 세포 밖으로 체류되는 체액이 증가하고 체중이 증가한다. 그러나 소변량만으로는 세포 밖에 정체된 수분이 배출되었는지의 판단은 어렵다. 세포 밖에 정체된 수분량을 파악하는 것은 체중측정이 가장 명확하고 간편하다.

Point 1 체중 측정

- 수술 후는 가능하다면 수술 직후부터 체중을 측정한다. 수술 후는 불감성 수분감소(insensible loss)나 흉수 등 소변배설량으로는 알 수 없는 체액의 이동이나 배설이 있기 때문에 체중측정이 가장 간단한 전신의 수분섭취배설의 기준이 된다. 또 제3의 공간에 정체된 수분은 체중측정으로만 파악할 수 있다.
- 수술 후는 소변배설량과 체중측정의 양쪽 추이를 관찰하고, 제3의 공간에 정체되어 있는 수분량을 파악한다.

간호포인트

- 수술 후 재활이 진행되고 침상 이상(離床)이 가능해지면 체중측정을 개시한다.
- 체중관리는 매일 같은 시간에 측정하고 식사량의 영향을 받지 않는 공복 시에 측정한다.
- 체중측정 시에는 정맥주입이나 배액관이 삽입되어 있는 경우도 있으므로 정맥수액이나 배액관을 간호사가 들고 체중으로서 환산되지 않도록 한다(사진).

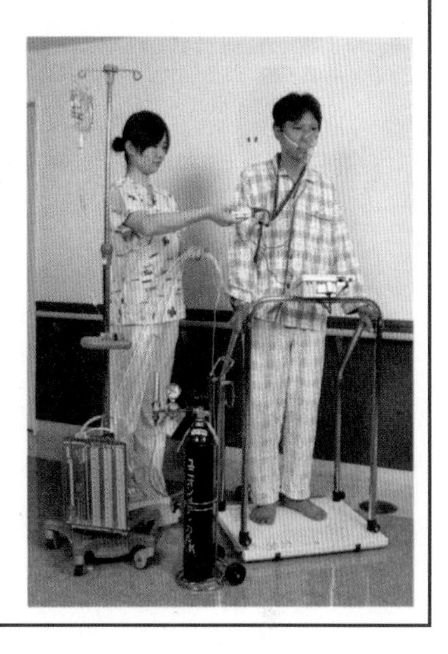

Point 2 환자의 교육

- 퇴원 후에는 정확한 소변량측정이 곤란하기 때문에 체중측정에 의해 수분섭취배설량을 관리한다.
- 체중측정은 매일 같은 시간, 식사량의 영향을 받지 않는 공복 시에 측정한다. 생활습관에 포함되도록 환자·가족에게 설명한다.
- 급격한 체중증가나 부종을 나타낸 경우는 조기에 검진을 받도록 설명한다. 1일에 2, 3kg 증가 등 단기간에 급격한 체중증가를 나타낼 때는 심부전의 징후를 생각할 수 있다.

(石井理惠)

문헌

1. 鎌田やよい, 深田順子: 주술기의 임상판단을 연마한다 수술침습과 생체반응으로 이끄는 간호. 医学書院, 도쿄, 2008: 1-14.
2. 小松由佳: 체액·전해질관리. 일러스트로 술식&케어를 이해! 심장혈관외과술식별 술후 케어, 西田博 편, 하트 널싱 2005; 추계증간: 28-35.
3. 竹内登美子: 수술 및 마취침습과 생체반응.고령자와 성인의 주수술기 간호 강의에서 실습으로2. 술중/술후의 생체반응과 급성기 간호, 竹内登美子 편저, 医歯薬出版, 도쿄, 2000:67-68.
4. 竹内佐智惠, 江口裕美子, 中島惠美子: 외과적 침습에서 회복기의 생체반응.널싱 그래픽스 EX 3. 주수술기간호, 中島惠美子, 山崎智子, 竹内佐智 편저, 메디카출판, 오사카, 2009:4-7.
5. 大村栄, 奥村理惠子: 심부전. 설명을 잘 하는 간호사 되기! 심장병 환자의 생활·퇴원지도, 北風政史 편, 메디카출판, 오사카, 112-113.

케어를 위해 알아두어야 할 증상과 대처

심계항진

심계항진(palpitation)이란 일반적으로 자각되지 않는 심장의 박동이나 고동이 빠르거나 늦거나 하는 등 불규칙한 경우에 자각하는 불쾌감을 말합니다. 정상적인 경우라도 운동 중이나 운동 후에는 증가한 심박에 의해 심계항진을 느끼기 때문에, 반드시 모두가 병적인 부정맥의 발생을 나타내는 것은 아닙니다. 활력징후, 의식수준 등의 관찰을 하고 생명의 위기에 직결되는지 아닌지를 판단하여 대응하는 것이 중요합니다.

심계항진의 관찰·대응의 포인트

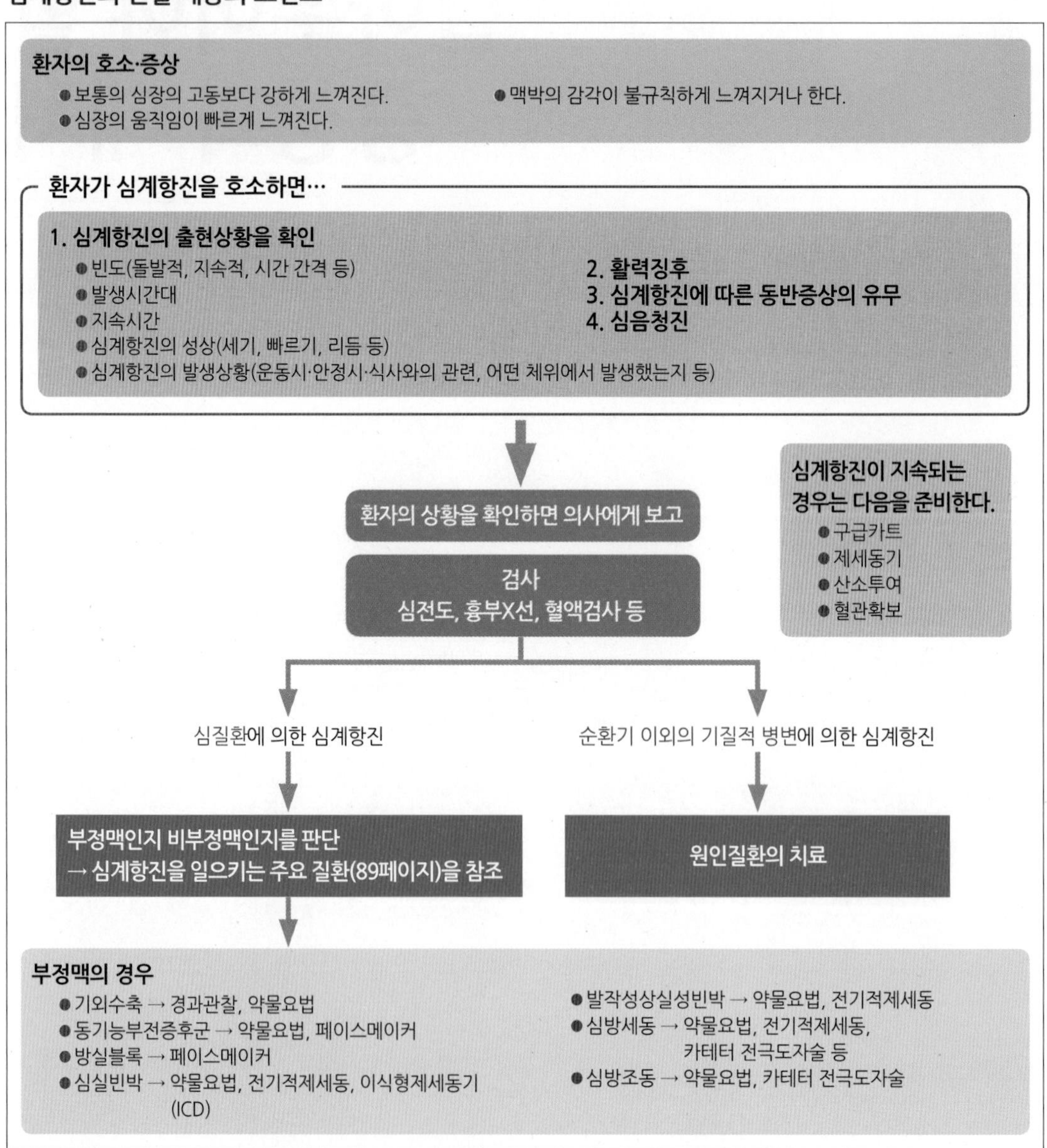

생각할 수 있는 요인·질환과 그 증상

- 원인으로 될 수 있는 질환은 부정맥뿐만이 아니고 심부전, 협심증, 호흡기질환, 내분비대사장해 등에 따른 징후도 심계항진을 호소하는 경우가 있다.
- 심질환이 있고 부정맥이 있어도 심계항진을 호소하지 않는 경우가 자주 있다. 그것은 환자가 부정맥에 익숙해져 있기 때문이며, 심계항진은 개인의 부정맥에 대한 감수성이 높으면 심계항진을 느끼고 그 부정맥에 익숙해져 감수성이 낮아지면 심계항진을 의식하지 못하는 경우도 있다.
- 환자가 「심계항진을 자각했다」라고 호소한 경우에는 다음의 정보를 수집해둘 필요가 있다.
- 심계항진의 성상을 확인하는 것으로써 부정맥의 종류를 어느 정도 추측할 수 있다.

심계항진을 일으키는 주요 질환

순환기질환	부정맥성	● 기외수축 ● 서맥빈맥증후군 ← 의식소실을 동반한 적 있음 ● 방실블록 ← 의식소실을 동반한 적 있음 ● 심실빈맥 ● 발작성상실성빈맥 ● 심방세동 ● 심방조동	비부정맥성	● 심근경색 ● 협심증 ● 심장판막증 ● 심근염 ● 비대형심근증 ● 심부전 ● 고혈압
비순환기질환	이차성	● 고심박출상태[빈혈, 발열, 갑상선기능항진] ● 교감신경흥분[갈색세포종, 저혈당]	심인성*	● 심장신경증 ● 공황장해 ● 과환기증후군
생리적인 원인	운동, 정신적 흥분 등			

* 심인성 심계항진은 안정시에 불안·두통·현기증 등을 동반하는 일이 많다.

심계항진에 따른 주요 증상

숨참, 전흉부불쾌감, 흉통, 부정맥, 실신, 불안감, 발한, 두통, 현기증, 안면창백, 피로감, 혈압상승

심계항진의 호소와 의심될 만한 부정맥

환자의 호소		가장 의심되는 부정맥
맥박의 탈락(규칙적인 맥박이 기본이지만 자주 맥박이 불규칙하게 된다[끊긴다].)		● 기외수축(심방성 또는 심실성)의 산발
규칙적인 맥박	140/분 이상	● 발작성상실성빈박 ● 심방세동 ● 심실빈맥
	140/분 이하	● 동성빈맥
맥박이 무질서하게 뛴다(맥박의 간격이나 세기에 규칙성이 없다).		● 심방세동 ● 기외수축의 다발
맥박이 늦다(50/분 이하).		● 동기능부전증후군 ● 방실블록 ● 기외수축2단맥

치료·간호의 포인트

● 심계항진은 원칙적으로 기초질환에 대한 치료가 중점적으로 이루어진다.
① 생활지도
② 정신요법
③ 약물요법(진정제, β차단제, 항부정맥제)

Point 1 활력징후의 파악

● 부정맥에 의한 심질환인 경우 혈역학상 불안정하게 되며 심각한 장해가 일어난다.
● 활력징후(맥박수, 맥박간격의 규칙성, 혈압), 의식수준 등의 관찰을 하고 생명의 위기에 직결되는 것인지 아닌지를 판단하여 대응하는 것이 중요하다.
● R on T의 심실기외수축은 심근경색 발증 후 등의 상황에 있어서 때론 심실빈맥이나 심실세동으로 이행하는 경우가 있으며, 돌연사에 이르는 일도 있다. 그 밖에 치사성부정맥이 나타난 경우에도 마찬가지이며 간호사는 의사와 협력하여 재빠르게 처치, 검사를 시작한다. 처치로써 약물의 사용, 제세동, 산소투여를 하기 위해 필요한 물품을 확실하게 준비하는 것이 중요하다.

Point 2 심전도 모니터링

● 발작시의 심전도를 기록하는 것이 중요하다.
● 환자가 이미 심전도를 장착하고 있으면 우선 그 기록을 한다.
● 심계항진이 계속되고 있는 것 같으면 12유도심전도에서의 기록에 유의한다.
● 발작시의 심전도 기록을 파악함에 따라 질환 또는 대상이 되는 부정맥의 정체가 명확해지고 병상의 정확한 설명에 의해 환자의 안정을 얻을 수 있으며 증상도 경감되는 경우가 많다.
● 심전도 상(上)에서 전혀 부정맥이 보이지 않는 경우는 다른 심질환, 호흡기질환, 빈혈, 호르몬대사이상 혹은 정신질환 등 원인을 넓게 생각해갈 필요가 있다.

Point 3 정신적 불안의 제거·경감

● 심계항진에 의해 환자는 불안이나 공포심을 품고 있는 일이 많다. 의료인의 부주의한 언행을 조심함과 동시에 환자의 표정이나 언행에서 심리상황과 증상의 경과를 아울러 관찰하고 정신상태를 사정한다.

(大槻直美)

흉통

흉통(chest pain)이란 흉부의 불쾌감, 압박감, 교액감, 작열감, 격심한 통증 등 다양한 증상을 포함한 총칭입니다. 원인의 대부분은 심혈관계 질환이지만 호흡기질환이나 흉벽 등의 질환으로부터 흉통을 초래하는 경우도 있습니다.
흉통의 수반증상이나 병력으로 신속하게 원인질환을 판단하는 것이 중요합니다.

흉통의 관찰·대응의 포인트

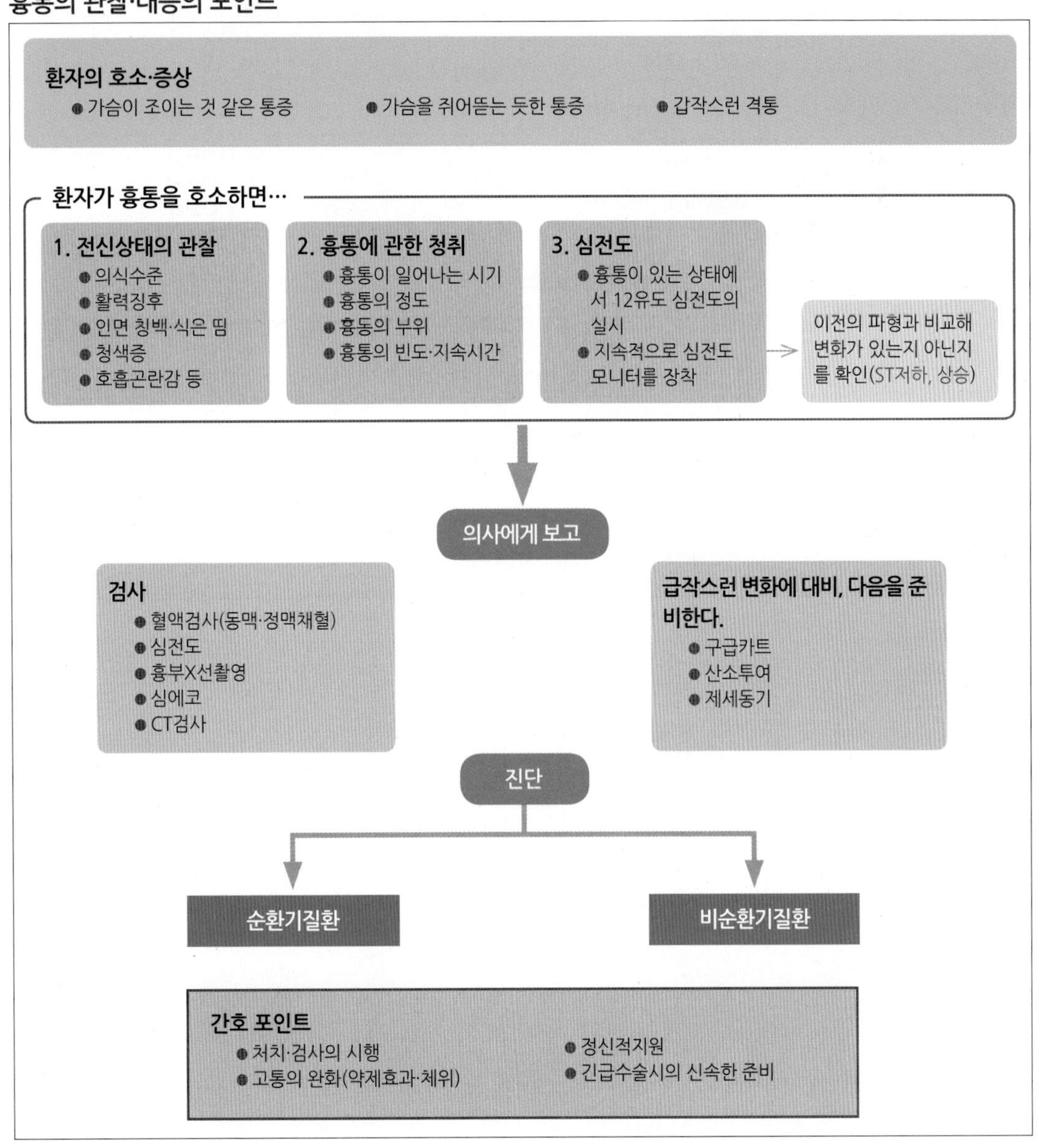

생각할 수 있는 요인·질환과 그 증상

- 흉통을 주로 호소하는 질환에는 응급질환이 많이 포함되어 있기 때문에 감별은 신속하게 이루어져야 한다.
- 흉통으로 긴급성이 높은 질환은 「급성심근경색」, 「대동맥박리」, 「폐혈전색전증」이며 절대로 간과하지 않도록 주의한다.
- 흉통은 긴급성이 높은 질환인 경우가 많다. 어떤 증상인지 확인하면서 생명의 위험에 노출되어 있지 않은지 신속하게 체크해나갈 필요가 있다.

흉통을 일으키는 주요 질환

순환기계		비순환기계	
심장	● 협심증 ● 급성심근경색 ● 급성심막염 ● 판막증, 승모판일탈증 ● 심근증, 심근염 ● 심내막염 등	호흡기	● 폐렴 ● 기흉 ● 흉막염 ● 종격기종 등
혈관	● 대동맥박리 ● 폐혈전색전증 ● 폐고혈압증 등	흉벽	● 대상포진 ● 악성종양 ● 늑간신경 ● 늑골골절 등
		소화기	● 식도염 ● 식도경련 ● 담석 ● 위궤양 ● 급성췌염 등
		장기에 원인이 없는 것	● 심장신경증 ● 과환기증후군

흉통에 따른 주요 증상

주요질환	증상
협심증	● 가슴을 조이는 듯한 통증과 함께 호흡곤란감, 식은땀 등을 수반한다.
급성심근경색	● 30분 이상 지속되는 격한 흉부압박감을 호소하고, 혈압저하, 오심·구토나 안면 창백, 식은땀, 청색증, 무력감 등을 동반한다
대동맥해리	● 등쪽(背部)이나 허리로 방사되는 지속성 통증을 호소한다. ● 해리의 진행에 따라서는 통증의 장소가 이동하는 경우도 있다.
폐혈전색전증	● 갑자기 발생하는 빈호흡을 동반하는 호흡곤란감을 호소한다. ● 흡기시에 흉통이 증강되는 경우가 있다. ● 저산소혈증, 흉부X선상의 말초폐혈관음영의 감소, 심에코법에서의 우심장의 비대

흉통의 감별진단

	질환	성상	지속시간	특징
순환기질환	협심증	압박감, 교액감	5~15분	● 턱, 왼쪽 어깨, 왼쪽 팔로의 방사통
	급성심근경색	압박감(격통)	30분 이상	● 발한, 구토, 무력감을 동반하는 일이 많다. ● 중독감이 있다.
	급성심막염	날카로운 통증	30분 이상	● 감기 형태의 전구증상이 있다. ● 흡기·앙와위에서 증강하고 좌위에서 경감한다.
	대동맥판협착	운동성협심증 모양	수 분~수십 분	● 운동으로 나타나고 안정 시에 가벼워진다.
	승모판일탈증	확실하지 않음	확실하지 않음	● 협심증과 유사하다.
	비대형심근증	확실하지 않음	수 분~수십 분	● 전형적인 협심통은 적고 부정수소가 많다.
	대동맥박리	격심한 통증(찢어질 듯한 통증)	30분 이상	● 전흉부에서 등쪽으로의 격심한 통증 ● 통증은 이동성인 경우가 있다.
	폐혈전색전증	압박감	30분 이상	● 호흡곤란의 합병이 있다.
	폐고혈압증	압빅감	수 분	● 운동으로 나타나고 호흡곤란이나 현기증, 실신을 동반한다.
비순환기질환	자연기흉	호흡에 따른 한쪽의 통증	확실하지 않음	● 젊고 마른 형의 남성에게 호발 ● 호흡곤란, 건성(乾性) 기침을 나타낸다.
	흉막염	날카로운 통증	확실하지 않음	● 흡기나 기침으로 증악
	소화성궤양	작열감	몇 시간	● 공복, 자극물섭취가 유발원인이 된다.
	역류성식도염	가슴 속에서 타는 듯한 불쾌감	확실하지 않음	● 이른 아침이나 누운 자세에서 악화되고 제산제로 가벼워진다.
	늑간신경통	표재통, 압통	확실하지 않음	● 늑골하에 생기며 호기·움직임이 유발원인으로 된다.

치료·간호 포인트

Point 1 쇼크징후가 있는 경우

- 심인성쇼크에 빠진 경우에는 구급처치와 병행하여 원인질환의 진단이 필요하다.
- 수축기혈압이 90mmHg 이하, 피부의 창백, 청색증, 의식수준의 저하, 소변량 20mL/시 이하 등의 증상이 있으면 쇼크라고 판단되고 치료가 시작된다.
  - · 정맥·동맥로 확보
  - · 산소요법
  - · 지속적으로 모니터장착
  - · 12유도심전도, 심에코법, 흉부X선검사, 혈액검사
- 심정지 또는 호흡정지, 혼수상태가 된 경우에는 흉골압박이나 기관삽관 등 긴급 시의 대응이 필요하다.
- 간호사는 환자의 상태파악에 노력하고 처치나 검사가 신속하게 실시될 수 있도록 애쓰는 것이 중요하다.

Point 2 급성심근경색인 경우

- 급성심근경색의 급성기는 ① 치명적부정맥 ② 심부전 ③ 심장파열의 합병증에 대한 관찰이 필요하다.
- 간호사는 의사의 지시에 따라 협력하면서 재빠르게 처치·검사를 시행하며, 상태관찰을 한다.

Point 3 폐혈전색전증의 경우

- 급성기의 폐혈전색전증에서는 급격한 폐동맥압의 상승에 따라 급성폐성심장으로 저혈압이나 쇼크에 빠지고, 폐의 가스교환장해에 의한 저산소혈증이 강하게 나타나는 경우가 있으므로 신속한 호흡·순환관리가 필요해진다.
- 혈전용해요법에 있어서는 출혈의 합병증이 있기 때문에 충분한 관찰을 한다.
- 폐혈전색전증은 하지나 골반내강에서 발생된 심부정맥혈전에 의해 일어나는 경우가 많다. 따라서 심부정맥혈전증의 예방은 중요하고, 탄력스타킹이나 간헐적공기압박법 등의 정맥환류를 물리적으로 촉진하는 일이 중요하다.

Point 4 급성대동맥박리의 경우

- 급성대동맥박리는 급성기의 65~75%가 죽음에 이를 가능성이 있으며, 신속하면서도 정확한 진단이 중요하다. 대부분의 경우가 가슴과 등쪽 통증을 호소한다. 검사에 의해 판명된 병기에 따라 치료법이 거의 정해지고 스탠포드A형박리는 긴급수술의 적응이 된다.
- 대동맥박리의 급성기에서는 방치하면 구명률이 낮아져서 신속하면서도 정확한 진단이 중요하기 때문에, 환자의 활력징후나 증상의 변화를 관찰함과 동시에 긴급수술 준비를 신속하게 한다.

Point 5 통증의 완화

- 갑자기 일어나는 흉통은 환자에게 죽음을 생각할 정도의 통증을 일으킨다. 간호사는 환자의 통증의 정도를 관찰하면서, 통증의 제거를 위해 노력할 필요가 있다. 진통제의 사용이나 체위의 연구, 안정을 유지하도록 배려한다.
- 환자는 정신적으로도 불안을 안고 있는 경우가 많다. 환자가 안심하고 치료에 임할 수 있도록 검사나 처치의 설명을 알기 쉽게 하는 것이나 환자의 호소를 경청하는 것이 중요하다.

(大槻直美)

호흡곤란

호흡곤란(dyspnea)이란, 불쾌감이나 노력감을 동반한 호흡운동의 자각을 말합니다.
호흡곤란은 숨쉬기가 불가능한 상태로서 호흡부전의 의미로 사용되는 경우도 있습니다.
혈액가스의 이상으로 호흡부전은 일어나지만, 이것은 원인 중의 하나이며 호흡곤란=호흡부전으로서 대응할 필요는 없습니다.
호흡곤란의 증상은 숨참, 질식감, 공기가 부족한 느낌, 가슴이 조여오는 느낌, 숨을 들이마실 수 없는 것 등으로 표현됩니다.

호흡곤란의 관찰·대응 포인트

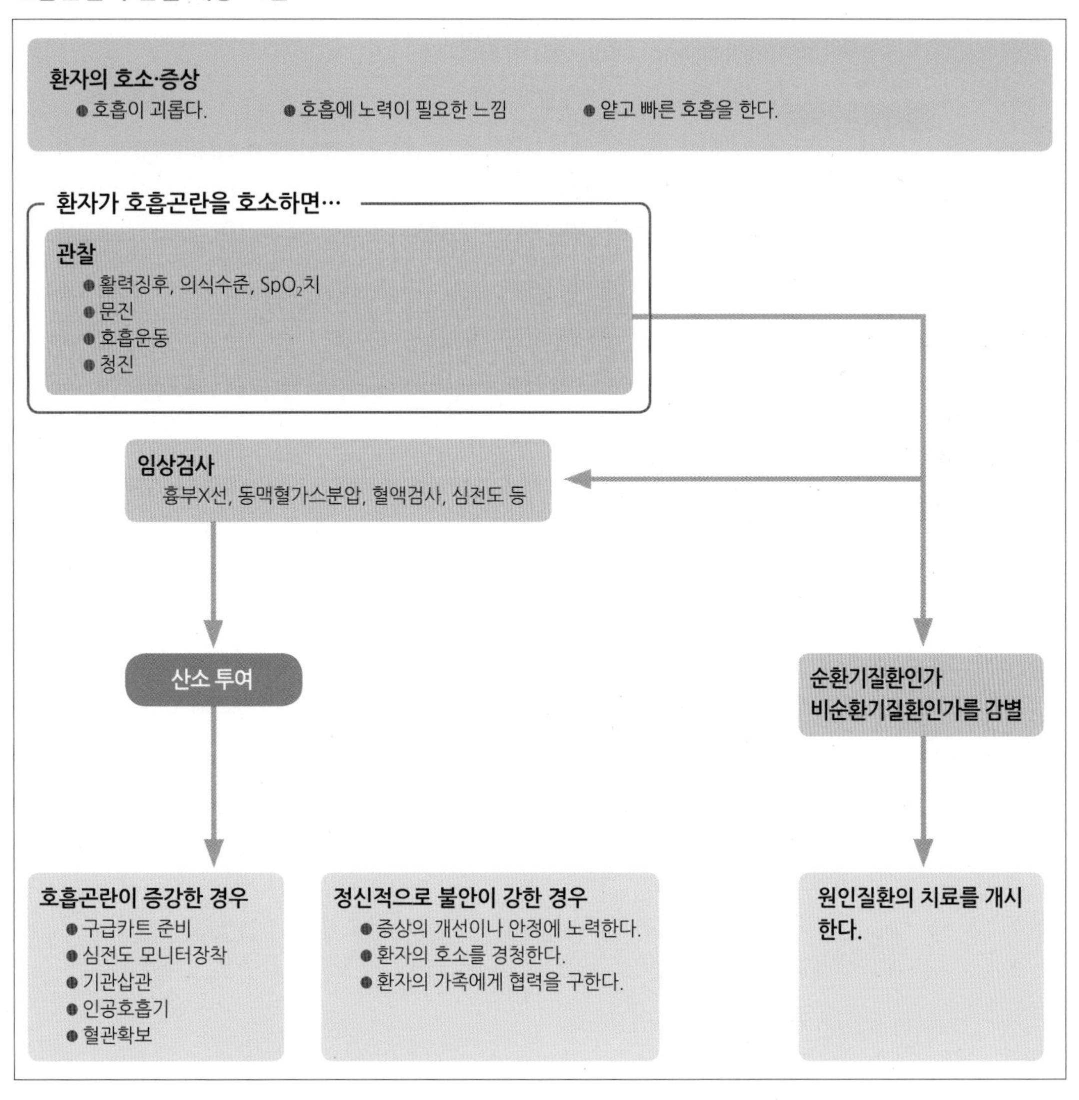

생각할 수 있는 요인·질환과 그 증상

- 호흡곤란이 나타나는 원인질환의 비율은 호흡기질환이 약 75%, 심질환이 약 10%로 되어 있다.
- 순환기질환에 있어서 발생가능성이 심각한 호흡곤란으로서는 급성좌심부전이 있다. 이것은 폐순환계의 압력상승에 따른 폐울혈, 폐수종을 유발하기 때문에 급성폐수종, 기좌호흡, 발작성야간호흡곤란, 심장천식이라는 급성호흡곤란이 나타난다.
- 만성심부전에서는 안정 시에는 호흡곤란이 나타나지 않지만, 운동에 따라 좌심실확장기압이나 폐모세관압의 상승을 일으켜 운동시 호흡곤란을 일으키게 된다.
- 폐고혈압이나 선천성심질환에 의한 좌우션트가 존재하고 폐혈류량의 저하가 있는 경우에도 만성호흡곤란을 일으킨다.

호흡곤란이 일어나는 기전

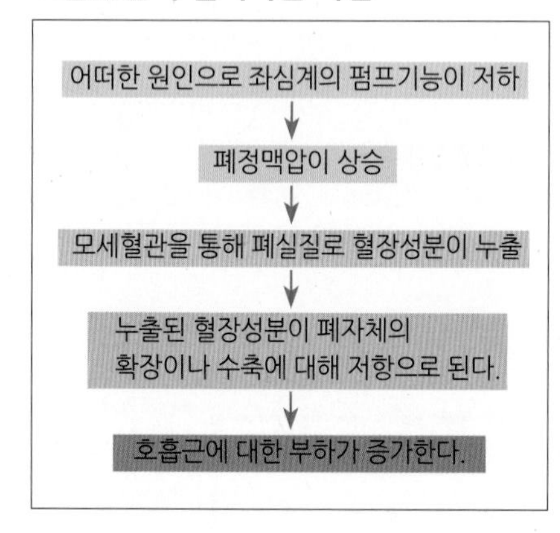

호흡곤란의 원인분류

정상호흡을 과잉으로 또는 민감하게 느낄 때	과환기증후군
호흡일량의 증가가 필요할 때	① 운동 시의 환기량 증가[이산화탄소축적, 저산소상태, 산증] ② 심폐질환에 따른 호흡일량의 증가
호흡근의 이상	흉곽운동장해, 신경근질환 등에 따른 환기의 감소
산소수요와 공급의 이상을 일으켰을 때	발열이나 갑상선기능항진증으로 산소수요가 증가, 빈혈이나 순환부전으로 산소공급량이 감소
숨이 멈춤·질식에 의한 경우	산소공급의 정지

호흡곤란을 일으키는 주요 질환

급성호흡곤란을 일으키는 질환	만성호흡곤란을 일으키는 질환
● 급성좌심부전 → 급성폐수종, 기좌호흡, 발작성야간호흡곤란, 심장천식 ● 허혈성심질환(급성심근경색, 협심증) ● 심낭압전 ● 박리성동맥류 → 급성 판막증이나 심낭압전 ● 만성심부전의 급성증악 ● 고혈압성심질환 → 급성폐울혈 ● 심막염, 심근염 ● 부정맥(발작성부정맥: 심방조·세동, 심실빈맥) ● 감염성심내막염 → 급성 판막증 ● 폐색전	● 판막증 ● 심근증(특발성, 이차성) ● 진구성심근경색 ● 선천성심질환 ● 폐고혈압증 ● 폐성심(우심부전) ● 부정맥(만성심방세동, 고도의 서맥성부정맥) ● 심장 이외의 심부전증 악화요인으로 갑상선기능항진증, 갈색세포종, 빈혈, 신부전, 감염증, 임부

기좌호흡

● 호흡곤란이 심해짐에 따라 와위를 취할 수 없고 앞으로 고개를 숙인 상태에서 앉은 자세를 취하여 호흡을 유지하는 것. 급성좌심부전의 대표적 증상의 하나.

운동시 호흡곤란

● 일상생활, 보행, 계단오르기 등의 운동이 원인이 되어 숨이 차거나 숨쉬기가 괴로운 상황이 일어난다. 만성심부전의 대표적 증상의 하나.

주의!

발작성야간호흡곤란

● 심부전 시, 야간의 취침 중에 숨쉬기가 괴로워 눈을 뜨는 것을 발작성야간호흡곤란이라고 하며, 심부전 시에 보이는 특수한 호흡이다. 이것은 고혈압 등에 의해 좌심기능이 저하된 상태에서 야간의 정맥환류량증가, 심박수감소 등이 원인이 되어 일어난다.

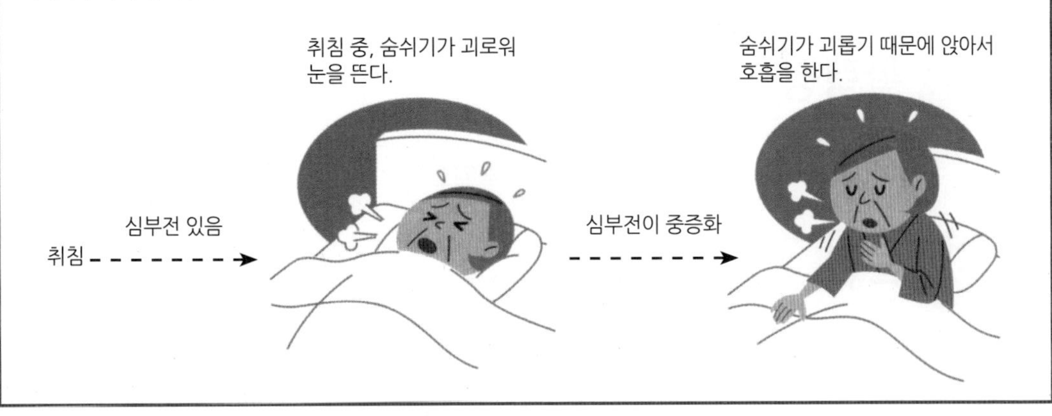

● 순환기질환에 있어서 호흡곤란은 대표적인 심부전증상이다. 그 평가법으로 NYHA(뉴욕심장협회)의 심기능중증도분류가 있다.

호흡곤란에 따르는 주요 증상
흉부압박감, 심계항진, 해소, 오심, 두통, 현기증, 맥박상승, 혈압상승, 천명, 청색증, 발한, 냉감, 경부표재정맥의 노출, 불안·긴장감, 피로감, 불면, 가래 등

NYHA(New York Heart Association) 분류

Ⅰ도	심질환은 있지만 신체활동에 제한은 없다. 일상적인 신체활동으로는 현저한 피로, 심계항진, 호흡곤란 또는 협심통을 일으키지 않는다.
Ⅱ도	경도의 신체활동의 제한이 있다. 안정 시에는 무증상. 일상적인 신체활동으로 피로, 심계항진, 호흡곤란 또는 협심통을 일으킨다.
Ⅲ도	고도의 신체활동의 제한이 있다. 안정시에는 무증상. 일상적인 신체활동 이하의 운동으로 피로, 심계항진, 호흡곤란 또는 협심통을 일으킨다.
Ⅳ도	심질환이기 때문에 어떠한 신체활동도 제한된다. 심부전 증상이나 협심통이 안정 시에도 존재한다. 약간의 운동으로 이들 증상은 악화된다.
(부)	IIs도: 신체활동에 약간 제한이 있는 경우 IIm도: 신체활동에 중등도 제한이 있는 경우

순환기병의 진단과 치료에 관한 가이드라인. 급성심부전가이드라인(2011년 개정판)
http://www.j-circ.or.jp/guideline/pdf/JCS2011_izumi_h.pdf(2013년2월 열람)

치료·간호 포인트

- 호흡곤란을 호소하는 환자에 대해서는 다음의 확인이나 검사를 하고, 전신 상태를 신속하게 파악함과 동시에 산소투여 등의 적절한 치료를 한다.
- 호흡곤란의 정도에 따라 다르지만 생명의 위기를 느끼는 경우도 있기 때문에 호흡곤란에 대한 간호와 함께 증상의 개선이나 안정에 노력하고 불안에 대한 조절이 필요하다.
- 호흡상태가 악화되고 의식수준의 저하, 산소포화도저하, 청색증이 나타나는 상태라면 기관삽관을 한다. 그런 경우 인공호흡기도 준비해 놓는다.

Point 1 활력징후의 확인

- 활력징후(의식수준, 혈압, 맥박, 호흡, 체온)를 확인한다.

Point 2 문진

- 호흡곤란을 호소하는 환자에 대해서 문진을 한다.
- 호흡곤란에 따른 그 밖의 증상이나 일상생활행동에 지장을 일으키고 있는 상황 등도 확인한다.

Point 3 호흡운동의 확인

- 정상호흡은 리듬이 불규칙하지 않고 흡기와 호기가 규칙적인 일정한 주기를 가진다.
- 정상성인의 호흡수는 1분 동안에 14～20회이다. 호흡횟수 24회/분 이상인 경우를 빈호흡, 12회/분 이하를 서호흡이라고 한다.
- 울혈성심부전에서는 Cheyne-Stokes호흡, 기좌호흡을 나타내는 일이 있다.
- 호흡양식으로서 기좌호흡, 노력호흡의 유무를 확인한다.

이상(異常)호흡의 종류

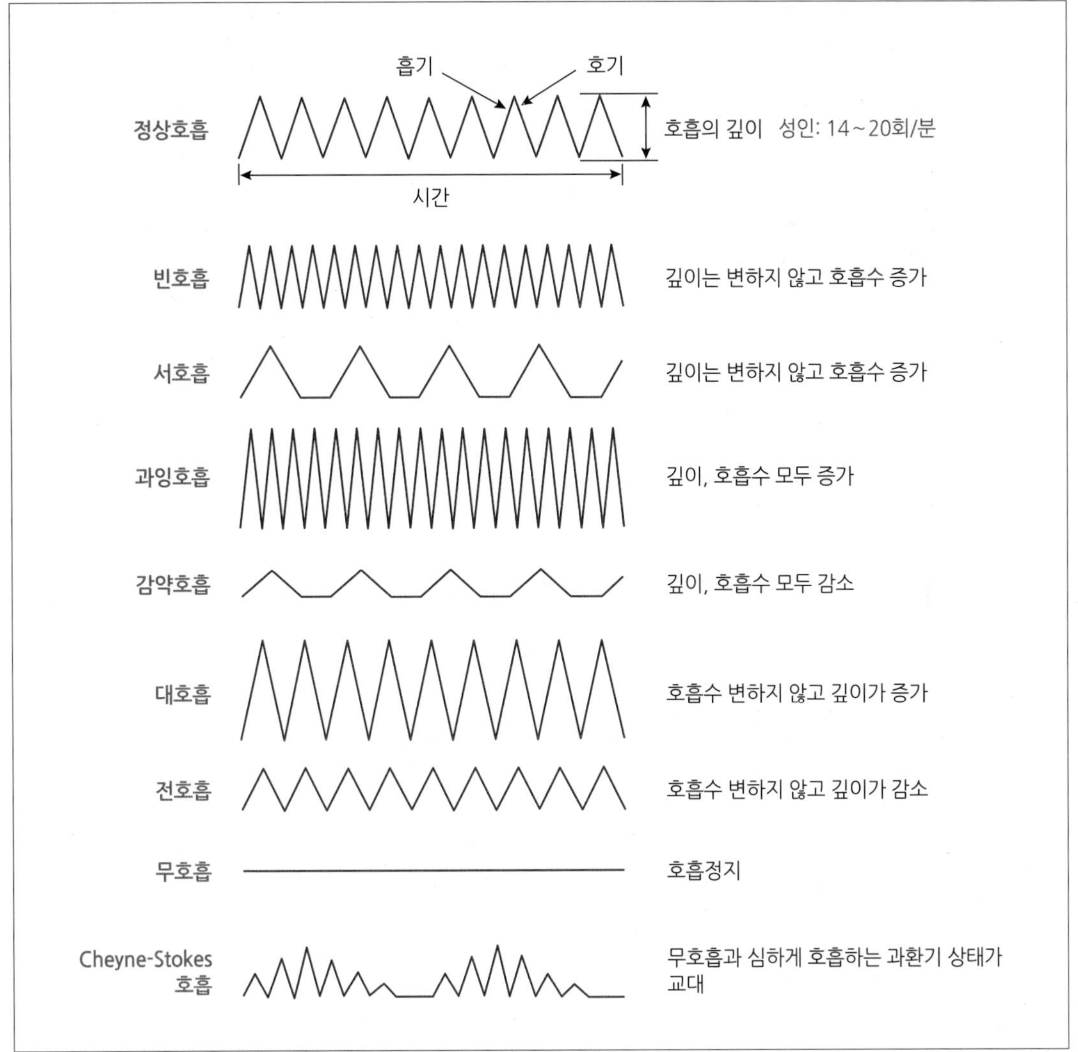

Point 4 청진

- 호흡음(강약이나 좌우차)이나 부잡음의 유무(습성라음, 건성라음, 천명, 가래저류음 등)를 확인한다.
- 순환기질환에 따른 호흡곤란에는 심잡음(판막증, 선천성심질환, 심실중격파열 등) Ⅱ p의 항진(폐경색, 폐고혈압), 갤럽(심부전), 심외막마찰음(심외막염)을 나타낸다.
- 심부전일 때 천명, 호기의 연장(심장천식), 전흡기성 라음을 청취하는 일이 있다.

호흡음의 청진

● 전흉부

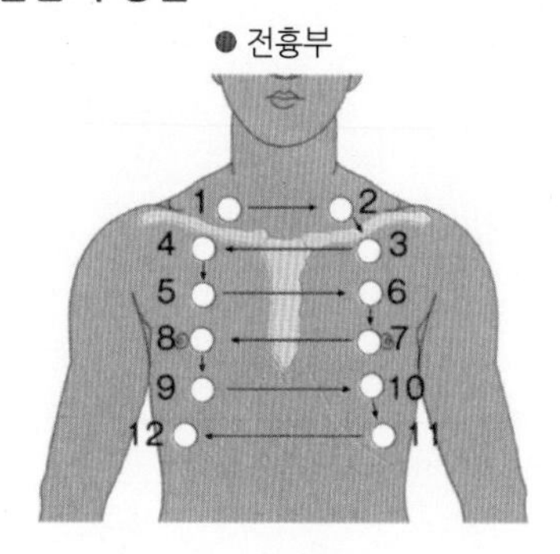

● 측흉

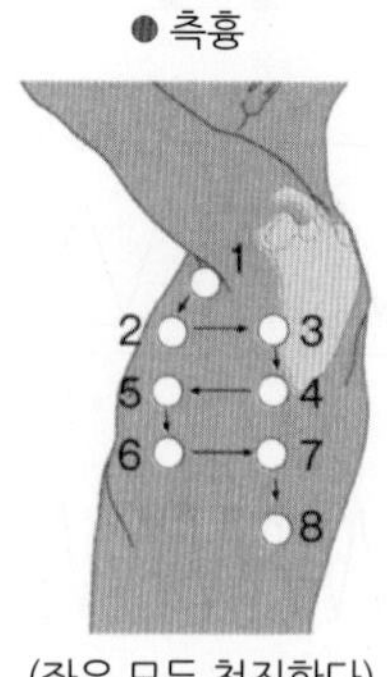

● 부배부(背部)

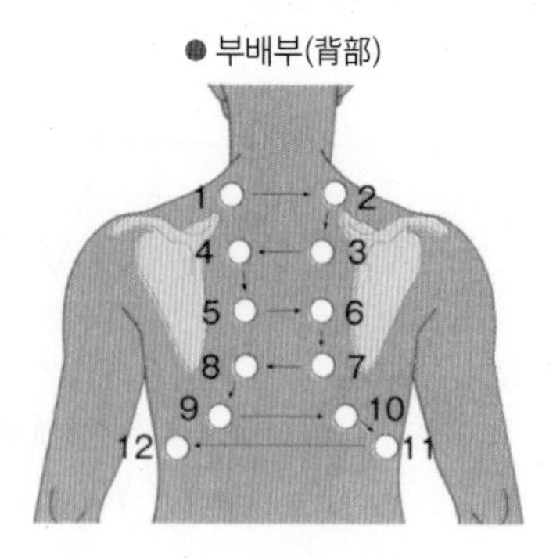

(좌우 모두 청진한다)

임상검사

- 흉부X선검사로 심장의 크기(심흉곽비)나 폐야의 상태(흉수정체나 폐울혈 등)를 확인한다.
- 동맥혈가스분압검사에 의해 동맥혈산소분압(PaO_2), 동맥혈이산화탄소분압($PaCO_2$), 동맥혈수소이온농도(pH) 등을 확인하고 가스교환장해의 유무를 판단한다.
- 혈액검사에서는 생화학검사를 포함하여 염증소견도 확인한다.
- 심전도변화가 없는지 확인한다.
- 환자의 증상과 함께 검사결과를 사정하고 순환기 질환인가, 호흡기 질환 또는 기타 질환인가를 신속하게 감별하는 것이 중요하다.

(大槻直美)

문헌

1. 齋藤宣彦: 간호사를 위한 순환기 렉처 제3판 케어에 활용하는 병태정리와 검사의 지식, 文光堂, 1998.
2. 高木永子 감수: 간호과정에 의한 대증간호 병태생리와 간호 포인트. 학습연구사, 도쿄, 1999: 134-155.
3. 순환기병의 진단과 치료에 관한 가이드라인. 급성심부전 치료가이드라인 (2011년개정판) http://www.j-circ.or.jp/guideline/pdf/JCS2011_izumi_h.pdf(2013년2월열람)

청색증

청색증이란 피부나 점막이 암청자색으로 변화되는 현상입니다.
선천성심질환에서는 중요한 징후의 하나로, 혈액 속에 산소가 결합되지 않은 헤모글로빈(환원헤모글로빈)이 5g/dL 이상이 되면 일어납니다.
발생구조로부터 중심성청색증과 말초성청색증으로 분류됩니다.

청색증의 관찰·대응의 포인트

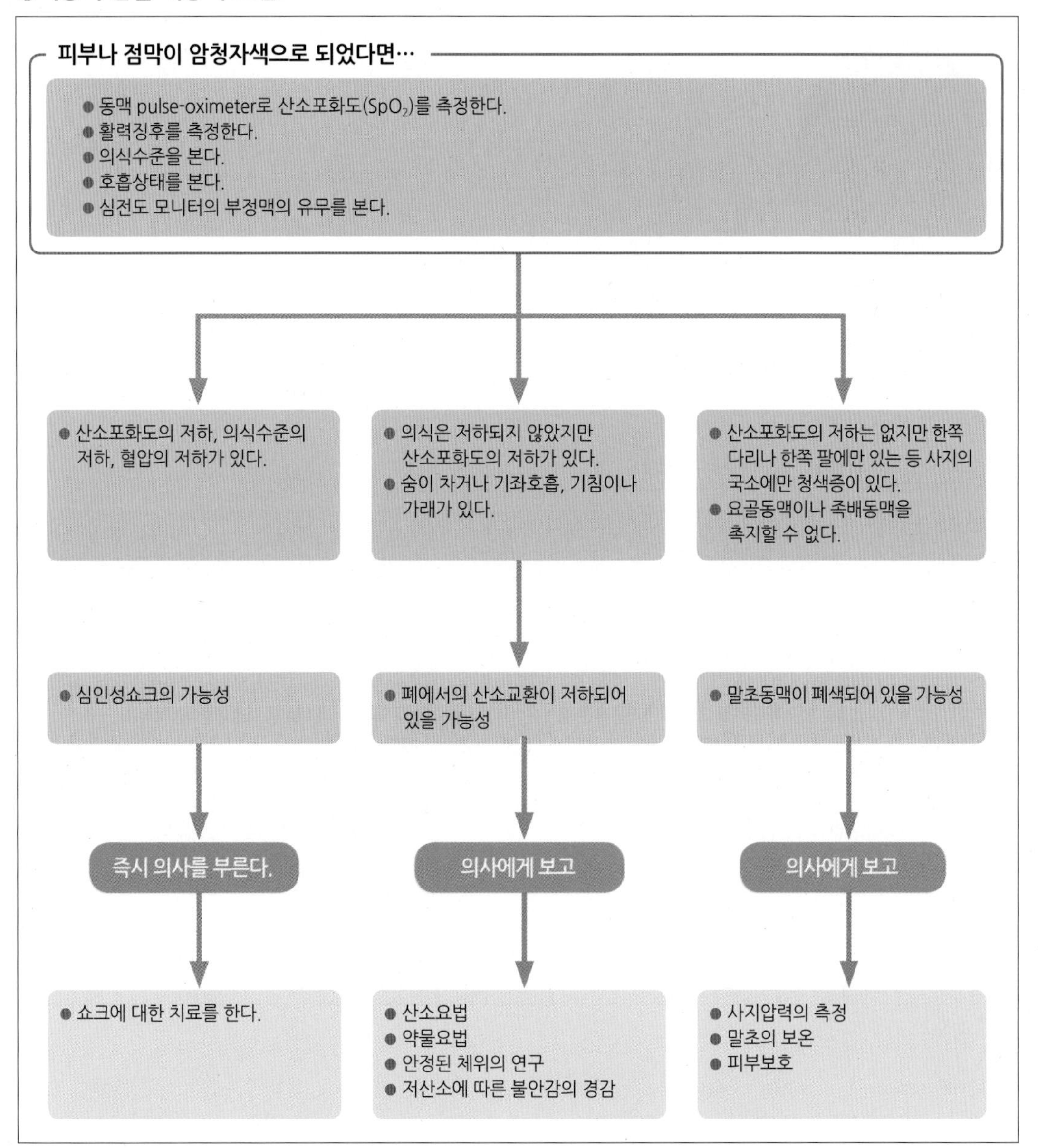

생각할 수 있는 요인·질환과 그 증상

- 어떠한 원인으로 가스교환능이 저하되면 혈액 속의 환원헤모글로빈＊이 증가하는 상태가 되며, 5g/dL 이상 증가하면 혈액의 색이 거무스름해지고 피부가 얇은 곳이 청자색으로 보인다.
- 입술·코끝·뺨·귓불·손톱밑(爪床) 등에서 관찰된다.
- 빈혈은 총 헤모글로빈양 자체가 적어진 상태이기 때문에 피부색은 창백하지만 청색증은 잘 나타나지 않는다.
- 청색증은 모세혈관이 가장 얇은 피부나 점막으로 덮여있는 입술, 뺨, 귀, 손톱 등에서 볼 수 있다.

＊ 환원헤모글로빈: 동맥을 통해 각각의 장기에 산소를 공급한 후의 헤모글로빈. 산소와 결합되어 있지 않은 헤모글로빈

청색증의 주요 출현 부위

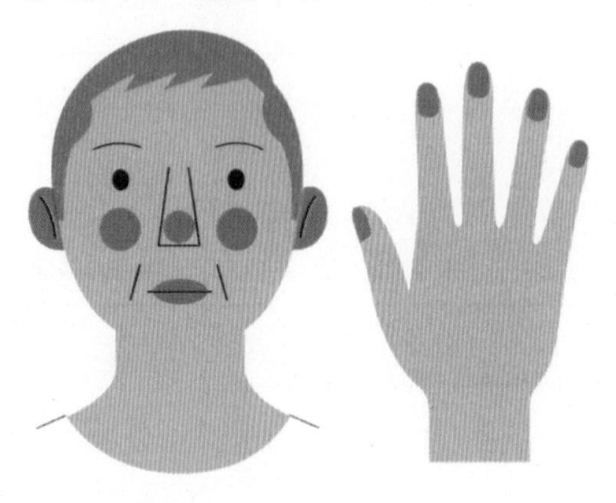

청색증의 분류

	중심성청색증 폐내에 있어서의 산소교환의 장해에 따라 일어난다.	말초성청색증 말초혈관의 혈류의 울체나 혈관수축에 따라 일어난다.
발증부위	사지말초, 뺨, 코, 귀 등	입술, 구강점막, 손톱밑 등
원인	● 폐포의 확산장해나 환기장해 ● 폐렴·폐경색·무기폐·폐고혈압증·만성폐질환 ● 선천성심질환 ● Fallot 4증후군·폐동맥루·아이젠멘거증후군 등	● 심박출량의 저하에 따라 일어난다. ● 울혈성심부전, 심인성쇼크 ● 사지의 혈관폐색이나 관류장해에 의해 일어나는 것 ● 급성동맥폐색, 폐색성동맥경화증, 정맥류 ● 차가운 데 노출 ● Raynoid현상
증상	● 입술이나 뺨의 피부색이 보라색~암보라색이 된다. ● 호흡곤란, 해소, 가래, 천식	● 심박출량 저하인 경우 → 의식수준 저하, 혈압저하, 사지 식은땀, 피부습윤, 소변량저하, 부정맥 ● 혈관폐색이나 관류장해인 경우 → 냉감, 동통, 저림, 말초동맥의 촉지불능, 국소의 부종이나 궤양, 지각장해, 운동장해 ● 한냉자극인 경우 → Raynoid현상(손가락의 혈관이 연축하기 때문에 일어난다. 손가락의 저림이나 동통, 감각마비, 백색화)

치료·간호 포인트

중심성청색증인 경우

- 주로 산소요법을 실시한다.
- 반좌위나 기좌위로 하여 폐의 환기면적을 넓힌다.
- 가래나 이물에 의한 기도폐색으로 생각될 때는 흡인 등에 의해 기도정화를 도모한다.

주의!

- 만성폐기능장해가 있는 경우는 산소투여에 의해 의식혼수를 유발하는 경우가 있으므로 신중하게 투여한다.
- 심질환의 좌-우션트에서는 산소요법은 효과가 없다.

말초성청색증인 경우

- 심인성쇼크라고 생각되는 경우는 바로 쇼크에 대한 치료를 한다(「쇼크」의 항 115페이지 참조).
- 심부전이라고 생각되는 경우는 산소요법, 약물요법으로 조직의 산소화능의 개선을 도모한다.
- 저산소에 따른 불안감이나 흥분 등의 정신증상에 대해서 불안을 경감시키기 위해 노력한다.
- 안정이 필요한 경우엔 신체의 고통을 적게 하는 체위나 환경을 생각한다.
- 혈관폐색이나 한냉자극에 의한 냉감이 있는 경우는 국소의 보온을 한다. 저림이나 지각장해가 있는 경우는 저온화상에 주의하여 보온을 한다.

(池田優子)

부종

부종이란 조직간액이 이상하게 증가하여 정체된 상태를 말합니다.
조직간액은 여과와 흡수, 림프류 등에 의해 평형상태가 유지되고 있지만, 모세혈관압의 상승, 혈장교질침투압저하, 림프관류장해, 모세혈관투과성항진 등에 따라 평형상태가 장해를 받으면 부종을 일으킵니다.

부종의 관찰·대응 포인트

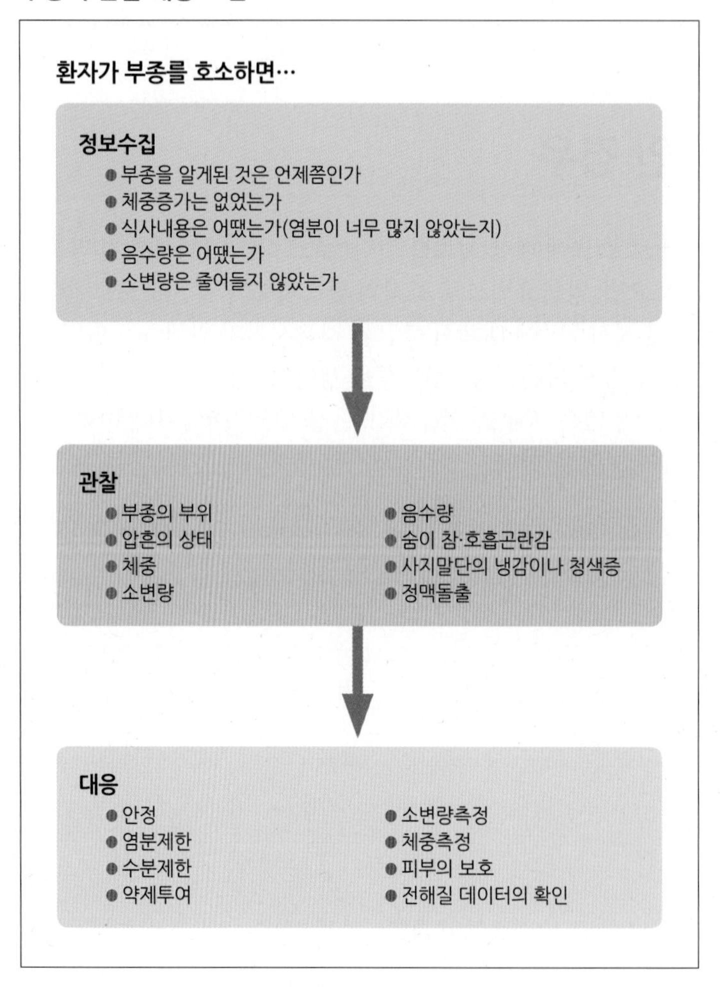

생각할 수 있는 요인·질환과 그 증상

- 심장성부종의 주된 요인은 울혈성심부전에 의한 것이다.
- 심기능의 저하에 따라 심박출량이 저하된다. 또한 신혈류량도 감소함으로써 나트륨 및 수분의 배설이 저하되고 저류한다.
- 심장의 펌프기능의 저하에 따라 혈액환류가 저하되고 정맥압이 상승한다. 따라서 말초 모세혈관압의 상승이나 림프량의 증가 등에 따라 부종이 일어난다.
- 우심계의 기능저하에서는 정맥환류의 울혈에 따른 경정맥돌출이나 간비대, 하지부종이 나타난다.

부종의 주요 원인

모세혈관압의 상승	① 신성(腎性)에 의한 것 신부전·신염·신증후군 ② 정맥압상승에 의한 것 심부전·정맥폐색·정맥펌프부전 ③ 세동맥저항의 감소에 의한 것 혈관확장약
혈장교질침투압저하	① 단백상실 신증후군·단백누출성위장증·열상이나 외상 ② 단백생산의 장해 간장질환·저영양
림프관류장해	종양·외과수술·감염(필라리아)·림프관의 이상
모세혈관투과성항진	염증·알레르기반응·세균감염·당뇨병

부종을 일으키는 주요 질환

국한성부종	혈관성부종	• 상·하대정맥증후군 • 정맥혈전증 • 정맥류
	림프성부종	• 림프관형성부전 • 임파선염 • 악성종양의 림프절 침윤 • 악성림프종
	염증성부종	• 관절 류머티즘 • 통풍 • 열상 • 외상
전신성부종	심장성부종	• 울혈성심부전(심근경색, 판막증질환, 심근염, 선천성심질환) • 우심계의 기능저하(폐색전증, 폐고혈압증, 만성호흡기질환) • 심막질환(수축성심막염, 급성심막염)
	신성부종	• 신염·신부전 • 신증후군
	간성부종	• 간경변 • 문맥압항진증
	영양장해성부종	• 영양섭취감소 • 단백누출성위장증 • 흡수불량증후군
	내분비성부종	• 갑상선기능저하증 • 쿠싱증후군
	기타	• 약제(NSAIDs, 혈압하강제 등) • 알레르기 • 특발성

하지부종의 예

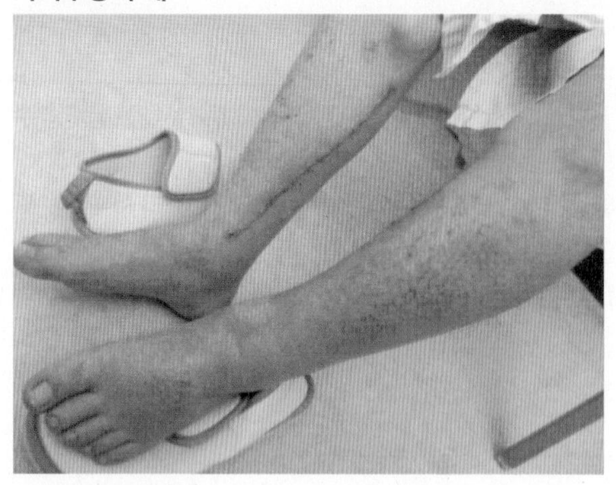

- 심장성부종은 하지에 현저하게 나타나며, 저녁에 부종이 증가한다. 또 장기(長期)와상인 경우는 선골부 주변 등 몸의 낮은 부분에 저류하기 쉽다.

부종의 발생부위

심기능이 원인인 경우	• 주로 하지(저녁이 되면 증가한다.) • 누워있는 환자인 경우는 중력의 영향을 받아 등쪽(背部), 둔부, 대퇴부 등에 나타난다. 또한 진행되면 안면이나 복부 등 전신에 부종이 미치는 경우가 있다. • 심기능 이외의 것이 원인인 경우 • 안검이나 얼굴의 부종은 주로 신기능이 원인이다. • 복수를 동반하는 부종은 주로 간성이다. • 국소성부종은 염증이나 림프관성, 혈관성 등으로 보인다.
부종에 수반되는 증상	• 약제(NSAIDs, 혈압하강제 등) • 알레르기 • 특발성

부종에 수반되는 증상

- 하지부를 누르면 움푹 들어간다.
- 구두나 양말의 자국이 남는다.
- 체중이 증가한다.
- 몸이 나른하고 무겁다.
- 숨참이나 호흡곤란감
- 복부의 팽만감
- 정맥돌출
- 사지말초의 냉감청색증
- 설사나 변비
- 욕창
- 피부표면으로의 체액의 누출

치료·간호 포인트

Point 1 안정

- 심기능의 저하에 따라 일어난 심장성부종인 경우 안정을 취하여 신혈류량의 증가를 꾀하고 이뇨를 재촉한다.

Point 2 염분제한

- 나트륨은 삼투압을 올려 수분이 잘 고이는 상태로 만든다. 또 염분은 과잉수분섭취로 이어지기 때문에 염분제한을 한다.

Point 3 수분제한

- 부종은 체내에 수분이 과잉으로 되어 있는 상태이기 때문에, 식사나 음수에 의한 경구를 통한 수분섭취량을 제한한다.

Point 4 약제투여

- 이뇨약을 사용함으로써 체외로의 수분배설을 도모한다. 그러나 급격한 이뇨효과로 순환혈장량이 감소하고 조직관류가 저하되는 경우도 있기 때문에 혈압의 저하에 주의한다.
- 혈압을 유지하면서 이뇨효과를 얻기 위해 카테콜라민을 사용할 수도 있다.

Point 5 소변량측정

- 약제의 효과와 심기능의 상태를 사정하기 위해 소변량의 체크는 중요한 관찰항목이다.

Point 6 체중측정

- 소변량의 확인과 함께 체중의 증감도 순환기능의 상태를 아는 중요한 수치이다. 매일 정해진 시간에 체중을 측정한다.

Point 7 피부의 보호

- 조직간액의 증가로 일어난 부종에 의해 피부의 투과성은 항진하고 취약해진다. 따라서 피부는 쉽게 상처가 나며, 압박이나 마찰에 의해 욕창이 발생하기 쉽다.
- 피부의 손상에 의해 체액의 누출이나 감염을 일으키기 때문에 피부의 보호와 욕창예방을 충분히 한다.
- 심기능의 저하에 따라 소화관에도 부종이 일어나는 경우, 소화·흡수기능이 장해를 받으며 설사나 변비를 일으킨다.
- 이뇨제의 효과에 따라 체내의 과잉 수분이 감소되면, 생체는 탈수로 인해 변비가 되기 쉽기 때문에 변비예방을 한다.

Point 8 검사자료의 확인

- 이뇨제에 의한 소변량의 증가에 따라 전해질이상을 알으킬 수 있으므로 전해질의 수치에 주의한다.
- 심기능의 저하에 따른 조직관류의 저하는 신기능에도 영향을 주기 때문에 혈중요소질소나 크레아티닌 수치를 체크한다.

(池田優子)

현기증, 실신

현기증·실신은 여러 가지 원인에 의해 뇌의 혈류가 차단되어, 평형감각이나 의식을 잃는 증상을 말합니다.
현기증에는 회전성현기증과 비회전성현기증이 있으며, 실신으로 이어지는 현기증인지 아닌지 감별을 신속하게 할 필요가 있습니다.
실신은 보통 몇 초에서 수십 초 만에 자연스럽게 회복되지만, 오래 지속되면 뇌에 장해를 남기는 경우도 있습니다.

현기증, 실신의 관찰·대응 포인트

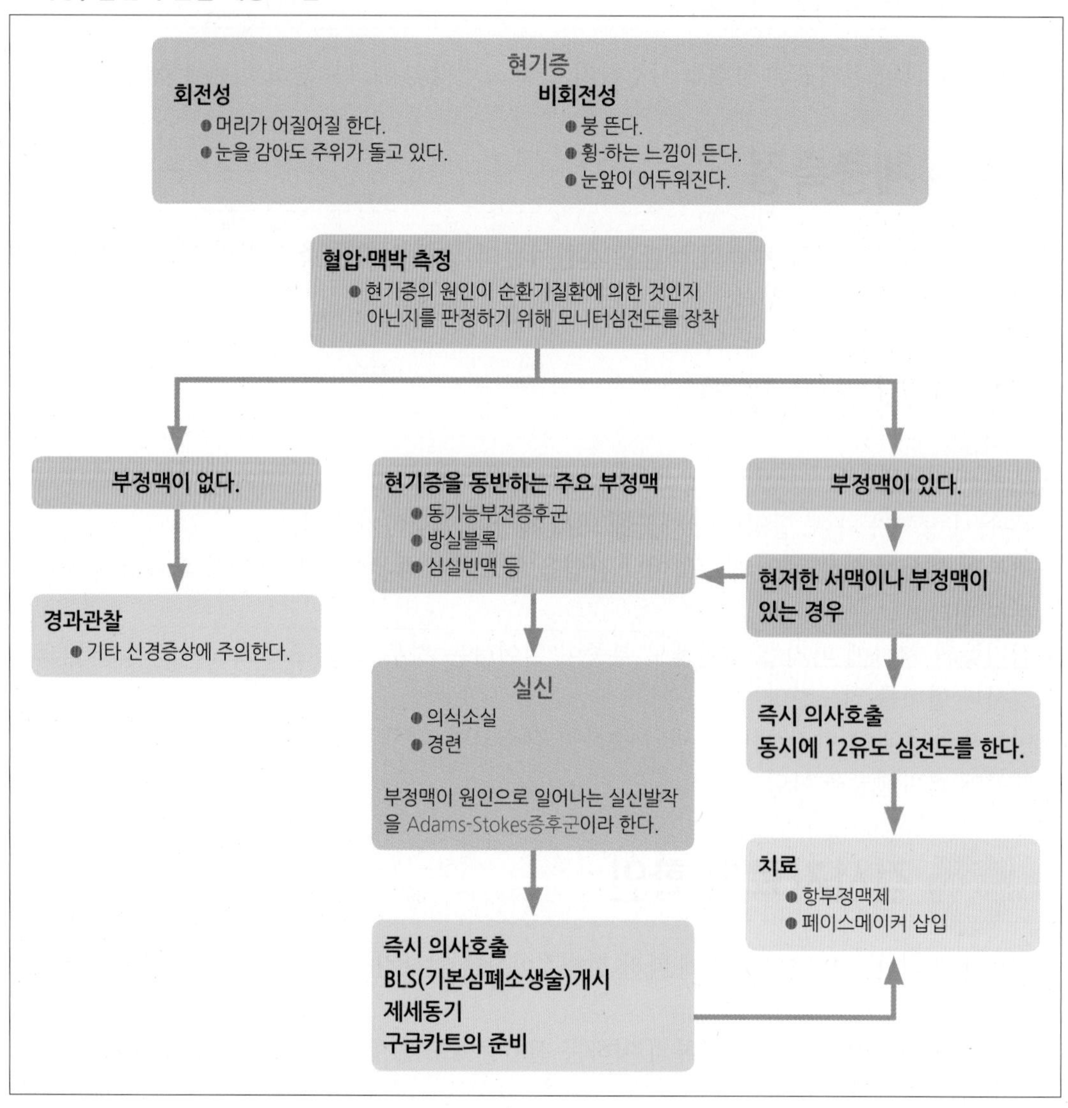

■ 현기증

생각할 수 있는 요인·질환과 그 증상

- 대부분의 현기증의 원인은 신경계의 이상이지만 심박출량의 저하에 따라 나타나는 경우도 있으므로, 순환기계의 이상에 의한 것인지 아닌지를 가능한 한 빨리 알아낼 필요가 있다.

현기증을 일으키는 주요 질환

	회전성현기증	비회전성현기증
발생기전	● 주로 내이, 전정신경장해에 의해 일어난다.	● 뇌간이나 소뇌, 대뇌장해에 의해 일어난다.
원인이 되는 질환	● 메니엘병 ● 전정신경염 ● 양성발작성두위현기증 ● 돌발성난청 등	● 추골뇌저동맥순환부전 ● 뇌종양 ● 다발성경화증

현기증에 따르는 수반증상

현기증의 증상
- 붕 뜬다.
- 휭-하는 느낌이 든다.
- 눈앞이 어두워진다.
- 가슴이 뛴다.
- 의식이 멀어진다.

현기증에 따르는 증상
- 심계항진
- 불안감
- 머리가 무거움
- 오심

기타

순환기질환의 치료약으로써 사용되는 β차단약의 작용에 의해 서맥으로 되어, 현기증이나 실신을 일으키는 경우가 있다.

치료·간호 포인트

Point 1 동반증상의 관찰

- 현기증에 따르는 동반증상의 관찰을 한다.

Point 2 검사데이터의 확인

- 혈압상승·두통·구토·시력장해·신경마비·이명·발열 등의 증상이 있는 경우는 뇌신경이나 평형기관의 장해가 의심된다.
- 순환기질환과 감별을 하기 위해 바로 심전도를 장착하고 모니터링을 개시한다.

주의해야 할 심전도의 예

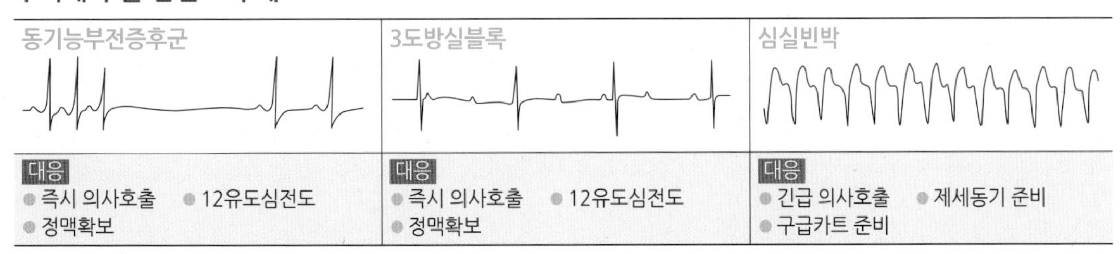

동기능부전증후군	3도방실블록	심실빈박
대응 ● 즉시 의사호출 ● 12유도심전도 ● 정맥확보	대응 ● 즉시 의사호출 ● 12유도심전도 ● 정맥확보	대응 ● 긴급 의사호출 ● 제세동기 준비 ● 구급카트 준비

■ 실신

생각할 수 있는 요인·질환과 그 증상

● 실신의 원인에는 심장성, 혈관성, 신경성·뇌혈관성, 대사성이 있다.

실신을 일으키는 질환

심장성	기질성	● 심근경색 ● 심근증 ● 선천성심질환 ● 폐경색 ● 폐고혈압증 ● 대동맥박리 ● 대동맥판협착증 ● 좌심방점액종 등
	부정맥성	● 방실블록 ● 동성서맥 ● 동부전증후군 ● 심실성빈박증 ● 상실성빈박증 ● QT연장증후군 등
혈관성	혈관신경반사성	● 혈관의 수축에 관계되는 미주신경과 말초교감신경의 균형이 무너져 일어난다. ● 혈관미주신경반사 ● 해소실신 ● 배뇨실신 ● 경동맥동증후군 등
	기립성저혈압	● 기립함에 따라 정맥혈이 아래쪽으로 체류하면서 심장으로의 정맥혈환류량이 감소하고 심박출이 저하되어 일어난다.
	혈관폐색성	● 대동맥염증후군 ● 쇄골하동맥 스틸 증후군 등
신경성·뇌혈관성		● 뇌혈관장해 ● 파킨슨증상 ● 전간
대사성		● 과호흡증후군 ● 저혈당 ● 히스테리 ● 공황장해 등
기타		● 소화관출혈, 감염증 등

실신에 수반되는 증상(심장에 원인이 있는 경우)

- 심계항진·흉통
- 현기증
- 의식소실
- 경련
- 구토

* 갑작스런 의식소실로 인한 넘어짐으로 상처를 입는 경우가 있으므로, 머리나 안면, 기타 전신의 외상이나 골절의 유무를 확인한다.

치료·간호 포인트

Point 1 의식수준이 저하되어 있는 경우

● 일시적 실신이 아니고 의식수준이 저하되어 있는 경우는 바로 기본심폐소생술(basic life support: BLS)을 시행한다. 원인이 심장성인지 그 이외의 것인지를 감별하기 위해 심전도 모니터링을 개시한다.

Point 2 구토나 경련이 나타난 경우

● 실신에 수반되어 구토나 경련이 나타난 경우에는 기도확보를 한다.

Point 3 부정맥이 원인인 경우

● 원인이 부정맥성인 경우는 약물투여나 일시적 페이스메이커 삽입이 이루어진다.
● 심실빈박이나 심실세동 등 치사성부정맥인 경우는 바로 전기적제세동을 한다.

Check Adams-Stokes증후군

● 심장에 원인이 있어서 실신하는 것을 Adams-Stokes증후군이라고 한다.
● 부정맥에 의해 심박출량이 감소하고 뇌세포가 저산소상태로 되면 실신하여 쓰러진다.

(池田優子)

문헌

1. 斉藤宣彦: 간호사를 위한 순환기렉처 케어에 활용하는 병태생리와 검사의 지식. 文光堂, 도쿄, 1998, 37-39, 45-51.
2. 岡部元彦, 石綿清雄: 주요증상, 주요소견의 이해. 심장병의 치료와 간호, 百村伸一 편, 南江堂, 도쿄, 2006: 21-28.
3. 하트 널싱 편집실편: 실천순환기 케어메뉴얼 하트 널싱 2008년 추계증간, 메디카 출판, 吹田, 2008: 116-121.

부정맥

부정맥이란 자극전도계가 어떠한 원인에 의해 장해를 받아 심근이 정상적으로 흥분하지 못하는 상태를 말합니다.
심장혈관수술을 받은 환자는 수술 전부터 갖고 있던 부정맥에 더하여, 수술조작·침습이나 전해질이상으로 인한 새로운 부정맥을 일으키는 일도 많아집니다.
부정맥의 종류에 따라 긴급도나 대응은 크게 다르기 때문에 우선은 심전도로 어떤 부정맥인가를 파악하는 일이 중요합니다.

부정맥의 관찰·대응 포인트

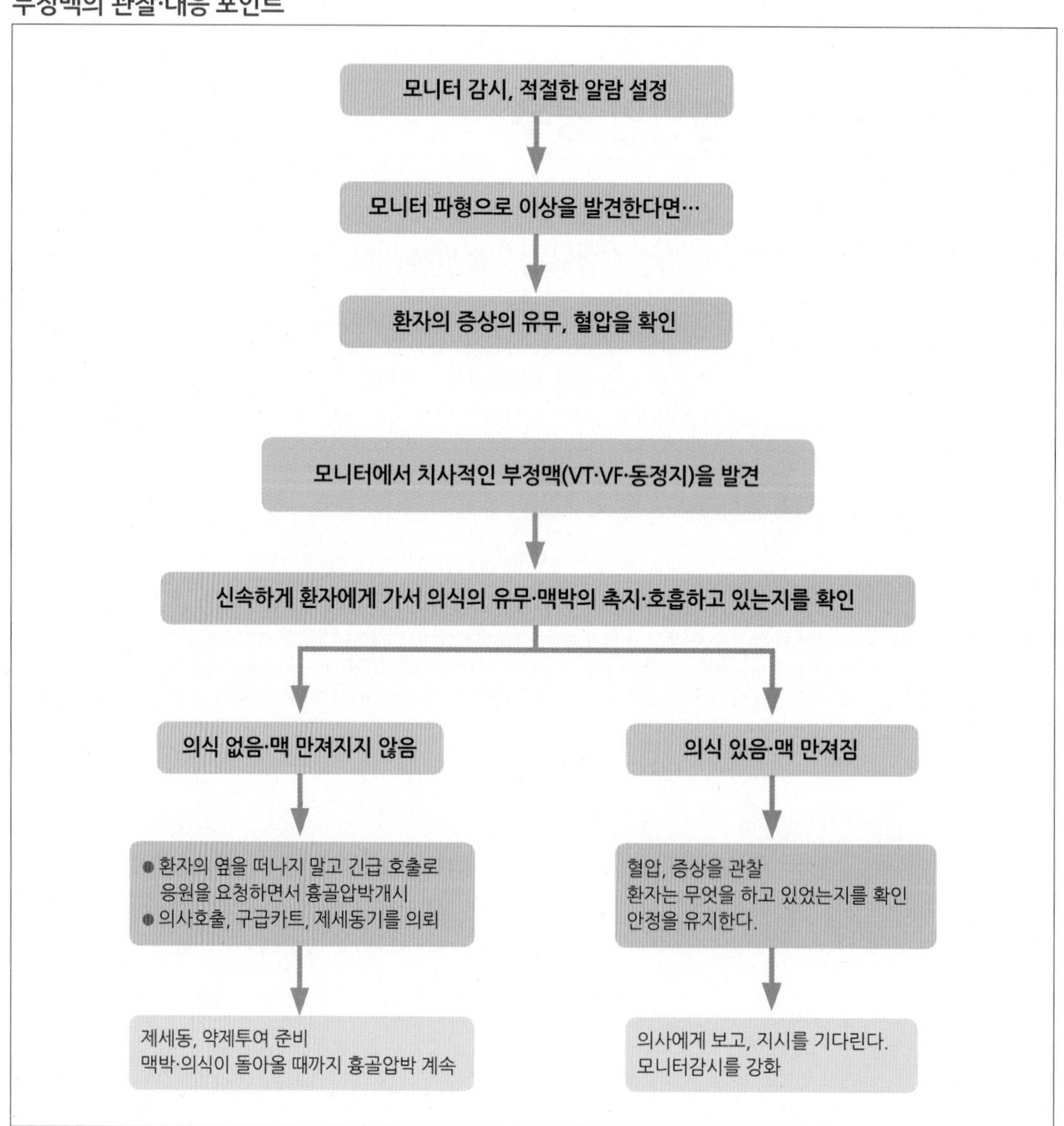

수술 후에 많이 보이는 부정맥의 대응 포인트

Check 1 심방기외수축

긴급도 ■□□□□

premature atrial contraction: PAC

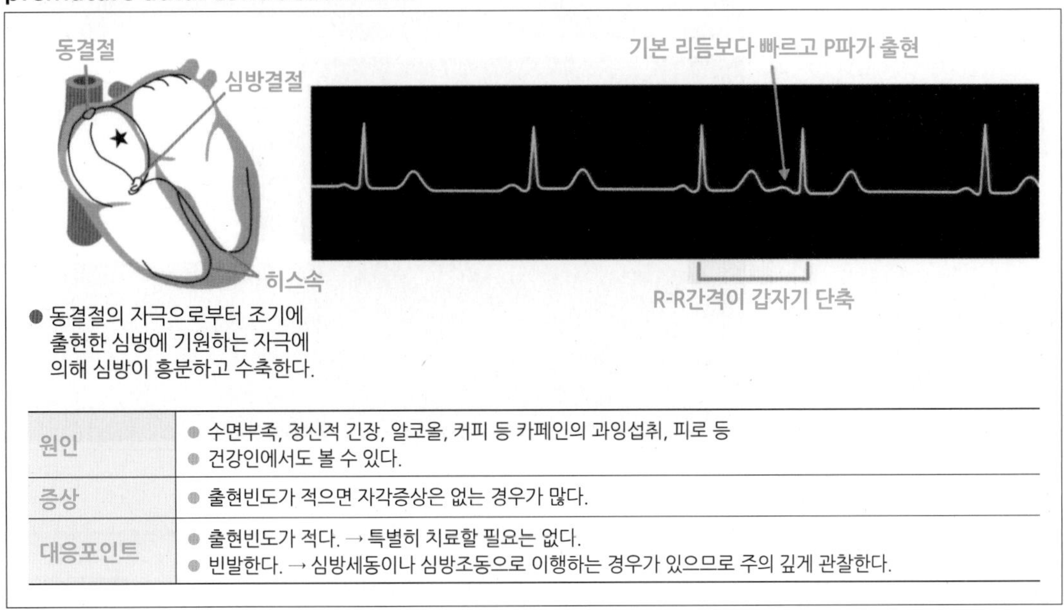

- 동결절의 자극으로부터 조기에 출현한 심방에 기원하는 자극에 의해 심방이 흥분하고 수축한다.

원인	● 수면부족, 정신적 긴장, 알코올, 커피 등 카페인의 과잉섭취, 피로 등 ● 건강인에서도 볼 수 있다.
증상	● 출현빈도가 적으면 자각증상은 없는 경우가 많다.
대응포인트	● 출현빈도가 적다. → 특별히 치료할 필요는 없다. ● 빈발한다. → 심방세동이나 심방조동으로 이행하는 경우가 있으므로 주의 깊게 관찰한다.

Check 2 심실기외수축

긴급도 ■■□□□ (단발인 경우)

premature ventricular contraction: PVC

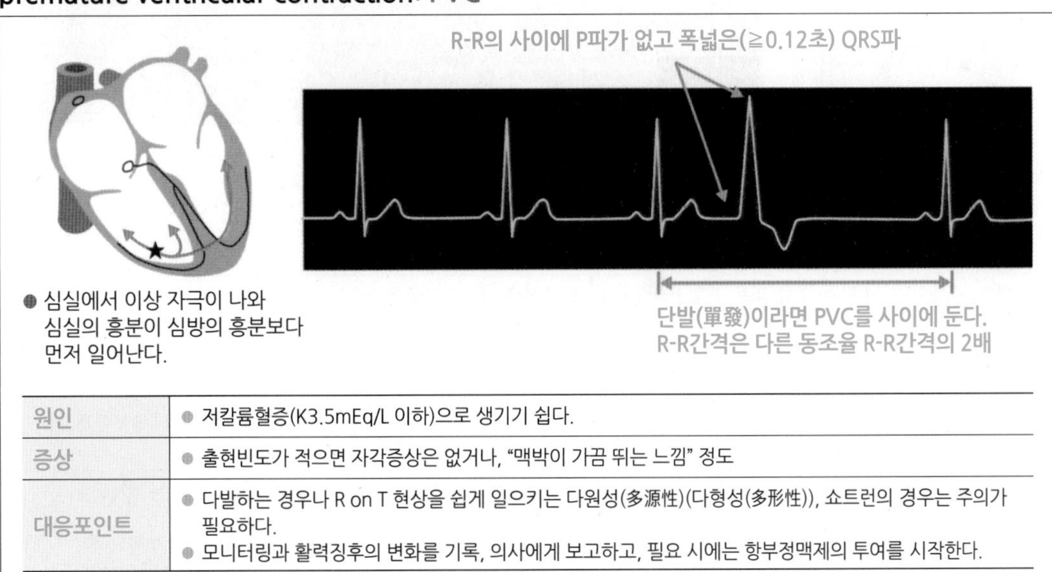

- 심실에서 이상 자극이 나와 심실의 흥분이 심방의 흥분보다 먼저 일어난다.

원인	● 저칼륨혈증(K3.5mEq/L 이하)으로 생기기 쉽다.
증상	● 출현빈도가 적으면 자각증상은 없거나, "맥박이 가끔 뛰는 느낌" 정도
대응포인트	● 다발하는 경우나 R on T 현상을 쉽게 일으키는 다원성(多源性)(다형성(多形性)), 쇼트런의 경우는 주의가 필요하다. ● 모니터링과 활력징후의 변화를 기록, 의사에게 보고하고, 필요 시에는 항부정맥제의 투여를 시작한다.

특히 주의가 필요한 심실기외수축

긴급도 ■■■□□

다원성(다형성) 심실의 2군데 이상의 다른 부위에서 흥분이 일어난 것으로, 모양이 다른 심실기외수축이 나타난다.	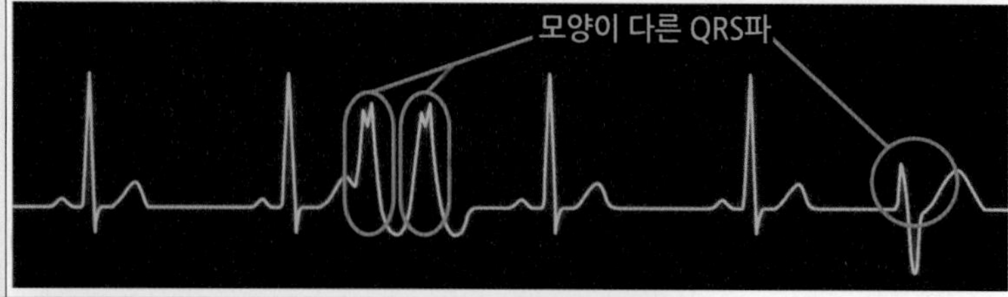
쇼트런 같은 모양의 심실기외수축이 3개 이상 연속해서 나타난다.	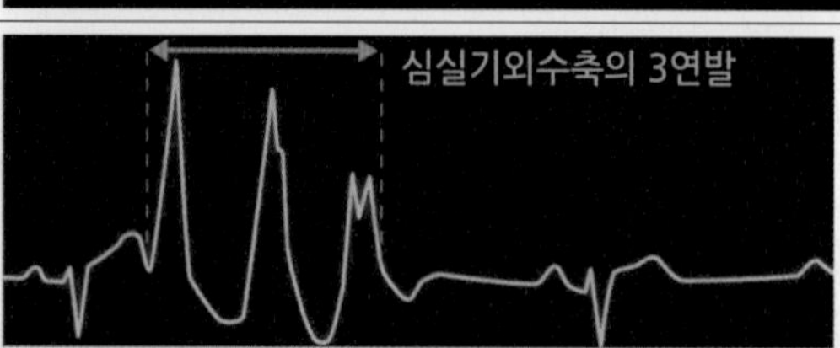
R on T현상 선행하는 T파에 겹치듯이 심실기외수축이 나타나고, QRS파가 오른다. 심실빈맥이나 심실세동을 쉽게 발생시킨다.	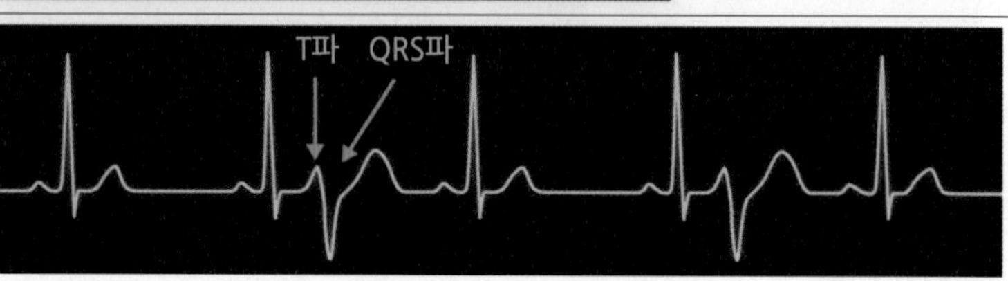

Check 3 심방세동

긴급도 ■■■□□ (만성인 경우는■■□□□)

artrial fibrillation: Af

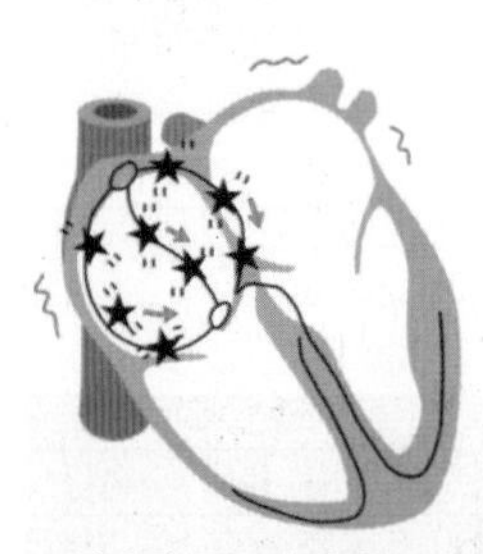

● 심방의 곳곳에서 흥분이 발생하고 불규칙적으로 가늘게 떨리는 상태

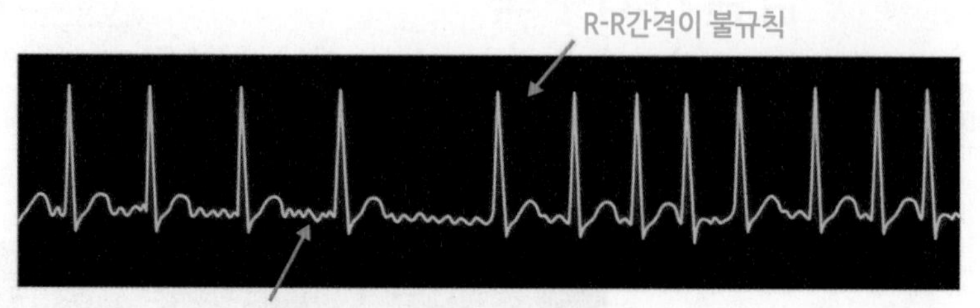

원인	● 탈수, 고령, 피로, 허혈성심질환, 승모판협착증, 갑상선기능항진증
증상	● 정상적인 심방수축이 결여되기 때문에 심실충만도 영향을 받아 심박출량이 약 20% 감소한다. ● 빈맥으로 되는 일이 많기 때문에 심근산소소비량의 증대나 심근허혈의 악화를 초래하고 심부전 악화의 원인으로 된다. ● 만성에서는 거의가 무증상이지만, 빈맥성인 발작성심방세동(Paf)에서는 강한 심계항진이나 흉부불쾌감을 많이 느낀다.
대응포인트	● 치료는 약물에 의한 심박수의 조절이 주이며, 저혈압을 일으키고 있는 경우나 급성인 경우는 제세동을 한다. ● 수술 후에 비교적 일어나기 쉽고 원인의 하나로 탈수가 있기 때문에 특히 이뇨기에는 주의가 필요하다. ● 심방내에 혈전이 형성되어 혈전색전증을 일으키는 경우가 있다. 그럴 경우에는 항응고요법이 이루어진다.

Check 4 심방조동

긴급도 ■■■□□

atrial flutter: AF

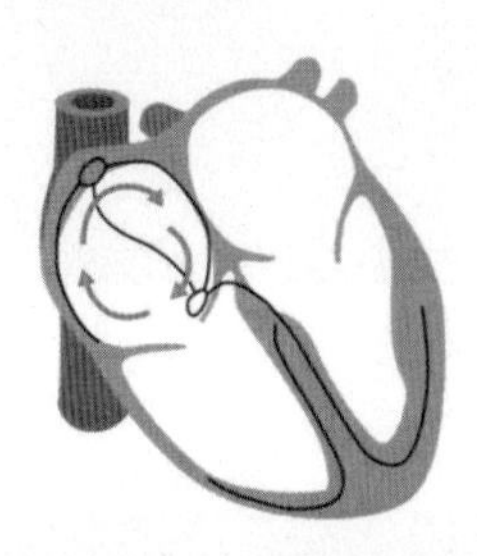

F파(톱니 같은 까칠까칠한 파형)가 보인다.

QRS파는 거의 규칙적으로 나타난다.

- 심방이 규칙적이면서 빠른 속도(250회/분 이상)로 흥분한 상태
- 하나의 큰 리엔트리

원인	● 승모판·삼첨판질환, 심근증, 심근염, 갑상선기능항진증, 카테콜라민류
증상	● 심계항진, 숨참 등 ● 심실로의 전도율에 따라서는 전혀 증상이 없는 경우도 있다.
대응포인트	● 치료는 우선 약물에 의한 심박수조절을 한다. ● 방실전도가 항진하여 1:1이 되면, 심박수가 급격하게 상승하여 심부전이나 쇼크를 일으킬 수도 있다. 혈역학상태가 불안정한 경우는 전기적제세동이나 페이싱에 의해 동조율화시킨다.

Check 5 방실블록

atrio ventricular block: AV블록

1도 방실블록

긴급도 ■□□□□

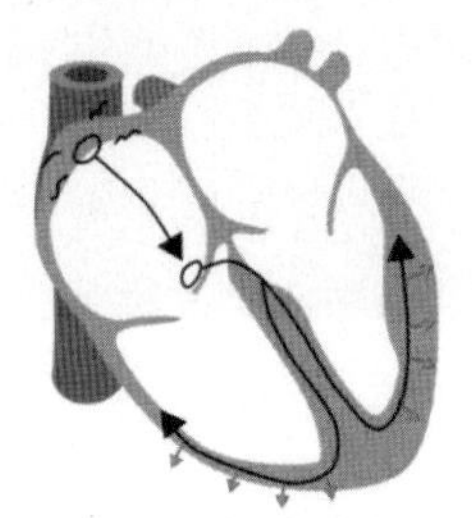

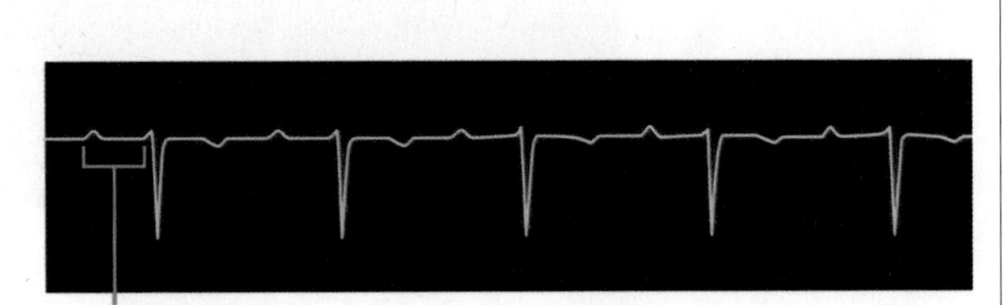

PR간격이 0.21초(5코마) 이상 연장된 것으로 리듬은 규칙적이다.

- 방실결절, 히스속에서 자극전도에 시간이 걸린다.
- 동결절에서 방실결절까지의 전달에 문제는 없다.

대응포인트	● 일상생활에 있어서 특별한 문제는 없으며, 경과를 관찰하면 된다.

2도 방실블록

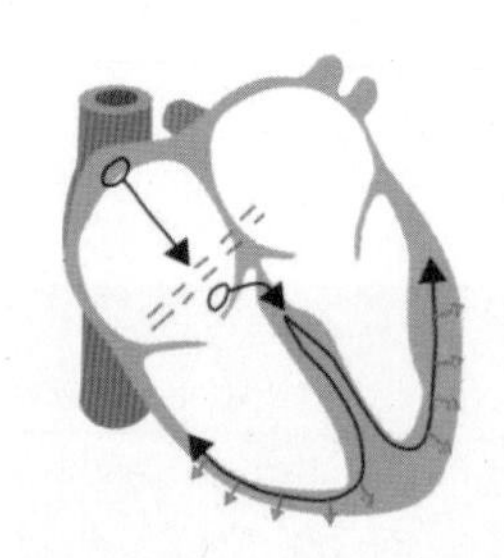

● 심방에서 심실로의 자극이 가끔 중단된다.

모비츠 I형(Wenckebach's type)

긴급도 ■■□□□

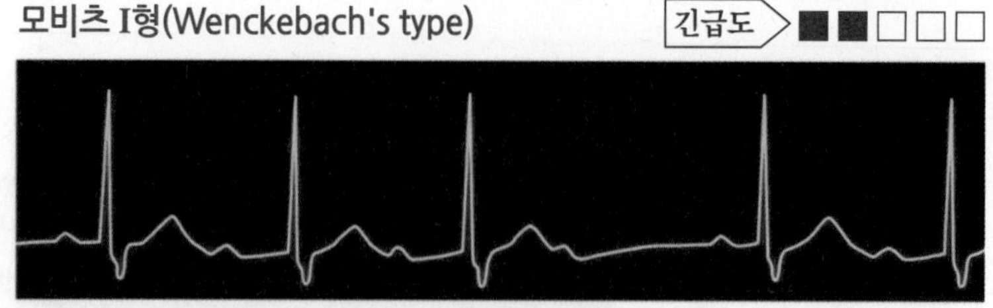

PR간격이 서서히 연장되어 가고 결국 QRS파가 누락된다.

모비츠 II형

긴급도 ■■■□□

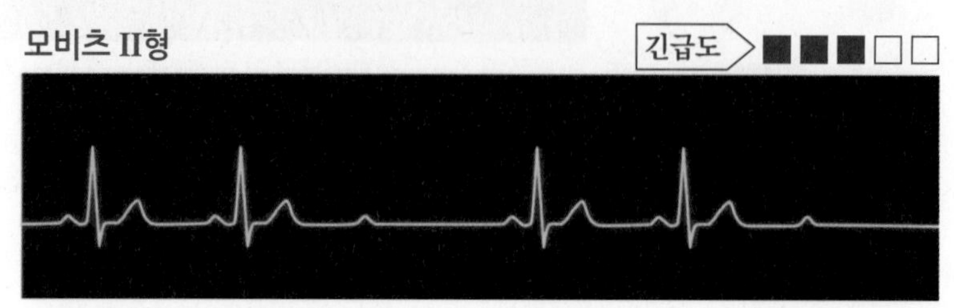

PR간격이 일정하게 연장되지 않으며, P파에 이어 갑자기 QRS파가 누락된다.

대응포인트	● 모비츠 I형은 일상생활에 있어서 특별한 문제는 없으니 경과를 관찰하면 된다. 원인이 되는 것이 있으면 원인에 대한 치료를 한다. ● 모비츠 II형은 3도방실블록으로 이행할 수가 있기 때문에 주의한다. 모니터링과 함께 약제(아트로핀)투여나 페이스메이커 준비를 한다.

3도(완전) 방실블록

긴급도 ■■■■□

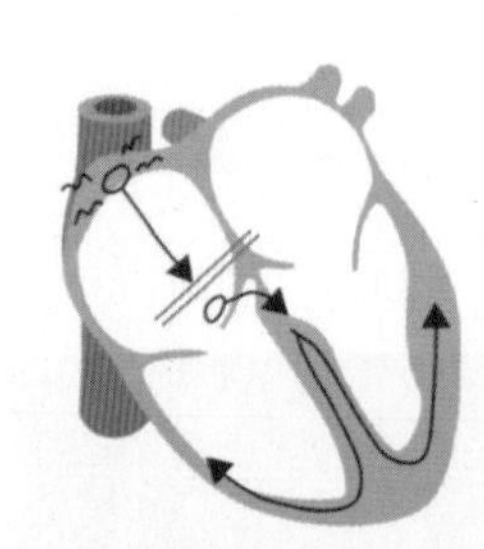

● 심방에서의 자극이 심실로 전혀 전달되지 않고 심방과 심실이 각각 상관없이 수축한다.

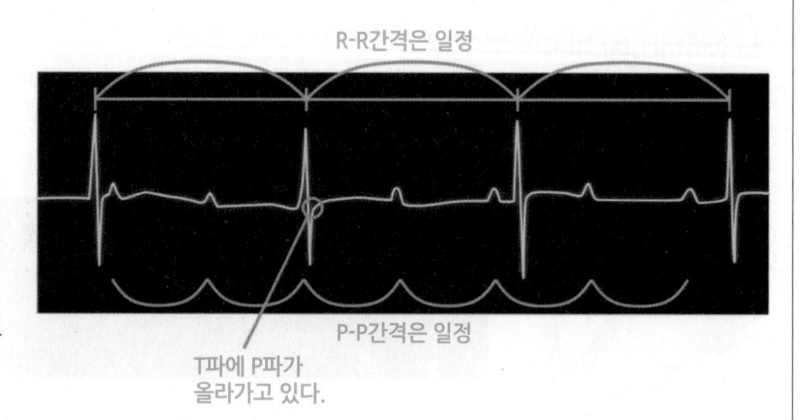

증상	● 현저한 서맥 ● 운동 시에 숨이 차는 등 심부전 증상이나 현기증을 나타낸다.
대응포인트	● 대동맥판치환술에서는 수술조작에 의해 자극전도계가 상처를 받아 수술 후에 일어나는 경우가 있다. ● 실신발작을 일으킬 가능성이 있으므로 신속한 치료가 필요하며, 페이스메이커의 적응이 된다.

치사적인 부정맥의 대응포인트

Check 1 심실세동

긴급도 ■■■■■

ventricular fibrillation: VF

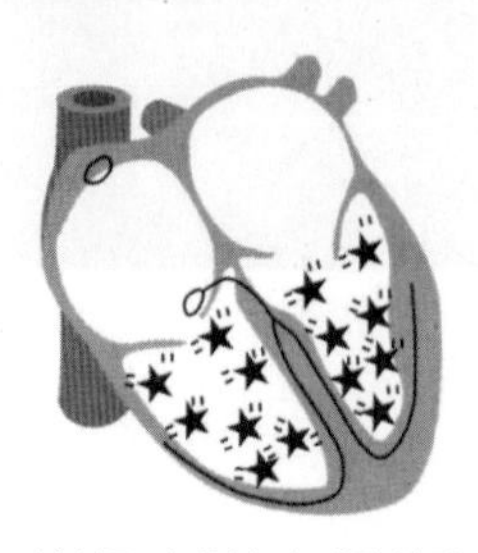

● 심실근의 흥분이 비정상적으로 높아지고 심근의 여기저기에서 자극을 발생하는 상태

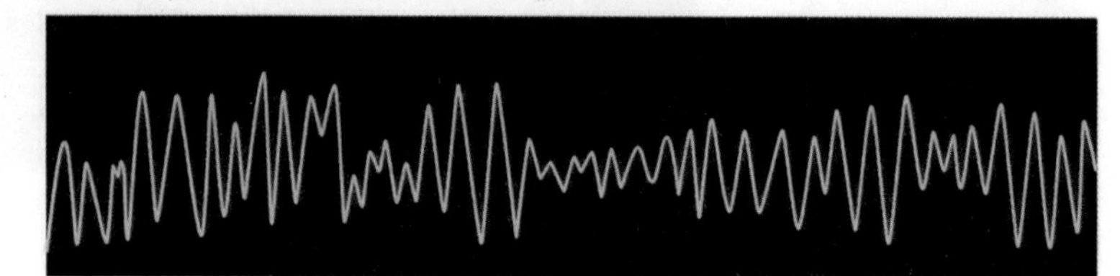

가늘고 폭이 일정하지 않은 크고 작은 파형이 연속되며, 평탄한 기선이 전혀 나타나지 않는다.

원인	● 심실기외수축의 연속(連拍), 다원성(다형성)의 심실기외수축, R on T 현상, 심실빈맥
증상	● 심근이 거의 작용하고 있지 않기 때문에 혈액을 내보낼 수 없으며 수초에서 수십 초 만에 의식소실을 일으킨다.
대응포인트	● 가장 위험한 중증부정맥이며 즉시 제세동을 할 필요가 있다. ● 전구(前驅)상태에 이어서 발생하는 경우도 많아 모니터상으로 다원성·R on T형의 PVC를 파악한다면, 전해질의 보정이나 항부정맥약 사용 등의 적절한 처치에 의해 예방이 가능한 경우도 있다.

Check 2 심실빈맥

긴급도 ■■■■□

ventricular tachycardia: VT

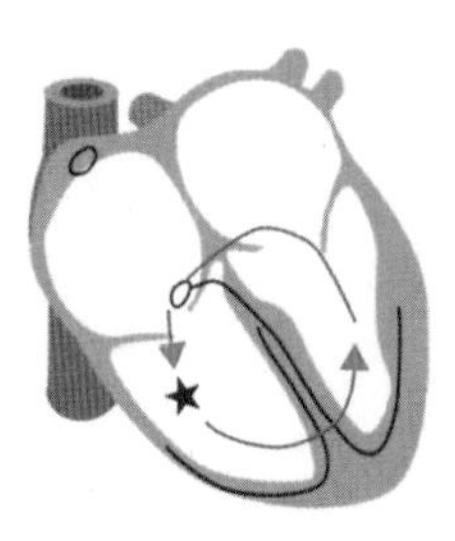

● 심실근내의 일부에서 자극이 발생한다.

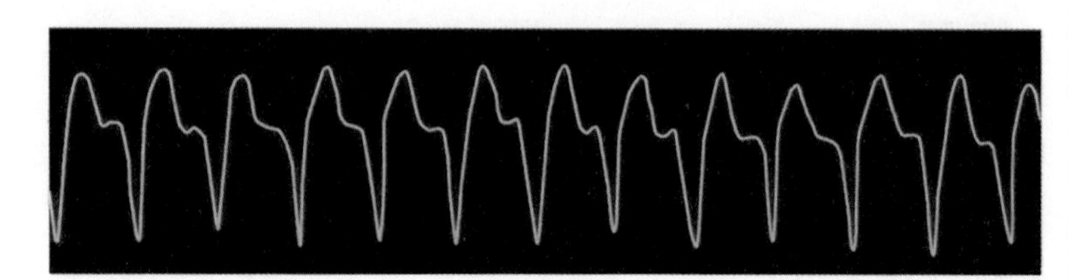

P파가 없다.
120~200회/분의 빈맥을 일으키며 QRS폭은 넓다(0.12초 이상)

원인	● 전해질이상, 허혈, 심부전, 약제 등
증상	● 맥박이 만져지고 무증상, 또는 심계항진이나 흉부불쾌감을 나타내는 경우도 있다.
대응포인트	● 지속시간이 길고 심박수가 빠른 경우는 심실에 혈액을 축적할 시간이 없기 때문에 유효한 심박출량을 얻을 수 없고, 혈압저하를 초래하여 뇌허혈에 의한 의식장해나 심실세동으로 이행할 위험이 있으므로 제세동을 시행한다.

Check 3 동정지

긴급도 ■■■■■ 심정지가 어느 정도 지속되는가에 따라 「3~5」로 다르다.

sinus arrest

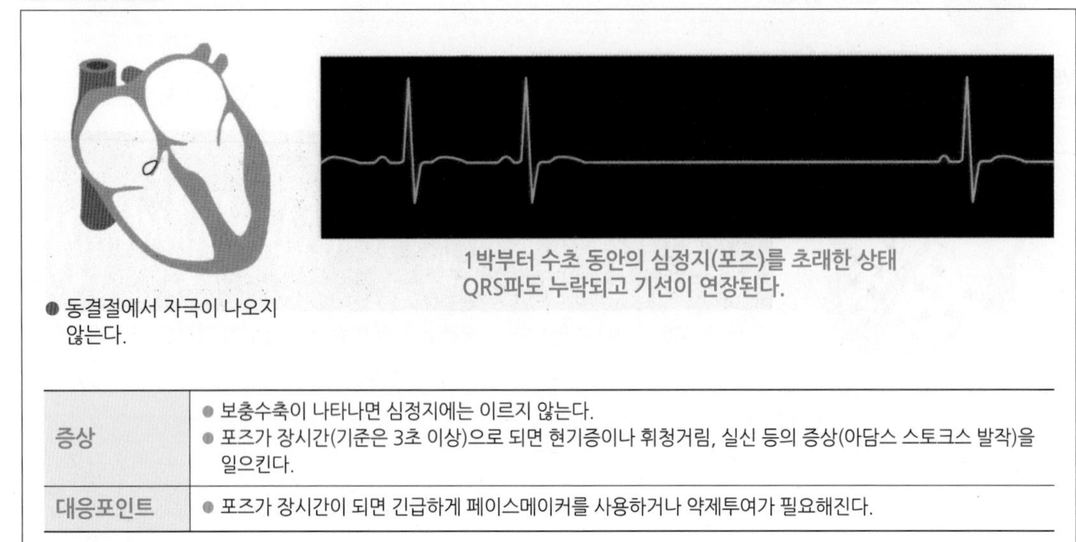

증상	● 보충수축이 나타나면 심정지에는 이르지 않는다. ● 포즈가 장시간(기준은 3초 이상)으로 되면 현기증이나 휘청거림, 실신 등의 증상(아담스 스토크스 발작)을 일으킨다.
대응포인트	● 포즈가 장시간이 되면 긴급하게 페이스메이커를 사용하거나 약제투여가 필요해진다.

(千木良寛子)

쇼크

쇼크란 급성 전신성 순환장해입니다. 여러 가지 원인으로 순환부전이 일어남으로써 조직으로의 산소운반 기능이 장해를 받고 조직의 대사가 장해를 받아 정상기능을 유지하지 못하는 상태를 말합니다. 방치하면 대사의 악순환의 결과 불가역성의 장기장해를 일으키기 때문에, 신속하게 병태를 파악하여 적절한 치료를 해야 합니다.

쇼크의 관찰·대응 포인트

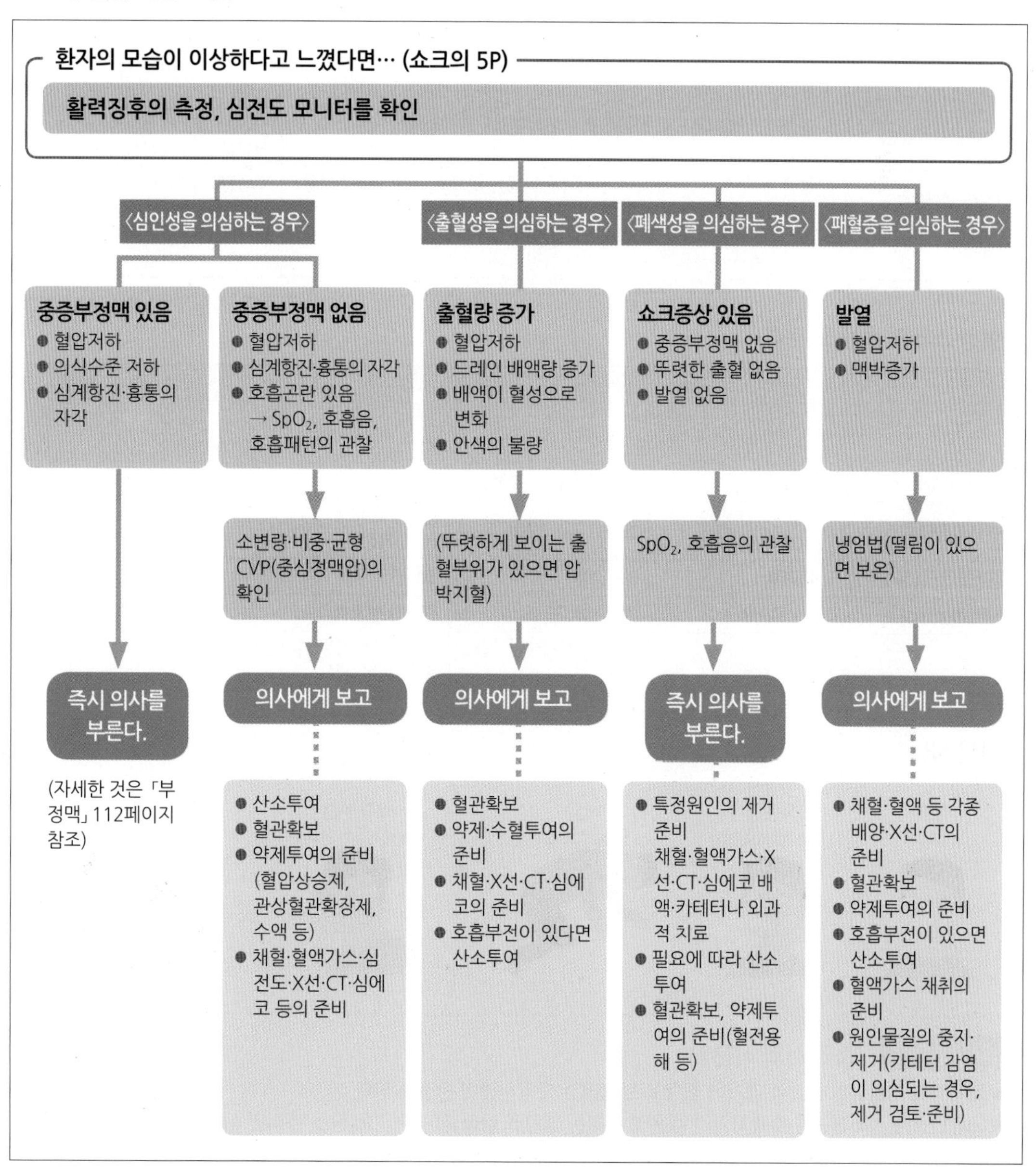

생각할 수 있는 요인·질환과 그 증상

- 쇼크의 병태는 「심장의 펌프작용」, 「전부하(前負荷)인 순환혈액량」, 「후부하인 말초혈관저항」의 어느 쪽인가의 장해, 또는 그 조화에 따라 정해진다.
- 쇼크의 5P라는 증상을 비롯하여 안면창백, 허탈(의식수준 저하), 식은땀, 약한 맥박, 호흡곤란, 혈압저하, 말초냉감(패혈증상의 초기에는 따뜻한) 등의 증상을 볼 수 있다.

쇼크의 분류

분류		생각할 수 있는 요인·질환
심원성 쇼크	● 심기능이 급격하게 저하되어 심박출량이 유지되지 못하는 것	심근경색, 중증부정맥, 심근증, 중증판막증 등
출혈성 쇼크(순환혈액량감소쇼크)	● 순환혈액량감소에 의한 것으로 술후 쇼크에 가장 많고 출혈량이나 신체가 잃어버린 혈액의 비율에 의해 중증도가 결정된다(아래 표). ● 수술 후 드레인으로부터의 출혈이 대량인 경우에도 빠질 가능성이 있으며 신속한 대응이 필요하다. ● 혈성배액이 100mL/시 이상 지속될 때는 바로 의사에게 보고한다.	수술부위에서 다량출혈
심외폐색성 쇼크	● 심장 이외의 원인으로 심장펌프기능이나 혈류가 저해 받는 것	긴장성기흉, 폐혈전색전증, 심낭압전, 수축성심막염
패혈증성(감염성) 쇼크(혈액분포이상성 쇼크)	● 혈액 속에 세균이나 진균이 들어가 증식하는 것으로, 강한 염증반응을 일으키는 패혈증에 의해 일어난다. ● 초기에는 말초혈관은 확장되고 피부가 홍조를 띠며 사지가 따뜻한 warm 쇼크 증상을 나타내는 것이 특징이다.	수술절개부위나 카테터삽입부로의 감염(특히 환자 자신의 저항력이 저하되어 있는 경우)

출혈성 쇼크의 중증도 분류

정도	없음	경도	중등도	중증
출혈량 (체중 60kg일 때)	15%까지 (400~500mL)	15~25% (1000mL까지)	25~35% (1500mL까지)	35% 이상 (1500mL 이상)
수축기혈압(mmHg)	정상	약간 저하(90~100)	저하(60~90)	현저하게 저하(60 이하)
맥박(회/분)	정상~약간 빈맥 (100 이상)	빈맥(100~120)	빈맥으로 미약 (120 이상)	잘 만져지지 않음
헤마토크릿(%)	40전후	35~40	30~35	25~30
CVP(mmHg)	정상(4~8)	경도저하(2~5)	현저하게 저하(1~2)	거의 0
증상	없음	식은땀, 사지냉감, 핍뇨	발한, 창백, 강한 사지냉감, 불안, 불온, 핍뇨~무뇨	극도로 창백, 청색증, 사지냉감, 의식혼탁, 무뇨

쇼크의 5P

창백
(Pallor)

식은땀
(Perspiration)

허탈
(Prostration)

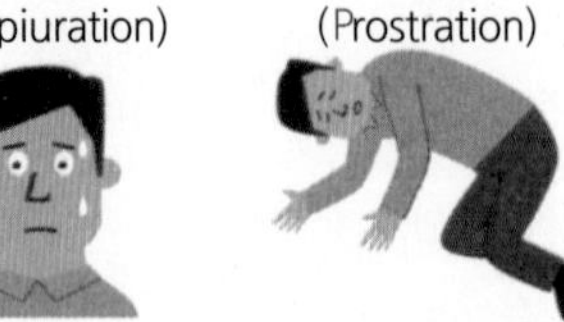

호흡부전
(Pulmonary insufficency)

무맥
(Pulselessness)

왜 하는가? 쇼크 시의 식은땀

- 혈액량이 저하되면 중요한 장기에 혈액을 보내려고 교감신경이 활성화 된다.
- 교감신경은 말초혈관을 수축시키기 때문에 피부는 냉감을 나타낸다. 거기에 땀을 흘리면 식은땀이 된다.

치료·간호 포인트

- 병태는 급속히 변화하여 시간이 경과하면서 생존율이 저하된다. 철저히 전신관리를 하고 쇼크의 조기이탈, 합병증의 예방과 조기발견·대처에 노력하는 것이 중요하다.

쇼크의 병태

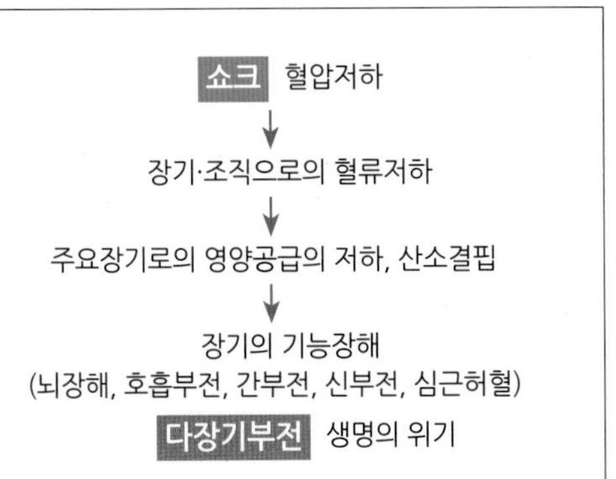

쇼크에 대한 치료

심인성	혈류유지, 약물투여(항부정맥약, 혈압상승제, 관상혈관확장제, 이뇨제 등), 치사적부정맥에 의한 경우는 제세동, 보조순환
출혈성	수액·수혈, 출혈원의 검색·지혈
폐색성	기흉·심낭압전에서는 배액, 폐혈전색전증에서는 항응고요법
패혈증성	감염부위와 균의 특정, 항생제투여 등 감염의 조절, 상태에 따라 냉이나 보온

Point 1 체위

- 심인성 쇼크에서는 호흡상태의 악화나 중심정맥압의 상승에 따른 심장으로의 부담증가를 생각해서 쇼크체위로는 하지 않는다. 차라리 호흡순환 상태의 부담을 줄이기 위해 머리를 약간 올려서 반좌위 자세로 하는 경우가 있다.

Point 2 보온

- 저체온 시에는 보온에 노력한다.

Point 3 안전의 확보

- 허탈증상(뇌혈류의 저하에 따른 다동(多動), 다변(多弁), 불온, 무의욕, 의식혼탁)이 보이는 경우에는 안전을 확보하고 전도나 전락에 의한 이차적합병증을 예방한다.

(千木良寛子)

기흉

기흉(pneumothorax)은 벽측흉막 또는 장측흉막이 파괴됨으로써 폐포에서 흉강으로 공기가 고여 있는 상태입니다.
흉강으로 누출된 공기가 많으면 폐를 압박하여 호흡을 방해하게 되고, 때로는 호흡곤란으로 쇼크상태에 빠지는 일도 있습니다.
긴급으로 처치를 하지 않으면 생명에 관계되는 위험한 상태입니다.

기흉의 관찰·대응 포인트

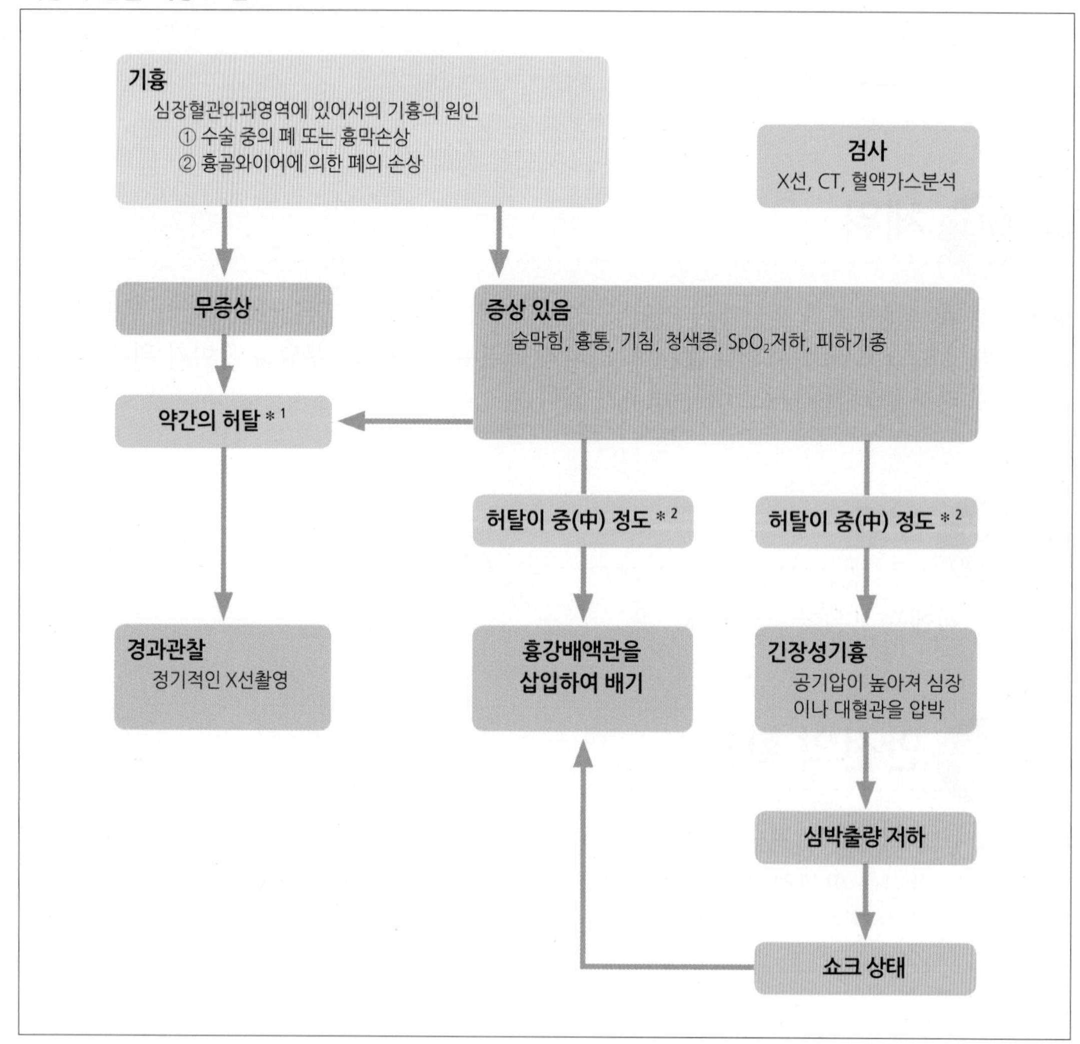

*1 경도기흉(Ⅰ도): 20%이내. X선 사진에서 폐첨이 쇄골보다 위에 있다.
*2 중등도기흉(Ⅱ도): 20~50%. X선 사진에서 폐첨이 쇄골보다 아래에 있다.
*3 고도기흉(Ⅲ도): 50% 이상. X선 사진에서 폐의 허탈이 두드러진다.

생각할 수 있는 요인·질환과 그 증상

- 심장수술에 따른 흉막회복 시의 손상부위에서 기흉이 되는 경우가 있다.
- 인공호흡기에 의해 25cmH_2O 이상의 양압을 걸면 쉽게 일어난다.
- 기흉 중에서도 긴장성기흉은 환기가 고도로 장해를 받기 때문에 쇼크상태가 되어 심정지 될 위험도 있다.

Check 긴장성기흉

- 긴장성기흉이란 기흉이 일어났을 때 손상부의 체크밸브 기구에 의해 흉강내에 일방적으로 공기가 유입되기 때문에 폐가 고도로 허탈하는 병태를 말한다.

기흉의 X선 영상의 예

치료 전

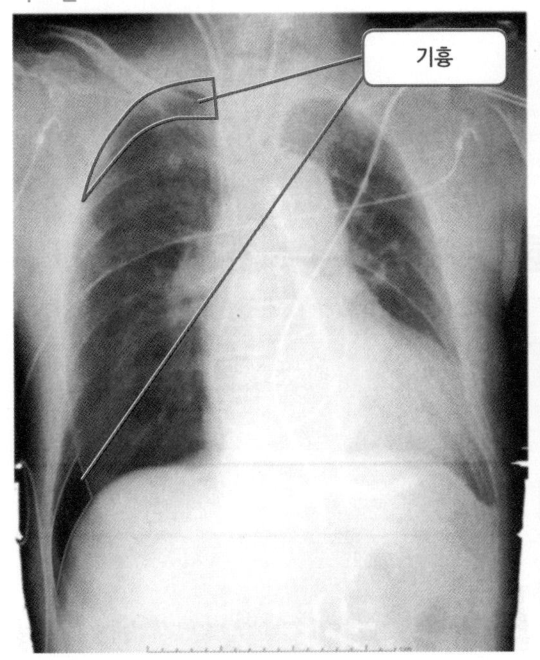

좌위로 촬영

치료 후

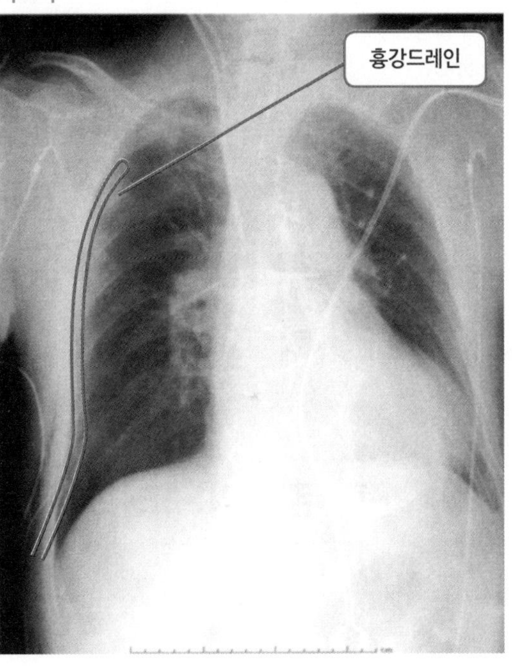

치료·간호 포인트

■ 치료

Point 1 공기노출이 소량인 경우

- 공기노출이 소량인 경우는 경과를 관찰한다.

Point 2 공기노출이 다량인 경우

- 공기노출이 다량이라면 트로카카테터로 공기를 제거한다.
- 인공호흡기의 양압을 내린다.

■ 간호

호흡상태의 관찰

Check 호흡은 보고, 듣고 확인한다

- 호흡수: 깊이, 리듬, 흉곽의 움직임
- 호흡음: 좌우차, 호흡음은 감소 또는 소실된다.
- SpO_2
- 청색증

Point 2 심한 기침이나 노력성 호흡, 적극적인 심호흡은 피한다

- 기침이나 심호흡에 의해 손상부위가 확대될 가능성이 있다.

Point 3 트로카카테터의 관리

- 자세한 것은 「배액관리」의 항(56페이지)을 참조.

(西峯亞希子)

흉수

흉수란 벽측흉막에서 생성된 액체로 호흡운동에 따른 장측흉막과 벽측흉막의 마찰을 적게 하는 역할이 있습니다. 생성된 흉수 중 약 1~20mL 정도가 흉막강에 고이며, 이것을 생리적흉수라고 합니다.

순환기질환에 의한 흉수정체는 심부전, 심막염, 폐색전증, 심장수술 후에 많이 볼 수 있습니다.

흉수의 관찰·대응의 포인트

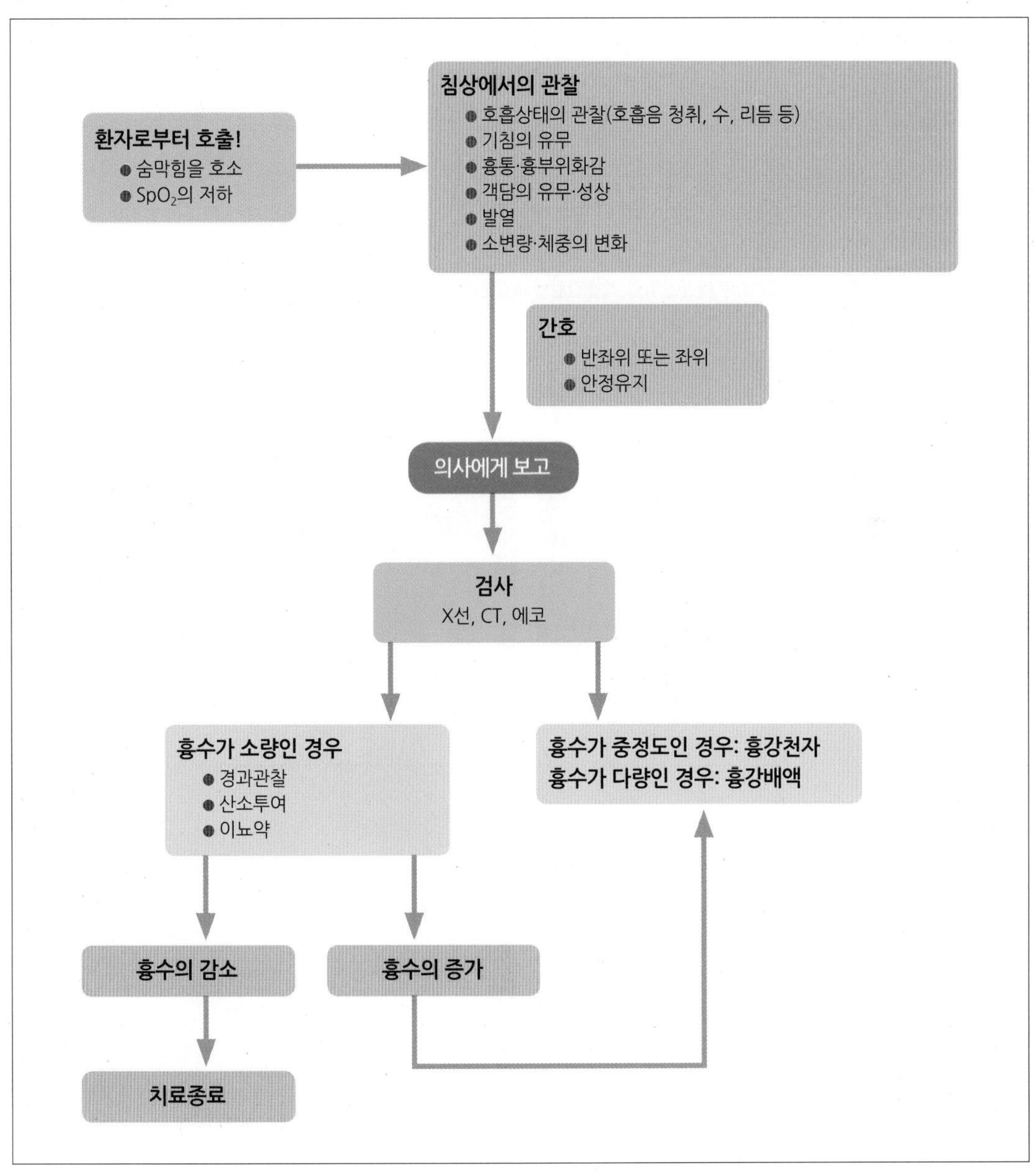

생각할 수 있는 요인·질환과 그 증상

- 심장수술 후 환자의 60%에서 흉수를 볼 수 있다. 대부분은 흉벽으로부터의 모세혈관이나 장액성 액체가 정체된 것이다. 과잉수액이 원인으로 흉수가 정체되는 경우도 있다.
- 대동맥박리, 좌측심장의 수술에서는 수술조작에 의해 좌측흉강에 흉수가 정체되기 쉽다.
- 흉수 정체로 악화된 경우에는 무기폐, 호흡부전을 초래하기 쉽다.

흉수의 원인

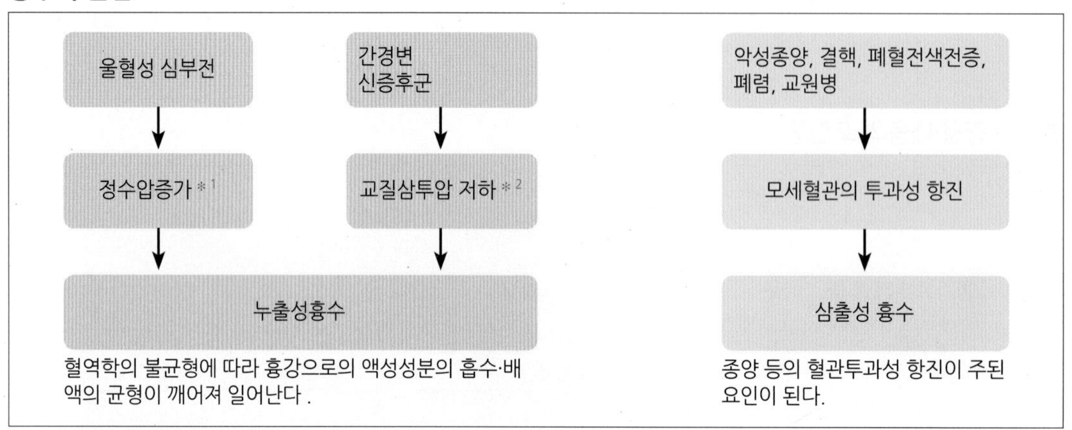

*1 정수압: 보통 혈관내에서 간질(間質)로 나가는 압력 쪽이 간질에서 혈관내로 들어오는 압력보다 높기 때문에, 수분은 혈관에서 간질로 나간다.

*2 교질(단백질 등)은 분자량이 커서 세포간극을 통과할 수 없다. 따라서 보통 혈관내 쪽이 간질보다 농도가 높아지고 농도구배에 따라 간질에서 혈관내로 들어온다.

흉수의 X선 영상의 예

치료 전

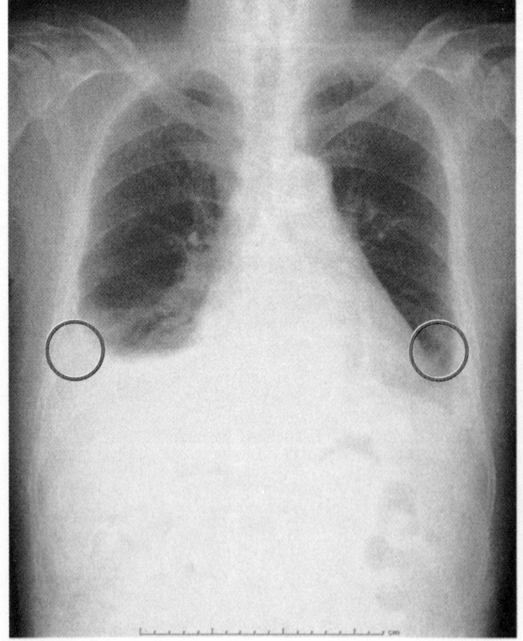

좌위에서 촬영. 좌측은 폐의 하방을 확인할 수 있지만 우측은 확인할 수 없다.

치료 후

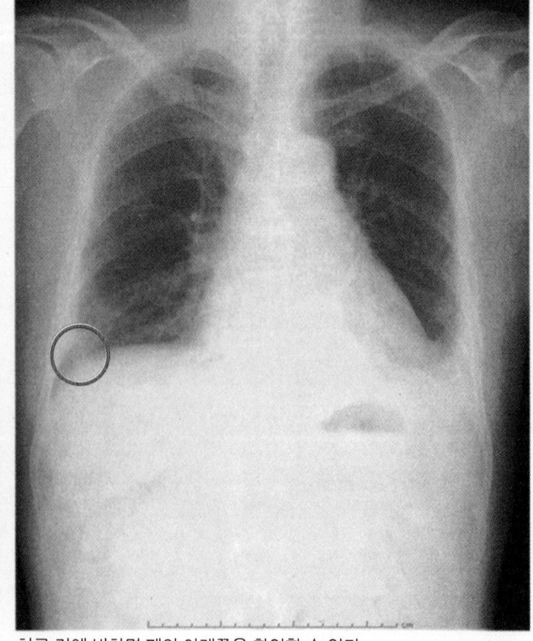

치료 전에 비하면 폐의 아래쪽을 확인할 수 있다.

치료·간호 포인트

Point 1 흉수가 소량인 경우

- 소량인 경우는 이뇨약 투여 중 경과를 관찰한다.

Point 2 호흡기합병증이나 중정도의 흉수를 나타내는 경우

- 호흡기합병증이나 중정도의 흉수를 나타내는 경우에는 흉강천자, 흉강배액을 시행한다.

Point 3 호흡상태의 관찰

Check 호흡은 보고 듣고 확인한다

- 호흡수: 깊이, 리듬, 흉곽의 움직임
- 호흡음: 좌우차, 호흡음은 감소 또는 소실된다
- 부잡음: 거친 단속성 라음(수포가 터지는 듯한 수포음(coarse crackle))
- SpO_2
- 청색증

Point 4 체위의 연구

- 체위는 반좌위, 좌위로 한다.
- 측와위의 경우에는 환측을 밑으로 한다.

Point 5 흉수에 대한 치료의 평가

- 이뇨제의 반응을 확인한다.
- 흉강배액의 관리를 한다(「배액관리」의 항[54~67페이지]을 참조).

(西峯亞希子)

문헌

1. 로버트 M 보저 저, 天野篤 감역: 심장수술의 주술기 관리. 메디컬 사이언스 인터네셔널, 도쿄, 2008.

무기폐

무기폐(atelectasis)란 폐의 일부가 허탈해서 폐 및 폐포에 공기를 함유하지 않는 상태입니다. 심장수술 후 기관지의 폐색에 의해 폐포 등에 공기가 들어가지 않게 되거나 폐가 압박을 받아 일어나는 경우 등이 있습니다.
본 항에서는 주로 수술 후 무기폐에 관해서 설명하겠습니다.

무기폐의 관찰·대응 포인트

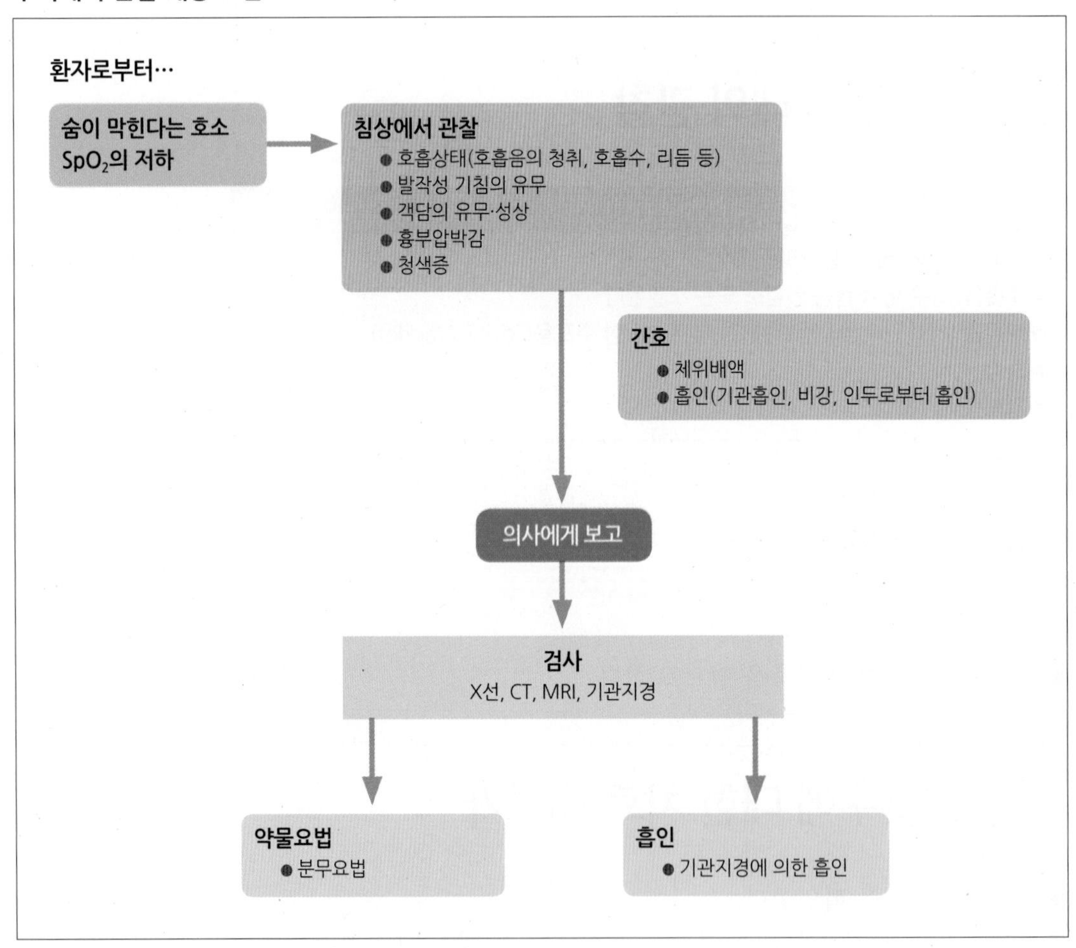

생각할 수 있는 요인·질환과 그 증상

- 최신의 흉부 X선영상과 직전의 X선영상을 비교하고 평가하는 것이 중요하다.
- 전신마취하에 기관삽관으로 시행하는 수술을 받은 환자에게 일어나기 쉽다.
- 심장수술에서는 특히 수술시간이 길기 때문에 발생하기 쉽다
- 무기폐로부터 폐렴으로 이행하는 경우도 있다.

무기폐의 병태

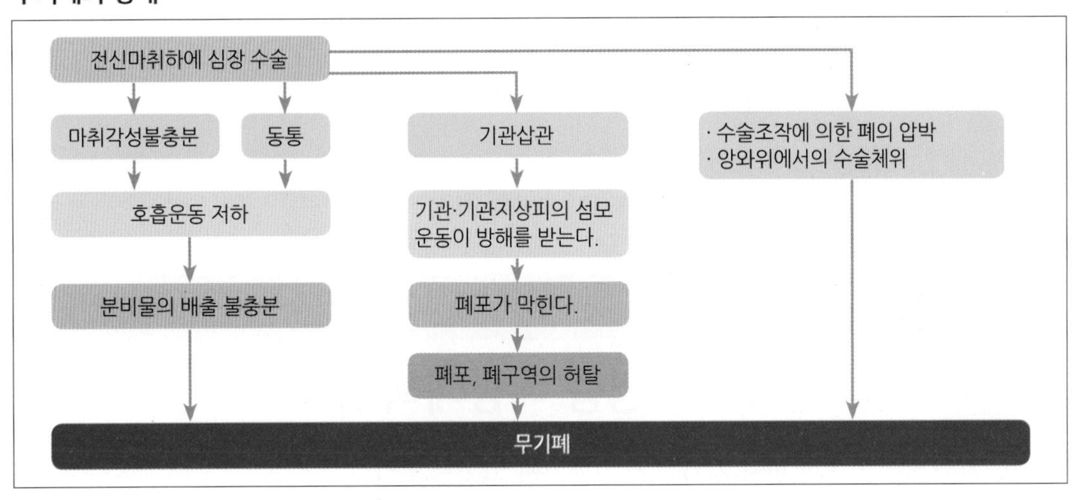

무기폐의 특징

	정상	무기폐
흉부X선		
호흡음	● 청명 ● 부잡음 없음	● 호흡음은 병변부에서 감소 ● 기도협착에 의해 연속 라음
호흡의 성상	● 호흡수, 리듬, 깊이는 일정 ● 12~18회/분	● 호흡수증가 ● 호흡곤란
객담	● 배출 없음	● 화농성 객담
동맥혈산소분압	● PaO_2: 80~100 Torr ● $PaCO_2$: 35~45 Torr	● PaO_2의 저하 ● $PaCO_2$의 상승

*영상은 와위로 촬영

무기폐의 X선영상의 예

치료 전

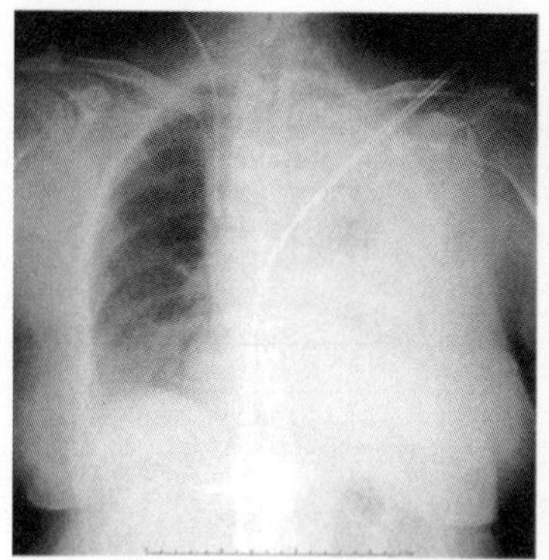

좌위에서 촬영. 좌폐야에는 어떤 원인으로 공기가 들어가지 않아 폐의 투과성이 없다.

치료 후

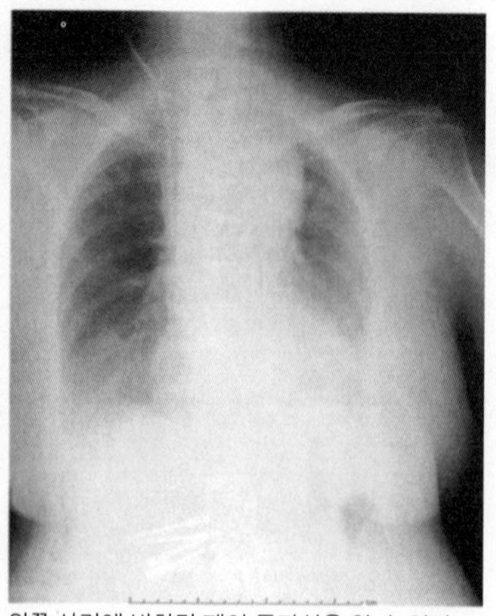

왼쪽 사진에 비하면 폐의 투과성을 알 수 있다.

치료·간호 포인트

Point 1 수술 전의 폐합병증 예방대책

- 수술 전에 폐합병증의 위험을 사정하고 적절한 지지를 한다.
- 폐합병증의 예방책을 시행한다.

폐합병증의 위험

- 수술 전 호흡기능검사에서 폐색성 장해나 구속성장해를 나타낸 경우
- 흡연자: 니코틴이나 타르에 의해 섬모운동이 저하, 분비물의 점도를 높인다.
- 고령자: 호흡기능의 저하나 침습에 대한 예비력이 저하된다.

Check 폐합병증 예방책

- 금연
- 호흡훈련
- 객담배출을 촉진시킨다.
- 조기이상(離床)

Point 2 합병증일 때의 지지

- 수술 전의 합병증 예방이 중요하지만 수술 후 합병증이 생긴 경우에는 오른쪽에 서술한 대응책을 조기에 시행한다.

Check 합병증일 때의 대응

- 심호흡과 입술 오므리는 호흡에 의한 호흡훈련의 실시
- 산소요법에 의해 산소화의 촉진
- 객담의 배출(체위 배액, 적절한 가습)

(西峯亞希子)

문헌

1. 中島惠美子, 山崎智子, 竹內左智惠 편: 폐합병증, 널싱 그라피카EX③ 주수술기간호, 메디카출판, 오사카, 2010: 70-72.

익혀두어야 하는 검사

혈압측정

혈압이란 혈액이 혈관 내피에 주는 혈관내압을 말하며, 일반적으로 「혈압」이란 대동맥 등 굵은 혈관의 내압을 가리킵니다. 혈압측정은 순환기계 검사의 기초이며, 고혈압은 심장 질환의 중요한 위험인자의 하나입니다.
혈압의 변동은 여러 가지 생활습관의 영향을 받습니다. 감염, 금연, 스트레스의 경감, 한냉자극 피하기, 변비예방 등의 생활지도를 하고, 과잉·과소의 약복용, 자가중단을 하지 않도록 환자·가족을 포함한 복약지도가 중요합니다.

검사의 목적

● 혈압을 측정함으로써 이상의 조기 발견, 약제효과의 지표로 이어진다.

검사 방법: ① 청진법

■ 필요한 물품

아네로이드식 혈압계

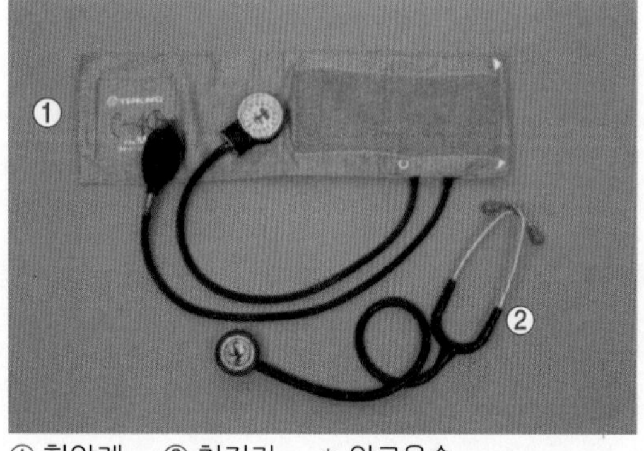

자동혈압계

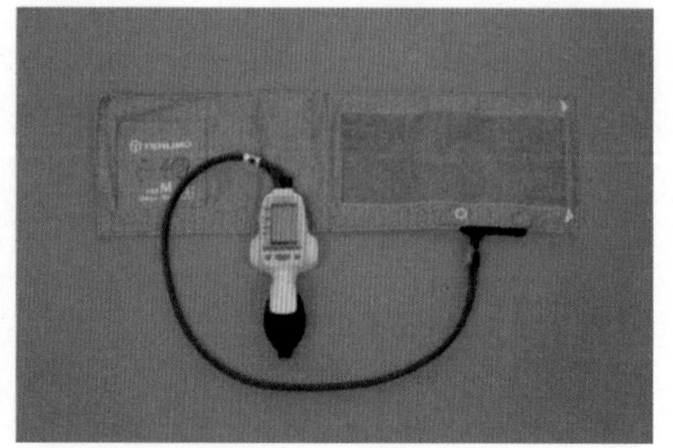

① 혈압계 ② 청진기 ＊ 알코올솜

순서 1 혈압계를 준비한다

Check 혈압계의 확인

● 공기주입(送氣)에 의해 커프가 부풀어 오르는가.
● 측정부위와 커프의 폭이 알맞게 되어 있는가.
● 수은주가 올라가는가(수은 혈압계인 경우).

환자 상태를 준비한다

- 혈압측정의 설명을 하고 동의를 구한다.
- 활동 직후는 피하고 몇 분간 안정을 취하게 한다.
- 환자를 좌위 또는 앙와위로 한다.
- 측정하는 상지를 신전시키고 의류의 소매를 어깨까지 올리거나, 소매가 측정에 방해가 된다면 한쪽 소매를 벗게 한다.

주의! 혈압측정의 금기

- 션트를 만든 쪽의 팔
- 마비가 있는 쪽의 상지

커프를 장착한다

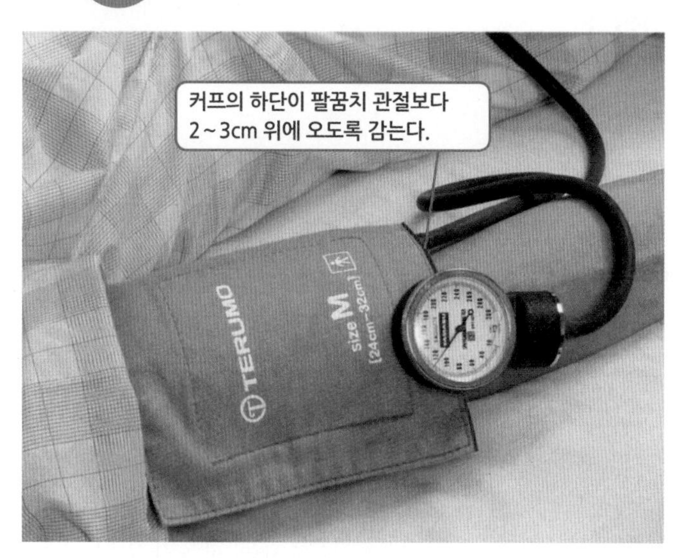

- 커프의 하단이 팔꿈치 관절의 2~3cm 위에 오는 위치에서 감는다.
- 커프는 손가락이 1~2개 들어갈 정도의 느슨함을 가지고 감는다.

혈압을 측정한다

- 청진기를 주관절부의 상완동맥에 대고 스포이드의 배기판을 닫는다.
- 눈금이 올라가는 것을 보면서 스포이드로 공기를 주입하고 직전의 측정치보다 20mmHg 높은 수치까지 눈금을 올린다.
- 1심박 마다 2~3mmHg의 속도로 서서히 송기판을 풀어 눈금을 내린다.
- 청진기로 처음에 들린 박동(Korotkoff: 코로트코프음)이 수축기혈압이다.
- 또한 천천히 눈금을 내려 박동이 들리지 않을 때의 수치가 확장기혈압이다.
- 보통 좌위에서 한쪽의 상완동맥으로 시행하지만, 말초동맥에서 좌우차가 있으면 양쪽을 측정한다.
- 상완동맥에서 측정할 수 없는 경우는 슬와동맥·후경골동맥에서 측정한다.

코로트코프음

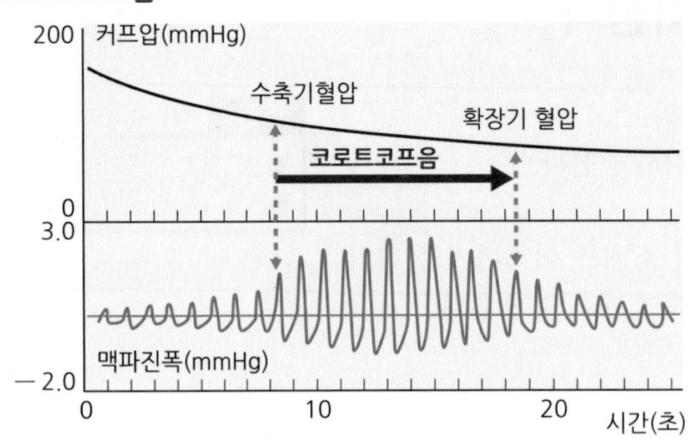

순서 5 측정치를 기록한다

순서 6 뒤처리를 한다

- 커프의 공기를 빼고 접어서 혈압계 속에 넣는다.
- 청진기는 알코올솜으로 소독하고 혈압계, 청진기를 설치장소에 돌려놓는다.

검사 방법: ② 촉진법

- 혈압치가 낮아 청진법으로는 측정할 수 없는 경우, 촉진법으로 측정하는 경우가 있다.
- 환자의 상태가 급변하고 청진법으로는 측정할 수 없는 경우에는 촉진법으로 측정하고, 결과를 신속하게 의사에게 보고한다.

■ 필요한 물품

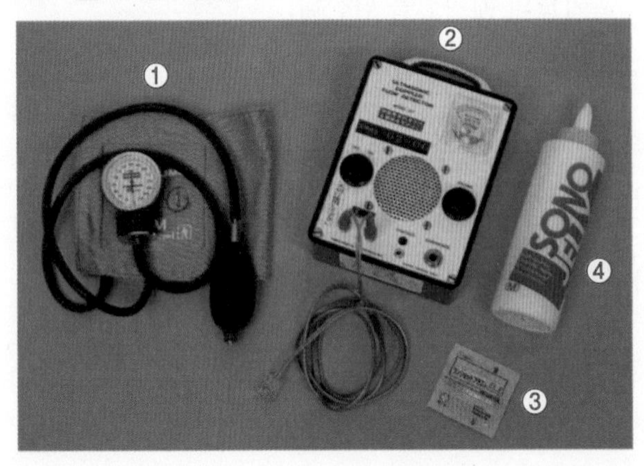

① 혈압계
② Doppler혈류계
③ 알코올솜
④ 윤활제

순서 1 혈압계를 준비한다

● 청진법과 마찬가지로 필요한 물품을 준비한다.

순서 2 환자의 상태를 정비한다

● 청진법과 마찬가지.

순서 3 커프를 감는다

순서 4 혈압을 측정한다

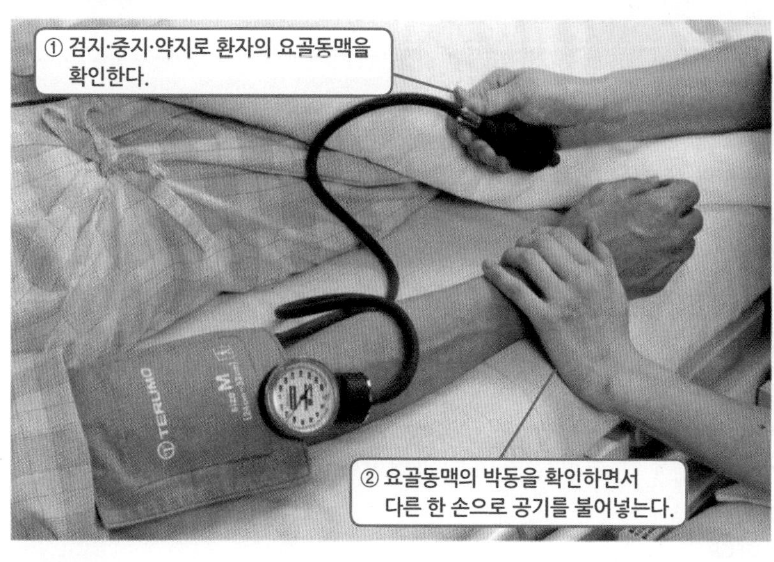

③ 박동이 만져지지 않는 수치에서 또 20mmHg 정도 눈금을 올린다.
④ 천천히 배기판을 개방한다.
⑤ 박동이 만져지기 시작했을 때의 수치를 읽는다(수축기압).

주의!

● 촉진법에서는 확장기압은 측정할 수 없다.

순서 5 기록, 뒤처리를 한다

검사 방법: ③ 사지혈압·족관절상완 혈압비 측정

- 폐색성동맥질환의 무침습적인 기능평가에서 가장 널리 사용되고 있는 것이 사지혈압·족관절상완혈압비(ankle brachial pressure index: ABI) 측정이다.

Check ABI 측정의 의의

- 폐색성질환의 존재를 객관적으로 확인한다.
- 질환의 정도를 대략적으로 판정한다.
- 다른 하지통을 동반하는 질환과의 감별진단에 이용한다.

필요한 물품

① 혈압계 ② Doppler혈류계 ③ 알코올솜 ④ 윤활제

순서 1 상지의 혈압을 측정한다

- 상지의 좌우 혈압을 측정한다.

순서 2 하지의 혈압을 측정한다

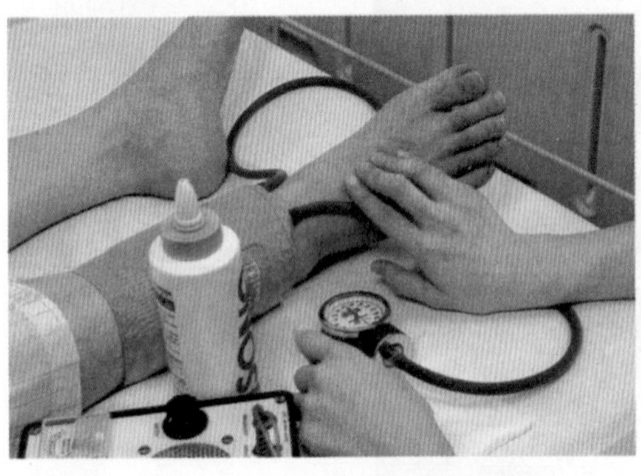

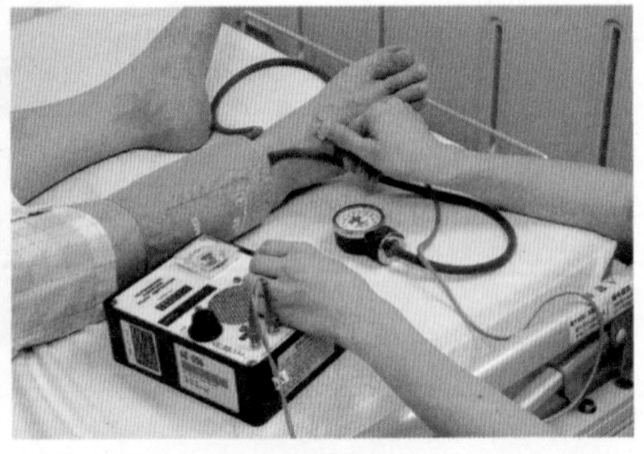

- 족배동맥 또는 후경골동맥, 맥박이 잘 들리는 동맥을 확인한다.
- 측정부에 윤활제를 칠한다.
- 하지의 좌우 혈압을 측정한다.
- 혈압계의 커프를 안쪽 복사뼈보다 10cm 위에 감고 족배동맥이나 후경골동맥상(맥박이 잘 들리는 동맥)에 Doppler를 대고 수축기압을 측정한다.
- 좌우의 어떤 쪽이든 상지수축기압이 높은 수치를 기준으로 하고 하지의 수축기압과의 비를 산출한다.

Check ABI의 판단기준

- 1.0 이상: 정상
- 0.9 미만: 잠재성 말초동맥폐색증일 가능성이 있다.
- 0.3 이하: 절박괴사(또는 이미 괴사하고 있다.)

검사결과의 평가

성인에 있어서 혈압의 분류(mmHg)

분류	수축기혈압		확장기혈압
지적혈압	< 120	동시에	< 80
정상혈압	< 130	동시에	< 85
정상고치혈압	130~139	또는	85~89
I도 고혈압	140~159	또는	90~99
II도 고혈압	160~179	또는	100~109
III도 고혈압	≧180	또는	≧110
수축기고혈압	≧140	동시에	< 90

일본고혈압학회 고혈압치료 가이드라인 작성위원회 편: 고혈압치료 가이드라인 2009. 라이프 사이언스 출판, 도쿄, 2009: 14.에서 인용

혈압에 기초한 뇌심혈관위험의 계층화

(혈압이외의 요인)	정상치압 130~139/ 85~89mmHg	I도 고혈압 140~159/ 90~99mmHg	II도 고혈압 160~179/ 100~109mmHg	III도 고혈압 ≧180/ ≧110mmHg
위험 제1기 (위험인자가 없다.)	부가 위험 없음	저위험	중등위험	고위험
위험 제2기 (당뇨병이외의 1~2개의 위험인자, 대사성증후군이 있다.)	중등위험	중등위험	고위험	고위험
위험 제3기 (당뇨병, CKD, 장기(臟器)장해/심혈관병, 3개 이상 위험인자 중 어느 것인가 있다.)	고위험	고위험	고위험	고위험

*위험 제2기의 대사성증후군은 예방적인 관점에서 다음과 같이 정의한다. 정상고치 이상의 혈압수준과 복부비만(남성 85cm 이상, 여성 90cm 이상)에 더하여, 혈당치이상(공복 시 혈당 110~125mg/dL, 동시에/또는 당뇨병에 이르지 않은 내인성이상), 혹은 지질대사이상 중 어떤 것을 가진 것. 양쪽 모두 가진 경우에는 위험 제3기가 된다. 다른 위험인자가 없고 복부비만과 지질대사이상이 있으면 혈압수준 이외의 위험인자는 2개 있으며, 대사성증후군과 아울러 위험인자 3개라고는 세지 않는다.

일본고혈압학회고혈압치료 가이드라인 작성위원회 편: 고혈압치료 가이드라인 2009, 라이프사이언스 출판, 도쿄, 2009: 16.에서 인용

심장혈관외과질환에서의 혈압관리

대동맥류 → 227페이지

- 대동맥류는 혈관벽의 취약화로 인해 동맥이 비정상적으로 신전하고 국소적으로 확장된 상태이다. 흉부대동맥 혹은 복부대동맥에 발생한다.
- 치료의 기본은 수술이며, 흉부대동맥류 중 상행대동맥류는 직경 55mm, 기타 흉부·복부대동맥류는 직경 50mm 정도를 기준으로 수술이 이루어진다.

- 고혈압이나 혈압변동이 큰 경우는 동맥류파열의 위험이 높아지고 또한 동맥류의 직경이 50mm를 넘으면 파열의 위험이 증대하기 때문에 흉복부대동맥류의 치료에 있어서 혈압관리가 중요해진다.

Check 2 대동맥박리 → 220페이지

- 대동맥의 벽은 내막·중막·외막의 3층구조로 되어 있다. 대동맥박리란 대동맥의 내막에 균열이 생겨 중막에 혈액이 들어가고 동맥벽이 두 층으로 벗겨진 상태이다.
- 급성기(2주 간 이내)와 만성기(2주 간 이후), 상행대동맥에 박리가 나타나는 것은 스탠포드A형(디베이키 Ⅰ·Ⅱ 형), 상행대동맥에 박리가 나타지 않는 것은 스탠포드B형(디베이키 Ⅲa·Ⅲb형)으로 분류된다.
- 급성기A형에서는 1시간 정도 1~3%, 48시간에 50%, 1주 동안에 80%가 죽음에 이르기 때문에 긴급 수술이 필요하다.
- 스탠포드A형은 인공혈관치환술, 스탠포드B형은 내과적치료(강압요법)를 하기 때문에 혈압측정을 계속적으로 하여 이상을 조기에 발견하는 것이 중요하다.
- 대동맥박리에서는 대동맥 분기부의 위강에 의한 협착·폐색이나 대동맥의 파열 등 다양한 증상을 나타내기 때문에 혈압관리와 함께 환자의 신체증상의 관찰·심전도 모니터도 중요하다.
- 특히 초기치료에서는 강압요법이 이루어지며, 수축기압 100~120mmHg 정도로 안정을 취하고 유지하는 것이 필요하다.

Check 3 허혈성심질환 → 168페이지

- 허혈성심질환은 관상동맥의 폐색이나 협착에 의해 심근에 장해가 일어나는 질환의 총칭이다.
- 관상동맥혈류를 회복시키는 것이 본질적인 치료가 된다. 혈류재건의 방법은 경피적관동맥형성술(percutaneous coronary intervention: PCI)과 관동맥우회술(coronary artery bypass grafting: CABG)이 있다.
- CABG를 하는 환자는 PCI의 환자에 비해 보다 중증인 관상동맥병변이기 때문에 흉통발작의 호소에 충분히 주의하고 확실한 약물요법, 혈압관리, 심전도 모니터를 시행한다.
- 관동맥우회 수술 후에는 심장압전, 수술 후 심근경색, 부정맥, 뇌경색 등 특징적인 합병증이 있으며, 합병증의 조기 발견에는 혈압관리·심전도 모니터가 중요하다.
- 심장혈관외과 수술 후에는 관상동맥혈류량과 각 장기혈류를 유지하기 위해 수액·수혈, 카테콜라민계 약제(강심제), 혈관확장제, 관상혈관확장제, 항부정맥제, 항혈전제, β차단제, 이뇨제 등의 약물요법이 시행된다. 각각의 약물의 작용이나 특징을 파악하고 혈압관리를 하는 것도 중요하다.

(平澤英子)

문헌

1. .鈴木友彰, 三浦千賀子: 관동맥우회술(CABG)의 술식과 술후관리, 하트널싱 2011; 24:30

심전도검사

심전도는 심장전위활동을 기록하는 것으로 심장전기현상의 변화를 알 수 있고, 12유도 심전도, 모니터심전도, 홀터심전도, 부하심전도, 체표면가산심전도 등 여러 가지의 검사 방법이 있습니다.
병동에서 모니터로써 이용되는 단극유도심전도와 비교하여 훨씬 많은 정보를 얻을 수 있기 때문에, 심장혈관외과에 있어서는 수술 전 검사나 수술 후에 정기적으로 시행됩니다.

검사의 목적

Check 심전도검사의 목적

- 흥분의 발생과 자극전도계의 비정상을 파악
- 협심증이나 심근경색에 의한 심근의 허혈변화
- 심장의 위치나 구조의 이상에 의한 전기적 변화
- 심방·심실로의 부하에 따른 전기적 변화
- 칼륨이나 칼슘의 전해질 이상
- 약물의 영향·효과의 판정

검사로 알 수 있는 주요 질환

- 허혈성심질환, 판막증, 고혈압성심질환, 심근증, 심부전, 심막질환, 선천성질환, 부정맥, 대동맥박리

검사의 방법: ① 12유도심전도

- 12유도심전도란 3개의 표준사지유도, 3개의 단극사지유도, 6개의 흉부유도로 이루어진다.
- 12의 유도부위에서 심장활동전위를 보는 것으로써 다른 각도에서 심장전체의 변화를 알 수 있다.

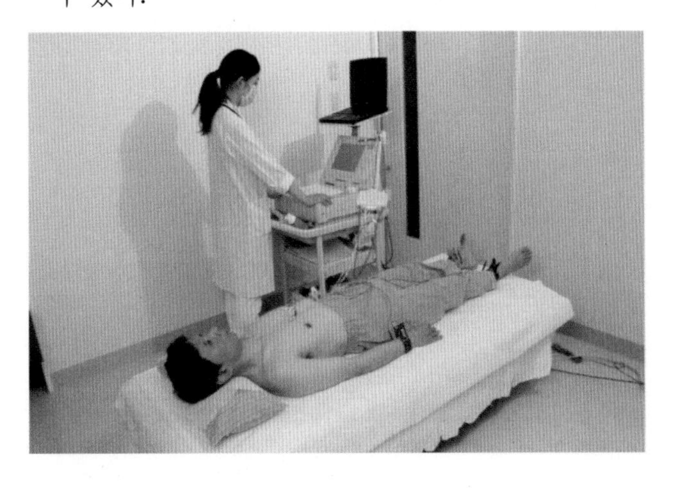

- 어떤 유도에서는 이상이 나타나는데 다른 유도에서는 나타나지 않는 것도 특징이며, 외과수술에 있어서 수술 전 검사나 수술 후에 정기적으로 주에 2～4회 시행된다.
- 침대 위에서 앙와위로 시행하는 검사이며 시간도 단시간에 이루어지기 때문에 환자에게는 침습이 없는 검사이다.

심전도의 종류와 특징

방법	장점	단점
12유도심전도 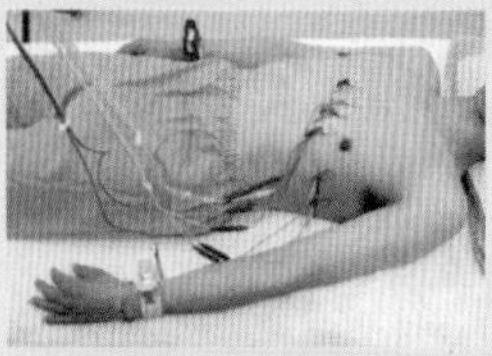	● 준비가 간편 ● 단시간에 할 수 있다. ● 여러 가지 질환의 감별이 가능	—
모니터심전도 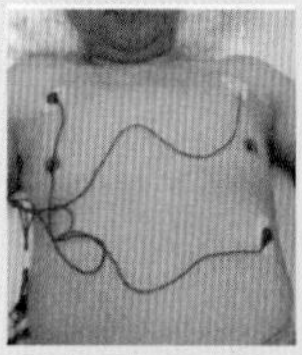	● 병동에 있어서 24시간 모니터링을 할 수 있으므로 이상의 조기발견이 가능하다. ● 준비가 간편	● 24시간 소형 심전도계를 가지고 있기 때문에 부담이 된다.
운동부하심전도 – 트레드밀법 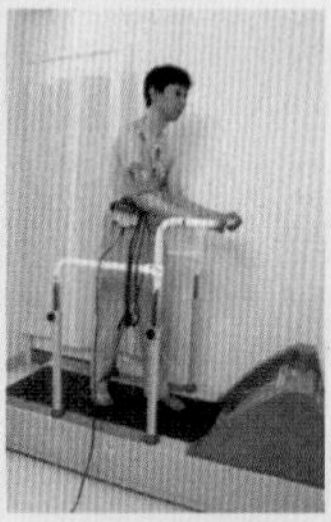	● 일반적인 보행운동으로 한다. ● 속도와 경사의 임의설정이 가능하다. ● 과대부하까지 가기 쉽다.	● 보행이 불안정한 환자, 근력이 저하되어 있는 환자는 할 수 없다. ● 전기전도의 위험이 있다. ● 장치의 작동음이 크다.
운동부하심전도 – 자전거에르고미터 	● 부하량의 조절이 가능하다. ● 부하량을 정확하게 정량화할 수 있다. ● 기계적 소음이 적다. ● 앙와위에서 사용할 수 있는 기종도 있다. ● 공간이 작은 장소에서도 할 수 있다.	● 전기전도의 위험이 있다. ● 환자의 의지로 부하에 주의할 수 있기 때문에 과대부하를 걸기 어렵다.
운동부하심전도 – 마스터2계단법 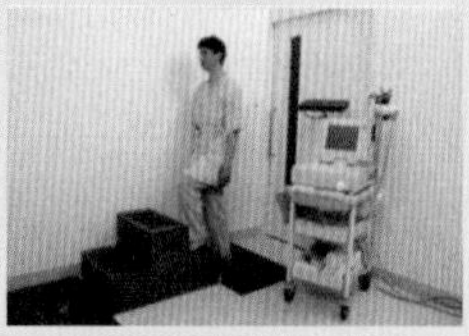	● 준비가 간편	● 적절한 부하량을 걸기가 어렵다. ● 활동이 광범위하기 때문에 부하중의 심전도나 혈압의 관찰이 곤란 ● 보행곤란 환자에게는 실시할 수 없다.
홀터심전도 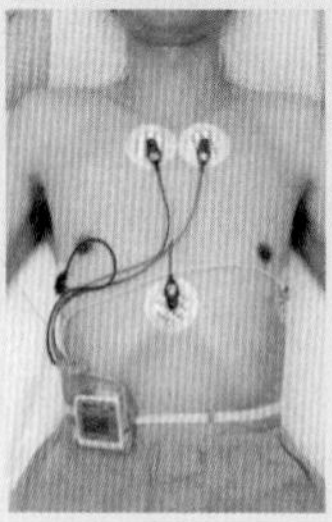	● 일상생활에서의 심전도의 변화를 알 수 있다.	● 전극을 몸에 테이프로 부착하고 장치도 벨트로 고정한 상태이므로 위화감이 있다. ● 목욕이나 샤워는 불가

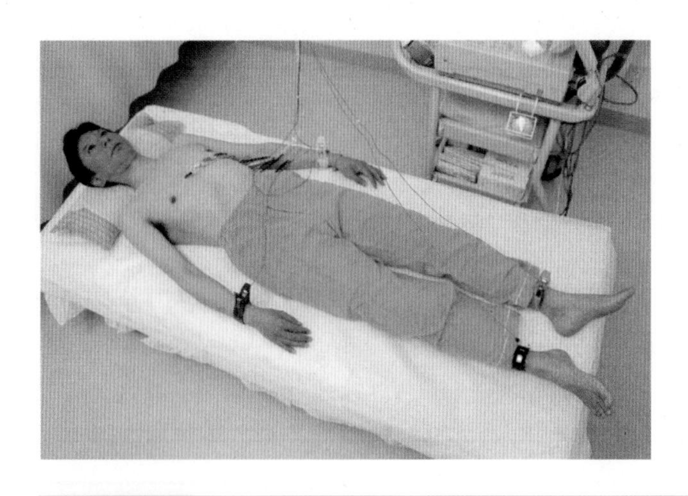

- 검사 시에는 앙와위로 안정해야 한다.
- 가슴에 6군데와 양쪽 손목, 양쪽 발목 4군데에 전극을 붙이고 검사를 한다.
- 검사시간은 4~5분 정도이다.
- 전극을 붙이는 방법 등 자세한 설명은 「12유도심전도」(23~30페이지) 참조.

간호포인트

- 긴장해 있거나 움직이면 근전도가 혼입되어 버리므로 힘을 빼도록 한다.
- 침상에서 할 경우 전기모포를 사용하면 전류가 혼입되어 버리기 때문에 전원을 끈다.
- 조용한 환경에서 할 필요가 있으므로 보통 검사실에서 시행되지만, 수술 후 이동이 어려운 경우에는 이동형 심전도 장치를 사용하여 병동에서 시행한다.

검사방법: ② 운동부하심전도

- 운동부하심전도는 활동에 따라 심장의 일량을 늘리고 그때의 심전도나 자각증상의 이상을 발견하는 검사이다.
- 운동부하심전도에는 ① 트레드밀법, ② 자전거에르고미터, ③ 마스터2계단법이 있다.
- 심전도를 흉부에 장착하고 각 검사에 따른 운동부하를 실시하여 그때의 심전도 변화, 혈압, 자각증상의 관찰을 한다.
- 검사 중에 극단적인 피로, 협심통, 혈압저하, 부정맥, ST변화, 빈맥(심박수가 목표에 도달한 경우) 등이 일어난 경우에는 검사종료가 된다. 위의 증상에 의해 음성인지 양성인지 판정한다.

Check 운동부하심전도의 목적

- 허혈성질환이나 부정맥의 진단
  - 안정 시에는 증상이 없는 상태이지만 운동을 부하함으로써 심근으로의 산소공급이 부족하고 심전도상의 허혈변화(ST변화)가 일어나는 경우가 있다.
- 허혈성심질환의 치료효과의 판정이나 심질환의 재활 프로그램
  - 심장수술환자나 증상 발생 후 14일을 경과한 급성심근경색환자에서는 환자의 심기능에 따른 운동을 정해서 운동프로그램을 세우지만, 그럴 경우의 심기능 판정에 유용하다.
  - 수술 후의 심장재활의 평가나 퇴원 후의 사회복귀(일상생활의 복귀)할 수 있는 능력, 내구력의 판정에도 유용하다.
- 항부정맥제, 항고혈압제, 항협심증제 등의 약제의 효과판정

주의!

- 운동부하에 의해 협심증, 심근경색, 혈압저하·상승, 부정맥(ST변화, 빈맥)을 일으키는 경우가 있다.
- 보행이 곤란한 환자에게는 검사를 실시하기가 어렵다.

【운동부하심전도의 금기】

- 급성관상동맥증후군(48시간 이내에 심근경색 또는 제어 불량의 불안정협심증)
- 급성대동맥박리
- 중등도의 대동맥판협착증
- 심각성이 중대한 부정맥
- 심부전
- 급성심근염
- 급성폐색전증

간호포인트

- 주로 수술 전 검사에서 이루어진다. 외과수술 후에는 전신상태가 안정되어 있고 하지 근력이 회복된 후에 이루어진다.
- 검사 중에는 심전도, 환자의 증상, 혈압에 주의하고, 신중하게 할 필요가 있다. 증상이 나타났을 때에는 바로 부하를 중지하고 안정을 유지하며, 그 후에 활력징후를 체크한다.
- 부하를 거는 검사이므로 휠체어로 이동하는 것이 바람직하고, 병동에 돌아와서는 10분 정도 안정하는 것이 좋다.

트레드밀법

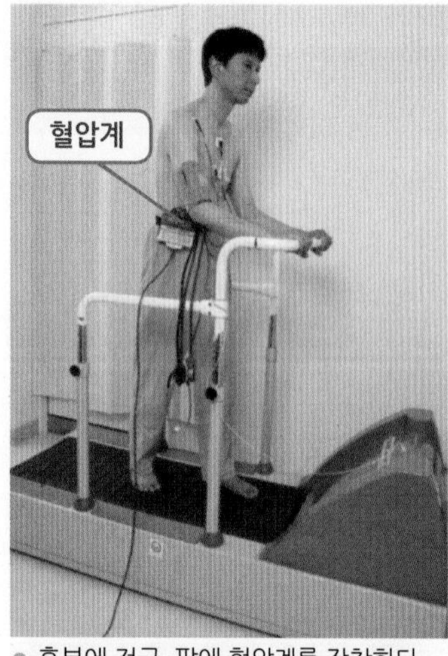

- 흉부에 전극, 팔에 혈압계를 장착한다.
- 벨트콘베어를 사용하여 회전속도나 경사를 이용하고 단계적으로 운동부하를 늘린다.
- 느린 보행부터 시작하여 속보로 운동부하량을 올려간다.

자전거에르고미터

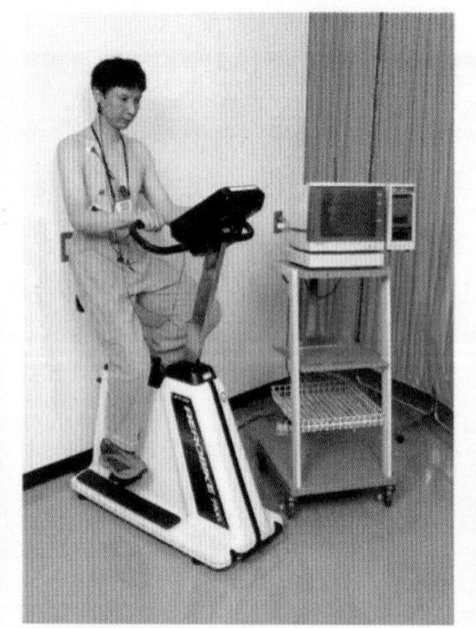

- 흉부에 전극, 팔에 혈압계를 장착하고 페달을 밟는다.
- 부하를 증량·조절한다.
- 누워서 할 수 있는 에르고미터도 있다.

마스터2계단시험

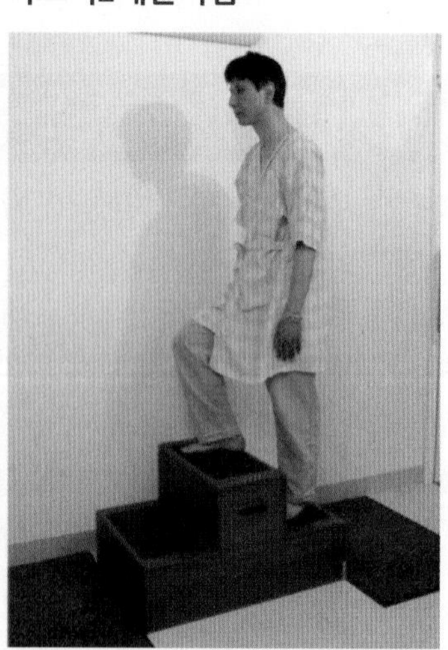

- 2단의 계단을 연령, 성별, 체중에 따라 설정된 속도로 승강한다.

운동부하심전도의 검사결과의 예

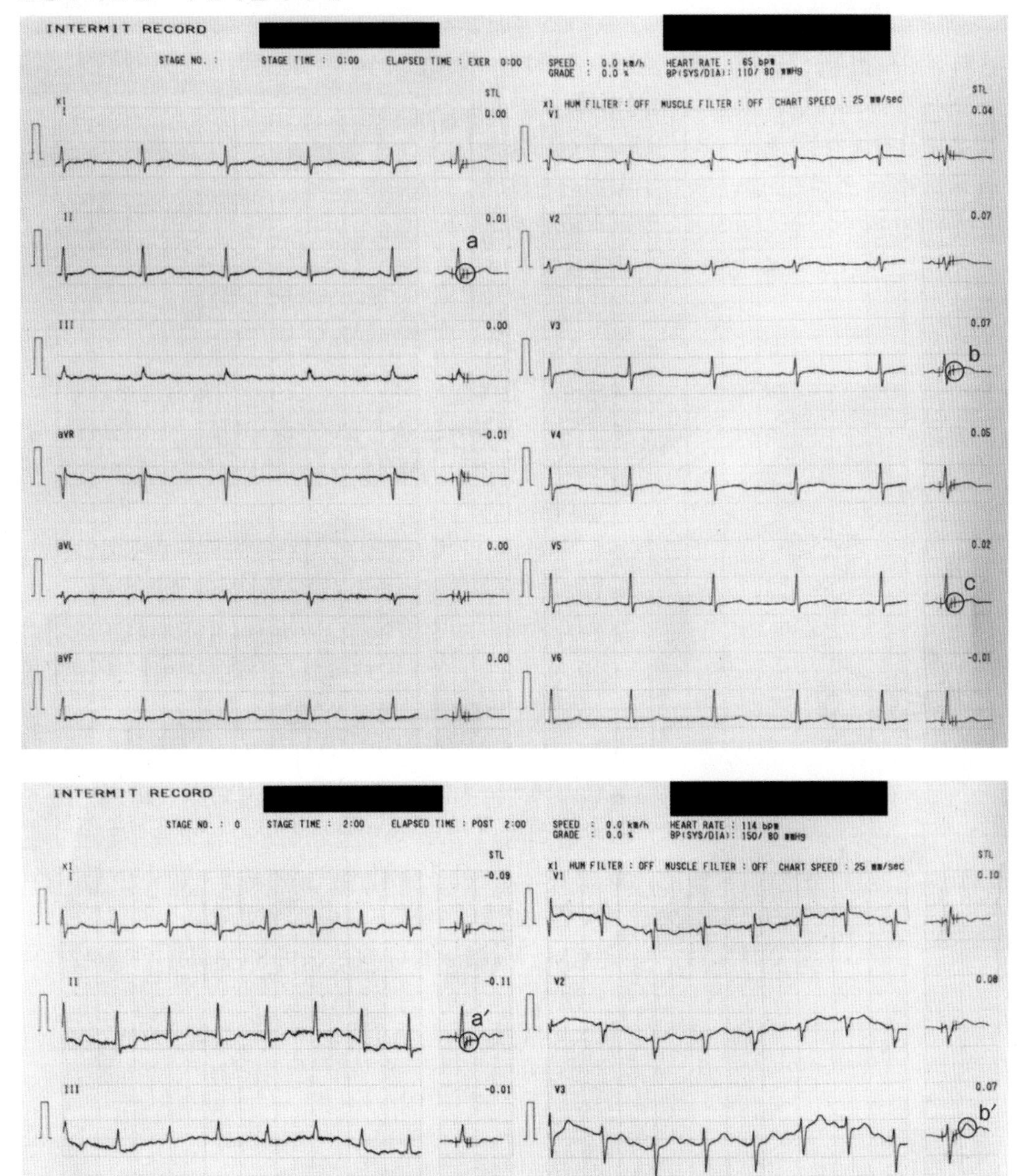

어떤 유도에 있어서도 부하전과 부하후에 ST부분이 변화되고 있다(특히 변화를 알기 쉬운 부분: a→a′, b→b′, c→c′).

검사방법: ③ 홀터심전도

● 홀터심전도는 일상생활 속의 심전도를 휴대용 기록지에 24시간 기록하는 검사이다.
● 12유도심전도처럼 몇 군데나 유도 심전도를 기록할 수는 없지만, 출근도중이나 취침시의 흉통이나 현기증, 실신발작 등 증상과 관련지어 심전도를 판정할 수 있으므로 진단에 유용하다.

Check 홀터심전도의 목적

- 부정맥의 해석
- 증상과 심전도변화의 연관성(실신, 심계항진, 흉통, 호흡곤란)
- 허혈성심질환의 진단
- 항부정맥제의 효과판정
- 인공 페이스메이커의 기능판정

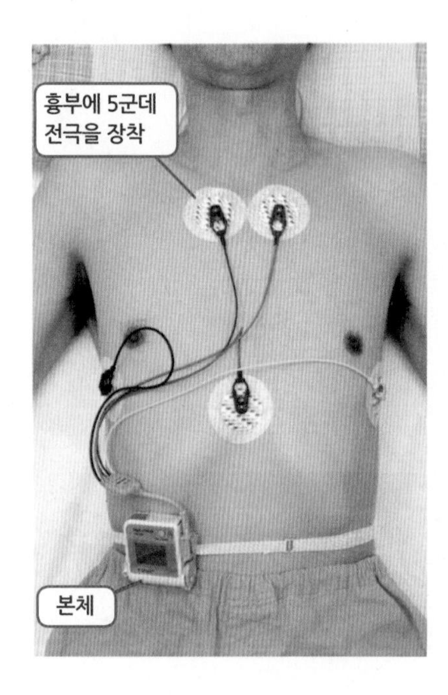

● 흉부에 전극을 반창고로 고정하고 기록기를 휴대한다.
● 전극을 장착하는 것은 20분 정도이고, 측정 중에는 평소와 다름없는 생활을 한다. 취침 시에도 장착한 상태 그대로이다.
● 행동내용이나 자각증상의 시간을 기록용지에 기입한다.
● 24시간 후 기계를 떼어내고 심전도 해석을 한다.
● 환자에게는 침습적인 검사는 아니지만 테이프로 강하게 전극을 장착한 상태이고, 심전도도 벨트로 고정된 상태이기 때문에 위화감이 있다.
● 목욕이나 샤워는 불가능하다.
● 환자에게는 전극에 닿지 않도록 지도한다. 또 어깨에 착용한 가방의 벨트 등이 전극에 닿지 않도록 주의한다.
● 12유도를 이용해서 하는 기종도 있지만 CM_5와 NASA, 2개의 유도를 많이 이용한다.
  · CM_5: V_5, Ⅱ 유도에 해당되며 ST변화를 판별하기 쉽다.
  · NASA: V_1유도, aVF유도에 해당되며 P파를 쉽게 판별할 수 있다.

요령!

홀터심전도의 전극의 장착

- 24시간 장착하기 때문에 보통의 심전도와는 달리 떨어지지 않도록 장착한다.
- 에틸알코올솜으로 피부의 분비물이나 피지를 닦고 나서 전극실을 붙인다. 또한 위에서 실을 붙여서 코드도 하나씩 테이프로 고정시키고 모여있는 부분도 테이프로 고정시킨다.
- 본체는 밴드로 허리에 장착하고 낙하 등의 충격으로 전극코드가 떼어지지 않도록 한다.

간호포인트

- 병동에서는 고정된 테이프가 떼어지지 않도록 주의한다.
- 쉽게 떼어지지 않도록 강력하게 전극을 장착하기 때문에 떼어낸 후에 피부염이 일어나는 경우가 있다.
- 환자에게 기록용지를 건네고 복약이나 식사, 활동의 기록을 하게 할 필요가 있다.

홀터심전도 행동기록일지(기록예)

홀터심전도행동기록일지

검사일 20 년 월 일
장착기사 ______

______ 님

시작한 시간		동작				수면		음식				자각증상					기타
		운동	보행	계단승강	자전거	취침	기상	식사	음주	복약	배변	흉통	흉부불쾌	동계	숨참	현기증	
1/15	14:00																기계장착
1/15	15:00			✓													화장실
	16:00	✓	✓														재활
	18:10							✓									
	18:30									✓							
	21:00					✓											
	23:30		✓														화장실
	5:30		✓				✓										화장실
	8:00							✓									
	8:30									✓							
	:																
	:																
	:																
	:																
	:																
	:																
	:																
	:																
	:																
	:																
	:																

기계의 반납은 월 일 시 분까지 부탁합니다.

□ 다음 날은 떼어내는 것만

□ 다음 날에 진찰 또는 검사가 있습니다. 시 분

휴일 전 날에 장착하신 분에게

다음 날은 휴일이기 때문에 시 분경에 가슴의 전극실을 떼고 다음의 장소로 반납해 주세요.

반납시간 월 일 시 분까지

반납장소 □검체검사실(별지의 지도 참조) □심전도검사실(평일만)

교린대학병원 심전도검사실 전화 ××-×××-×××× 내선 ××× (평일 △:△-△:△, 토요일 △:△-△:△)

홀터심전도의 검사결과의 예

이 축이 맥박수의 변동을 나타내고 있다.

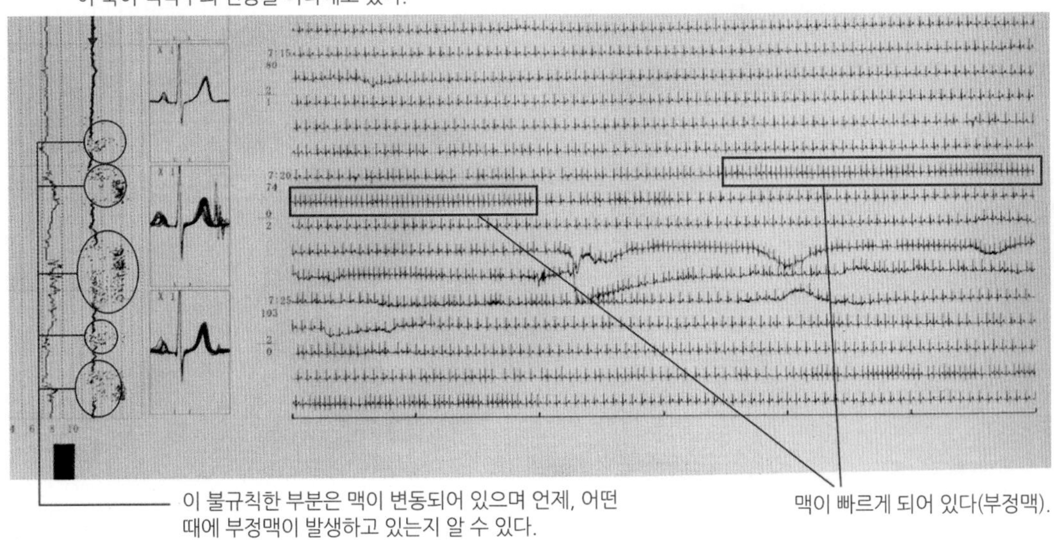

이 불규칙한 부분은 맥이 변동되어 있으며 언제, 어떤 때에 부정맥이 발생하고 있는지 알 수 있다.

맥이 빠르게 되어 있다(부정맥).

심에코검사

심에코검사는 심장의 진단법으로써 간편하게 비침습적으로 하는 진단법 중의 하나입니다. 심장에 초음파를 대고 반사파를 화상으로 파악함으로써, 심장의 형상이나 움직임, 기능이나 혈류정보를 파악할 수 있습니다.
체표면으로의 접근하기가 식도를 통한 접근하는 방법이 있습니다.

검사의 목적

Check 심에코검사의 목적

- 심내강의 크기나 벽의 두께·판, 심혈관강내의 혈류정보 등 형태진단
- 심기능평가
- 심질환의 진단(심근증, 허혈성심질환, 판막증 등)
- 치료방법의 선택, 치료효과의 판정
- 수술 전 평가로써 수술적응의 유무, 수술시기의 결정, 수술방법의 결정 등

초음파진단장치의 예

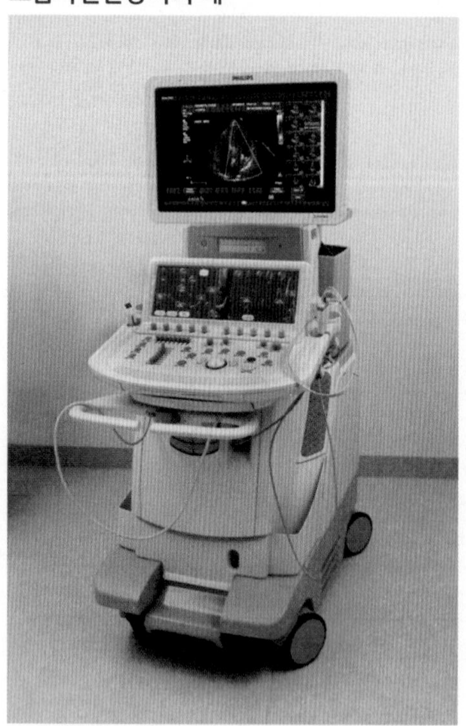

캐스터 장착으로 이동이 가능

- 초음파는 생체조직을 통과하고 다시 되돌아오는 성질을 가지고 있다.
- 초음파진단장치의 탐촉자(프로브)로 초음파를 송신하고, 송신과 송신 사이에 반사되어 오는 파의 수신을 하며, 그 각도와 거리를 스크린상으로 묘사한 것이 화상이 되어 나타난다.

프로브

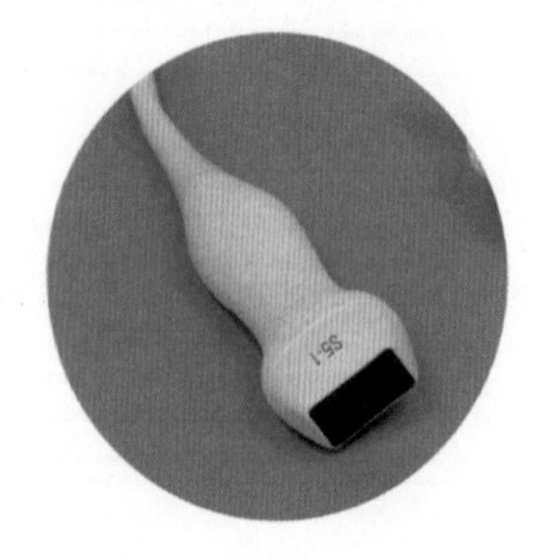

심에코법의 종류

단층심에코법

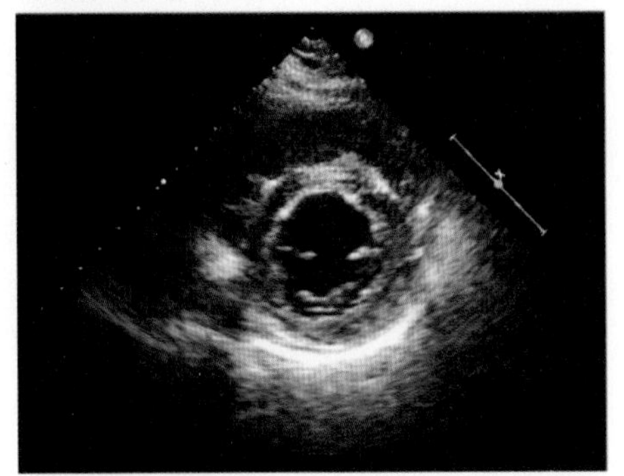

● 구조물을 2차원적으로 표시하고 심내강의 크기, 벽의 움직임이나 두께, 판의 움직임을 실시간으로 관찰할 수 있다(화상은 단축단면상).

M모드심에코법

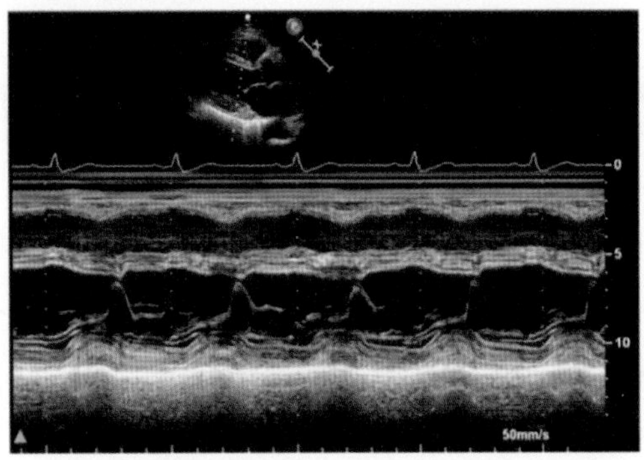

● 시간경과와 함께 벽의 두께나 심내강의 크기, 판·벽이 어떻게 움직이는가를 표시한다.

Doppler심에코법

컬러Doppler법

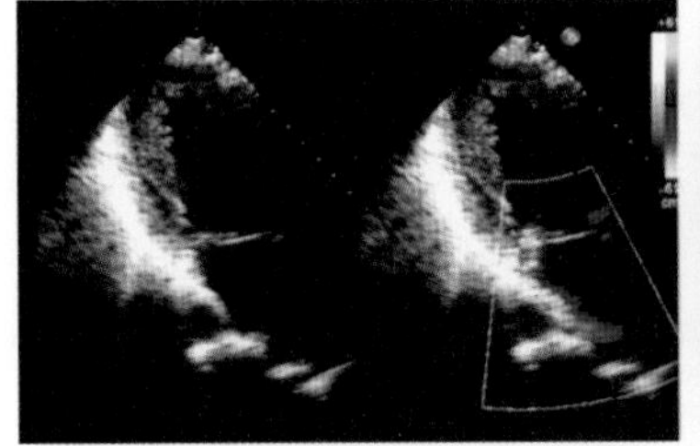

● 다가오는 움직임을 붉은색, 멀어지는 움직임을 파란색으로 표시. 평균혈류속은 컬러의 각도의 세기에 따라 표시된다.

펄스Doppler법

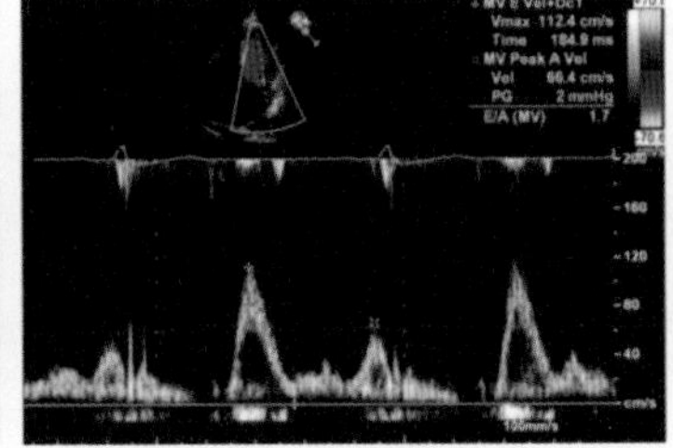

● 특정부위에서의 복잡한 혈류의 흐름이나 방향을 실시간으로 측정할 수 있다.

연속파Doppler법

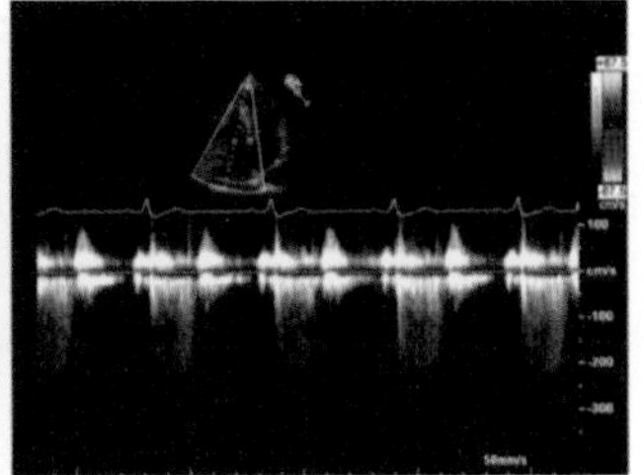

● 계측 라인상의 모든 혈류의 흐름이나 방향을 실시간으로 측정할 수 있다.

심에코법의 검사방법

경흉벽심에코법

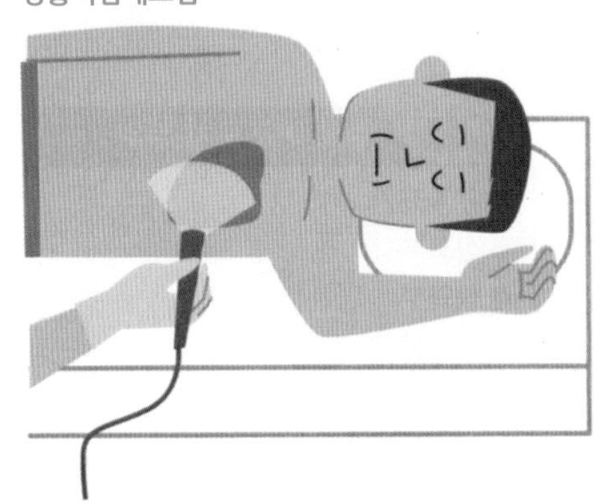

● 반복해서 시행하더라도 환자에게 주는 침습은 없다.
● 영상의 출력불량으로 되는 경우가 있다.

경식도심에코법

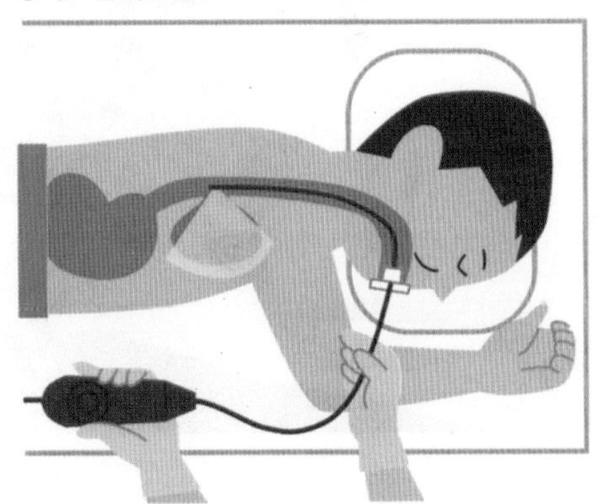

● 영상을 선명하게 얻을 수 있다.
● 침습이 있으므로 환자에게 부담이 크다.
● 폐나 식도내의 기포가 덮으면 영상의 출력이 불량해지는 경우가 있다.

검사 방법: ① 경흉벽심에코법

- 전흉부늑간에 탐촉자를 대고 촬영한다.
- 반복해서 검사를 해도 환자에게 주는 침습은 없다.

순서 1 환자의 상태를 정비한다

- 검사시간은 30분 정도이며 배뇨·배변을 마쳐 놓는다.
- 환자에게 심에코검사의 목적과 방법을 설명한다.
- 침대에 좌측와위로 눕게 한다.
- 전흉부의 검사를 할 수 있도록 옷 앞을 벌리고 목욕타올 등을 걸친다.

순서 2 심전도전극을 장착한다

- 심전도전극을 장착하고 모니터 되고 있는 것을 확인한다.

순서 3 촬영한다

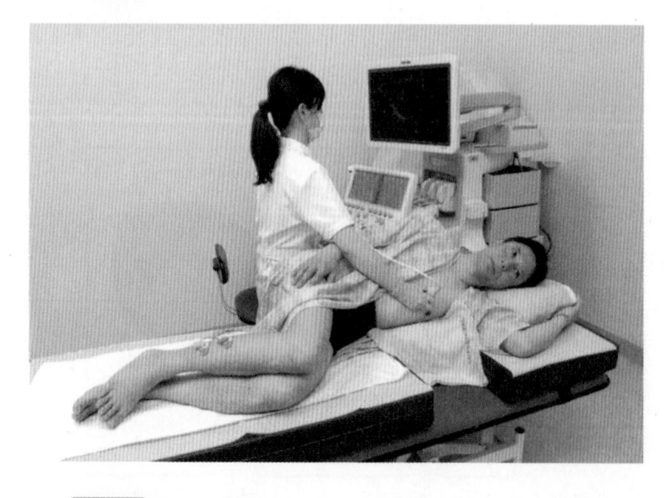

- 에코젤을 도포하고 전흉부늑간에 탐촉자를 대고 촬영한다.
- 필요할 때는 호기 시에 호흡을 멈추게 한다.

Check 주요 어프로치 부위

- 흉골좌연
- 심첨부
- 심와부
- 흉골상와
- 흉골우연

요령!

에코젤의 사용

- 탐촉자와 피부의 사이에 생긴 공기가 강한 반사를 일으켜 화상을 얻을 수 없기 때문에 에코젤(사진)로 틈을 메운다. 젤에 의해 탐촉자의 움직임이 편해진다.
- 에코젤은 물처럼 투명하고 적당한 점도가 있다.
- 점도는 제품에 따라 다르다.

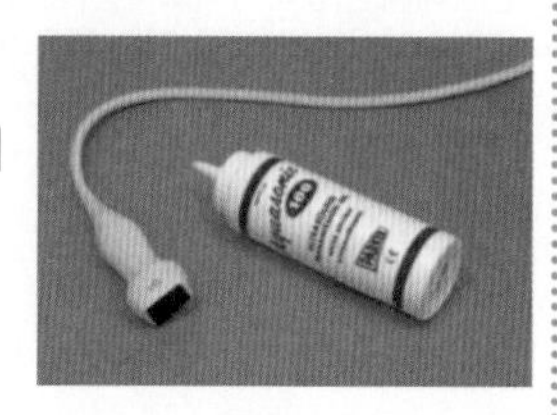

간호포인트

검사 전
- 평소대로 약을 복용, 식사는 가능하다는 것을 설명한다.
- 손을 올릴 수 있는지, 좌측와위를 유지할 수 있는지, 검사 시간 중 동일한 체위를 유지할 수 있는지 확인한다.
- 검사 전에 배뇨·배변을 마치도록 설명한다.

검사 중
- 프라이버시를 배려한다.

검사 후
- 에코젤을 닦아낸다.

검사 방법: ② 경식도심에코법

- 식도 또는 위내에 내시경을 삽입하고 심장단층도를 등쪽 또는 아래쪽에서 출력한다.
- 식도가 직접 심장에 근접해 있기 때문에 선명한 단층도를 얻을 수 있다.

경식도심에코법(TEE)의 적응

Class I
다음과 같은 경우에 TTE로는 충분한 정보를 얻을 수 없을 때 1) 색전원검색(좌방, 좌심이, 우심이, 난원공개존, 심방중격결손 등) 2) 판막질환(자기판 및 인공판) 3) 감염성심내막염이 의심될 때 4) 심방세동의 제세동 전의 검사(특히 좌방, 좌심이내의 혈전검색) 5) 흉부대동맥의 평가(대동맥박리, 대동맥류, 대동맥경화) 6) 선천성심질환(특히 ASD의 병형 등) 7) 심장종양(크기, 부착부위 등) 8) 심혈관 수술 시의 모니터(판막형성술 또는 판막치환술의 평가, 심기능, 대동맥내 스텐트삽입술 등) 9) 비심혈관수술을 할 때나 ICU에서의 모니터(심기능 등) 10) ICU등에서 중증환자의 심장의 형태·기능정보를 얻는 것으로 치료방침변경 등에 관련된 추가정보를 기대할 수 있을 때
Class IIa
1.대동맥박리의 치료 후 경과관찰

순환기병의 진단과 치료에 관한 가이드라인. 순환기초음파검사의 적응과 판독가이드라인 (2010년 개정판) http://www.j-circ.or.jp/guideline/pdf/JCS2010yoshida.h.pdf(2013년2월열람)

순서 1 환자상태를 정비한다

- 기관지 내 흡인의 위험을 적게 하기 위해 검사 3시간 전에는 식사를 멈춘다.
- 의치 등은 빼놓는다. 부러질 것 같은 이가 없는가 확인한다.

순서 2 심전도전극, SpO_2모니터를 장착한다

- 전흉부에 심전도의 전극, SpO_2모니터를 장착한다.
- 혈압, SpO_2를 측정한다.

순서 3 국소마취를 한다

- 인두에 리도카인염산염(xylocaine spray)으로 국소마취를 하고, 좌측와위로 무릎을 가볍게 굽히고 머리를 약간 앞으로 숙인 상태로 한다.
- 내시경을 삼킬 수 없는 경우, 안정적으로 검사를 할 수 없는 경우, 필요에 따라 진정을 시키기 위해 진정제의 점적을 사용한다
- 필요시 활력징후의 측정을 한다.

순서 4 촬영한다

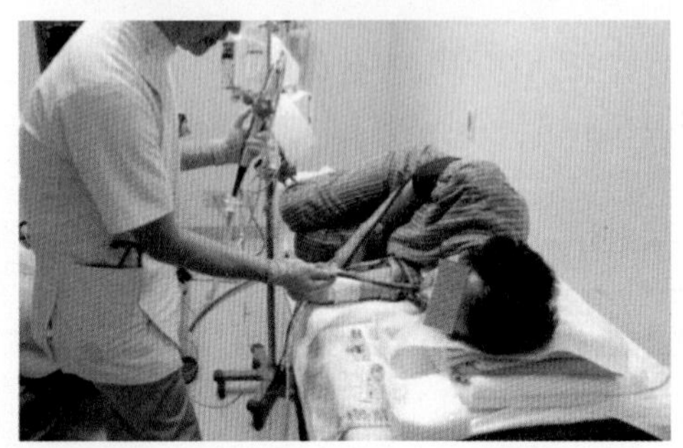

- 탐촉자를 식도내에 장착하고 촬영을 한다.
- 소형탐촉자가 내시경 선단부에 끼워져 있다.

주의!

【합병증】
- 인두출혈·혈담, 구토, 토혈, 기관지천식발작의 유발, 상실성빈맥, 비지속성심실빈맥, 방실블록, 서맥, 협심증발작, 일과성혈압상승, 균혈증 등

【금기】
- 식도질환(식도정맥류, 식도협착, 식도종류(腫瘤))이 있는 환자나 환자 본인의 협력을 얻을 수 없는 경우

간호포인트

검사 전
- 검사 3시간 전에는 식사를 멈춘다.
- 약물복용은 평소대로 가능하지만 최소한의 수분으로 복용하게 한다.
- 의치는 빼놓는다.
- 리도카인염산염(xylocaine spray)을 사용하기 때문에 약제알레르기가 없는지 확인해 놓는다.
- 식도질환의 유무를 확인하고 동의를 얻었는지 동의서를 확인한다.

검사 중
- 리도카인염산염(xylocaine spray)으로 알레르기증상이 나타나지 않는지 관찰한다.
- 본인의 고통 등이 없는지 표정, 호소를 관찰한다.
- 진정제를 사용할 때에는 의식수준의 확인, BP·SpO_2의 변동이 없는지 관찰한다.
- 활력징후의 측정, 심전도, SpO_2의 관찰로 부정맥이나 기관지흡인 등 합병증이 나타나지 않는지를 본다.

검사 후
- 검사 후 약 2시간은 마취의 효과가 지속되므로 음식을 금한다.
- 2시간 후 소량의 물을 마셔서 사레가 들지 않는지 확인하고 삼키는 데 문제가 없으면 음식을 먹는 것이 가능하다.
- 진정제를 사용할 때는 각성상황을 확인한다. 각성의 상황에 따라서는 2시간 후의 음수테스트의 시간을 미룬다.
- 인후통이나 혈담 등이 없는지 확인하고 지속되는 것 같으면 의사에게 진찰을 의뢰한다.

검사결과의 평가

- 2차원의 동영상 단층심에코법과 시간분해능이 뛰어난 M모드심에코법에 의해 심방이나 심실의 크기를 알 수 있고, 벽운동이나 좌실전체의 벽운동을 나타내는 1회박출량(stroke volume: SV)이나 좌심실구출률(left ventricular ejection fraction: LVEF), 좌심실내경단축률(percent fractional shortening: %FS) 등도 구할 수 있다. 이것으로 인해 심부전, 심근경색과 그 범위, 판막증 등의 진단이나 심기능의 평가에 도움이 된다.
- 혈류상태를 색으로 표시하는 컬러Doppler심에코법에 의해 판막증에서는 역류의 정도나 심실중격결손증 같은 선천성질환 등을 알 수 있다.
- 그 밖에 우췌(vegetation)의 존재나 종양, 인공판의 봉합부전, 심장주위의 상황으로써 심낭액의 체류나 심장압전의 진단 등에도 도움이 된다.

M모드

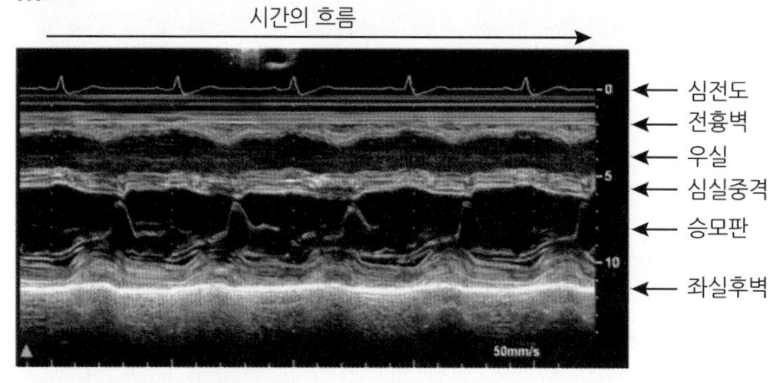

컬러Doppler(승모판 역류)

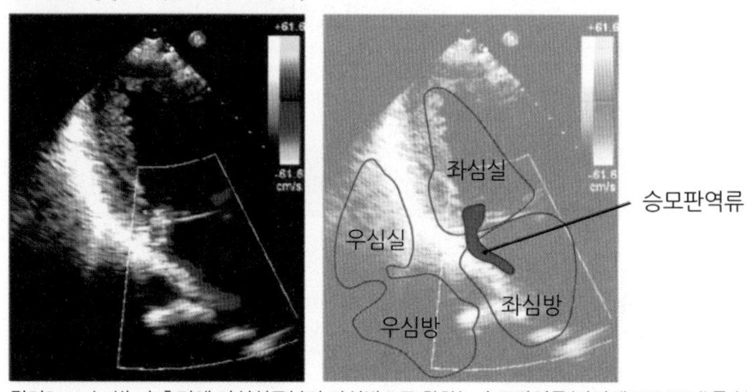

컬러Doppler법. 수축기에 좌심실로부터 좌심방으로 향하는 승모판역류(파란색으로 표시)를 볼 수 있다.

(高橋有加)

문헌

1. 순환기병의 진단과 치료에 관한 순환기초음파검사의 적응과 판독 가이드라인(2010년 개정판)
http://www.j-circ.or.jp/guideline/pdf/JCS2010yoshida.h.pdf(2013년 2월 열람)

흉부X선검사

X선검사는 방사선을 조사하여 X선의 투과성으로 인해 비친 음영에 의해 촬영부위를 평가하는 검사입니다.
X선은 침습이 적고 비교적 간편하며, 심장혈관외과에서는 수술 후 합병증의 유무에 대해 평가할 수 있기 때문에 기본적 검사의 하나로 되어 있습니다.

검사의 목적

Check 심장혈관외과에 있어서의 X선검사의 목적

- 심장이나 대혈관의 크기·위치
- 폐울혈의 유무
- 흉수의 유무

검사로 알 수 있는 주요 질환
- 심부전, 심낭압전, 폐렴, 무기폐, 폐수종 등

촬영방법

정면후전상	● 상대정맥, 우(심)방, 대동맥, 폐동맥, 좌(심)방, 좌(심)실을 평가한다. ● 심흉곽비(cardiothoracic ratio: CTR), 폐울혈, 흉수의 정도를 평가한다
배와위상	● 이동촬영이나 복부 X선의 경우에 촬영한다.
측면상	● 우심실, 좌심방, 좌심실, 대동맥을 평가한다.

- 촬영방법이나 중력의 영향에 의해 심장의 크기나 흉수 보는법이 달라진다. 따라서 촬영방법에 의한 영상의 특징을 이해한 후에 판독하는 것이 필요하다.

검사 방법: ① 검사실에서 촬영

순서 1 검사실로 이동한다

- 보통은 방사선과의 검사실에서 촬영한다.
- 걸어서 이동이 가능한 경우에는 도보로, 불가능한 경우에는 휠체어로 이동한다.

순서 2 환자상태를 정비한다

- 영상에 비치지 않도록 환의에 단추가 없는 것으로 한다.
- 환의 주머니에 물건이 들어있지 않은 것, 마그네로드 타입의 심전도 모니터(151페이지)나 촬영부위에 습포약이 없는 것을 확인한다.

- 검사 중에는 손잡이를 꼭 잡도록 환자에게 설명한다.
- 휘청거림이나 마비 등에 의해 서있는 자세 유지가 곤란한 경우에는 검사기사에게 전달한다.
- 페이스메이커를 삽입하고 1개월 미만인 환자의 경우는 촬영 시에 손을 높이 올리거나 심호흡을 하지 않도록 설명한다.
- 점적이나 산소투여 중인 환자의 경우는 루트나 튜브류가 영상에 비치지 않도록 정리한다.

순서 3 촬영한다

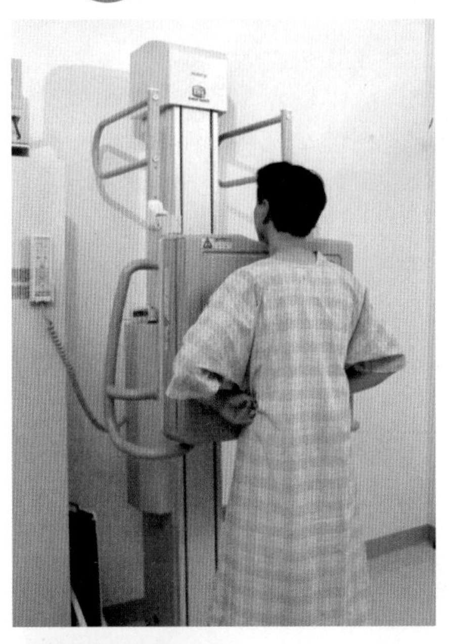

- 환자는 서있는 자세로 흉부 앞부분에 필름을 놓고 X선 발생장치로부터 X선이 등쪽에서 배쪽으로 통과하는 정면영상을 촬영한다.
- 필요에 따라 측면영상도 촬영한다.

주의!

- X선으로 받는 피폭량은 혈관촬영이나 방사선치료와 비교해도 현격하게 적지만, 피폭의 위험은 있다. 환자가 여성인 경우는 임신의 가능성을 확인하고 태아의 피폭을 적극적으로 피한다.

간호포인트

- 어떤 목적으로 어떻게 검사를 하는지 환자에게 설명한다. 차고 딱딱한 판을 배부에 놓거나 경우에 따라서는 탈의가 필요한 경우도 있으므로, 검사의 필요성이나 방법을 설명하고 환자가 납득하고 검사를 받을 수 있도록 설명하는 것이 중요하다.
- 중증인 환자나 스스로 체위조정이 불가능한 환자에서는 X선 촬영 시에 도움을 준다.

검사 방법: ② 포터블 X선 촬영

- 환자의 상태가 나빠서 검사실로의 이동이 곤란한 경우나 서있는 자세가 불가능한 경우는 병실에서 포터블 X선 촬영을 한다.

순서 1 환자상태를 정리한다

- 침대주위를 정리하고 적절한 위치에 침대를 이동시킨다.
- 촬영지시에 따라 체위를 조정한다(누운자세 또는 앉아서 촬영함).

순서 2 등쪽에 필름을 삽입한다

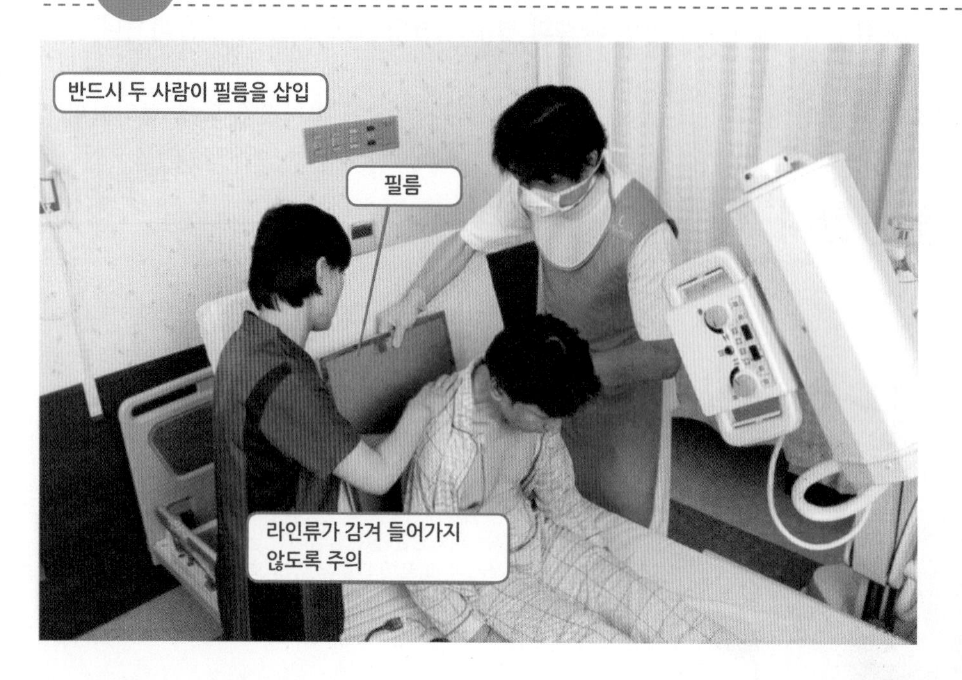

순서 3 촬영(撮像)한다

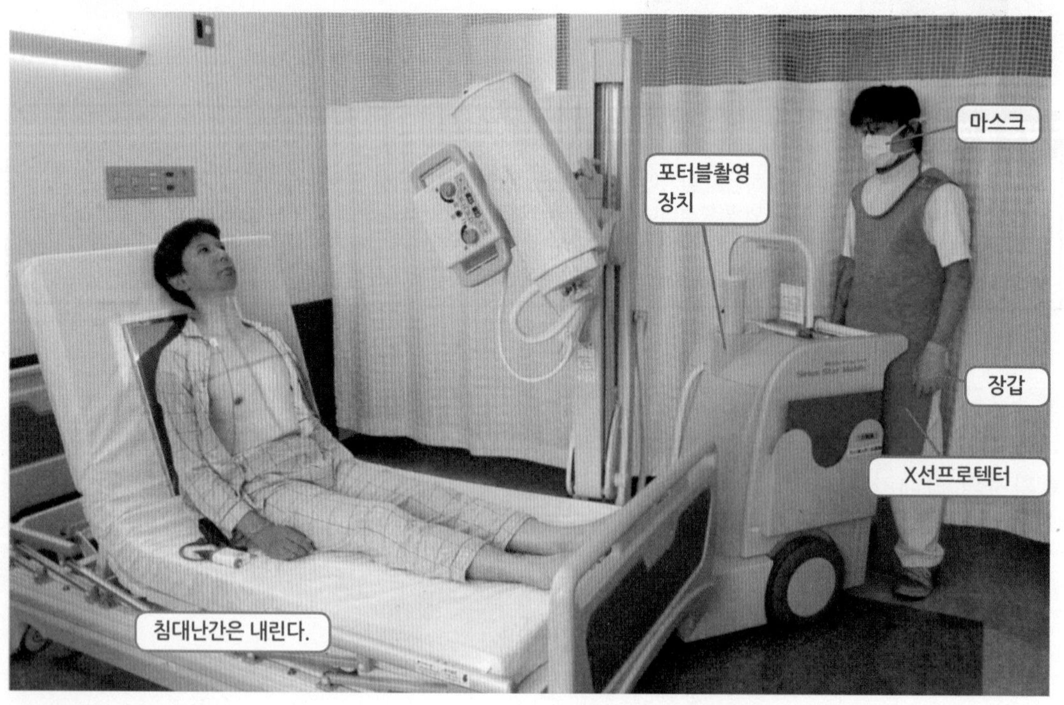

● 환자는 앙와위 또는 좌위가 되어 X선이 배쪽에서 등쪽으로 촬영한다.

주의!

● 병실에서 촬영할 때는 입구에 「방사선관리구역」인 표시를 하고 검사가 종료될 때까지 입실을 금지한다.

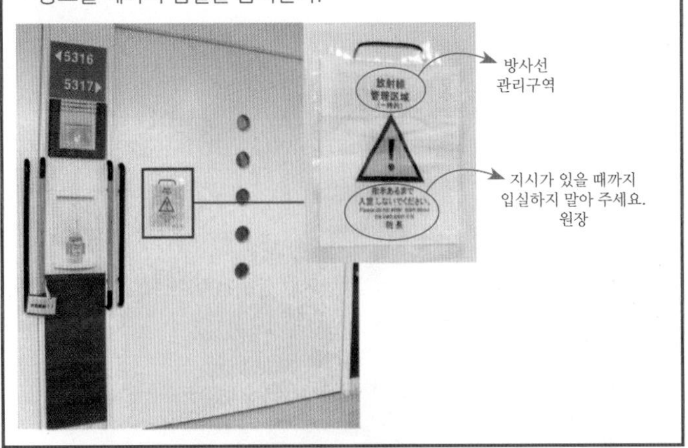

이럴 때 어떻게 하지?

심전도 모니터를 장착하고 촬영하는 경우

- 마그네로드 타입의 심전도 모니터는 화상에 비쳐 판독을 방해하는 경우가 있기 때문에 환자의 상태에 따라 가능하면 심전도 모니터를 떼어 놓는다.
- 카본로드 타입의 심전도는 화상에 비치지 않기 때문에 떼어놓을 필요는 없다.

마그네로드

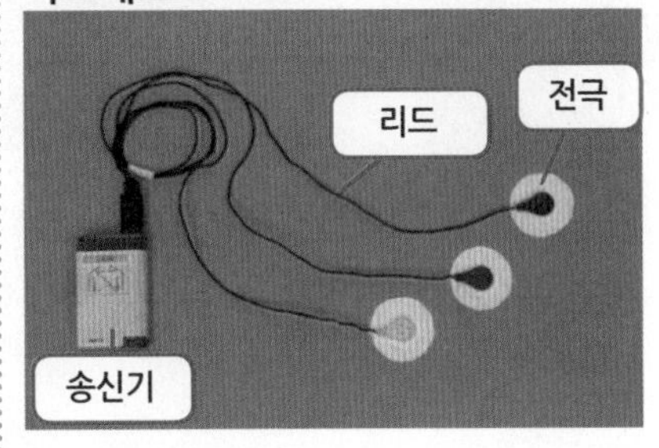

카본로드

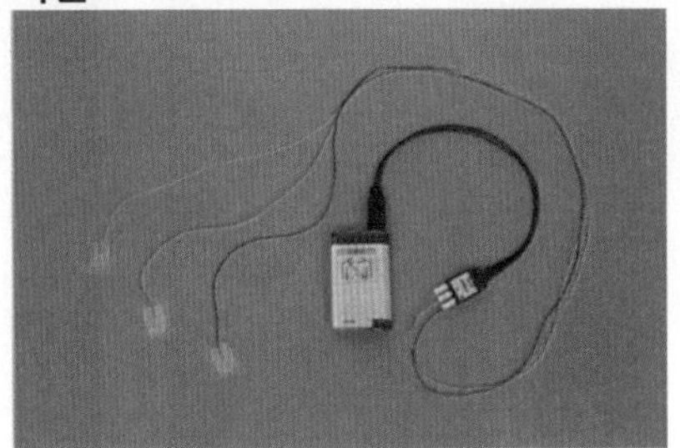

간호포인트

- 환자가 X선촬영을 할 수 있는 상태에 있는지를 방사선사에게 전달한다. 예를 들면 상반신을 올리고 X선을 촬영하는 지시라도 촬영할 때에 환자의 상태가 불안정한 경우는 그 내용을 검사기사에게 설명할 필요가 있다.
- 환의의 버튼이 영상에 비치지 않도록 버튼이 없는 복장을 입히거나 옷을 좌우로 벌린다.
- 환의의 주머니에 물건이 들어있지 않은 것을 확인한다. X선투과성이 낮은 액세서리나 금속, 두꺼운 의복, 약봉투 등이 없는 것을 확인한다.
- 환자에게 등쪽에 딱딱한 판(필름)을 넣는다는 것을 설명하고 검사기사와 함께 필름을 등밑에 놓는다. 이때 카테터나 튜브류가 몸 밑에 깔리거나 잡아당겨지지 않도록 주의한다. 또 카테터나 코드류가 영상에 가능한 한 비치지 않도록 배려한다.
- 촬영 시에는 장치에서 2m 이상 떨어져 자신의 피폭에 주의한다.
- 종료 후에는 필름을 제거하고 체위, 환자복을 정비한다. 심전도 모니터를 장착한다.

검사결과의 평가

Check 1 심흉곽비(CTR)의 확대

정상의 흉부X선 사진

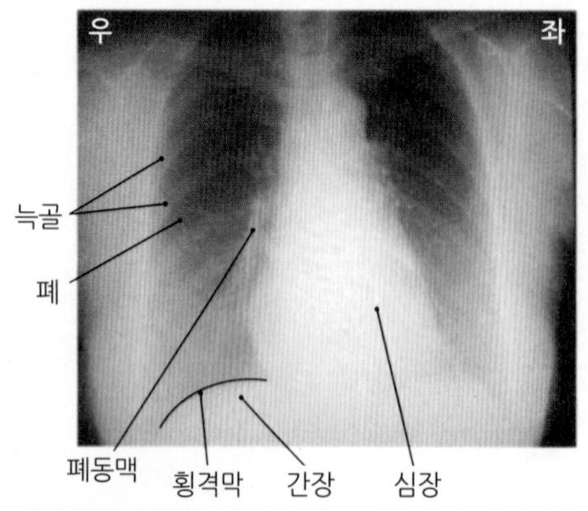

흉부의 정상 해부도

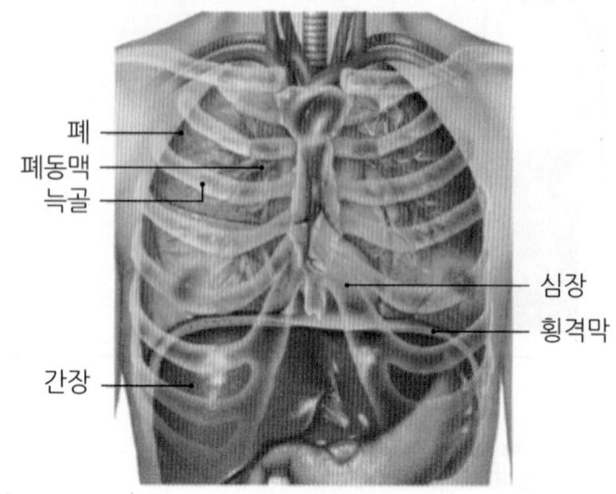

- X선의 투과성이 낮은 만큼 「하얗게」 비친다(예: 뼈, 수분을 많이 함유한 장기, 혈관 등).
- X선의 투과성이 높은 만큼 「검게」 비친다(예: 폐의 공기를 많이 함유한 부분 등).

정상

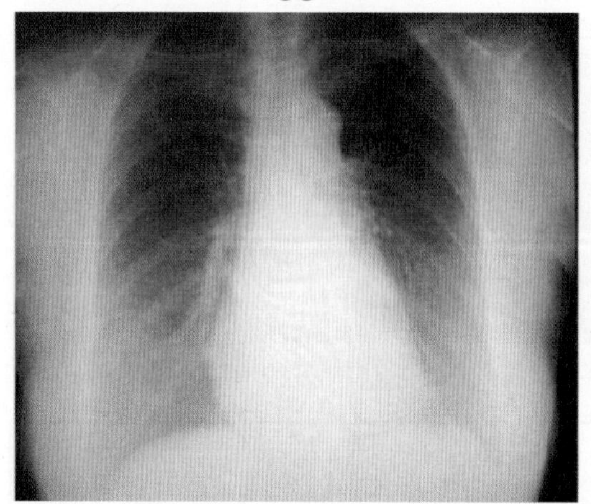

이상

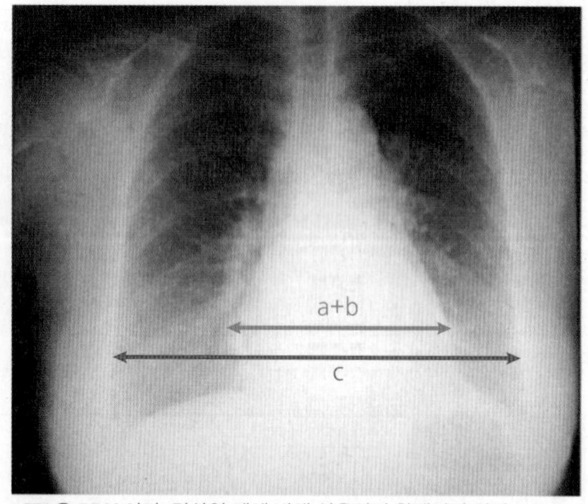

CTR은 55%이며, 정상일 때에 비해 심음영이 확대되어 있다.

Check 심흉곽비(CTR)란?

- 심흉곽비(cardiothoracic ratio: CTR)란 X선영상에서 흉곽의 가로폭에 대한 심장의 가로폭의 비를 말함.
- 정상치는 성인이 50% 이하, 소아에서 55% 이하
- CTR이 확대되고 심에코에서 심내강의 확대를 동반하고 있는 경우 「심장확대」로 진단한다.

$$CTR = \frac{a(\text{우측의 최대수평폭})+b(\text{좌측의 최대수평폭})\times 100}{c(\text{흉곽의 최대내경})}$$

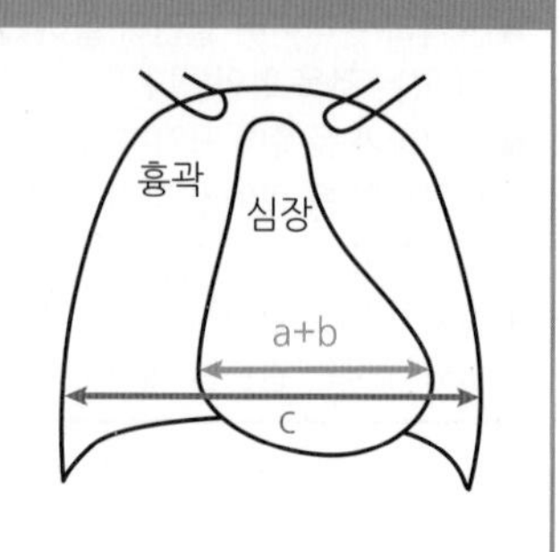

Check 2 폐울혈

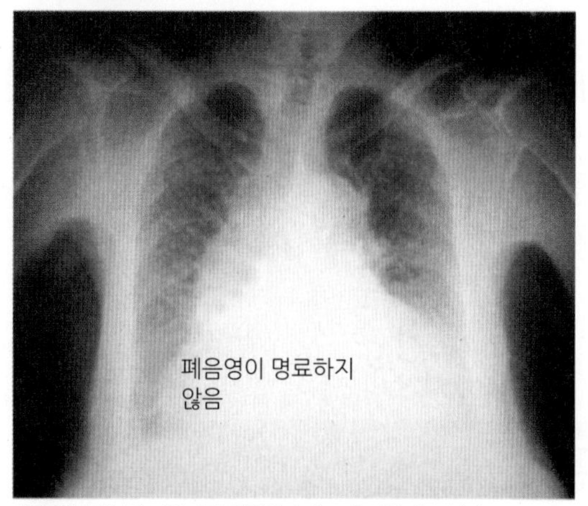

폐야의 투과성이 저하되어 명확하지 않고 흐릿하게 보인다.

Check 폐울혈이란?

- 폐의 정맥계에 혈액이 울혈되어 있는 상태를 말한다.
- 좌심부전으로 보이며, 운동 시의 호흡곤란감이나 기좌호흡, 거품이 섞인 가래 등의 증상이 보인다.
- 호흡음은 습성라음(단속성라음)이 들린다.

Check 3 흉수

흉수가 고인 영상

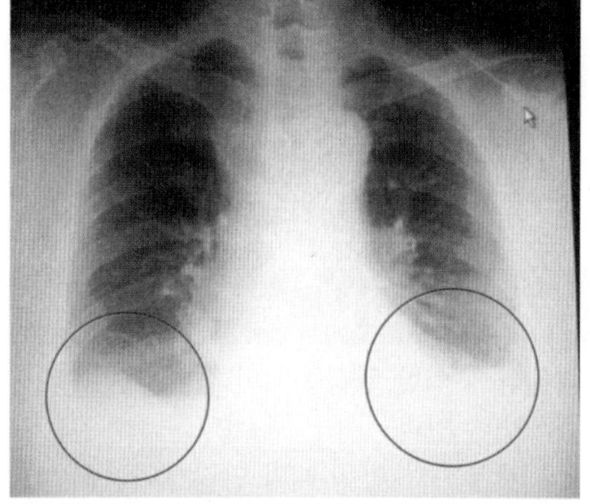
선 자세에서 촬영한 화상. 공기(폐)는 검고 물은 하얗게 비친다. 물은 폐보다 무겁기 때문에 흉수는 아래쪽으로 고인 것으로 보인다.
왼쪽의 흉강에 흉수가 고여있다.

흉수가 감소된 후 영상

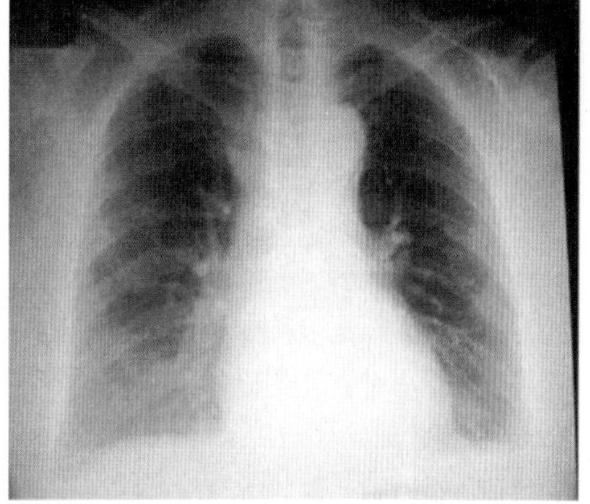

Check 흉수란?

- 흉막에서 혈장성분이 배어나와 흉강내에 고인 것
- 판막증 등의 수술 후에는 흉수가 쉽게 고이며, 운동 시의 호흡곤란감이나 기좌호흡, 천명, 흉통 등의 증상이 보인다.

※ 152,153페이지의 X선영상은 모두 선자세로 촬영

(小澤眞弓)

심장핵의학검사

미량의 방사선을 나타내는 방사성동위원소를 사용하여, 심장의 관상동맥의 좁아진 부위와 혈류가 부족한 심근의 범위를 평가하는 검사입니다.
방사성동위원소가 함유된 약제를 체내에 투여하여 장기나 조직에 흡수된 방사성동위원소가 방출하는 방사선을 감마 카메라로 촬영, 판독합니다.
순환기질환에 대해서 시행되는 검사로서 심근관류 스캔이 있습니다.

검사의 목적

Check 심장핵의학검사의 목적

- 허혈성심질환의 진단(협심증, 심근경색의 판별)
- 허혈성심질환에 의해 혈액의 흐름이 부족한 심근의 부위를 조사한다.
- 그 심근세포는 괴사되어 있는지, 또는 괴사되지 않고 치료의 효과를 기대할 수 있는지를 평가한다.
- 치료 후에 심근세포로의 혈액의 흐름을 봄으로써 치료의 효과를 평가한다.

주의! 핵의학검사의 금기

- 급성심근경색발생 조기
- 불안정협심증
- 급성 또는 중증심부전
- 조절이 안된 부정맥
- 다른 중증질환이 있는 경우: 박리성대동맥류, 폐경색, 대동맥협착 등

일본심장핵의학학회 위기관리WG위원회: 심장핵의학검사 위기관리 부하심근관류스캔에 관한 안전지침WG보고.에서 일부발췌하여 인용

검사 방법(부하 심근혈류 관류 스캔)

- 심근경색, 협심증의 진단에 이용되며, 허혈성심질환에 의한 관상동맥의 혈류저하에서 심근세포로의 혈류가 어느 정도 영향을 주고 있는지 알 수 있다.
- 심근혈류가 필요에 따라 증가하는지 조사하기 위해 부하가 있을 때와 안정상태일 때 2회 촬영한다.
- 부하가 있을 때와 안정상태일 때의 촬영에는 3, 4시간의 간격을 둔다. 오전 중에 부하검사 시(時), 오후에 안정 시의 촬영을 하는 경우가 많다.
- 핵의학검사에서 사용하는 방사선량은 극히 소량(1～15mSv)이며, 자연계에서 받은 방사선량 2～4mSv(연간)와 거의 비슷하다.

■ 필요한 물품

① 구급카트 ② 산소 ③ 심전도계 ④ 혈압계 ⑤ 방사성의약품 ⑥ 정맥주사세트

환자의 상태를 준비한다

간호포인트

검사 전

● 의사에 의한 검사설명과 동의서의 취득

· 환자의 호소를 경청하고 불안한 내용을 명확하게 한다. 필요하다면 설명을 추가한다.

● 검사 전날의 준비

· 검사 전의 식사는 하지 않을 것, 커피나 홍차, 녹차 등 카페인을 함유한 음료수는 검사결과에 영향을 줄 수 있으므로 검사가 끝날 때까지 삼가도록 설명한다.

핵의학검사 설명용지의 예

핵의학검사를 받으시는 분께

【목적】

극히 미량의 방사성물질(방사성동위원소)을 함유한 약제를 이용하여 병을 진단하는 검사입니다. 이 약제는 뼈 등 전신의 여러 가지 장기에 모이고 그곳에서 방사선을 발합니다. 그것을 전용카메라로 파악하여 화상으로써 비추어내고 병의 진단이나 기능진단을 합니다. 현재 이루어지고 있는 주된 검사는 뼈, 뼈 이외의 전신, 뇌혈류, 심장, 폐혈류, 소화관, 간장, 신장(부신), 갑상선(부갑상선)등입니다.

【방법】

몸에 해가 되지 않는 양의 방사성물질을 정맥주사합니다. 주사직후 혹은 시간을 두고(갈륨검사에서는 주사한 지 2일 후에 촬영) 실제의 촬영을 합니다. 갑상선 검사에서는 방사성의약품의 캡슐을 복용해 주세요. 촬영은 보통 위를 향하고 시행합니다. 촬영에는 20~30분 걸립니다. 검사내용에 따라서는 10분, 30분, 1시간 또는 24시간 후로 경과를 쫓아 촬영하는 경우도 있습니다. 대부분 식사제한은 없지만 검사내용에 따라서는 식사, 일상복용약의 일시중지를 요구할 수도 있습니다.

【주의】

환자에게 투여되는 약제는 미량이며 1회의 검사로 받는 방사선량은 약 0.2~8밀리시버트라고 알려져 있습니다. 이 양은 1년 간 인간이 자연계로부터 받는 방사선량과 거의 같으므로 걱정할 필요는 없습니다. 핵의학검사에서 이용되는 약제의 부작용으로는 발진, 혈압저하, 서맥, 구역질 등이 있지만, 대부분이 발현빈도 0.1%미만이며, 아주 적다고 할 수 있습니다. 다만 검사에 따라서는 다른 약물을 병용하는 경우가 있으며 그때 병용약에 의한 부작용이 발현할 가능성은 있습니다. 또한 주사약물이 누출되는 것은 피부장해를 일으키는 원인이 되기 때문에 만일 약제가 피하에 누출된 경우에는 피부과의 검진을 받아야 하기 때문에 양해를 바랍니다.

【핵의학검사의 대체가 되는 검사】

현 시점에서는 없습니다.

합병증이 발생한 경우에는 최선의 치료를 합니다. 때문에 입원 또는 입원기간의 연장, 긴급처치가 필요하게 됩니다. 그때의 비용도 보통의 치료비와 똑같이 취급합니다.

이상, 설명에 납득하신 분은 동의서에 서명한 후, 검사 당일에 제출해 주세요.

동의서를 제출한 후에도 검사를 중지할 수 있으므로 언제라도 말씀해 주세요.

아직 명확하지 않은 점이 있다면 담당 주치의 또는 간호사에게 질문해 주세요.

또 질문이 있다면 다음의 연락처로 연락바랍니다.

월~금 ○:○ 까지　토 ○:○~○:○ 까지

교린대학의학부부속병원방사선과　△△-△-△△△　내선 △△, △△

순서 2 검사실로 이동한다

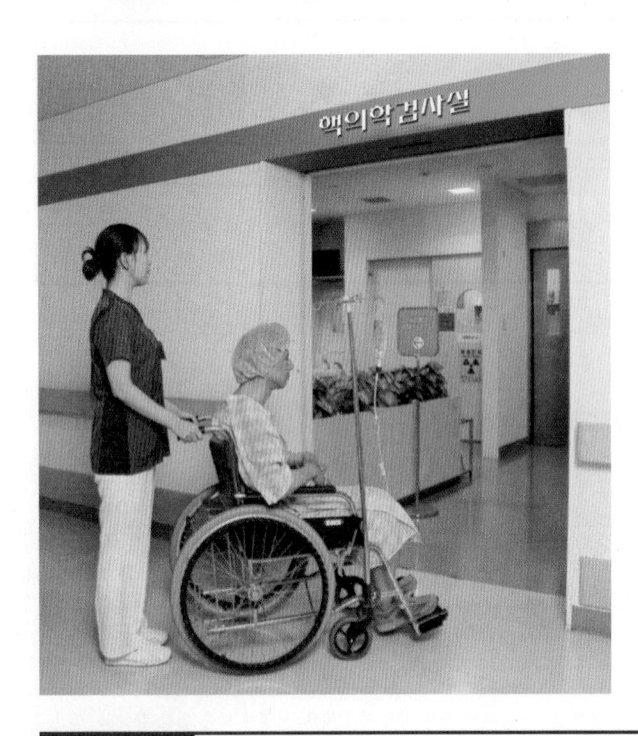

● 의사의 지시에 기초하여 안정도에 따라 적절한 이송방법으로 검사실로 향한다.

간호포인트

- 보행가능한 환자라도 검사 중에 부하를 가하는 경우가 있거나, 안정시에 해야 하는 검사가 있기 때문에 휠체어를 사용하는 것이 바람직하다.
- 금속류, 장구 등을 벗어놓는다.
- 검사 중에 흉통 등의 증상이 나타나면 의료진에게 알리도록 환자에게 설명한다.

순서 3 방사성의약품을 정맥주사한다

● 검사의 종류에 따라 사용하는 방사선의약품(아이소토프)은 다르다. 심근혈류스캔의 경우는 탈륨을 사용한다.

● 방사선의약품은 정맥주사로 주입된 약제가 정상적이라면 관상동맥을 지나 원활하게 심근세포에 도달한다.

순서 4 심장에 부하를 건다

● 운동에 의한 부하, 또는 약제주사에 의해 부하를 건다.

주의!

- 합병증이나 협심증 등의 발작이 발생한 경우에는 바로 검사를 중지하고 의사에게 보고, 진찰을 의뢰한다. 의사의 지시대로 대응을 한다.
- 약제의 부작용: 발진, 구역질, 구토, 혈압저하, 서맥, 주사약의 누출에 따른 피부장해
- 부하검사 시의 위험: 협심증, 심근증의 발작(흉부증상이나 부정맥)

순서 5 촬영한다(1회째, 부하 후)

- 방사선동위체가 심근에 거둬들여지는 모습을 감마카메라로 촬영, 해석한다.

순서 6 촬영한다(2회째, 안정 시)

- 부하검사 후 시간을 두고 다시 감마카메라로 촬영한다.

주의!

- 안정 시의 촬영을 하는 경우 검사 전에 식사를 하면 위로 가는 혈류가 증가하여 심근의 혈류를 평가하기가 어려워지므로 금식하였는지를 확인한다.

간호포인트

검사 중

- 혈압측정, 심전도감시를 하고 기록한다.
- 구급카트, 산소투여를 필요시에 바로 할 수 있도록 준비해 놓는다.
- 알레르기 증상의 유무를 관찰한다.
- 촬영하는 동안에는 될 수 있는 한 움직이지 않도록 환자에게 설명을 한다.
- 부하검사 종료 시 나중에 안정시의 촬영이 대기하고 있기 때문에 가능한 한 안정을 취하도록 설명한다.

검사 후

- 흉부증상이나 기분이 불쾌한지를 관찰.
- 불안이나 의문점이 있는지를 확인.

검사결과의 평가

- 단광자방출형 컴퓨터 단층촬영(single photon emission computed tomography: SPECT)에서는 심장을 3개의 방향에서 나누어 그 단면도를 나타내고 있다.
- 단면도의 부위에서 심근의 범위가 어떤 관상동맥에 의해 혈류를 공급받고 있는지 알 수 있다.

정위진단(허혈성심질환)의 기본 단층도

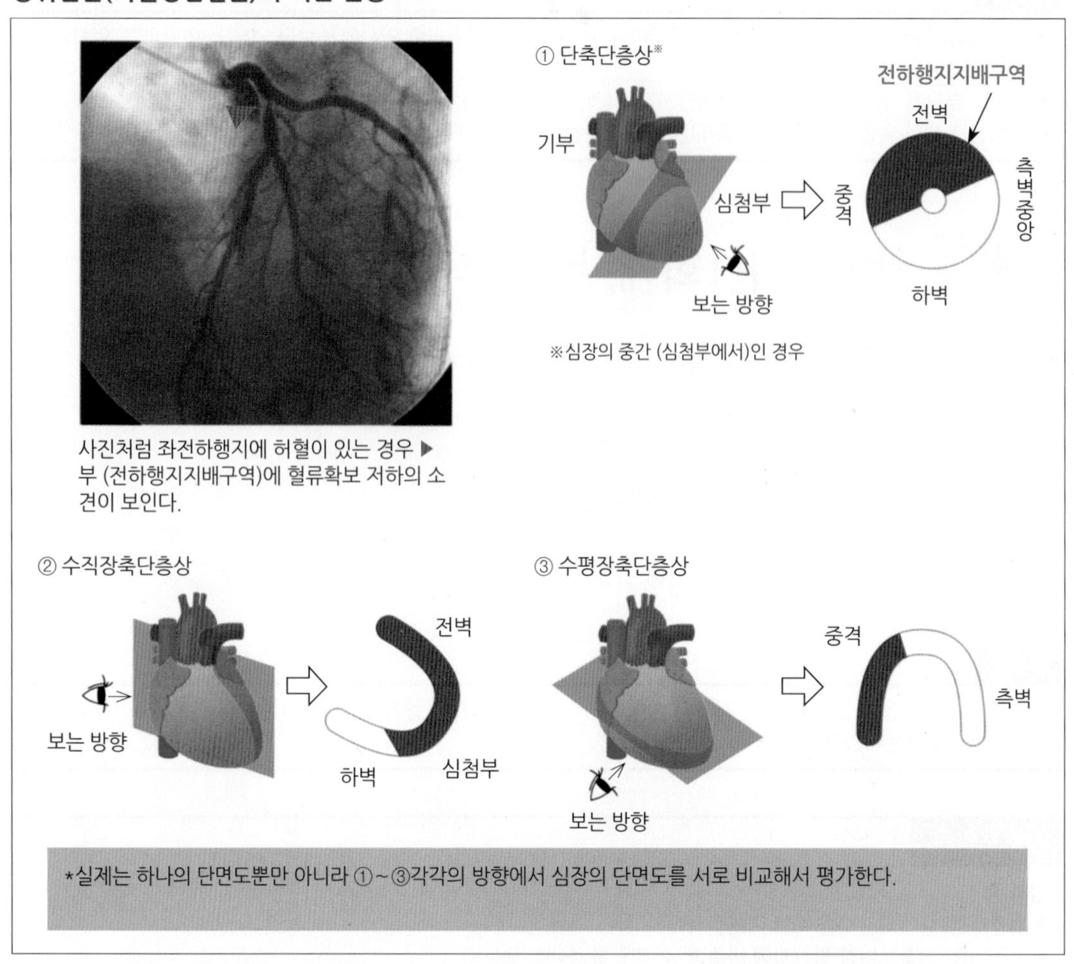

*실제는 하나의 단면도뿐만 아니라 ①~③각각의 방향에서 심장의 단면도를 서로 비교해서 평가한다.

단층상의 실제(좌전하행지허혈증례)

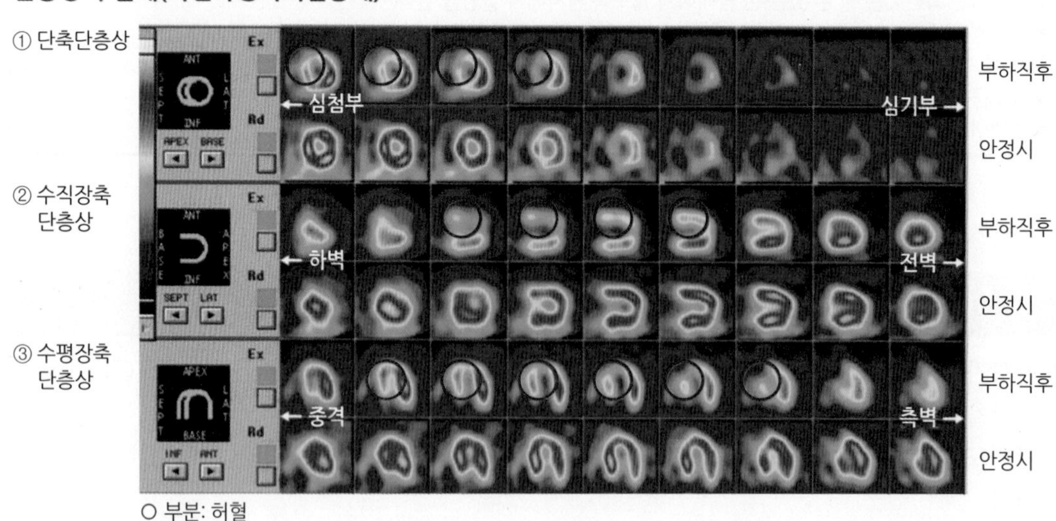

○ 부분: 허혈

(松谷裕梨)

심도자검사, 관상동맥조영술

심질환의 검사에는 심전도, 흉부X선, 심에코, 심근관류스캔 등이 있지만, 보다 상세한 방법이 심도자검사입니다.
카테터를 경피적으로 심장에 삽입하고 심장의 여러 부위의 압력을 측정하거나, 조영제를 사용하여 심장의 움직임이나 관동맥의 형태를 조사할 수 있습니다.

검사의 목적

- 심도자검사는 심장 및 그 근처 혈관의 혈액순환이나 형태, 기능을 조사하거나 혈관의 협착을 완화하는 검사 및 치료방법이다.
- 좌측심장에 카테터를 삽입할지, 우측심장에 카테터를 삽입할지는 질환에 따라 판단하고 좌심도자법과 우심도자법을 구분하여 사용한다.

Check 심도자검사의 목적

- 심강이나 대혈관의 내압측정
- 심박출량측정
- 혈액채취, 특히 혈액가스분석
- 심근생검
- 전기학생리적 검사
- X선학적 검사(심강이나 혈관의 조영)
- 카테터를 사용하여 치료

주의! 심도자검사의 금기

- 조영제과민증, 중증의 갑상선질환
- 중증감염증 내지는 원인불명의 발열
  - · 혈액응고이상
  - · 심부전 등 중증질환을 합병하고 있다
- 극심한 비만

심혈관조영검사의 주된 종류

명칭	특징(검사로 알 수 있는 것)
관상동맥조영(CAG)	● 관상동맥협착의 부위·정도·측부혈행로의 유무·정도
좌심실조영(LVG)	● 좌실의 형태·운동·승모판폐쇄부전의 유무·정도
우심실조영	● 우심실의 형태운동 ● 삼첨판폐쇄부전의 유무·정도
대동맥조영(AOG)	● 대동맥의 형태·혈역학상태·대동맥판의 형태·동태·대동맥판역류의 유무·정도
폐동맥조영(PAG)	● 폐동정맥루·폐동맥색전·좌심방내혈전·좌심방종양의 유무

좌심도자법

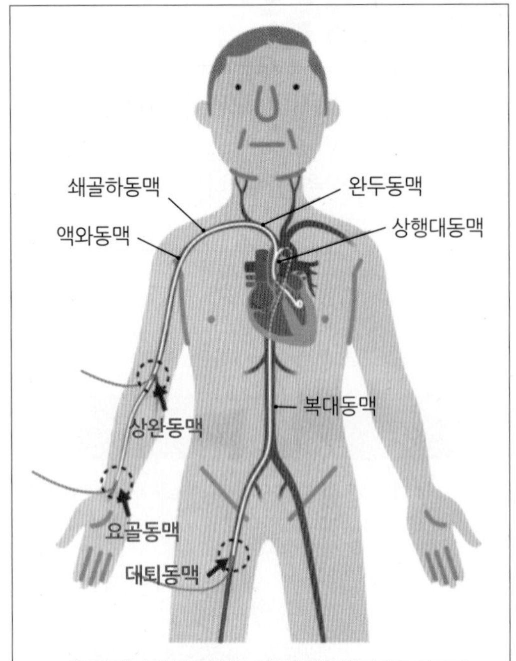

- 대퇴동맥이나 상완동맥, 요골동맥을 천자하고 카테터를 이용하여 관동맥을 조영제로 가득 채움으로써 관동맥병변을 시각적으로 검출시킬 수 있다. 관동맥병변의 상세한 해부학적정보를 얻을 수 있어서 그 진단적 의의는 매우 크다.
- 수술 전의 심장기능평가 등에서도 시행된다.
- 혈류에 역행하며 카테터를 진행시키기 때문에 우심도자검사에 비해 침습성이 높고 어렵다.

우심도자법(스완 간츠 카테터)

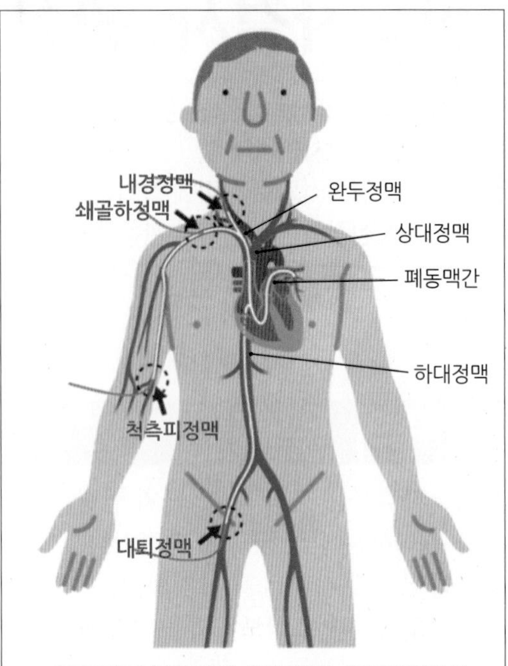

- 대퇴정맥이나 내경정맥, 쇄골하정맥, 척측피정맥을 천자하고 스완 간츠 카테터를 삽입한다.
- 스완 간츠 카테터의 끝부분에는 풍선이 붙어 있으며 삽입 후 풍선을 팽창시켜 혈류를 타고 폐동맥까지 진행시킨다.
- 심방내압이나 심박출량을 측정할 수 있다.
- 혈류와 같은 방향으로 카테터를 진행시키기 때문에 침습성이 낮은 것이 특징이다.

검사(관상동맥조영) 전의 관리

Point 1 환자상태의 파악

- 신장, 체중, 활력징후, 알레르기의 유무, 기왕력 등의 정보를 수집한다.
- 당뇨병약을 내복하고 있는 경우 식사제한에 따른 혈당치의 변동이나 인슐린을 중지해야 하는지 등, 의사에게 확인한다.
- 그 밖에 필요에 따라 심전도나 X선, 심에코, 변잠혈 등의 검사를 할 수 있도록 돕는다.

혈액 데이터의 확인

1. 응고능력	● 현저한 출혈경향이 있는 경우, 지혈장애가 예상되는 경우 등은 혈관조영 및 혈관내 치료의 부적응이 될 수 있다. ● 환자의 내복약에 주의가 필요하며, 항혈소판제나 항응고제 등 의사에게 중지여부를 확인한다.
2. 신장기능	● 신기능불량인 경우, 조영제의 사용량이 제한된다. ● 필요시, 검사 전부터 생리식염액을 부하하고 신기능의 유지에 애쓴다. ● 신기능의 정도에 따라서는 혈관조영 또는 혈관내 치료 후에 일시적인 투석이 필요한 경우가 있다.
3. 비구아나이드계의 당뇨병약의 내복여부	● 요오드 조영제를 사용하는 경우 유산 아시도시스를 일으킬 위험이 있기 때문에 당원에서는 원칙적으로 투여 전후 48시간은 중지한다.

Point 2 음식 및 수분섭취 제한

- 혈관조영술을 하는 경우 원칙적으로 음식섭취를 제한하므로 환자에게 설명한다(오전 중의 검사인 경우는 아침식사를 금식하고, 오후의 검사인 경우는 점심식사를 금식한다).
- 금식은 조영제의 부작용으로 구토에 의한 기관내흡인을 예방하기 위해서 시행한다.

Point 3 말초혈관의 확보

- 요오드알레르기나 상태가 급격히 악화하는 경우, 또 약제를 투여하기 위한 경로를 얻기 위해 말초정맥로를 확보해 놓는다.
- 말초혈관의 경로는 검사 후에 조영제를 배설시키기 위해 수액을 투여하지만, 다량의 수액에 의해 심부전을 초래할 가능성도 있으므로 확실한 관리가 필요하다.
- 천자부위와 반대 측에 확보한다.

Point 4 삭모

- 천자부위의 서혜부에 충분한 소독효과를 얻기 위해, 또 혈관조영 후 천자부의 압박고정을 테이프로 하기 위해 삭모를 한다. 체모가 있으면 테이프 고정이 느슨해 혈종형성의 위험을 증가시킨다. 테이프를 제거할 때에도 통증이 증가하지 않도록 삭모가 필요하다.
- 삭모에는 전기쉐이버를 사용한다.
- 삭모에 의해 피부에 사소한 상처가 생겨 세균이 침입하고 감염을 일으킬 위험이 있기 때문에, 최소한의 범위 내에서 삭모를 한다.

Point 5 말초동맥의 표시

- 대퇴동맥천자에 의한 혈관조영인 경우 족배동맥의 촉지부위에 표시한다.
- 검사 중이나 검사 후에 천자된 혈관의 폐색 등이 생기지 않았는지, 표시되어 있는 부위에 맥박이 만져지는지 여부를 판단하기 위해서 표시한다.

Point 6 항생제

- 검사목적의 혈관조영은 무균적으로 조작하므로 원칙적으로 항생제의 투여는 필요하지 않다.

Point 7 유치카테터 삽입의 여부

- 검사 후에 천자부위에 따라서는 침상에서의 배설이 필요하며, 사전에 환자에게 확인한다.

Point 8 식사의 변경

- 검사 후 요골동맥천자부위의 혈종예방을 위해서, 또 대퇴부천자인 경우는 침대를 30도로 하며 식사를 제공한다.

검사 후의 관리

Point 1 시술 후 침대의 준비

- 환자가 병동에 돌아오기 전에 시술 후 침대를 만든다.

Check 시술 후 침대의 준비사항

- 심전도 모니터
- 반시트
- 변기

Point 2 활력징후의 측정

- 병실 도착 직후, 30분 후, 60분 후, 120분 후, 첫 회 배뇨 시, 4시간 후, 6시간 후에 활력징후를 측정한다.
- 출혈하지 않게 천자 측의 손목이나 팔, 발을 구부리지 않도록 교육한다.
- 흉통이 나타났을 때는 신속하게 12유도심전도를 시행한다.

Check 관찰항목

- 흉부증상의 유무
- 심전도 모니터(HR, 부정맥, ST변화의 유무)
- 천자부위 출혈, 동통의 유무
- 족배·요골동맥의 촉지와 좌우차이의 유무
- 수분균형, 요비중
- 요통의 유무
- 일반상태

Point 3 안정의 해제

- 안정해제는 환자의 활력징후나 천자부위에 따라서 다르다.
- 병실에 돌아온 후 6시간 후에 천자부위를 소독한다.
- 의사가 지혈상태나 혈종형성의 유무 등을 확인하고, 의사의 지시 하에 안정을 해제한다.

천자부위를 소독할 때, 지혈이 되어 있고 활력징후가 안정되어 있으면 보통 화장실을 갈 수 있다.

- 다음 날 아침부터 병동 내 보행이 가능해진다.
- 요통 등이 있는 경우 필요할 때는 체위변경을 한다.

Check 천자부위별 안정시간

- 대퇴동맥: 드레싱교환까지 침상머리 30도까지 가능
- 상완동맥: 4시간 침대 위 제한, 그 후에 붕대교환까지 화장실 보행가능
- 요골동맥: 시술 후부터 화장실 보행가능

Point 4 수액 보충

- 수액을 주입하여 신속하게 조영제의 배설을 시행한다.

Point 5 영양

- 시술 후 병실로 돌아오면 바로 수분섭취가 가능하다. 그 후에 60분이 지나서 활력징후에 문제가 없으면 식사를 섭취할 수 있다.

검사결과의 평가

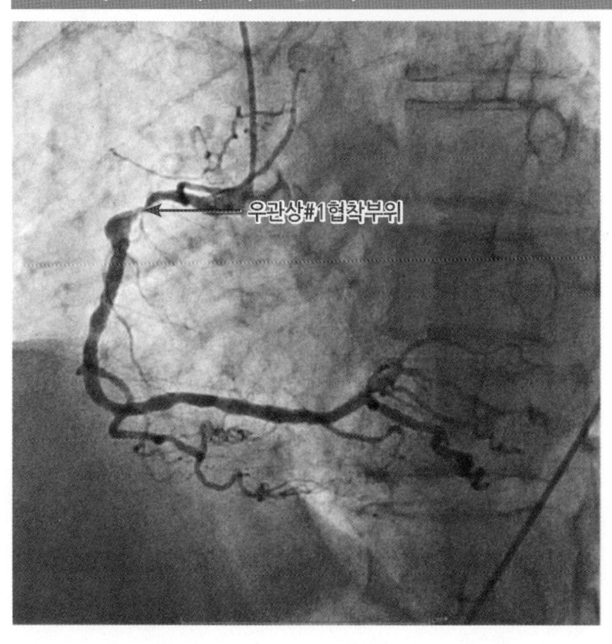

(小坂絵理子)

문헌

1. 齋藤宣彦: 간호사를 위한 순환기렉처 제3판. 文光堂, 도쿄, 1998.
2. 箕輪良行, 七條祐治 편: 혈관조영의 ABC. 中山書店, 도쿄, 2007.
3. 児玉和久 편: 급성심근경색의 호흡·순환관리 개정판2판. 메디카출판, 吹田, 2002.
4. 龍野勝彦: 심장외과 익스퍼트널싱 개정 제3판. 南江堂, 도쿄, 2004.
5. 藤井謙司, 中山美惠子 편: 빈틈없는 실천 심장카테터간호. 메디카출판, 오사카, 2008.

MRI검사

MRI(magnetic resonance imaging: 자기공명영상)검사란, X선촬영이나 CT처럼 X선을 사용하지 않고, 대신에 강한 자석과 전파를 사용하여 체내의 상태를 단면상으로써 촬영하는 검사입니다. 체내의 수소원자가 가진 약한 자기를 강력한 자장으로 흔들어 원자의 상태를 화상으로 만듭니다. 조직성상을 비침습적으로 진단할 수 있으며 심장의 기능을 간편하게 평가할 수 있습니다.

검사의 목적

- 심장MRI는 전문장치를 사용하여 환부나 혈류를 정밀하게 촬영하는 것으로, 심근경색이나 협심증, 심근증(확장형, 비대형, 사르코이도심근염, 아밀로이드증 등)을 판별하는 검사이다.
- 검사방법은 환자에게 침대에 위를 향해 누운 상태에서 자석이 들어간 커다란 터널 속으로 들어가게 한다.

Check MRI검사의 목적·특징

목적
- 심근의 벽운동 평가
- 심장기능의 판독
- 심근허혈 및 심근증의 평가 등

특징
- 임의의 방향에서 촬영할 수 있다
- 조영제 없이 혈류평가가 가능하다
- 뛰어난 조직분해능력
- 출혈의 진단에 유효

주의! MRI검사의 금기

- 심박동기를 이식하고 있는 환자
- 인공내이를 장착하고 있는 환자
- 그 밖에 금속을 이식하고 있는 환자(인공심장판막, 뇌동맥류클립 등)
- 금속제의 클립으로 고정되어 있는 카테터 삽입 중인 환자
- 폐쇄공포증인 환자
- 움직임이 심해서 검사종료까지 안정을 유지할 수 없는 환자
- 기타(문신 등은 화상의 위험성이 있다)

알아두어야 할 심장질환의 지식

허혈성심질환

IHD: ischemic heart disease

point

- 허혈성심질환이란 심근으로 혈류공급의 감소가 일어나서 심근장해를 일으키는 상태이다.
- 허혈성심질환은 일과성 심근허혈인 협심증과 심근괴사를 동반하는 심근허혈인 심근경색으로 크게 구분되며, 심근경색 및 불안정협심증은 조속한 치료를 필요로 한다.
- 관상동맥질환의 치료법에는 약물치료와 비약물치료(경피적 관동맥형성술과 관상동맥우회술)가 있다.
- 원칙적으로 수술의 적응은 관상동맥병변의 해부학적위치에 의해 결정된다.

허혈성심질환이란

- 허혈성심질환이란 심근으로의 절대적 내지는 상대적 혈류공급의 감소가 일어나서, 심근장해를 일으킨 병리적 상태를 말한다. 본 항에서는 동맥경화성 관상동맥(이하, 관동맥)병변을 동반하는 질환에 대해서 서술하겠다.

분류

- 동맥경화성 관상동맥병변에 따른 허혈성심질환의 종류는 표1에 분류해 놓았다. 허혈성심질환의 진단 후 질환의 분류를 하고 이 분류에 따라 질환의 중증도를 이해한다.
- 운동성협심증은 표 1의 안정(安定)운동성협심증이며, 불안정협심증이란 새로 발현된 협심증, 가속성, 안정(安靜)시 협심증을 말한다(표 2)[1, 2].
- 심근경색 및 불안정협심증은 조속한 치료를 해야 하며 급성관상증후군(acute coronary syndrome: ACS)이라고도 한다.
- ACS의 정의는 죽상경화반의 파열과 혈전형성에 따라 급성심근허혈을 나타내는 임상증후군이며, 급성심근경색, 불안정협심증, 심장성돌연사까지 포괄하는 질환개념이다[1].
- 허혈성심질환의 분류를 이해하는 것은 질환의 중증도 뿐만 아니라 치료의 시간이 결정되기

표 1 동맥경화성 허혈성 심질환의 분류

협심증(angina pectoris)	1. 운동성협심증(effort angina pectoris) · 안정 운동성협심증(stable effort angina pectoris) · 새로운 운동성협심증(angina pectoris of new onset) · 가속성 운동성협심증(crescendo angina pectoris) 2. 안정시협심증(spontaneous angina pectoris/angina pectoris at rest)
무증상심근허혈(silent myocardial ischemia)	
심근경색(myocardial infarction)	1. 급성심근경색(acute myocardial infarction): 증상발생 후 3일 이내 2. 아급성심근경색(subacute myocardial infarction): 증상발생 후 3일 이상, 30일 이내 3. 진구성심근경색(old myocardial infarction): 증상발생 후 30일 이상

때문에 아주 중요하다.

협심증

● 협심증이란 일과성심근허혈(심근괴사는 동반하지 않는다)에 의해 흉부의 통증을 일으킨 임상증후군이다(그림 1).

분류

● 발작원인(발작이 일어나는 상황)으로의 분류는 표 1과 같고, 운동성협심증과 안정시협심증으로 나눌 수 있다. 또 중증도 및 예후를 고려한 분류에 있어서는 안정협심증과 불안정협심증으로 분류한다.

● 안정협심증은 발작의 빈도, 증상발생양식 및 증상이 안정되어 있지만, 불안정협심증(표 2)은 심근경색으로 이행할 가능성이 아주 높은 협심증이다. 따라서 불안정협심증은 신속한 치료를 필요로 한다.

증상

● 주요 증상은 흉통, 압박감 및 방사하는 통증(왼쪽 어깨에서 왼쪽 팔쪽 목쪽)이 수분에서 10분 이내 지속되고 안정시에 나아진다.

검사

● 협심증을 확정진단하기 위해서는 부하(운동 또는 약물)에 의해 허혈상태를 유발하고 판단하는 검사를 한다. 불안정협심증에 대한 부하검사는 일반적으로 금기이다.

● 협심증의 확정 진단 후 재관류 해야 할 부위의 확정 및 치료방법 선택을 위해서도 해부학적인 평가를 필수로 해야 한다.

● 동맥경화병변부위의 확인 및 손상정도의 평가는 관동맥 CT, 관동맥 MRI 및 관동맥 조영검사(coronary angiography: CAG)를 한다.

1. 심전도

● 부하방법은 운동부하(트레드밀, 에르고미터, 계단식 오르내리기 테스트)가 일반적이다.

● 심전도변화(일과성 ST하강 또는 ST 상승)로 판정한다.

표 2 불안정협심증의 분류

〈중증도〉
Class I: 새로 발현한 중증 또는 증악형협심증
· 최근 2개월 이내에 발현한 협심증
· 하루에 3회 이상 발작이 빈발하거나 가벼운 운동으로도 발작이 일어나는 가속성 운동협심증. 안정시협심증은 나타나지 않는다.
Class II: 아급성안정협심증
· 최근 1개월 이내에 1회 이상의 안정협심증이 있지만 48시간 이내에 발작을 나타내지 않는다.
Class III: 급성안정협심증
· 48시간 이내에 1회 이상의 안정시발작을 나타낸다.

〈임상상황〉
Class A: 이차성불안정협심증(빈혈, 발열, 저혈압, 빈맥 등의 심외인자에 의해 출현)
Class B: 일차성불안정협심증(Class A에 나타난 것 같은 심외인자가 없는 것)
Class C: 경색 후 불안정협심증(심근경색 발증 후 2주간 이내의 불안정협심증)

〈치료상황〉
1) 미치료 또는 최소한의 협심증치료 중
2) 일반적인 안정협심증의 치료 중(보통 양의 β차단제, 장시간지속초산약, Ca길항제)
3) 니트로글리세린 정주를 포함한 최대한의 항협심증약제에 의한 치료 중

Braunwald E: Unstable angina. A classification. Circulation 1989; 80: 410-414.에서 개변(改變)

4 알아두어야 할 심장질환의 지식

2. 심에코

- 약물(도부타민)부하가 많이 이루어지고 있다.
- 도부타민을 점적하여 투여하고 고용량으로 좌실벽운동 저하 또는 소실을 가지고 판정한다.

3. 핵의학검사

- 부하심근혈류 이미지가 이루어진다.
- 부하 방법으로써는 운동부하가 일반적이지만, 약물(아데노신, ATP, 디피리다몰, 도부타민)부하 등도 이루어진다.
- 201Tl 또는 99mTc를 정맥투여하고 부하직후와 안정 시 영상을 촬영하여 그 비교에 의해 판정한다. 협심증은 부하직후의 영상에서 혈류가 감소하며, 안정 시에는 정상혈류를 나타낸다(재분포상). 또 진구성심근경색에서는 안정 시와 부하 시에 모두 혈류가 감소한다.

심근경색

- 심근경색이란 관상동맥의 폐색 또는 협착에 의해 혈류영역의 심근이 괴사에 빠진 상태를 말한다(그림 1).

분류

- 심근경색은 표 1과 같이 주로 급성심근경색과 진구성심근경색으로 분류된다.
- 급성심근경색은 아주 신속한 치료를 필요로 하고, 급성기사망의 약 50~60%가 심근경색 발생 후 1~2시간 이내에 사망했다고 보고되어 있다.
- 발생 후 6시간 이내에 재관류요법을 시행하면 심근장해는 가역적이며, 현재는 24시간 이내에 치료를 하면 심근리모델링이나 부정맥을 억제하고 삶의 질을 개선한다고도 보고되어 있다.

증상

- 갑자기 발생하고 30분 이상 지속되는 전흉부통증 또는 전흉부압박감을 나타낸다. 안정되어도 나아지지 않는다.

검사

- 급성심근경색의 진단은 병력, 심전도변화 및 혈액검사를 한다(그림 2, 표 3). 또 심에코로 벽운동저하 또는 소실부위의 확인과 심근경색의 기계적합병증의 유무를 검사한다.
- 심근경색의 확정진단 후 긴급 관상동맥조영검

그림 1 협심증과 심근경색의 차이

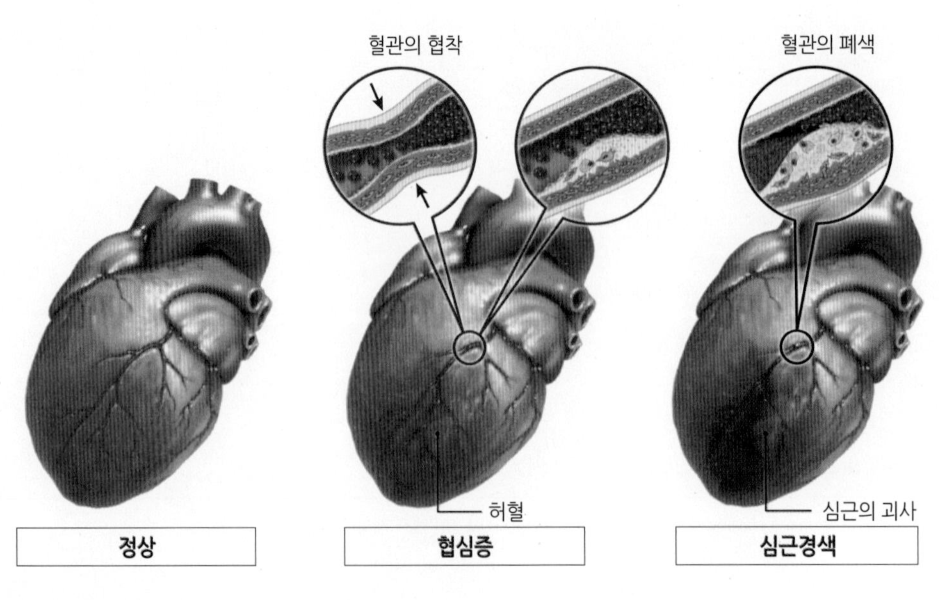

사를 하여 치료방법을 결정한다.

해부

- 심장·관상동맥의 해부 및 관상동맥의 AHA분류(그림 3, 그림 4)[3,4]를 나타낸다.
- 관상동맥은 좌우 대동맥동에서 분지(分枝)한다.
- 우측관상동맥은 우측대동맥동에서 시작하여 우실지 및 예각지를 분지한다. 그 후 우측후하행지 및 방실결절지로 분지한다.
- 좌측관상동맥은 좌측대동맥동에서 시작하여 좌측주간부에서 좌전하행지 및 좌회선지로 분지한다. 좌전하행지는 심실중격지 및 대각지를 분지한다.
- 좌주간부를 #5, 제1심실중격지를 분지하기까지의 전하행지를 #6, 제2대각지까지를 #7, 그것보다 말초를 #8이라고 부른다.
- 좌회선지는 둔각지를 분지하기까지가 #11, 둔각지를 #12, 둔각지분지에서 말초를 #13, 후측벽지를 #14라고 한다. 회선지에서 후하행지가 분지하고 있는 경우는 그 가지를 #15로 하고 있다.

치료

- 관상동맥질환의 치료법은 약물치료와 비약물치료가 있으며, 지속적으로 발전하고 있다.

그림 2 심전도의 변화

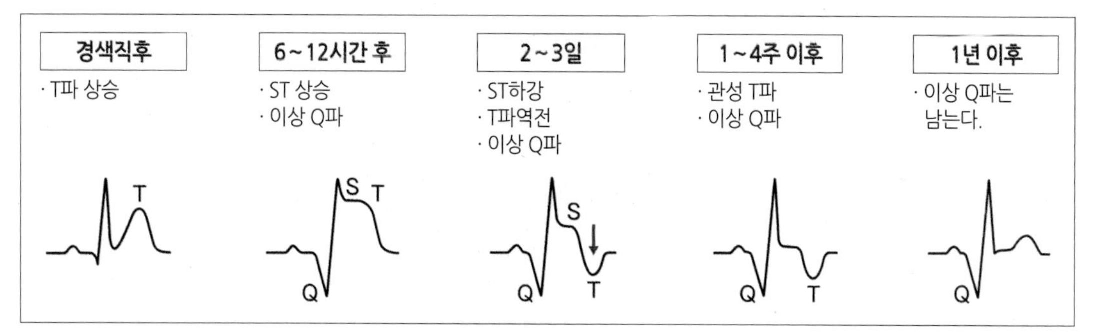

표 3 혈액생화학검사

	상승	정상화
백혈구수(WBC)	2~3시간	7일
심근크레아틴키나제(CK-MB)	2~3시간	3~7일
마이오글로빈	3~4시간	7~10일
크레아틴키나제(CK)	3~4시간	3~7일
트로포닌T	3~4시간	14~21일
심근마이오신경쇄 I	4~6시간	7~14일
아스파라긴산 아미노트랜스퍼레이스(AST)	6~12시간	3~7일
유산탈수소효소(LDH1,2)	12~24시간	8~14일
C반응성단백(CRP)	1~3일	21일
적혈구침강속도(ESR)	2~3일	5~6주

WBC: white blood cell CK: creatine kinase AST: aspartate aminotransferase LDH: lactic acid dehydrogenase
CRP: C-reactive protein ESR: erythrocyte sedimentation rate

- 비약물치료는 ① 경피적 관동맥형성술(percutaneous coronary intervention: PCI)과, ② 관상동맥우회술(coronary artery bypass graft: CABG)이 있다. 각각의 치료법을 표 4에 비교하였다.
- PCI는 카테터로 직접 관상동맥병변부를 확대하고 치료하지만, CABG는 관상동맥병변부에서 말초관상동맥에 새로운 혈관을 이식하여 우회로를 형성하여 말초관상동맥의 혈류를 확보한다.

수술의 적응증

- 유의협착병변이란 관상동맥조영의 AHA분류에서 좌주간병변은 50% 협착이상(以上), 다른 부위는 75% 이상으로 정의된다.
- 원칙적으로 수술의 적응은 질환분류로 결정되

그림 3 관상동맥주행의 지침이 되는 심장의 해부

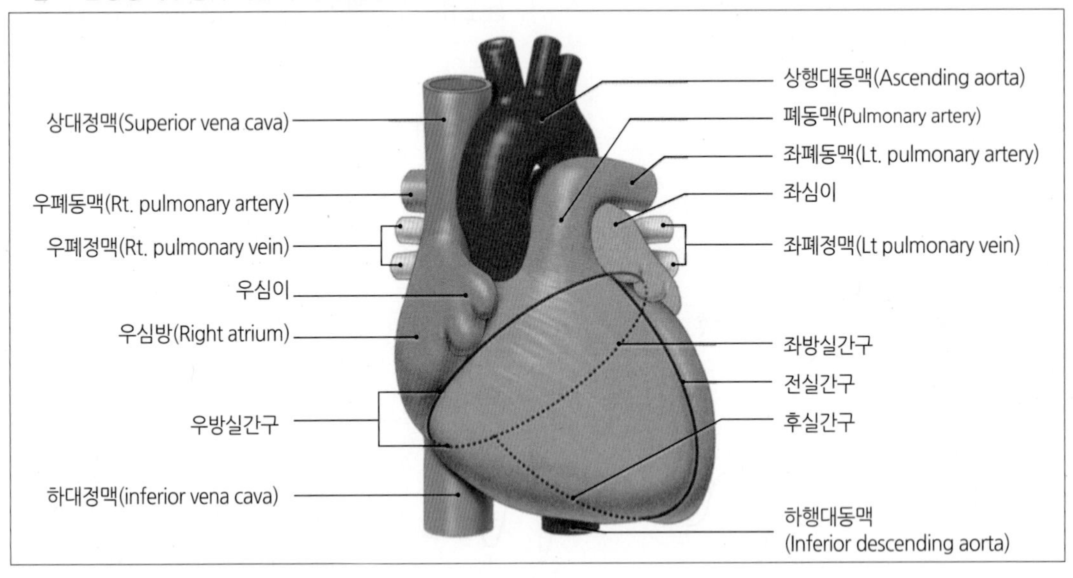

그림 4 AHA에 의한 관동맥분류와 관동맥의 해부

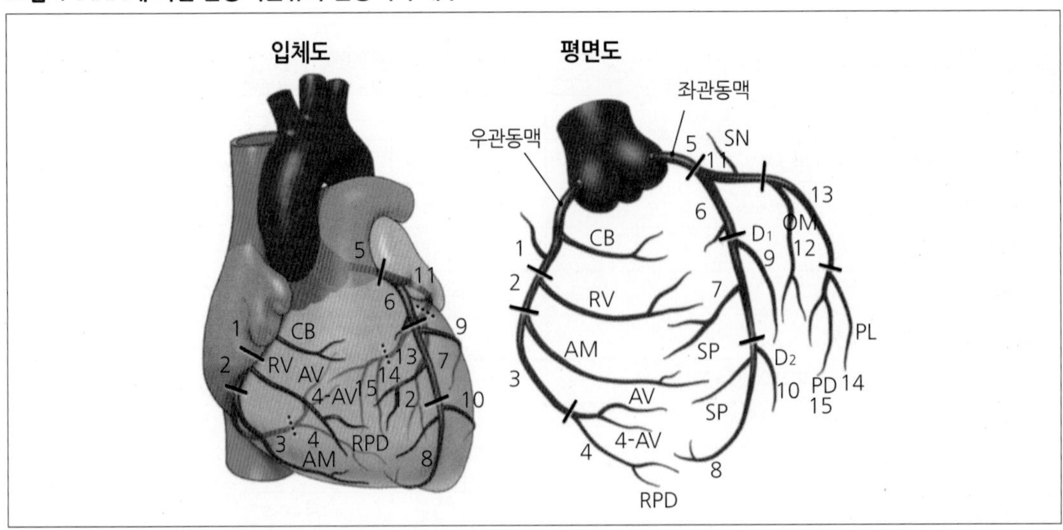

AHA(American Heart Association): 미국심장협회
[우측관상동맥] CB: 원추지 RV: 우실지 AM: 예각지 AV: 방실결절동맥 RPD: 후하행지(우(右)우위시)
[관상동맥] SP: 중격지 D: 대각지 SN: 동결절동맥 OM: 둔각지 PL: 후측벽지 PD: 후하행지(좌우위시)

는 것이 아니고 관상동맥병변의 해부학적 위치에 의해 결정된다.

수술방법

● 관상동맥우회술의 수술방법은 '일반적 우회술(conventional CABG)', 심폐기 가동없이 하는 '무펌프 우회술(off pump CABG, OPCAB, 그림 5), 혹은 '심박동하 우회술(beating heart by pass surgury)' 등으로 분류할 수 있다. 피부절개를 작게 하고 심박동하에서 우회술을 하는 '최소절개 우회술(minimalig invasive CABG, MIDCAB)가 있다.

● 서구유럽에 있어서 OPCAB율은 약 20~30%에 대해, 일본에 있어서 수술방법의 비율은 on-pump CABG(CCAB; 26%+on-pump beating; 11%)는 약 37%, OPCAB는 약 63%로 OPCAB가 많이 시행되고 있다[6].

● OPCAB와 CCAB의 비교에서는 수술사망 및 그래프트 개존율에 유의차는 없지만, 고위험 환자의 경우에는 OPCAB가 유익하다[7,8].

● on-pump CABG는 인공심폐기에 의해 안정된 혈역학상태를 유지하면서 수술하는 것이 가능

표 4 치료법의 비교

	장점	단점
약물치료	● 비침습성	● 증상, 삶의 질의 개선이 어렵다.
PCI	● 확실하게 증상 개선 ● (저침습성) ● 재PCI가 비교적 쉽다. ● 단시간에 가능	● 침습성 ● 부적당한 병변 있음 ● 재협착 있음 ● 합병증을 동반 ● 여러 혈관의 병변이 있을 경우 따른 완전혈행재건이 종종 곤란함
CABG	● 개존율이 높다. ● 완전혈류재건술이 가능	● 고침습성 ● 사망률이 높다. ● 재CABG는 쉽지 않다.

木村一雄, 海老名俊明: 관동맥질환의 수술적응과 적당한 시기. 신·심장병진료 프랙티스 심질환의 수술적응과 적당한 시기, 赤坂隆史, 吉川純一 편, 文光堂, 도쿄, 2004: 6-13.에서 인용

그림 5 OPCAB에 있어서의 수술전개

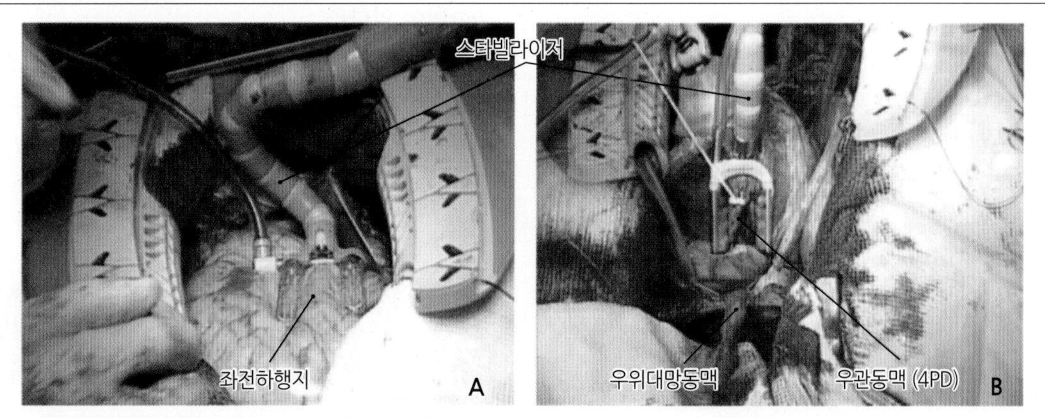

A: 좌전하행지의 전개. 고정장치에 의해 문합부를 고정하고 있다.
B: 우관동맥 4PD의 전개. 하트 포지셔너에 의해 심첨부를 견인하여 고정하고, 고정장치를 이용하여 문합부를 고정한다.

하다.

도관

- 우회술에 사용하는 새로운 혈관을 도관이라고 한다. 도관은 환자자신의 혈관(동맥/정맥)을 사용한다.
- 도관의 중추측은 절단하지 않고 말초측의 관동맥문합단만 절단하는 유경그래프트와 그래프트의 중추 및 말초측을 절단하여 사용하는 free graft로 나눌 수 있다.
- free graft는 in-flow(혈액공급원)가 필요하며, 중추측을 대동맥 또는 다른 도관에 문합해야 한다.
- CABG에 이용하는 도관의 종류와 그 특징에 대해서 서술하겠다. 각 도관의 특징을 이해하고 증례에 유익한 도관 관리를 생각해야 한다.

1. 내흉동맥(ITA; internal thoracic artery)

- 좌우쇄골하동맥의 분지이다. 흔히 내유동맥(internal mammary artery; IMA)으로도 부른다.
- 좌우흉동맥(LITA)을 이용한 좌전하행지로의 우회술(LITA-LAD)은 장기 우회술 개존율이 가장 뛰어나고 10년 개통율은 90% 이상이다[9,10]. LITA-LAD 우회술은 CABG에 있어서의 golden standard라고 할 수 있다.
- 우내흉동맥(RITA)도 거의 좌내흉동맥과 같은 성적이다.

2. 대복재정맥(GSV; great saphenous vein)

- GSV는 하지내측을 중추로 향하여 주행하고 있고, 서혜부에서 심부정맥과 합류한다.
- GSV의 장점은 ① 도관채취 시에 흉부의 시야를 방해하지 않는다, ② 긴 정맥이며 필요한 길이를 채취할 수 있다, ③ 대동맥문합된 SVG는 관동맥으로 커다란 혈액공급을 주는 것이 가능하다.
- 단점은 장기결과에서 동맥경화현상이 올 수 있어 다시 좁아지거나 막히는 경우가 다른 동맥도관에 비해서 빈도가 높아 장기 개통율이 다소 떨어지고, 일부 정맥류 등 혈관질환이 있는 환자에서는 사용이 불가능하다.

3. 우위대망동맥(rGEA; right gastroepiploic artery)

- rGEA는 복강동맥의 위십이지장동맥의 분지이며, 채취 시에는 개복해서 한다.
- 주로 제위치(in-situ graft)에서 사용하므로 자연 혈류를 공급받게 된다.
- 장기 우회술 개통율은 5년개존율 80.5%, 10년개존율 62.5%라고 보고되어 있다[11].

4. 요골동맥(RA; radial artery)

- 요골동맥은 상박에 위치하며 척골동맥과 서로 손가락을 통하여 연결되어 있어 서로 유통이 잘 되어 있으면 떼어내어 사용할 수 있다.
- 우회술 개통율은 3개월~5년 개통율 90% 이상으로 보고되고 있다[12, 13].
- 인공투석동정맥로, 척골동맥폐색, 레이노증상을 갖는 미용 및 기능상의 문제가 있는 경우는 채취할 수 없다.

문합방법

- 관동맥전벽을 노출하여 절개를 넣고 도관을 문합한다.
- 문합방법(그림 6)은 ① 단측문합법, ② 측측문합법이 있다[15].
- 측측문합은 다지 우회술 시에 1개의 도관으로 2군데 이상의 관동맥문합을 할 때에 이용된다.
- 우회술 후의 관동맥조영을 나타낸다(그림 7). 문합사는 비흡수사를 이용한다.

급성심근경색에 따른 기계적합병증

- 급성심근경색은 경색부위 및 괴사의 취약성에

의해 심각한 합병증을 일으키는 경우가 있다 (표 5). 이 항에서는 기계적 합병증에 의해 긴급수술을 요하는 질환에 대해 서술하겠다.

- 주로 긴급수술을 필요로 하는 기계적 합병증은 ① 심실중격천공(그림 8), ② 유두근(건삭) 파열에 따른 급성승모판폐쇄부전증, ③ 심장파열이다. 구명을 위해 수술이 필수지만 수술 사망률도 높다.

간호 포인트

- 심기능이 유지되고 있는 협심증에 대한 수술 후라면, 증상 및 활력징후에 유의하여 심장재활을 진행한다.
- 급성심근경색 또는 좌심기능저하에 대한 수술 후는 하루 소변량뿐만 아니라 매일 체중측정을 하고 철저한 수분관리를 해야 한다.

(遠藤英仁)

그림 6 문합방법

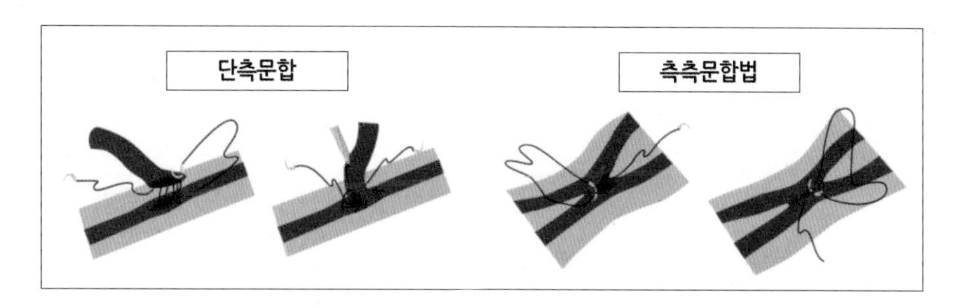

그림 7 CABG술 후의 관동맥조영

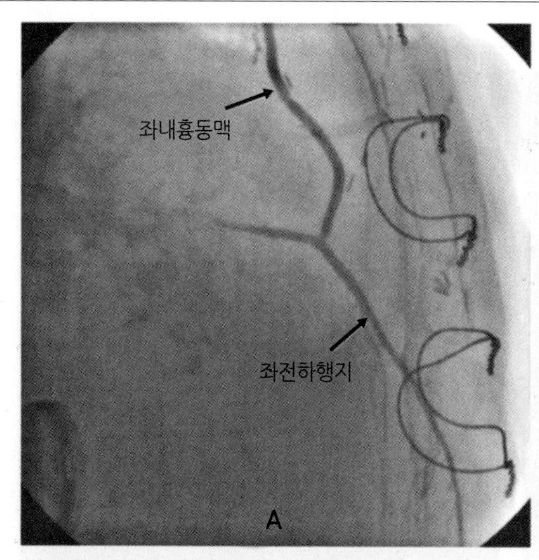

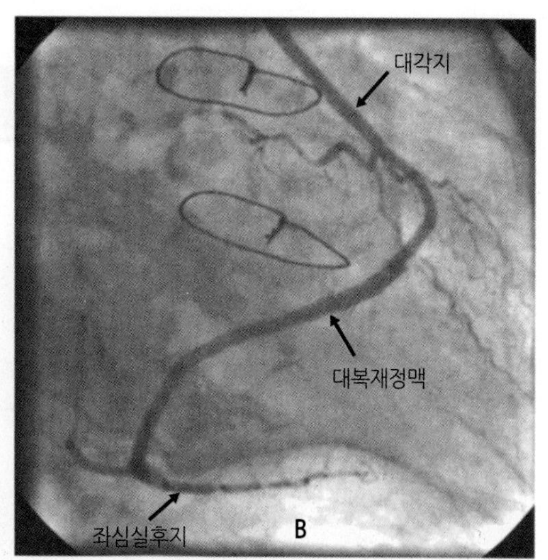

A: 좌내흉동맥을 이용한 전하행지로의 우회술
B: 대복재정맥을 이용한 대각지 및 좌심실후지로의 우회술

표 5 급성심근경색의 기계적 합병증

	심실중격천공	유두근(건삭)단열	심파열 *
발증빈도	0.5~4.0%	2~3%	2~3%
호발시기	경색 후 2~8일간	경색 후 2~5일간	경색 후 3~5일간
비치료시 사망률	24시간에 약 33%가 사망	24시간에 약 25%가 사망	24시간에 약 25%가 사망
경색부위	전벽중격경색: 60% 후하벽경색: 40%	후하벽경색이 최다 단열유두근 ; 후유두근: 75% 전유두근: 25%	전벽중격경색이 최다
구조	천공에 의한 좌우 션트 ↓ 심근경색에 의한 좌심부전 션트에 의한 우심부전 ↓ 심인성쇼크	급성(중증)승모판폐쇄부전증 ↓ 급성좌심부전 ↓ 심원성쇼크	심낭내출혈 ↓ 심낭압전 ↓ 심원성쇼크
임상증상	좌우션트에 의한 전수축기잡음 심부전증상	폐쇄부전증에 따른 전수축기잡음 심부전증상	무맥성전기활동(pulseless electrical activity: PEA)
수술시기	긴급수술	긴급수술	긴급수술
수술방법	심내수복술(David-Komeda법, Daggett법, Double-Patch법)	승모판치환술 승모판형성술	파열부수복술
수술사망률	30~40%	14~71%	14~71%

* 심파열은 oozing type(느릿한 출혈)과 blow-out type(크게 파열)으로 나눌 수 있으며 blow-out type의 구명율은 아주 낮다.

그림 8 심실중격천공의 영상소견

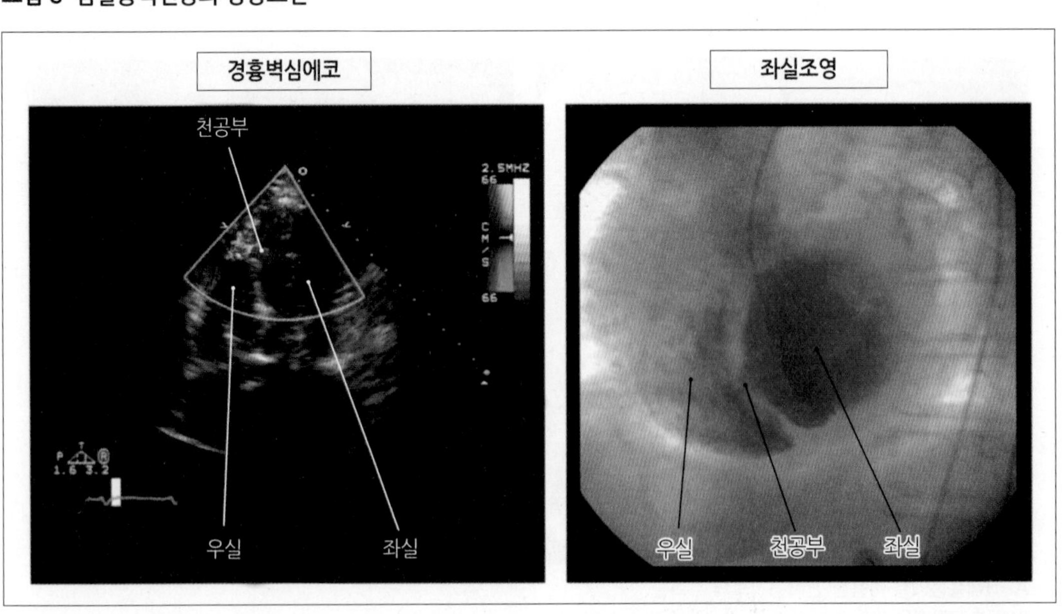

문헌

1. 순환기병의 진단과 치료에 관한 가이드라인. 급성 관증후군의 진단에 관한 가이드라인(2007년개정판). http://www.j-circ.or.jp/guideline/pdf/JCS2007_yamaguchi_h.pdf(2013년2월열람)
2. Braunwald E:Unstable angina. A classification. *Circulation* 1989; 80: 410-414.
3. 由谷親夫: 관동맥의 해부. 관동맥외과의 요점과 맹점, 高本眞一, 竹內靖夫 편, 文光堂, 도쿄, 2005: 8-15.
4. Austen WG, Edwards JE, Frye RL, et al: A reporting system on patients evaluated for coronary artery disease. Report of the Ad Hoc Committe for Grading of Coronary Artery Disease, Council on Cardiovascular Surgery, American Heart Association. *Circulation* 1975; 51(Suppl4): 5-40
5. 순환기병의 진단과 치려에 관한 가이드라인. 안정관동맥질환에 있어서의 대기적 PCI의 가이드라인(2011년개정판). (2013년2월열람) http://www.j-circ.or.jp/guideline/pdf/JCS2011_fujiwara_h.pdf
6. Sakata R, Fyjii Y, Kuwano H:Thoracic and cardiovascular surgery in Japan during 2009. Annual report by the Japanese association for thoracic surgery. *Gen Thorac Cardiovasc Surg*. 2011; 59: 636–667.
7. 순환기병의 진단과 치료에 관한 가이드라인. 허혈성심질환에 대한 바이패쓰 그래프트와 수술술식의 선택 가이드라인(2011년개정판). http://www.j-circ.or.jp/guideline/pdf/JCS2011_ochi_h.pdf(2013년2월열람)
8. 岡林均: 관동맥의 해부. 관동맥외과의 요점과 맹점, 高本眞一, 竹內靖夫 편, 文光堂, 도쿄, 2005; 160-163.
9. Lytle BW, Loop FD, Cosgrove DM, Ratliff NB, Easley K, Taylor PC. Long-term (5 to 12 years) serial studies of internal mammary artery and saphenous vein coronary bypass grafts. *J Thorac Cardiovasc Surg*. 1985; 89: 248–258.
10. Kitamura S, Kawachi K, Taniguchi S, et al. Long-term benefits of internal thoracic artery-coronary artery bypass in Japanese patients. *J Thorac Cardiovasc Surg*. 1998; 46: 1–10.
11. Suma H. Isomura T. Horii T, et al:Late angiographic resultof using the right gastroepiploic artery as a graft. *J Thorac Cardiovasc Surg* 2000; 120: 496-498.
12. Tatoulis J. Royse AG, Buxton BF, et al:The radial artery in coronary surgery. a 5-year experience-clinical and angiographic results. *Ann Thorac Surg* 2002; 73: 143-148.
13. Amano A. Hirose H. Takahashi A, et al:Coronary artery bypass grafting using the radial artery. midterm results in a Japanese institute. *Ann Thorac Surg*. 2001; 72: 120–125.
14. Buche M. Schroeder E, Gurne O, et al:Coronary artery bypass grafting with the inferior epigastric artery. Midterm clinical and angiographic results. *J Thorac Cardiovasc Surg*. 1995; 109: 553-559
15. Nicholas TK, Eugene HB, Donald BD, et al:*Cardiovasc Surg*, 3rd Edition. Elsevier Science, New York, 2003; 353-435.
16. 이원로, 서정돈. 임상심장학 2판. Chapter 57. 고려의학; 723-747.

판막증

valvular heart disease

point

- 심장판 즉 승모판, 대동맥판, 삼첨판, 폐동맥판에 있어서 기능부전을 칭하여 판막증이라고 한다. 협착증, 폐쇄부전증(=역류), 협착 겸 폐쇄부전증이 있으며, 이환하는 판은 단독과 복수(연합판막증)인 경우가 있다.
- 선천적이상과 후천적장해에 의한 것이 있으며, 후천적장해로서는 결합조직장해, 류마티스열, 감염성심내막염, 심근증, 심근허혈, 동맥경화 등이 있다.
- 청진소견, 심전도, 흉부X선, 경흉벽 및 경식도심장초음파검사, 심도자검사에 의한 심내압측정, 심혈관조영검사, CT검사 등이 병변의 확인과 정도의 판정에 도움이 된다.
- 내과적치료는 합병증으로 울혈성심부전에 대해서 이루어지며, 내과적치료법으로 개선되지 않는 심장판막증에 대해서 외과적 치료를 한다.

판막증이란

- 심장판 즉 승모판, 대동맥판, 삼첨판, 폐동맥판에 있어서의 기능부전을 통칭하여 판막증이라고 한다.
- 협착증, 폐쇄부전증(=역류), 협착 겸 폐쇄부전증이 있으며, 이환하는 판은 단독과 복수인 경우가 있어 복수인 경우는 연합판막증이라고 한다.
- 임상적으로 많이 문제가 되는 것은 승모판과 대동맥판이다.
- 삼첨판 질환은 승모판 질환의 2차적 병변으로서 폐쇄부전증으로 많이 나타나며, 연합판막증으로서 치료대상이 되는 일이 많다.
- 선천적 이상과 후천적 장해에 의한 것이 있고 후천적 장해로서는 결합조직장해, 류마티스열, 감염성심내막염(182페이지 참조), 심근증, 심근허혈, 동맥경화 등 다수를 들 수 있다.
- 승모판폐쇄부전증에서는 유두근기능부전이나 심근증에 의한 좌심실확대가, 급성대동맥판폐쇄부전증에서는 대동맥박리가, 삼첨판폐쇄부전증에서는 우심실확대가 그 원인이 된다. 판막 자체의 변성만이 원인이 아니고 그 지지조직의 변성, 변형이 원인이 된다는 것을 이해하는 것이 중요하다.
- 이전에는 승모판협착증으로 대표 되는 류마티스열 속발성판막증을 많이 볼 수 있었지만, 그 발생 빈도는 감소하고 대신하여 동맥경화성판막질환이 증가하고 있다.

증상

- 심장의 구조와 기능을 이해하고 각 판막질환이 심장의 어떤 부분에 어떤 부하가 걸리는지(용량부하, 압력부하 등)를 파악함으로써, 작용하는 대상기전(비대, 확대, 빈맥 등)과 파열되었을 때 일어나는 병태(우심부전, 좌심부전, 양측심부전, 2차성 질환에 의한 증상 등)를 이해하는 것이 중요하다(그림 1).
- 침해를 받은 판막, 기능부전의 종류와 그 정도에 따라 무증상, 경증부터 중증심부전을 나타내는 것까지 다양한 임상증상을 나타낸다.
- 심부전증상으로서 잦은 피로감, 운동 시 숨참, 호흡곤란, 기좌호흡, 폐수종, 전신부종, 간비대 등이 주요 증상이다.

그림 1 심장의 구조와 혈액의 순환

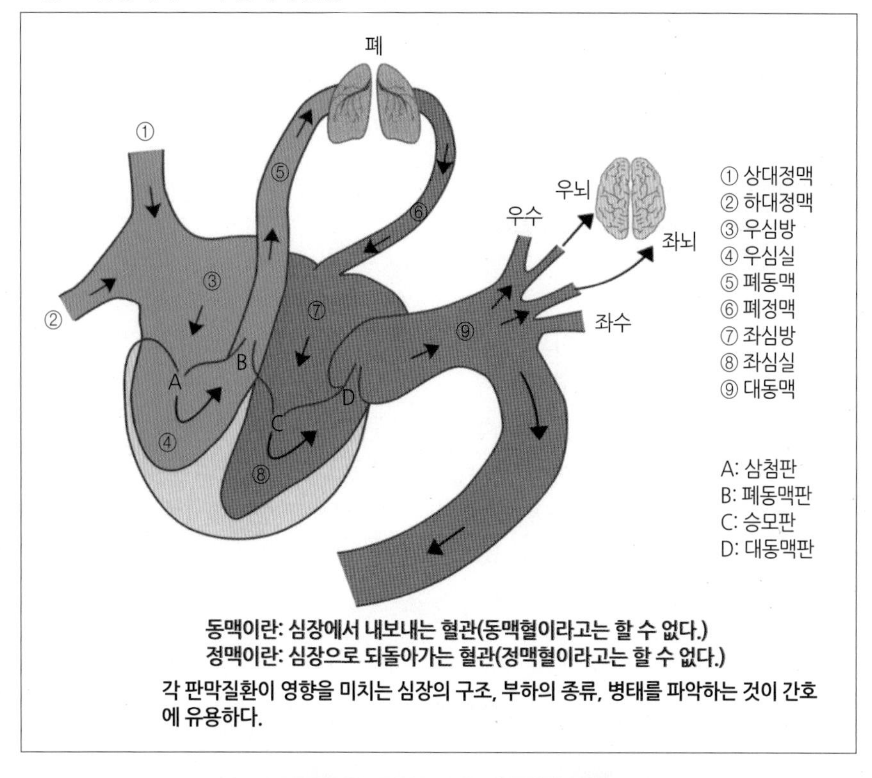

동맥이란: 심장에서 내보내는 혈관(동맥혈이라고는 할 수 없다.)
정맥이란: 심장으로 되돌아가는 혈관(정맥혈이라고는 할 수 없다.)

각 판막질환이 영향을 미치는 심장의 구조, 부하의 종류, 병태를 파악하는 것이 간호에 유용하다.

그림 2 대동맥판폐쇄부전증의 경흉벽 칼라도플러에코 소견

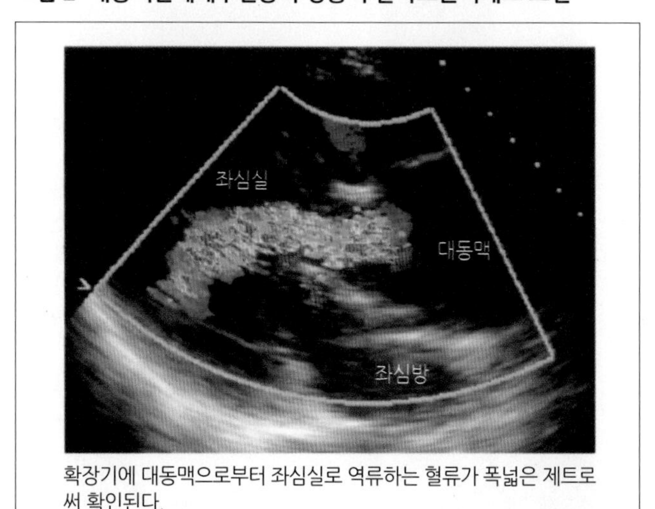

확장기에 대동맥으로부터 좌심실로 역류하는 혈류가 폭넓은 제트로써 확인된다.

● 대동맥판 폐쇄부전증에 있어서의 협심통, 대동맥판 협착증에 있어서의 협심통이나 실신발작, 승모판막증으로 인한 심방세동에 따르는 뇌색전 등의 동맥색전증 등, 각 판막증에 특징적으로 볼 수 있는 증상이 있다.

검사·진단

● 청진소견, 심전도, 흉부X선, 경흉벽 및 경식도 심에코, 심도자검사에 의한 심내압측정, 심혈관조영검사, CT검사 등이 병변의 확인과 정도의 판정에 유용하다(그림 2).

● 나트륨이뇨펩티드의 혈중농도(주로 BNP [brain natriuritic peptide: 뇌성나트륨이뇨펩티드])도 심부전의 정도를 반영한다.

치료

내과적 치료

● 일반적으로 판막증에 대한 내과적치료는 합병증이 발생한 울혈성심부전에 대해서 이루어진다. 안정, 염분제한, 이뇨제, 디지털리스, 안지오텐신 변환효소(angiotensin converting enzyme: ACE)저해제, 안지오텐신 Ⅱ 수용체 길항제(angiotensin Ⅱ receptor blocker: ARB), 카테콜라민제제, 혈관확장제, 포스포디에스테라아제(PDE) Ⅲ 길항제, β차단제, 인간심방나트륨이뇨펩티드(human atrial natriuretic peptide: h-ANP) 등이 이용된다.

● 기본적으로는 내과적 치료법에 저항하는 심장판막증에 대해서 외과적 치료를 한다. 구체적으로는 「순환기병의 진단과 치료에 관한 가이드라인」에 따라 판단한다.

● 증상, NYHA분류＊, 판구면적, 폐쇄부전의 정도, 심방심실간압력차, 심실대동맥간압력차, 좌심실경, 좌실수축능, 좌실벽후, 부정맥의 유무, 폐동맥압, 관(상)동맥질환의 유무 등 많은 지표로부터 질환에 따라 검토항목이 선택된다.

＊NYHA(New York Heart Association classification of cardiac patients)분류: 뉴욕 심장협회가 정한 심부전의 중증도 분류 (→206페이지).

그림 3 기계판막에 의한 2개 판막(대동맥판과 승모판)치환술 후 X선 투시상

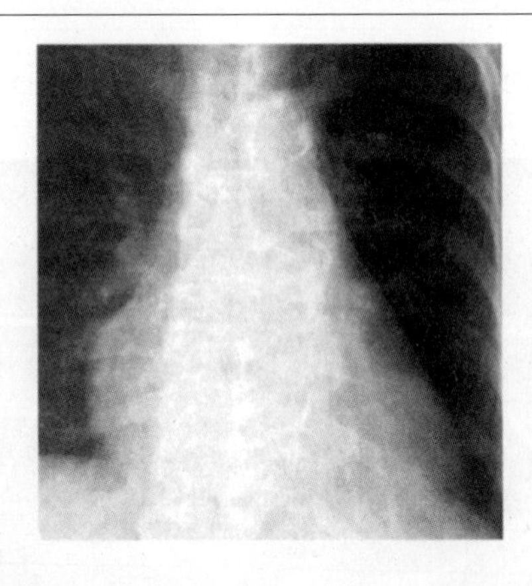

수술 전 정면 X선 영상
우제2궁(우심방 또는 좌심방)의 돌출과 폐울혈상(폐야혈관 음영의 증강)을 확인할 수 있다.

정면

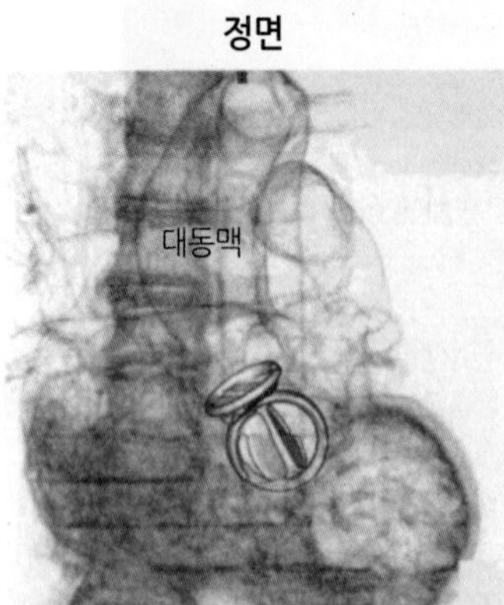

측면

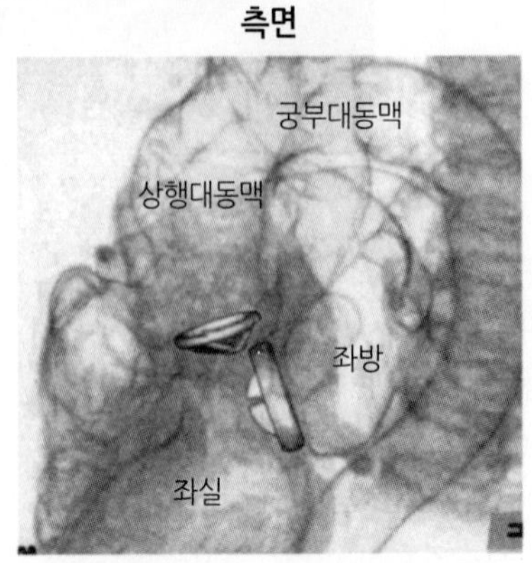

큰 쪽이 승모판용 기계판막, 작은 쪽이 대동맥판용 기계판막. 수술 전 정면 X선 영상을 참조하여 위치관계를 파악한다.

그림 4 인공판의 예

기계판막
파일로라이트카본으로 만든 이엽판

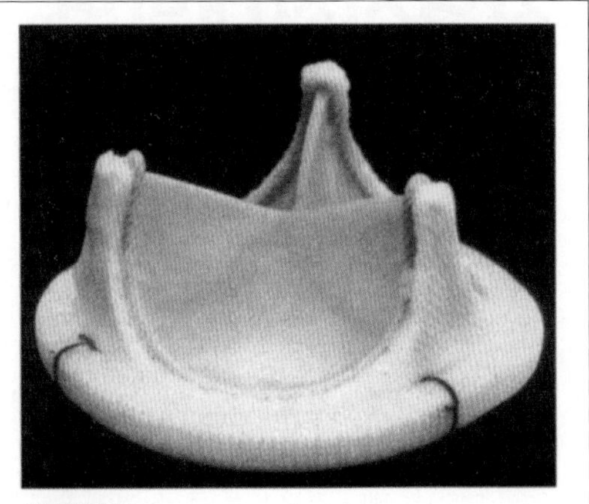

생체판막
소의 심막으로 만든 삼엽판

외과적 치료

- 외과적 치료는 흉골정중절개에 의한 인공심폐기를 이용한 판막치환술이 기본수술방법이다(그림 3).
- 인공판에는 생체판막과 기계판막이 있으며 각각 일장일단이 있다(그림 4).
- 특수한 판막으로서 스텐트리스 이종생체판이나 동종 생체판(호모그래프트)이 있다. 승모판 폐쇄부전증에 대해서는 링이나 인공건삭 등을 이용한 자기판막형성술이 널리 시행되고 있다(그림 5). 소늑간개흉이나 흉골부분절개에 의한 저침습술도 시행되고 있다.

그림 5 승모판 폐쇄부전증의 수술 중 사진

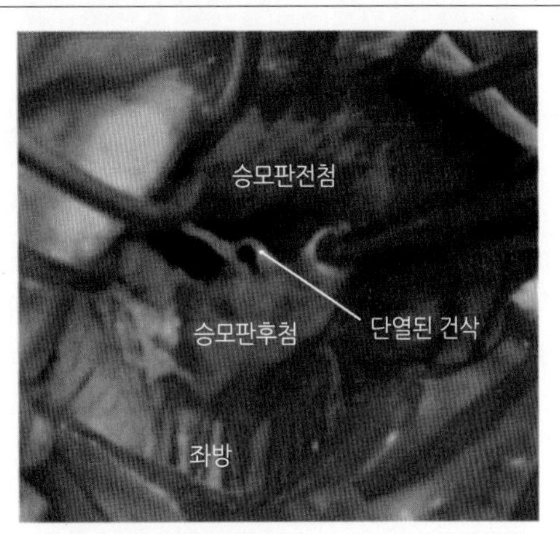

좌심방에서 관찰. 후첨에 부착하는 건삭이 복수단열되고, 지지를 잃은 판이 좌심방측으로 일탈해 있다. 자기판형성술의 좋은 적응이다.

간호 포인트

- 수술 후 카테콜라민의 사용법은 수액불균형이나 부정맥의 관리, 강압약의 개시, 와파린을 시작으로 하는 항응고요법 등 환자 각각의 병태에 따른 검토와 대응을 필요로 한다. 의료팀이 충분히 상담하면서 치료를 진행해 가는 것이 중요하다.

(澄田博)

감염성심내막염
IE: infectious endocarditis

point

- 감염의 유발원인으로 해서 심내막, 특히 판막과 그 지지조직에 염증을 일으킨다. 색전증상, 감염증상, 심부전증상 등을 나타낸다.
- 발생의 원인으로서 치과치료, 충치나 비뇨기과, 이비인후과, 산부인과적 처치, 카테터 검사 등을 들 수 있다. 심장박동조율기, 중심정맥 카테터, 인공판막 등의 이물도 유발원인이 된다.
- 내과적 치료에서 심부전을 조절할 수 없는 경우, 색전증상을 반복하는 경우, 적절한 항생물질의 투여에도 불구하고 감염을 컨트롤 할 수 없는 경우, 인공판막감염인 경우 등은 외과적 치료의 적응이 된다.

감염성심내막염이란

- 어떤 감염이 원인이 되어 심내막, 특히 판막과 그 지지조직에 염증을 일으키는 질환으로 색전증상, 감염증상, 심부전증상 등을 나타낸다(그림 1, 2).
- 수일 또는 수주 사이에 전신 증상이 나타나는 급성심내막염과 수주 또는 수개월 동안 심하지 않은 독성 증상을 보이는 아급성형으로 나눌 수 있다.
- 급성심내막염에서는 황색포도구균의 빈도가 높고, 아급성심내막염에서는 녹농균, 장내구균이나 포도알균 등을 볼 수 있다.
- 발생의 배경이 되는 균혈증을 일으키는 원인으로서 발치 등의 치과치료, 충치나 비뇨기과, 이비인후과, 산부인과적 처치, 카테터검사 등을 들 수 있다. 심장박동충격기, 중심정맥카테터, 인공판막 등의 이물도 유발원인이 된다.
- 환자측 요인으로써 당뇨병이나 방사선요법, 항암제, 면역억제제의 사용 등 방어능력의 저하가 유발원인이 된다.

증식증

- 제트혈류에 의해 심내막, 판, 주위조직이 손상을 받아 형성된 혈전에 균혈증의 세균들이 부착하여 증식하여 주변의 조직을 파괴하면서 혈소판이나 피브린으로 굳어지면서 감염성 혈전을 형성해 나간다. 이것이 심내막면에 사마귀처럼 부착하기 때문에 증식증(vegetation)이라고 부른다(그림 3).

기초질환

- 심실중격결손증(ventricular septal defect: VSD), 동맥관개존증(patent ductus arteriosus: PDA), 승모판일탈증후군(mitral valve prolapse: nMVP), 승모판폐쇄부전증(mitral regurgitation: MR), 대동맥판막폐쇄부전증(aortic regurgitation: AR) 등을 들 수 있다. 어느 것이나 심내에 혈류제트를 일으킨다.
- 심방중격결손증(atrial septal defect: ASD)은 포함되지 않는다(심방간 혈류에 의해서는 제트가 일어나지 않기 때문에).

그림 1 심막의 구조

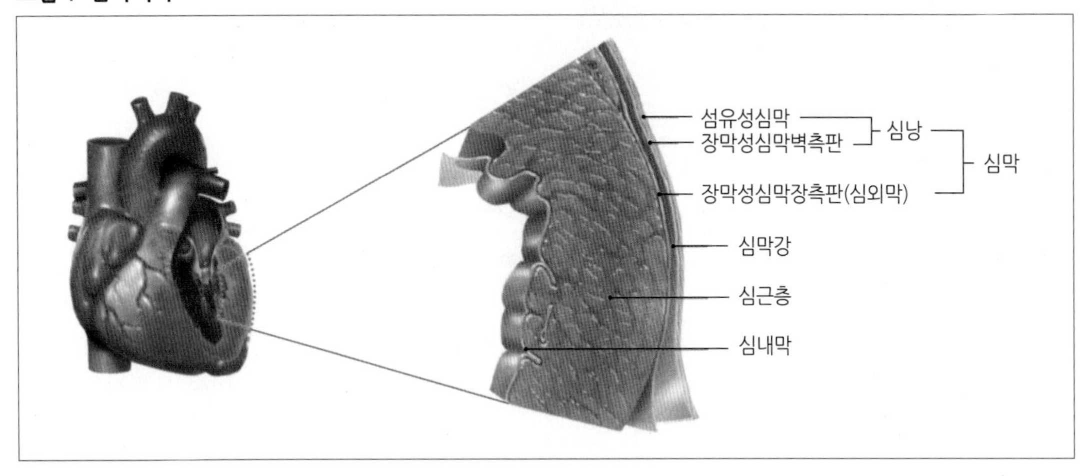

그림 2 심내막염이 발생하기 쉬운 부위

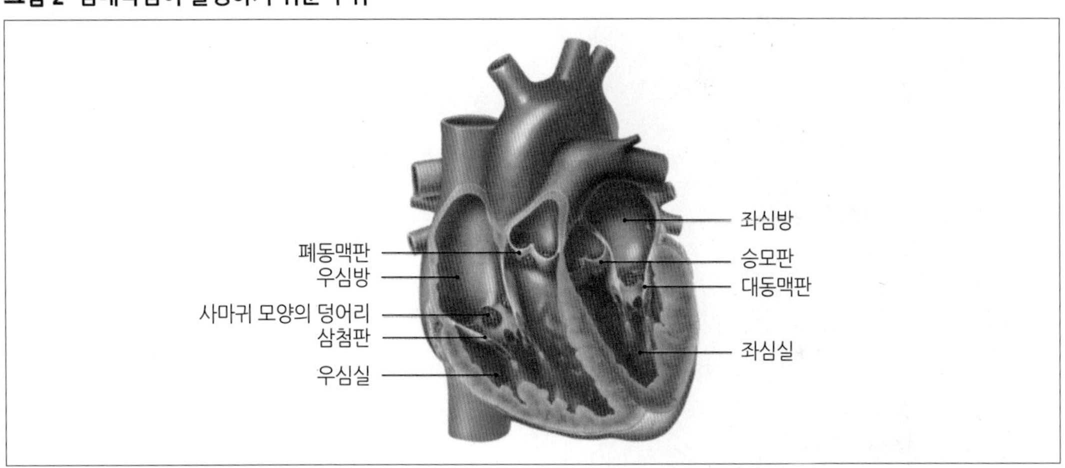

그림 3 승모판의 우췌

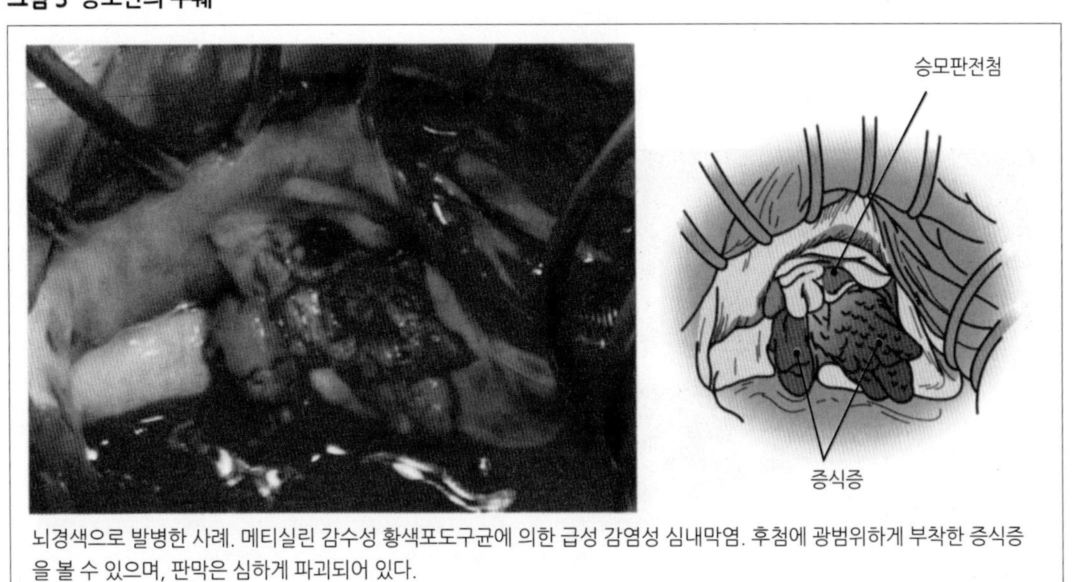

뇌경색으로 발병한 사례. 메티실린 감수성 황색포도구균에 의한 급성 감염성 심내막염. 후첨에 광범위하게 부착한 증식증을 볼 수 있으며, 판막은 심하게 파괴되어 있다.

증상

감염증상

- 발열, 근육통, 관절통, 비장비대를 일으킨다.

심부전증상

- 새로운 심잡음을 동반한 심부전이 나타난다.

색전증상

- 증식된 물질이 혈류를 타고 각 장기의 색전증상을 일으킨다.

피부증상

- 피부증상으로서 오슬러결절(손가락, 발가락의 유통성 적자색 소결절. 국소적인 혈관염 또는 알레르기반응이라고 한다)이나 제인웨이병변(손바닥이나 발바닥에 보이는 무통성홍반, 그림 4)을 자주 볼 수 있다.

그림 4 제인웨이병변

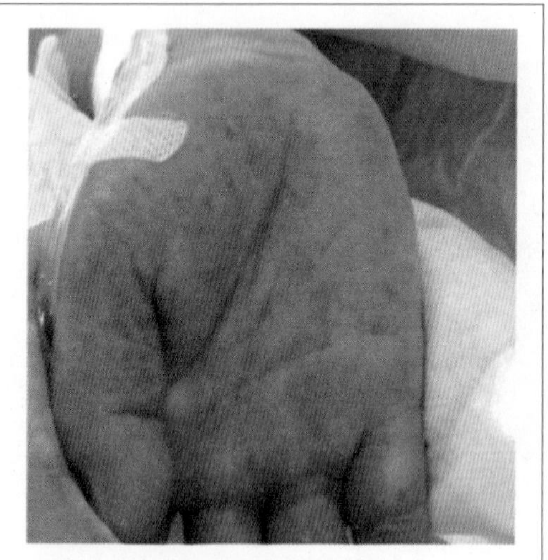

손바닥에 무통성 홍반이 보인다.

검사·진단

혈액검사

- 혈침항진, CRP상승, 백혈구수 증가, γ글로불린치 상승 등을 나타낸다.
- 혈액배양에서 기염균을 동정한다.

심에코

- 경흉벽, 경식도심에코로 증식증의 부착부위와 크기, 판막파괴와 역류의 정도, 윤상농양의 유무, 션트의 유무 등을 확인한다(그림 5, 6).

그림 5 승모판 감염성 심내막염의 경흉벽 심에코(왼쪽)와 컬러도플러에코(오른쪽)

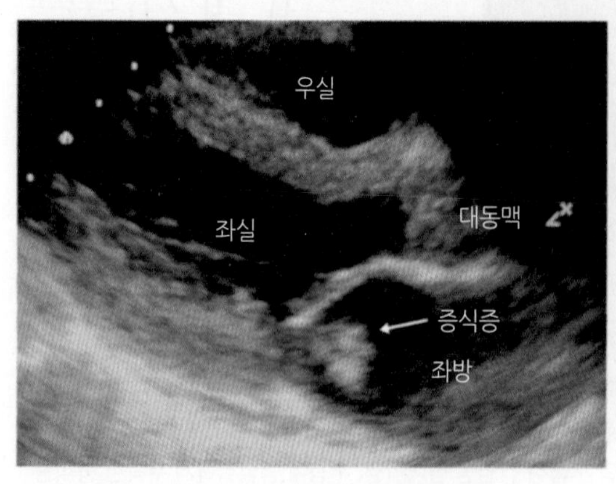

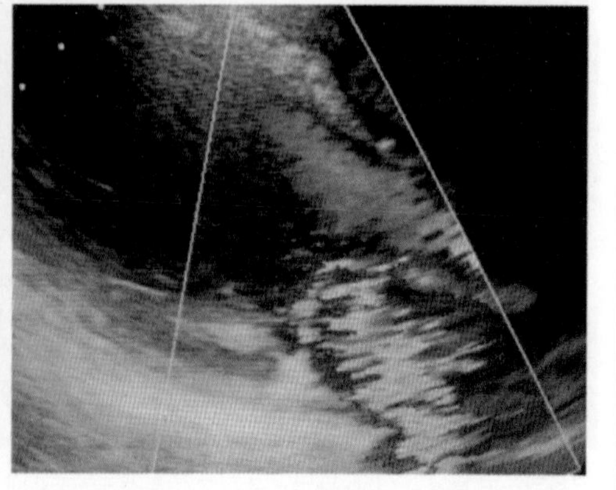

승모판 뒤쪽에 부착된 가동성 있는 증식증을 볼 수 있다(그림 3과 같은 증례). 컬러도플러로 고도의 승모판폐쇄부전을 볼 수 있다.

그림 6 대동맥판감염성심내막염의 경식도심에코

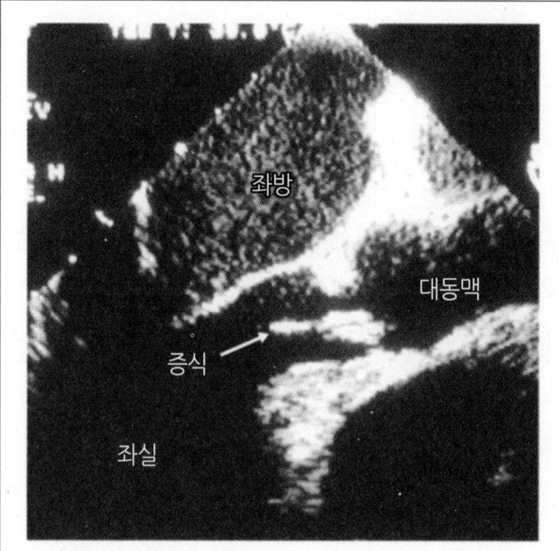

대동맥판에 부착된 증식을 볼 수 있다.

치료

수술적응

● 내과적 치료로 심부전을 조절할 수 없는 경우, 색전증상을 반복하는 경우, 적절한 항생물질의 투여에도 불구하고 감염을 조절할 수 없는 경우, 윤상농양을 형성하는 경우, 인공판막감염의 경우 등은 외과적 치료의 적응이 된다(자세한 것은 일본순환기학회 「순환기병의 진단과 치료에 관한 가이드라인」을 참조).

외과치료

● 감염부위의 충분한 제거가 원칙이다. 판막주위나 심근에 감염이 퍼져 있는 경우는 제거 후의 재건이 필요하다. 결손부위 보강에는 자기심막, 소(또는 말)의 심막을 이용하는 경우가 많다.

● 승모판감염에서는 판막파괴가 국소적인 경우에는 판막형성술을 하는 경우도 있지만, 인공판막치환술을 하는 경우가 많다.

● 대동맥판위에는 인공판막에 더하여 감염에 유리하다고 알려진 이종 스텐트리스 생체판이나 동종 생체판(호모그래프트)의 사용도 고려된다.

간호 포인트

● 감염성심내막염의 외과치료는 수술과 수술 후 수 주간에 걸친 항생물질투여로 구성되어 있다. 청진소견, 발열양상, 혈액검사, 심에코에 의해 감염이 조절되고 있는지 신중하게 판단한다.

● 경과가 양호한 경우라도 수술 후 장기입원이 필요하기 때문에, 충분한 설명으로 치료를 이해시킨 후에 정신적 지지를 하는 것도 중요하다.

(澄田博)

압축성심낭염

constrictive pericarditis

point

- 압축성심낭염은 심막의 비후나 유착에 의해 심장확장이 장해를 받는 질환으로, 급성심낭염으로 시작되는 경우가 많다. 대부분은 바이러스성 급성심낭염이 만성기에 나타난 것이라고 추정되지만, 방사선조사 후 악성신생물, 교원병, 심장수술 후, 혈액투석, 외상 등도 원인으로 들 수 있다.
- 호흡곤란, 복부팽만감, 전신권태감, 쉽게 피로함, 체중증가, 식욕부진 등을 볼 수 있다.
- 만성 압축성심낭염은 내과적 치료가 일과성으로 효과가 나타나는 경우도 있지만, 진행성 질환이고 최종적으로는 심장악액질에 이르러 사망한다.
- 압축성심낭염의 술후 경과는 극적인 개선을 보이는 경우에서 장기입원관리를 필요로 하는 경우까지 다양하다.

압축성심낭염이란

- 압축성심낭염이란 심막의 비후나 유착에 의해 심장의 확장이 장해를 받는 질환이다.
- 급성심낭염으로 인해 시작되는 경우가 많아 증가된 심낭액을 대신하여 점차로 심막의 비후나 유착을 일으키고, 또한 석회화를 동반함으로써 정도가 심해진다.
- 그 결과 심장이 딱딱한 갑옷 속에 갇힌 듯한 상태, 즉 심장의 확장기 충만이 장해를 받은 상태가 된다.
- 이전에는 결핵이 많았지만 최근에는 감소하고 약 반 수가 원인불명이다.
- 대부분은 무증상으로 지나간 바이러스성 급성심낭염이 만성기에 나타난 것이라고 추정되지만, 그 밖에 방사선조사 후 악성신생물, 교원병, 심장수술 후, 혈액투석, 외상 등을 원인으로 들 수 있다.

증상, 진찰 소견

증상

- 심장의 확장이 장해를 받으면 정맥환류의 감소, 심박출량의 저하, 울혈이 생기며, 울혈성 심부전과 유사한 증상을 나타낸다.
- 호흡곤란, 복부팽만감, 전신권태감, 쉽게 피로함, 체중증가, 식욕부진 등을 볼 수 있다.

소견

1. 이학소견

- 간비대, 복수, 흉수, 부종, 흡기 시에 경정맥이 팽대하는 쿠스마울(Kussmaul)징후＊등을 나타낸다.
- 심각한 상태에서는 소화관의 울혈에 의한 단백누출성위장증을 초래하여 저단백혈증, 저알부민혈증을 나타낸다.

2. 검사소견

- 흉부X선사진에서는 심막의 석회화를 약 반 수의 증례에서 볼 수 있다.
- 흉부CT에서 비후한 심막이 확인된다(그림 1, 2).
- 심에코에서는 폭넓은 심막이 보인다.

＊쿠스마울징후: 흡기에 의해 정맥환류가 증가해도 심강내 용적이 증가하지 않기 때문에 중심정맥압이 정상과 반대로 상승함으로써 일어난다.

그림 1 흉부CT ①

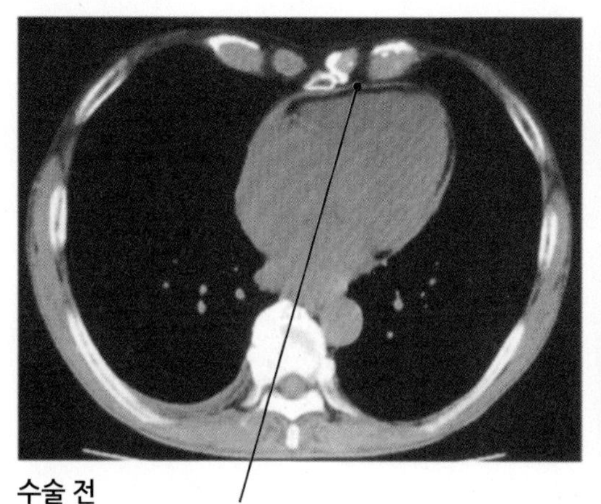

수술 전
비후된 심막이 나타난다.

수술 후
비후된 심막이 제거되어 심내강은 수술 전에 비해 확대되어 있다. 배측(背側)에 일부 잔존한 비후심막을 볼 수 있다. 심내압은 정상화되었다.

그림 2 흉부CT ②

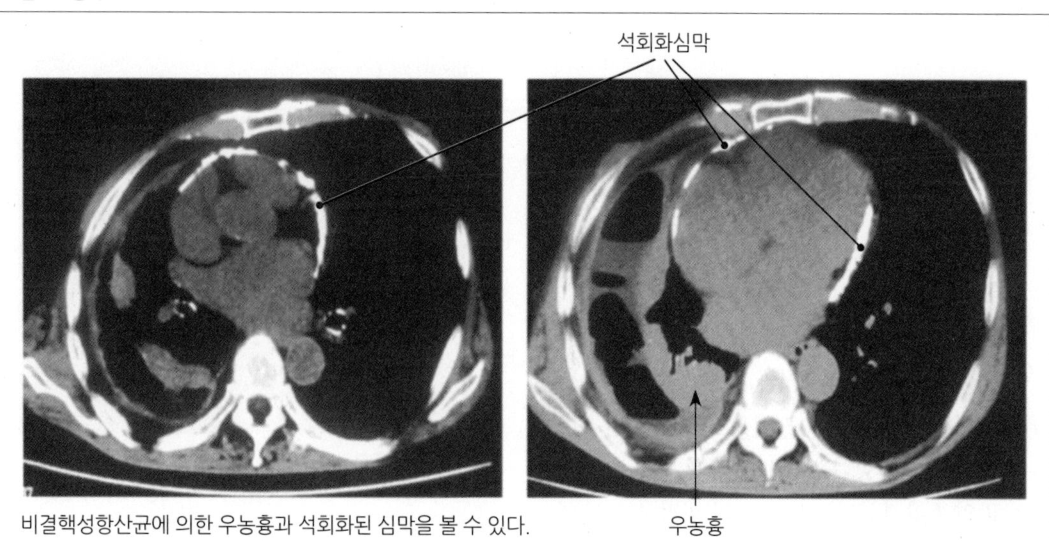

비결핵성항산균에 의한 우농흉과 석회화된 심막을 볼 수 있다.

- 도프라에코법에서 폐정맥혈류속파, 좌실유입혈류속파 등이 호흡에 따라 정상과 다른 변화를 보인다.
- 심장카테터 검사에서는 확장기의 사강: 우심방압, 좌심방(폐동맥쐐기)압, 우심실압, 좌심실압이 상승하여 거의 비슷하게 된다. 심실의 압력파형은 "함몰과 평편압"을 나타낸다(그림 3).

치료

수술적응

- 만성압축성심낭염은 안정, 염분제한, 이뇨제 등의 내과적 치료가 일과성으로 효과가 나타나는 경우도 있지만 기본적으로 진행성 질환이고 최종적으로는 악화되어 사망한다. 진단부터 평균여명은 5～15년이다.

그림 3 양쪽심실내압곡선

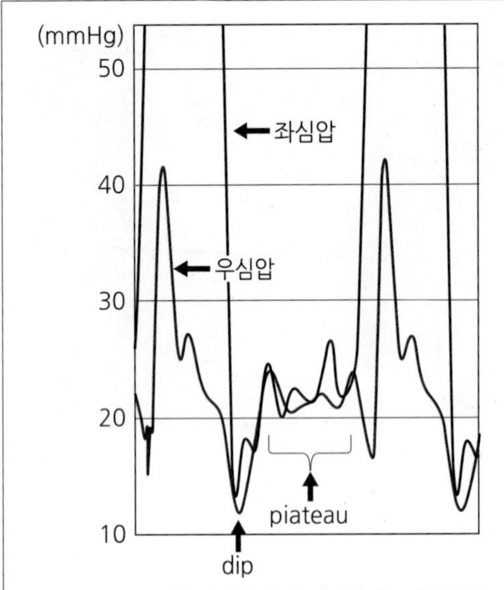

dip and plateau를 나타낸다. 본 사례에서는 우심방압(21mmHg), 폐동맥쐐기압(21mmHg), 우심실확장말기압(22mmHg), 좌심실확장말기압(23mmHg)과 거의 압력이 동일하다.

● 한편 수술사망률도 다른 개심술에 비해 높고, 특히 NYHA Ⅳ도의 수술사망률은 29~64%로 아주 높다[1]. 근본적인 치료법은 외과수술뿐이라는 점에서 진단을 내리면 조기의 외과치료를 고려해야 할 것이다.

외과치료

● 심장으로의 접근은 흉골정중절개법과 좌측방늑간개흉법이 있다. 또 인공심폐를 이용하지 않고 양측횡격신경에서 전면의 심막을 절제하는 수술방법이나, 인공심폐를 보조순환으로써 사용하면서 보다 광범위하게 심장의 뒤쪽까지 심막절제를 하는 수술방법이 있다(그림 4, 5).

간호 포인트

● 압축성심낭염의 수술 후 경과는 극적인 개선을 보이는 것에서 장기입원관리를 필요로 하는 경우까지 다양하다. 환자의 병태를 충분히 파악한 후에 간호를 하는 것이 바람직하다.

그림 4 수술기록에서

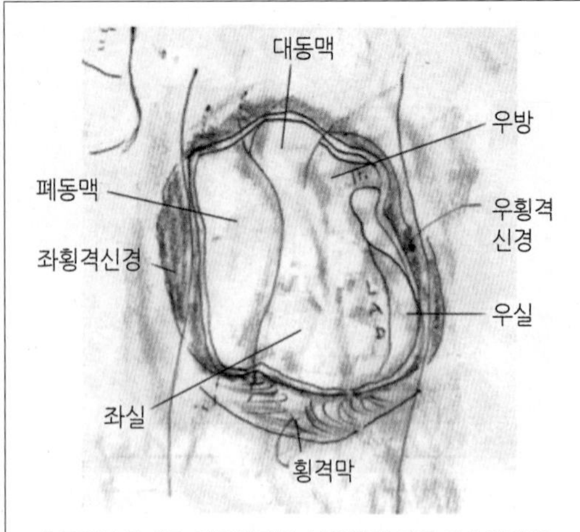

흉골정중절개로 인공심폐를 사용하지 않고 양측횡격신경에서 전면의 심막절제를 시행했다. 주로 우심계의 심막이 절제되어 있다.

그림 5 절제된 심막

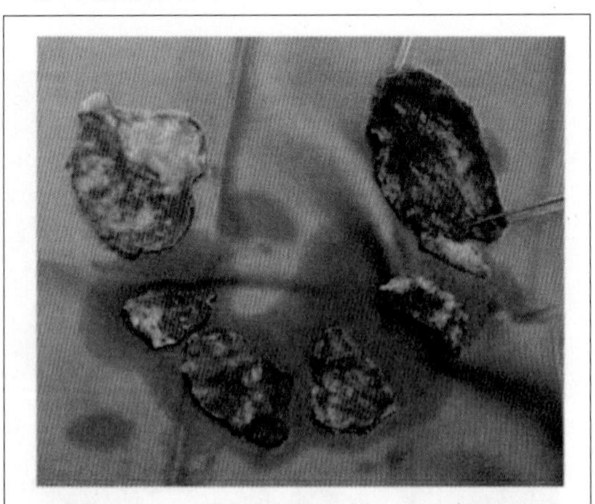

심막은 비후하고 경화되어 있다. 심방·심실만이 아니고 상하대정맥의 우방으로의 유입부나 폐동맥의 기시부 등 혈류요소의 협착을 개방하는 것이 수술의 요점이다.

(窪田博)

문헌

1. Kirklin, Barratt-Boyes: *Cardiovasc Surg*, 3rd ed. Churchill Livingstone, Edinburgh, United Kingdom, 2003; 1781-1790.

심낭압전

cardiac tamponade

point

- 심낭액의 삼출양이 증가되어 정맥환류의 감소, 저심박출량에 의해 순환부전에 빠진 상태이다. 악성종양이 가장 많으며, 감염증이나 요독증, 심근경색, 교원병 등 여러 원인이 있다.
- 흉통, 기침, 반회신경압박에 의한 쉰 목소리, 폐압박에 의한 호흡곤란, 횡경막신경자극에 의한 딸꾹질 등이 나타난다. 순환부전이 뚜렷한 경우에는 의식장해를 나타내고, 급성대동맥박리나 심장파열에 따른 심낭압전은 돌연사를 일으킬 수 있다.
- 신체소견으로서 혈압저하, 맥압감소, 경정맥팽창, 심음감소, 빈맥 등을 들 수 있다.
- 심낭액이 소량인 사례, 해부학적으로 천자가 곤란한 사례, 심막생검 등 원인질환의 정밀검사가 필요한 사례 등에서는 외과적 수술의 적응이 된다.

심낭압전이란

- 심막은 심장을 싸는 이중의 막으로 이루어져 있다. 내층의 장측심막(epicardium)은 심장외벽에 밀착해 있으며, 대혈관기지부에서 반전하여 외층의 벽측심막(pericardium)으로 된다. 이 두 층의 사이(심낭, 심막강)에는 정상이라도 15~50mL 정도의 심낭액이 있으며, 윤활유의 작용을 하고 있다.
- 심낭내의 삼출율의 양이 증가하여 심낭내의 압력이 상승하여 심장을 압박함으로써 정맥환류의 감소, 저심박출량에 의해 순환부전에 빠진 상태가 심낭압전이다(그림 1).

원인

- 심낭압전의 원인은 악성종양(암성심막염)이 가장 많고, 전체의 약 반 수(55% 정도)를 차지한다.
- 그 밖의 원인으로서 감염증(세균감염, 바이러스감염)이나 요독증, 심근경색, 교원병 등이 있지만, 원인불명의 심막염에 의한 경우도 있다(표 1).

병태생리

- 심낭삼출액의 증가에 의해 심낭내압이 상승하고 우심방(이하, 우방)이나 우심실(이하, 우실)의 압력을 초과하면 심낭액에 눌림으로써 심장의 확장에 장애가 초래된다. 그 결과 정맥압상승, 우심부전이나 저심박출량에 따른 쇼크상태를 나타낸다(그림 2).
- 심막은 비교적 단단한 구조물이기 때문에 그 내용량과 압력의 관계는 정비례하지 않는다. 심낭삼출액이 고이면 임상적으로 무증상 또는 심장압박증상이 나오는지를 정하는 것은 다음의 3개의 요소를 들 수 있다.
  1) 심낭삼출액의 양
  2) 심낭삼출액의 증가속도
  3) 심막유순도(변형되기 쉬움)
- 외상성이나 심근경색 후의 심파열 등 갑작스런 심낭삼출액 증가는 심막강내압이 급격하게 상승하여 소량의 심낭액이라도 증상을 나타낸다. 한편 수주일~수개월에 걸쳐 서서히 심낭액이 증가되는 경우 심막도 서서히 신전되기 때문에 증상의 출현이 늦어지는 경우가 있다.

증상

- 흉통, 기침, 반회신경압박에 의한 쉰 목소리, 폐압박에 의한 호흡곤란, 횡격막신경자극에

의한 딸꾹질 등이 나타난다.

- 순환부전이 현저한 경우에는 의식장해를 나타내고 급성대동맥박리나 심장파열에 따른 심낭압전은 돌연사를 초래할 수 있다.

검사, 진찰소견

신체소견

- 신체소견으로써 혈압저하, 맥압감소, 경정맥팽창, 심음감소, 빈맥 등을 들 수 있다. 다음으로 특징적인 신체소견을 들어보겠다.
  - · 베크(Beck)의 3증상: 혈압저하, 경정맥팽창, 심음저하
  - · 쿠스마울(Kussmaul)증상: 일반적으로 흡기 시에는 정맥환류량이 증가하여 경정맥의 팽창은 감소하지만, 흡기 시에는 경정맥팽창이 증가한다.
  - · 기이맥: 흡기 시의 수축기혈압저하가 10mmHg 이상으로 되어 맥압이 작아진다.

그림 1 심막의 구조와 심낭압전

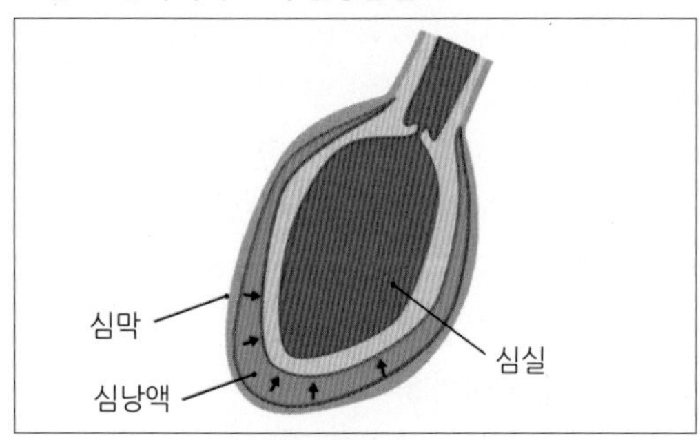

검사소견

1. 흉부X선검사

- 특징적인 소견으로써 심음영확대를 들 수 있다(그림 3-A). 만성적으로 심방삼출이 발생한 경우에는 심흉비가 증가하고 물주머니 모양의 심장 영상을 보인다.

2. 흉부CT검사

- 심낭액의 증가가 관찰된다. 심막염을 동반하는 경우, 심막비후나 석회화 등도 관찰된다(그림 3-B).

3. 심전도

- 심낭삼출액 증가에 의해 전위가 감소하고 낮은전위차(low voltage), T파의 감소를 나타낸다(그림 4).

4. 심에코검사

- 심낭액은 심장을 둘러싸는 echo-free-space로서 관찰된다(그림 5-A).
- 다량으로 심낭액이 증가하면 심장은 진자모양 운동을 나타낸다(swing heart).
- 급속한 심낭내압의 상승에 따라 확장초기의

그림 2 심낭압전의 병태생리

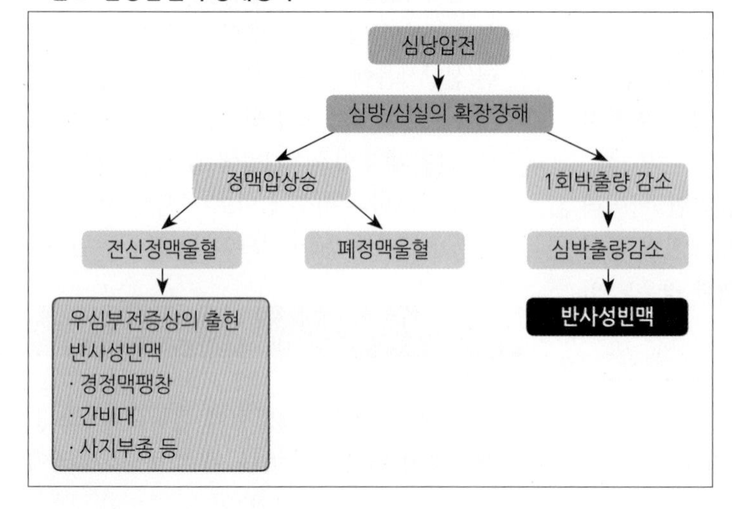

표 1 심낭압전의 원인

감염성	● 바이러스감염 ● 세균감염 ● 결핵
비감염성	● 종양성 ● 요독증 ● 교원병 ● 약제성 ● 심파열, 대동맥박리 등

우심실허탈(RV collapse)을 나타낸다(그림 5-B).

- 다른 소견으로서 우심실과 좌심실의 조기유입혈류(E파)의 호흡성변화증대를 들 수 있다. 흡기 시에 삼첨판유입 혈류속도가 40% 이상 증가, 승모판유입 혈류속도 25% 이상 감소가 기준이 된다.

치료

- 혈역학상태가 불안정한 경우 긴급하게 심낭액을 제거할 필요가 있다. 상황에 따라서 심낭천자 또는 외과적 수술을 한다.

심낭천자

- 심낭천자는 심장뿐 아니라 간장이나 폐 등의 주변장기를 손상시킬 가능성이 있다. 일반적인 천자부위는 심와부이지만, 천자방향에 간의 좌엽이 있기 때문에 간장을 손상시킬 위험성이 있다. 심장초음파의 두 사진에 흉벽(늑간)을 통한 천자가 일반적이다(그림 6).
- 심낭액이 다량으로 증가해 있는 만큼 안전하게 천자가 가능하다. 시술 전 심에코 검사를 시행하여 수축기, 확장기 모두 심장과 심낭액까지의 거리가 20mm 이상 되면 안전하게 천자가 가능하다.

외과적수술(심막절개술, 심막개창술)

- 심낭액이 소량인 경우, 해부학적으로 천자가 어려운 경우, 심막생검 등 원인질환의 정밀한 검사가 필요한 경우, 재발을 반복하는 경우 등에서는 외과적 수술을 할 수 있다.
- 대동맥박리나 심근경색, 외상성 심낭압전인 경우, 외과적 수술에 의한 원인질환의 치료가 필요하다.

그림 3 심낭압전에 있어서의 흉부단순X선과 흉부CT상

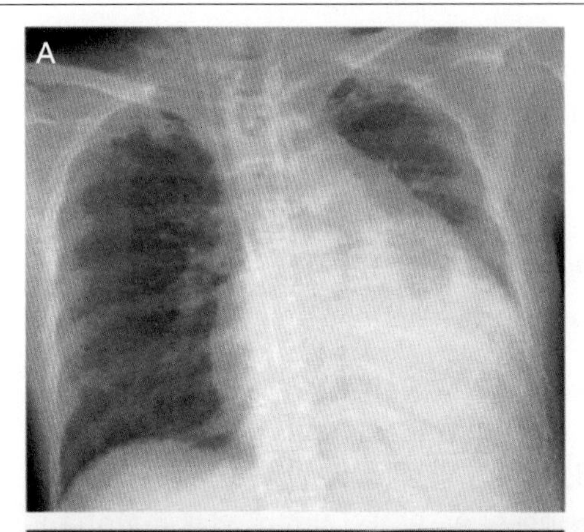

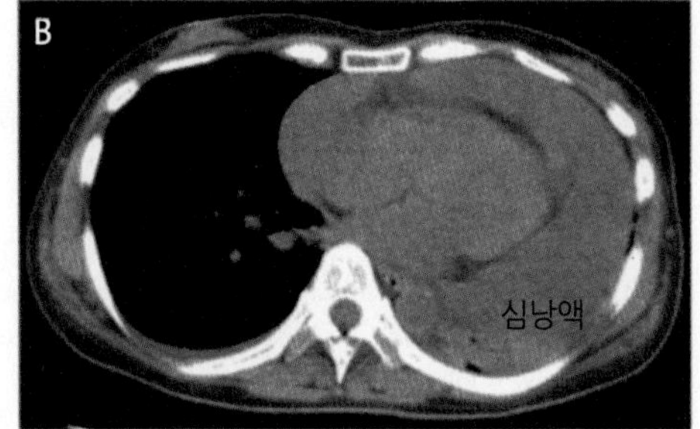

A: 건착 모양 심음영의 확대를 볼 수 있다.
B: 전주성 심낭액 체류를 볼 수 있다.

그림 4 심전도(흉부유도소견)

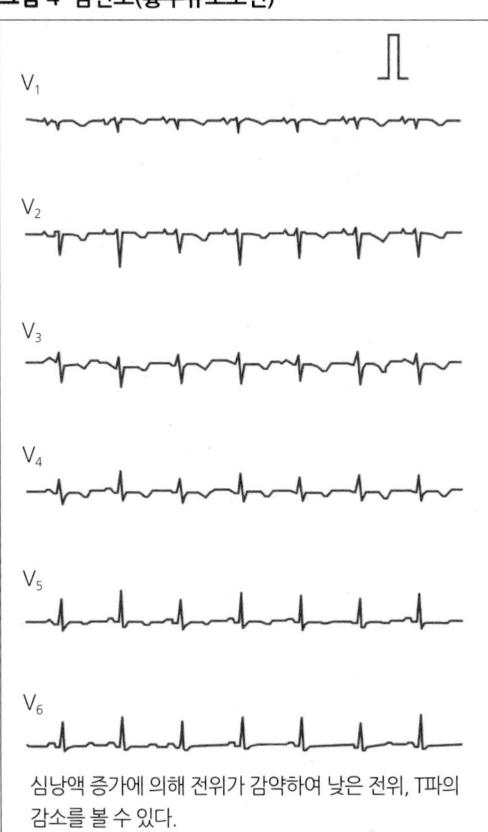

심낭액 증가에 의해 전위가 감약하여 낮은 전위, T파의 감소를 볼 수 있다.

그림 5 심에코 소견

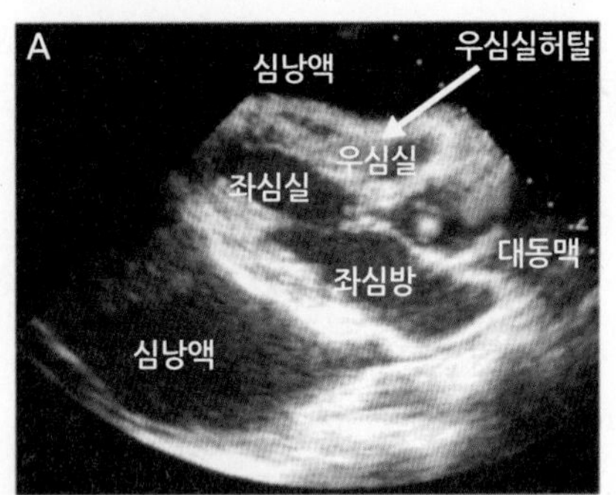

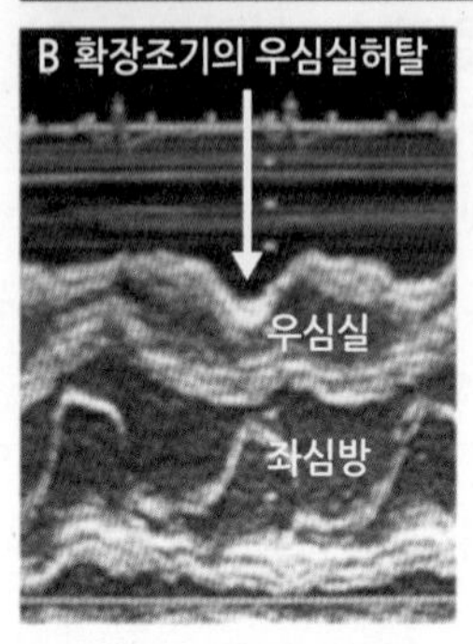

A: 전주성심낭액 체류, 우심실허탈을 볼 수 있다.
B: M모드로 확장조기의 우심실허탈을 볼 수 있다.

●특히 대동맥박리에서는 심낭압전의 갑작스런 해소에 따라 급격한 혈행동태의 변화를 초래되어 박리가 악화될 위험이 있기 때문에, 원칙적으로 심낭천자는 금기이지만 혈역학상태가 불안정한 경우에는 시행할 수 있다.

1. 심막절개술

●일반적으로 심와부로 접근한다.

●심와부에 약 3cm의 피부절개를 하고 검상돌기에 도달한 후 검상돌기의 후면을 박리하여 심막에 이른다.

●심막을 작게 절개하여, 심낭액을 배출하고 심낭배액관을 삽입한다.

2. 심막개창술

●재발성 심낭액증가인 경우 심막개방술을 고려한다.

●왼쪽 가슴을 절개하여 흉강을 거쳐 심막에 도달하고 심막을 일부 절제한다. 그에 따라 심낭과 좌흉강이 교통하고 심낭액이 다시 증가한 경우라도 심낭액은 흉강으로 배출된다.

그림 6 심낭천자법(시술 전의 심에코)

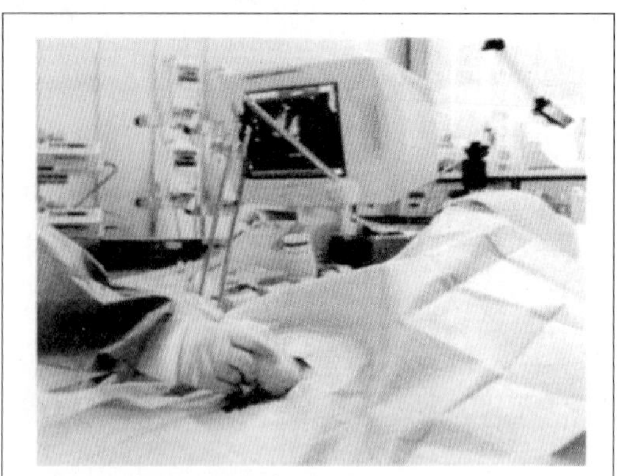

30~45도로 침상을 올리고 초음파프로브를 심와부 또는 늑간에 대고 안전하게 천자가능한 장소를 검색한다.

●심낭에 비해 넓은 공간인 흉강과 교통하게 함으로써 심낭압전을 예방하는 것 외에, 흉강천자를 함으로써 심낭액을 제거할 수 있다.

간호 포인트

1. 배액관 위치의 확인

●배액관 삽입 후 표시를 하여 배액관이 빠지지 않았는지 파고들지 않았는지를 확인한다.

2. 배액관 삽입부의 관찰

●감염징후(발적, 동통, 열감, 부종)의 유무, 삽입부에서 출혈의 유무 등을 확인한다.

3. 배액의 양, 양상의 관찰

●배액의 양, 양상의 변화에 의해 출혈이나 배액관 폐색, 감염의 유무 등을 확인한다.

(高橋雄, 土屋博司)

문헌

1. Oh JK, Seward JB, Jamil tajik AA:Pericardial effusion and tamponade. *The EchoManual,* 3rd ed, Lippincott Williams & Wilikns, Philadelphia. 2006: 291-294
2. 宇野漢城: 눈으로 보는 진료기본수기 심낭천자법. medicina 2008; 45:110-113.
3. 川名正敏, 北風政史, 小室一成, 외편: 순환기병학 기초와 임상. 西村書店, 도쿄, 2010.
4. 4.堀正二, 永井良三 편: 순환기질환 최신의 치료 2010-2011. 南江堂, 도쿄, 2010.

성인선천성심질환

ACHD: adult congenital heart disease

point

- 성인선천성심질환에는 부정맥, 심부전, 감염성 심내막염, 청색증이나 그에 따르는 전신의 이상, 폐고혈압, 수술 후의 잔여 심혈관계 이상, 후천적으로 발생한 문제 등 여러 가지의 병태가 있다.
- 성인기의 수술에 있어서는 적절한 수술 전 진단, 적응증의 판단, 수술 방법의 결정, 수술시행에 의해 양호한 결과를 기대할 수 있다.
- 성인선천성심질환에서는 심장에 관련된 문제뿐만 아니라 사회적 자립의 문제나 정신 심리적 문제 등을 안고 있는 경우가 많아, 이들을 통합적으로 진료하는 전문의 관리가 필요하다.

성인선천성심질환이란

- 선천성 심질환은 심부전 증상이나 청색증을 나타내는 소아의 심장병이지만, 외과적·내과적 치료의 발전에 따라 많은 환자가 성인기를 맞이하게 되었다(그림 1).
- 1997년 이후는 성인환자 수가 소아환자 수를 웃돌아, 선천성 심질환은 이미 "성인선천성심질환"으로서 성인 순환기질환의 한 영역이라고 생각할 수 있다.
- 본 항에서는 성인선천성심질환 특유의 병태나 문제에 대해서 서술하겠다.

성인선천성심질환의 특징

1. 부정맥

- 성인선천성심질환에서는 수술력의 유무에 상관없이 부정맥을 동반하는 경우가 많다. 부정맥은 성인선천성심질환의 예후를 좌우하는 커다란 요소이다.
- 심기능이 저하하고 있는 경우, 부정맥이 합병하면 심장돌연사를 일으킬 수도 있다.
- 질환에 특유의 부정맥이나 혈역학상태, 수술 절개선에 의한 것 등 발생의 메커니즘을 바르게 진단하고 치료하는 것이 중요하다.

2. 심부전

- 성인선천성심질환의 심부전은 출생부터 수술까지의 심부하, 수술 시의 심근장해, 수술 후의 잔여 심혈관계 이상, 후천적으로 발생한 문제에 의한 경년적인 부하에서 생기는 만성적인 것이다.
- 우심실이나 한 개의 심실이 체순환을 담당하는 질환에서는 심기능에 여력이 없어서 심부전에 빠지기 쉽다.
- 급성 악화 시의 증상은 부종이나 체중증가, 쉬운 피로감, 호흡곤란, 소화기증상, 심계항진 등이다.

그림 1 증가하는 성인선천성심질환

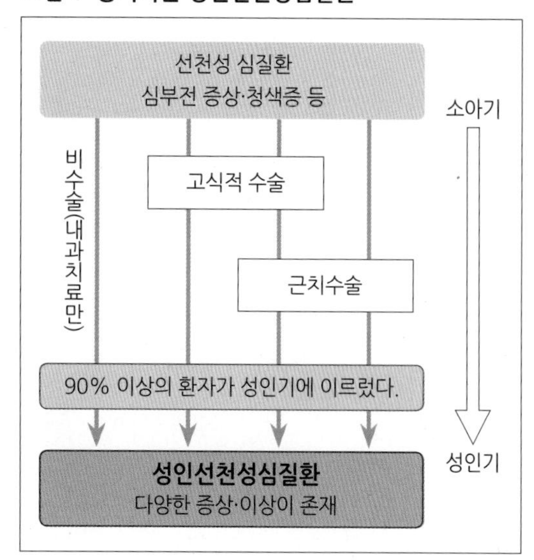

3. 감염성 심내막염

- 성인선천성심질환에 보이는 감염성심내막염은 우측 심장의 원인이 많고 심부전이나 색전증상의 빈도가 낮다.
- 대부분의 남아 있는 선천성 심질환은 감염성 심내막염의 위험이 있다.
- 인공재료를 이용한 수술이 많기 때문에 개심술 후에도 감염위험이 높다.
- 치과처치로 인한 경우가 많아 발생예방이 중요하다.

4. 청색증과 전신의 합병증 이상

- 청색증이 지연되는 성인선천성심질환에서는 장기에 걸친 저산소혈증과 그에 따르는 이차성혈구증가에 의해 고점조도증후군 등의 혈액응고계의 이상이나 중추신경계, 전신혈관계, 심근이나 관상동맥 순환, 요산대사, 신장, 사지골격 등 전신다장기의 이상을 동반한다(그림 2).
- 이들 합병증의 예방이나 조기진단에 의한 정확한 치료가 삶의 질이나 예후를 개선한다.

5. 폐고혈압

- 심실중격결손, 동맥관개존, 방실중격결손 등으로 중등도 이상의 좌우단락이 지속되면 폐동맥폐색성질환을 일으키지만, 적절한 시기에 수술을 하면 폐고혈압은 가역적이다.
- 폐고혈압이 진행되고 비가역적으로 되면(Eisenmenger증후군) 수술은 금기이며, 산소흡입요법에다 항응고·항혈소판제, 강심제, 이뇨제, 혈관확장제 등의 약물요법을 조합하여 치료를 한다.

6. 개심술 이후에 남아 있는 이상, 후천적으로 발생한 문제

- 선천성 심질환에는 수복술 후에도 그 질환에 특징적인 후유증(협착병변, 판막역류 등)이나 후천적 발생문제(전도장해, 인공재료의 변성

그림 2 청색증 선천성 심질환에 따른 성인기의 주요 전신 합병증

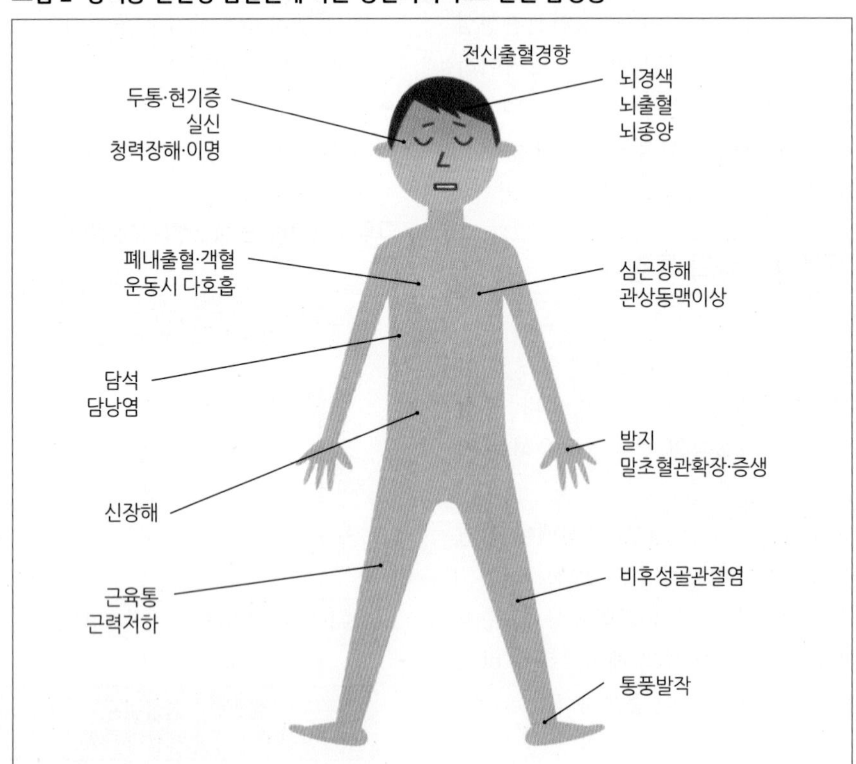

등)가 존재한다.

- 이들이 진행되면 부정맥이나 심부전을 일으키고 내과치료나 재수술을 포함한 침습적치료가 필요해질 수도 있다.

성인기의 수술

- 치료되지 않거나 고식적 수술만 이루어져 오래 경과한 성인선천성심질환에서는 현재의 기술로 또 다시 진단을 하고 수술성적이나 예후 등으로 수술적응을 검토한다.
- 오랜 시간이 지난 후 남아있는 증상 또는 후천적으로 증상이 발생하여 재수술이 필요한 경우도 적지 않지만, 첫 회 수술, 재수술에 관계없이 전신위험을 수술 전에 정확하게 평가해 두는 것이 중요하다.
- 수술방침과 적절한 시기에 대해서는 소아순환기내과의, 순환기내과의, 심장외과의가 협의하여 결정한다.
- 수술에 있어서는 해부학적 특징을 파악하는 소아심장외과의와 판막병변이나 부정맥 치료에 전문적인 성인심장외과의의 협력이 수술의 질을 향상시킨다.
- 일반적으로 수술 후 예후는 소아기에 이루어지는 수술과 큰 차이 없이 양호하다.

성인선천성심질환이 안고 있는 문제와 과제

사회적 문제

- 성인선천성심질환에서는 심장에 관련된 문제뿐만 아니라 교육, 취직, 결혼, 임신, 출산, 육아, 아이에게 유전, 여행, 운동, 레크레이션, 사회보장(보험, 연금, 신체장해자 인정, 의료보험) 등의 사회적 문제도 중요하다.
- 사회적 자립의 정도는 일반보다 떨어지는 경우가 많아 사회적인 뒷받침이 필요하다.

정신 심리적 문제

- 성인선천성심질환에서는 의료적, 사회적 문제에 따른 스트레스를 배경으로 해서 정신 심리적 문제를 일으키는 경우가 있다.
- 유소년기부터 지속된 저산소상태나 인공심폐의 영향으로 신경인지기능장해를 일으키고 있는 경우도 있다.
- 정신 심리적 문제는 심질환의 치료나 사회적응에 영향을 미치기 때문에 정신과의나 임상심리사의 연계가 중요하다.

진료체제

- 선천성심질환의 대부분은 전국의 소아시설에서 진료를 받고 있지만, 성인기에 이르면 소아외래에서의 진찰이나 소아병동으로의 입원은 적절하지 않다.
- 선천성심질환에 전문지식이 있는 순환기내과의는 전국적으로 아주 적어, 환자수는 증가하고 있으나 진료체제가 정비되어 있지 못한 것이 현실이다.
- 성인선천성심질환을 통합적으로 진찰하는 전문의의 양성과 성인선천성심질환이 안고 있는 문제를 해결하는 다학제 전문가 연계에 의한 하이브리드형 진료체제를 확립시키는 것이 급선무이다.

(野間美緒, 吉本明浩)

문헌

1. 순환기병의 진단과 치료에 관한 가이드라인. 성인선천성심질환진료 가이드라인(2011년개정판) http://www.j-circ.or.jp/guideline/pdf/JCS2011_niwa_h.pdf(2013년1월열람)
2. 이원로, 서정돈. 임상신장학 2판. 고려의학

부정맥
arrhythmia

point

- 부정맥이란 심장의 자극생성이나 흥분전도의 이상이다.
- 부정맥에는 빈맥성부정맥과 서맥성부정맥이 있다.
- 인공심장박동기 이식의 적응이 되는 부정맥으로서, 증상이 있는 동기능부전증후군, 서맥을 나타내는 2도 및 3도 방실블록, 증상이 있는 서맥성심방세동 등을 들 수 있다.
- 전극도자절제술은 경정맥적 내지는 경동맥적으로 전극 카테터를 도입하여 고주파 에너지를 이용해, 부정맥원인이 되는 심근조직을 소작·파괴하는 빈맥성부정맥의 치료요법이다.
- 외과수술의 대상이 될 수 있는 부정맥은 ① 심방세동, ② 지속성 심실빈맥, ③ 심방조동, 회귀성심방빈맥, ④ WPW증후군이다.

부정맥이란

- 부정맥이란 심장의 자극생성의 이상이나 흥분전도의 이상을 총칭해서 말한다.
- 심장의 자극전도계는 동결절 → 심방내전도로 → 방실결절 → 히스 (His)속 → 우각, 좌각 → 프루킨예섬유 → 심근으로 전달된다(그림 1).
- 부정맥에는 빈맥성부정맥과 서맥성부정맥이 있다.

빈맥성부정맥

- 빈맥성부정맥에는 심방세동, 심방조동, 심실세동, 기외수축, 발작성빈맥, 조기흥분증후군이 있다.

1. 심방세동(그림 2)

- 심전도에서는 P파를 나타내지 않고 가늘고 불규칙적인 심방파형(f파)을 나타낸다.
- 심실수축도 불규칙하기 때문에 R-R간격은 일정하지 않게 된다(절대성부정맥).

2. 심방조동(그림 3)

- 심전도에서는 톱니모양의 심방파형(F파)을 볼 수 있다.
- 조동수는 250~350회/분이며 일반적으로 2:1의 방실전도블록을 동반한다. 예를 들면 280회/분의 심방조동으로 2:1의 방실블록을 동반하는 경우 심박수(맥박)는 140회가 된다.

3. 심실세동(그림 4)

- 심실전체가 무질서하게 흥분하고 기계적수축

그림 1 심장의 자극전도계

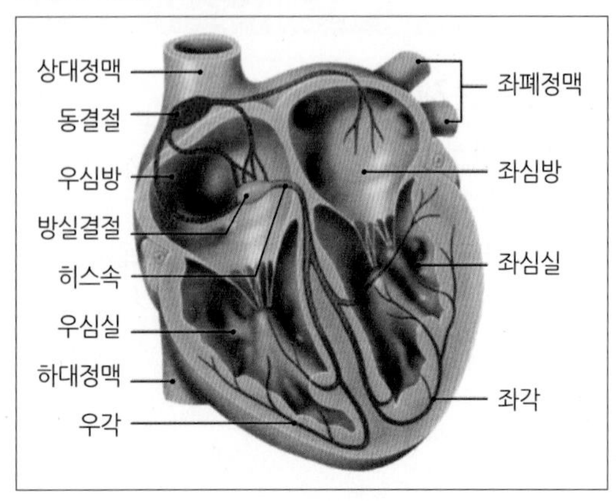

이 소실된다. 심실세동은 심정지이며 치사성 부정맥이다.

4. 기외수축(그림 5)

- 기외수축에는 심방기외수축, 방실접합부기외수축, 심실기외수축이 있다.

5. 발작성빈맥(그림 6, 7)

- 발작성빈맥은 발작성상실빈맥(PSVT)과 심실빈맥(VT)으로 나눈다.
- 많은 발작성상실빈맥(PSVT)은 재회로(reentry)에 기인하고 그 대부분은 방실회귀성빈맥(AVRT)과 방실결절 회귀성빈맥(AVNRT)의 두 가지이다.
- 심실빈맥(VT)에는 특발성심실빈맥, 허혈성심질환에 따른 심실빈맥, 부정맥원성우실심근증(ARVC), QT연장증후군으로 생기는 torsade de pointes(토르사드 드 포인트) 등이 있다. 긴급치료를 필요로 하는 치사성부정맥이다.
- 발작의 지속시간이 30초 이내인지 아닌지로

그림 2 심방세동의 심전도

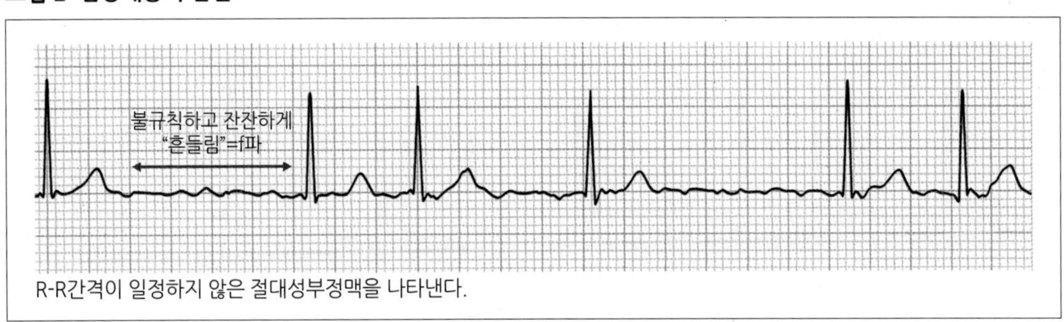

R-R간격이 일정하지 않은 절대성부정맥을 나타낸다.

그림 3 심방조동의 심전도

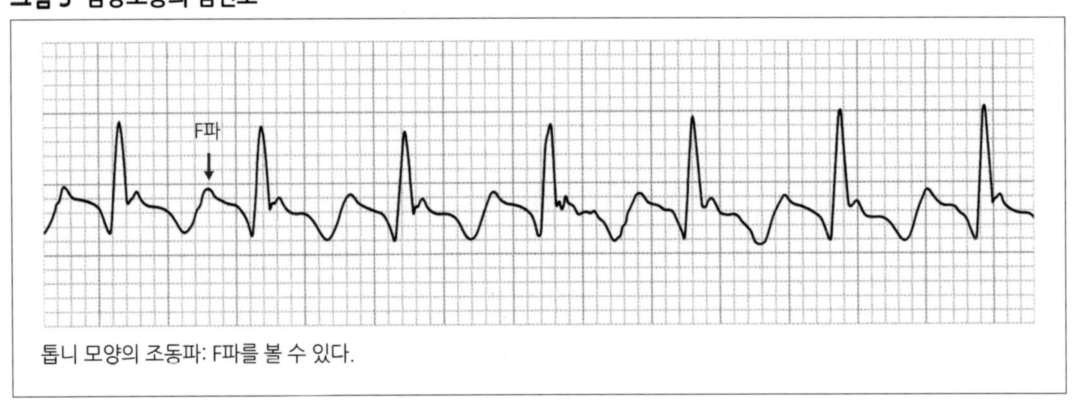

톱니 모양의 조동파: F파를 볼 수 있다.

그림 4 심실세동의 심전도

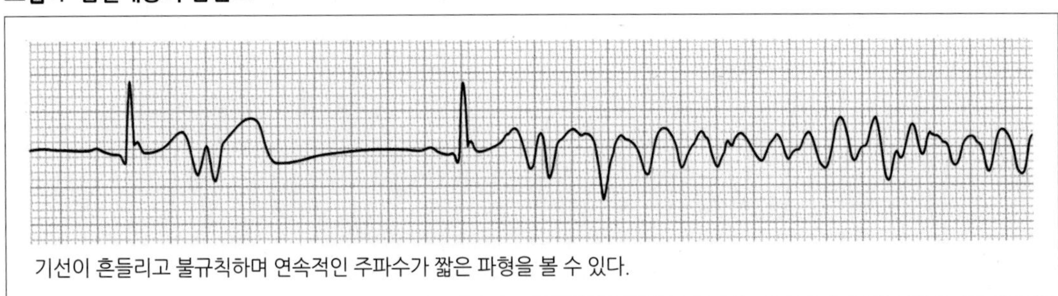

기선이 흔들리고 불규칙하며 연속적인 주파수가 짧은 파형을 볼 수 있다.

지속성심실빈맥(SVT)과 비지속성심실빈맥(NSVT)으로 분류된다.

- QT연장증후군은 전해질이상이나 약제투여에 따르는 후천성 QT연장증후군과 Jervell-Lange Nielsen(제벨-랑쥐 닐슨)증후군이나 Romano-Ward(로마노 워드)증후군 등의 선천성 QT연장증후군으로 분류되어 그 원인유전자가 밝혀지고 있다.

6. 조기흥분증후군(그림 8)

- 조기흥분증후군으로는 WPW(울프 파킨슨 화이트)증후군, LGL(라운 가농 레빈)증후군, mahaim(마하임)속에 의한 조기흥분증후군, 잠재성WPW증후군 등이 있다.

서맥성부정맥

- 서맥성부정맥에는 동기능부전증후군, 동방블록, 방실블록, 각블록이 있다.

그림 5 기외수축

심방기외수축

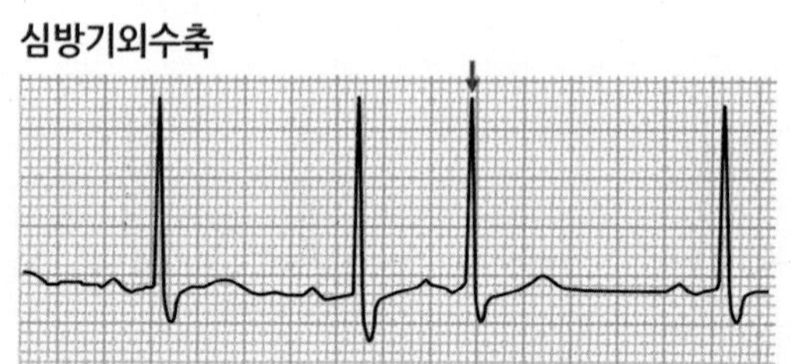

심방기외수축과 방실접합부기외수축을 합쳐 상실기외수축이라고 한다. 심방기외수축에서는 선행하는 P파를 많이 볼 수 있다.

심실기외수축

심실성 기외수축이 있으면 높이나 폭이 큰 이상파가 나타난다. 대부분의 경우 기외수축의 바로 뒤의 박동은 정상 박동의 간격보다 약간 길게 벌어진다.

그림 6 심실빈맥의 심전도

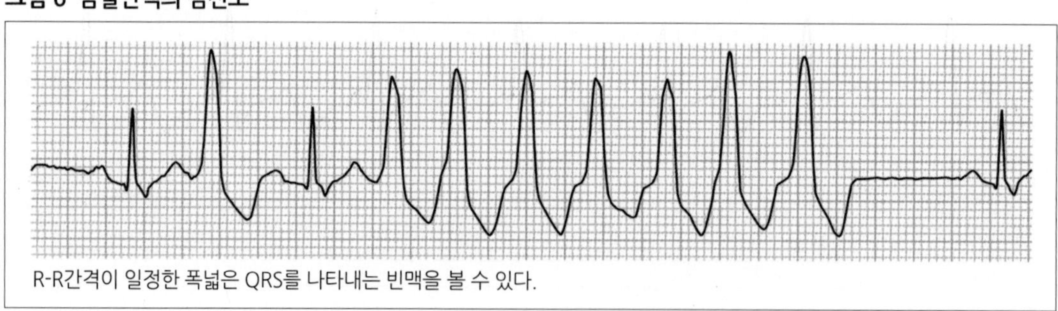

R-R간격이 일정한 폭넓은 QRS를 나타내는 빈맥을 볼 수 있다.

그림 7 토르사드 드 포인트의 심전도

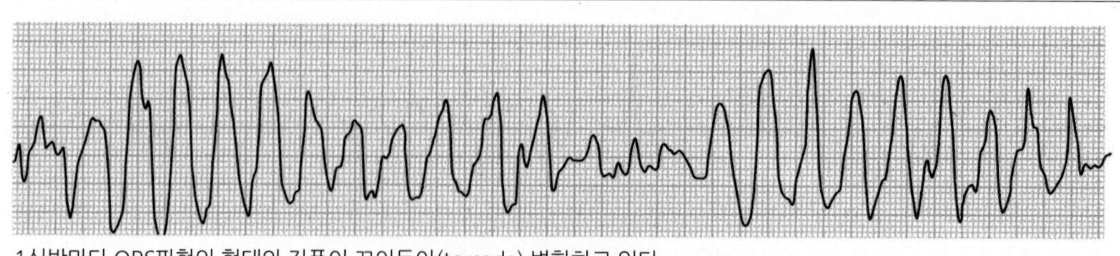

1심박마다 QRS파형의 형태와 진폭이 꼬이듯이(torsade) 변화하고 있다.

1. 동기능부전증후군(그림 9)

● 동기능부전증후군은 지속성 동성서맥을 나타내는 Ⅰ형, 일과성 또는 지속적인 동기능정지 또는 동방블록을 나타내는 Ⅱ형, 서맥빈맥증후군이라고 불리는 Ⅲ형으로 분류된다.

2. 동방블록

● 동방전도 시간이 연장되는 1도 동방블록, 동방전도 시간의 지연에 블록을 동반하는 2도 동방블록, 완전한 동방전도 중단 때문에 심방활동이 정지되어 P파를 볼 수 없는 3도 동방블록이 있다.

그림 8 심방세동의 심전도

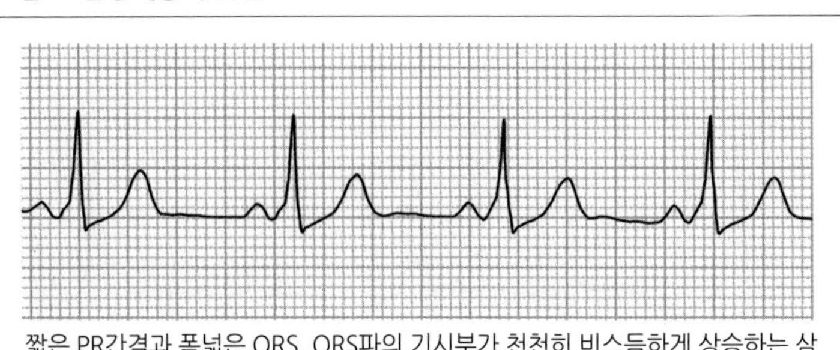

짧은 PR간격과 폭넓은 QRS, QRS파의 기시부가 천천히 비스듬하게 상승하는 삼각형 모양의 델타파를 볼 수 있다.

그림 9 심방조동의 심전도

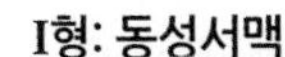

Ⅰ형: 동성서맥

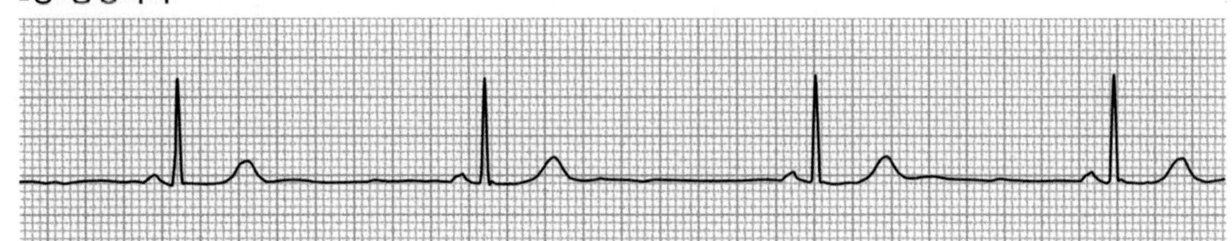

PP시간은 항상 길고 심박수는 50 이하가 된다.

Ⅱ형: 일과성동정지

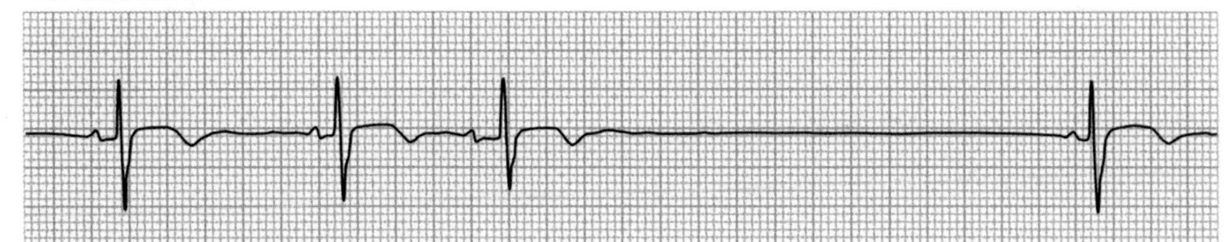

P파와 그에 이어지는 QRS파가 결여되어 있다.

Ⅲ형: 서맥빈맥증후군

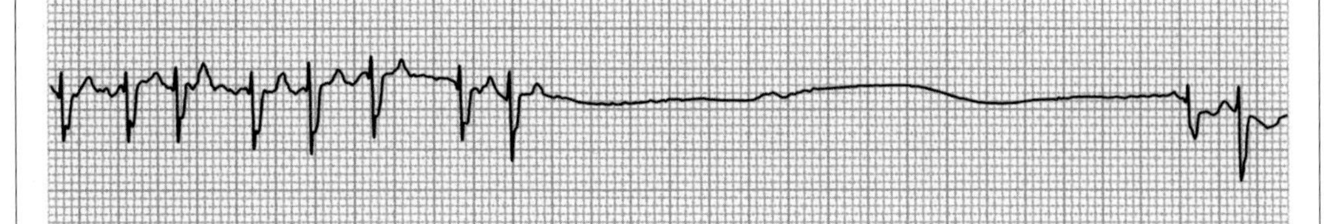

심방에서 시작하는 빈맥과 서맥을 교대로 반복한다.

● 3도 동방블록은 동기능정지와 구별할 수 없다.

3. 방실블록(그림 10)

● 방실블록은 장해부위에 따라서 히스속보다 위가 장해를 받는 AH블록과, 히스속보다 아래가 장해를 받는 HV블록으로 나뉘며, 장해의 정도에 따라서 1도에서 3도까지 분류된다.

● 1도는 PQ시간이 0.20초를 넘어 연장된다.

● 2도는 PQ시간이 서서히 더욱 연장되어 마침내 QRS가 탈락하는 모비츠 I 형(벤케바하형)

그림 10 방실블록의 심전도

1도 방실블록

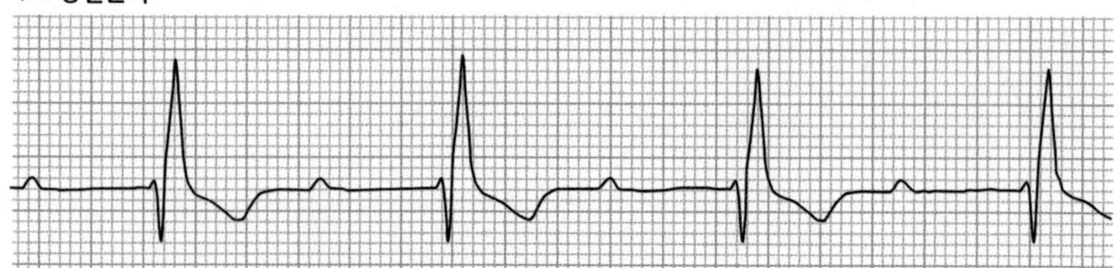

PQ시간은 0.20초 이상으로 연장되지만, 그 간격은 일정하고 QRS파는 탈락하지 않는다.

2도 방실블록(모비츠 I형, 벤케바하형)

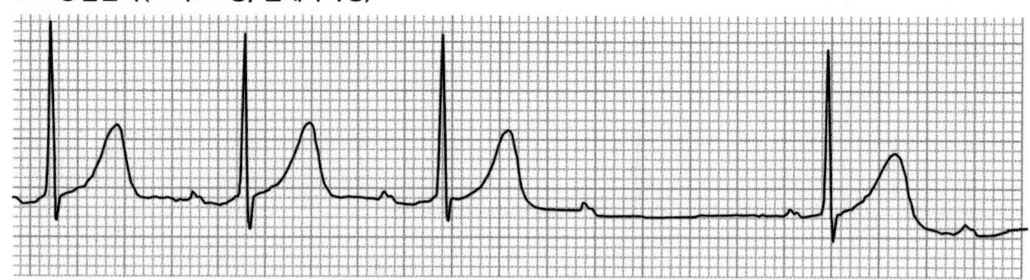

PQ시간이 서서히 연장되고 QRS파가 탈락한다.

2도 방실블록(모비츠 II형)

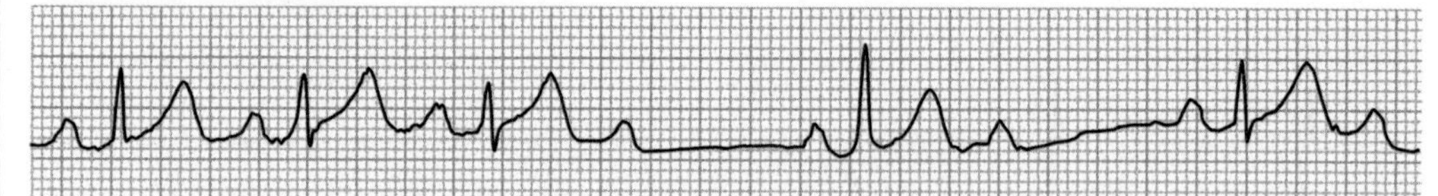

PQ시간은 일정하지만 갑자기 QRS파가 탈락한다.

3도 방실블록(방실해리)

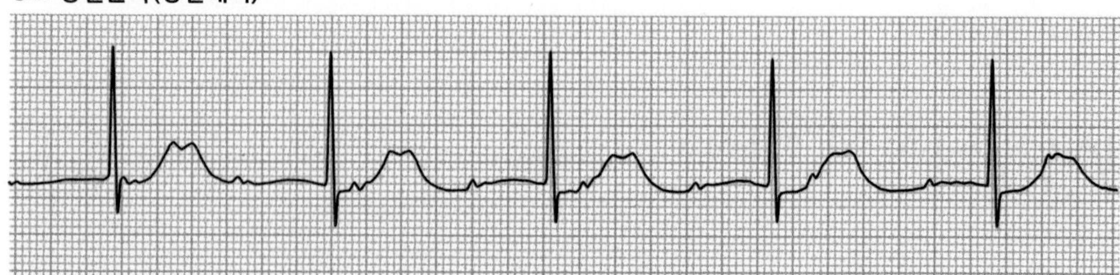

P파와 QRS파는 독립하여 서로 관계없이 출현한다. 완전방실블록 또는 방실해리라고도 부른다.

과, PQ시간은 일정하고 갑자기 QRS가 탈락하는 모비츠Ⅱ형으로 나눌 수 있다.

- 제3도는 완전방실블록이라고도 하며 방실해리에 의해 P파와 QRS는 서로 관계없이 리듬을 만든다.

4. 각블록

- 각은 자극전도계의 일부로 우각과 좌각으로 나뉘고 좌각은 또 전지와 후지로 나뉘기 때문에 총 3개의 각으로 이루어진다. 3개 모두 침해를 받은 경우는 방실블록이 된다. QRS시간이 0.12초 미만인 것을 불완전 각블록, 0.12초를 넘는 경우는 완전 각블록이라고 한다.
- 브루가다(Brugada)증후군은 우측흉부유도(V_1-V_3)에서 우각블록과 지속적 ST상승을 보이고, 기초질환이 없음에도 불구하고 특발성 심실세동을 초래할 수 있기 때문에 젊은 남자에서 돌연사의 원인이 된다(그림 11).

치료

수술, 카테터적 치료의 적응

1. 인공심박동기

- 인공심박동기를 이용하여 심장에 전기적 자극을 주는 것을 페이싱이라 한다. 체외식 페이스메이커에 의해 경정맥적으로 심내막에 유치한 전극을 자극하는 일시적 페이싱과, 심내막(심외막도 가능)에 전극을 유치하고 심박동기 본체는 전흉벽의 피하에 심는 영구 페이싱이 있다.
- 심장 수술 후에는 일시적인 심근전극을 유치하는 경우가 많다. 전극을 우심방, 우심실의 심외막에 붙이고 피하를 통해 체외로 내보냄으로써 체외식 심박동기를 이용하여 수술 후 급성기의 부정맥관리에 이용한다. 장기유치는 감염원이 될 수 있기 때문에 심외막과 심낭의 유착이 형성되어 심낭압전을 초래할 위험이 감소하는 1～2주 사이에 제거한다(그림 12).
- 인공심박동기 이식의 적응이 되는 부정맥으로서는 증상이 있는 동기능부전증후군, 서맥을 나타내는 2도 및 3도 방실블록, 자각증상이 없는 3도와 2도의 HV블록, 증상이 있는 서맥성 심방세동 등을 들 수 있다.

그림 11 브루가다증후군의 심전도

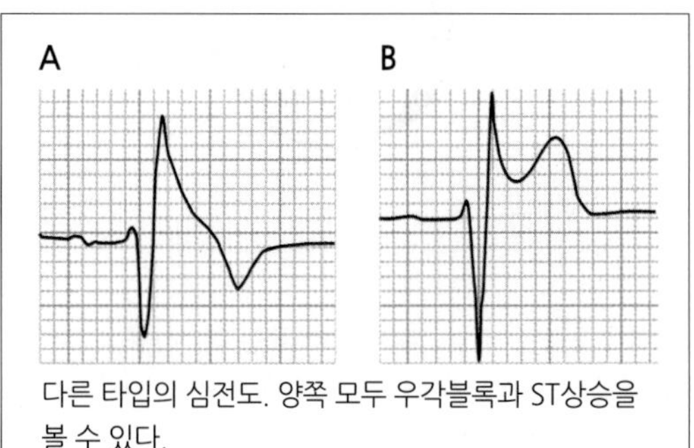

다른 타입의 심전도. 양쪽 모두 우각블록과 ST상승을 볼 수 있다.

그림 12 개심술 후에 이용하는 심근전극의 봉착(縫着)

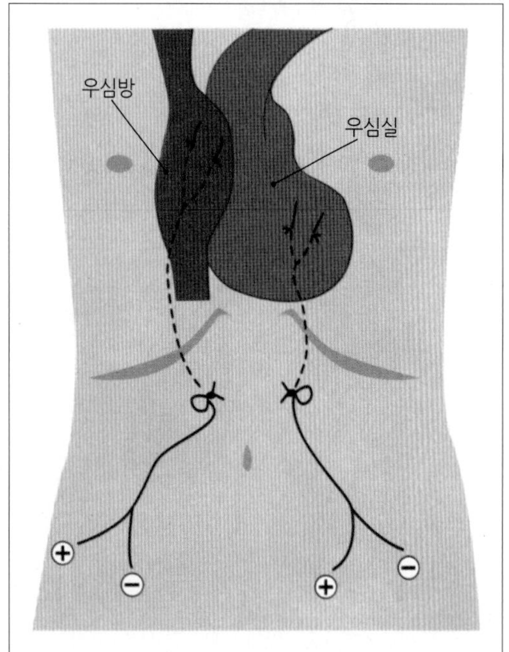

심방과 심실에 각각 1대씩 봉착되어 있다. 체외로 내보내는 전극을 체외식 심박동기에 접속하여 이용한다.

2. 전극도자절제술(radiofrequency catheter ablation)

● 전극도자절제술은 경정맥 내지는 경동맥으로 전극 카테터를 삽입하고, 고주파에너지를 이용하여 부정맥의 원인이 되는 심근조직을 소작·파괴하는 빈맥성부정맥의 치료방법이다.

● 상실성 빈맥성 부정맥, WPW증후군, 방실결절회피성빈맥, 심방세동, 심방조동·심방빈맥, 심실기외수축, 심실빈맥 등이 그 적응이 될 수 있다. 어블레이션 부위의 동정을 위해 카테터 전극을 이용한 전기생리학적검사(electrophyramidal symptoms: EPS)가 이루어진다.

3. 이식형 제세동기(ICD, 그림 13)

● 초기의 이식형 제세동기(implantable cardioverter defibrillator: ICD)는 크기가 커서, 복부에의 이식과 개흉에 의한 심외막에 커다

그림 13 이식형 제세동기(ICD)

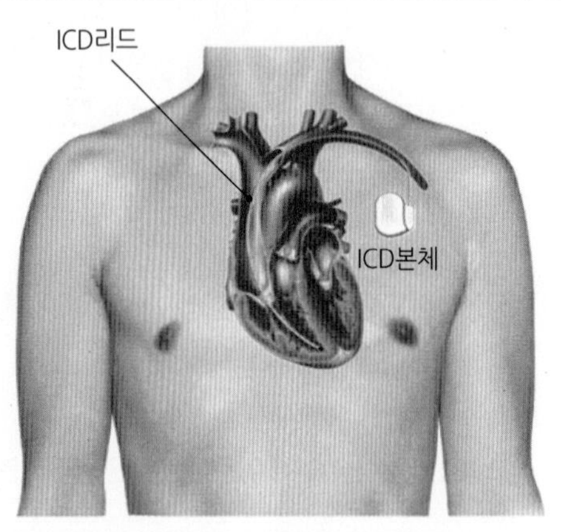

인셉타 ICD
(그림제공: 보스톤 사이엔티픽 재팬 주식회사)

체내에 이식된 제세동기에 의해 심실세동(VF)이나 심실빈박(VT)이 일어났을 때 자동적으로 제세동이 이루어진다.

그림 14 양실 페이싱 기능이 붙은 제세동기(CRT-D)

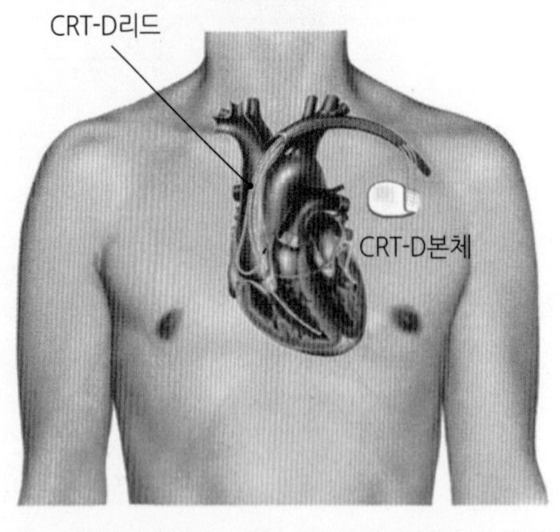

인셉타 CRT-D
(그림제공: 보스톤 사이엔티픽 재팬 주식회사)

리드 1개는 우심방에 1개는 우심실에 유치된다. 심장의 좌우에 수축하는 시간의 차이를 보정하는 페이싱을 하기 위해, 또 하나는 좌심실의 외측을 도는 것처럼 위치하는 관상정맥 속에 유치된다. 우심실에 삽입한 리드가 ICD기능을 함께 가진다.

란 패치의 장착을 필요로 했다. 그러나 전기충격파형을 단상성에서 이상성으로 바꿈으로써 제세동역치가 개선되고 심장수술이 필요하지 않게 되었으며, 이식형 제세동기 본체도 소형경량화가 추진된 결과 인공심박동기와 마찬가지로 흉부에 심는 것이 가능하게 되었다.

- 심실세동이나 지속성심실빈박, 브루가다(Brugada)증후군, 선천성 QT연장증후군 등이 이식형 제세동기의 적응이 된다.

4. 심장재동기요법·양실 페이싱 기능이 붙은 이식형 제세동기(그림 14, 15)

- 심부전에 있어서는 심실내전도장해, 심방심실간동기부전, 심실내동기부전, 심실간동기부전이 일어나고 있다고 한다. 이러한 현상을 개선시키려고 하는 것이 우심실과 좌심실을 페이싱하는 양실페이싱에 의한 심장재동기요법(cardiac resynchronization therapy: CRT)이다.
- 심기능이 저하된 예에서는 심장돌연사를 일으킬 때가 많아, 제세동기능을 필요로 하는 경우가 있다. 이와 같은 증례에는 양실페이싱 기능이 붙은 이식형 제세동기(CRT-D)를 이용한다(그림 12, 13).

외과치료

- 현재 외과수술의 대상이 될 수 있는 부정맥은 ① 심방세동, ② 지속성심실빈맥(주로 진구성 심근경색에 수반된다), ③ 심방조동, 회귀성 심방빈박, ④ WPW증후군이다.
- 1991년에 심방세동에 대한 메이즈수술이 개발되었다(그림 16). 이것은 심방을 복잡하게(메이즈는 미로를 의미한다) 절개 봉합하는 것

그림 15 CRT-D리드유치 후의 X선투시

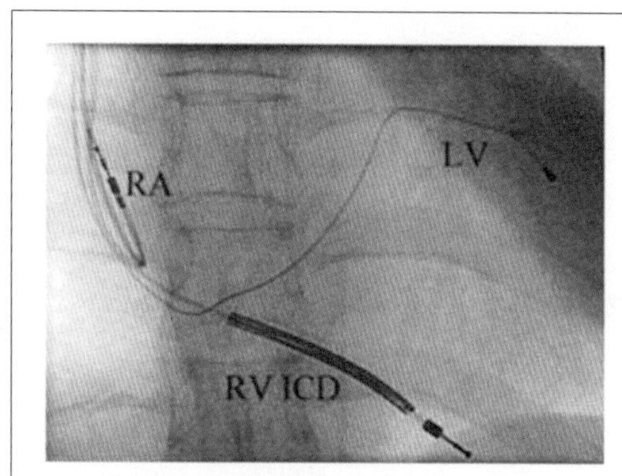

RA: 우심방, LV: 좌심실, RV: 우심실

(그림제공: 일본메드트로닉주식회사)

그림 16 메이즈수술 코사카이변법

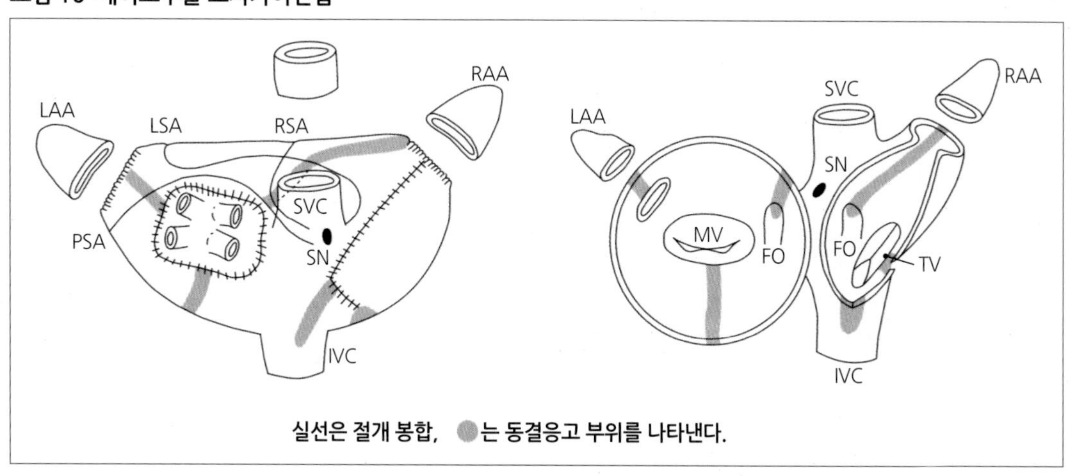

실선은 절개 봉합, ●는 동결응고 부위를 나타낸다.

小坂井嘉夫: 심방세동에 대한 외과치료. 新井達太 편, 심장판막증의 외과, 의학서원, 도쿄,1998; 200. 에서허락을 얻어 전재
RAA(right atrial appendage): 우심이 LAA(left atrial appendage): 좌심이 SVC(superior vena cava): 상대정맥 IVC(inferior vena cava): 하대정맥 SN(sinus node): 동결절 RSA(right sinus node artery): 우동결절지 LSA(left sinus node artery): 좌동결절지 PSA(posterior sinus node artery): 후동결절지 TV(tricuspid valve): 삼첨판 FO(fossa ovalis): 난원와 MV(mitral valve): 승모판

그림 17 쌍극 전극도자절제술 장치를 이용한 심방세동수술

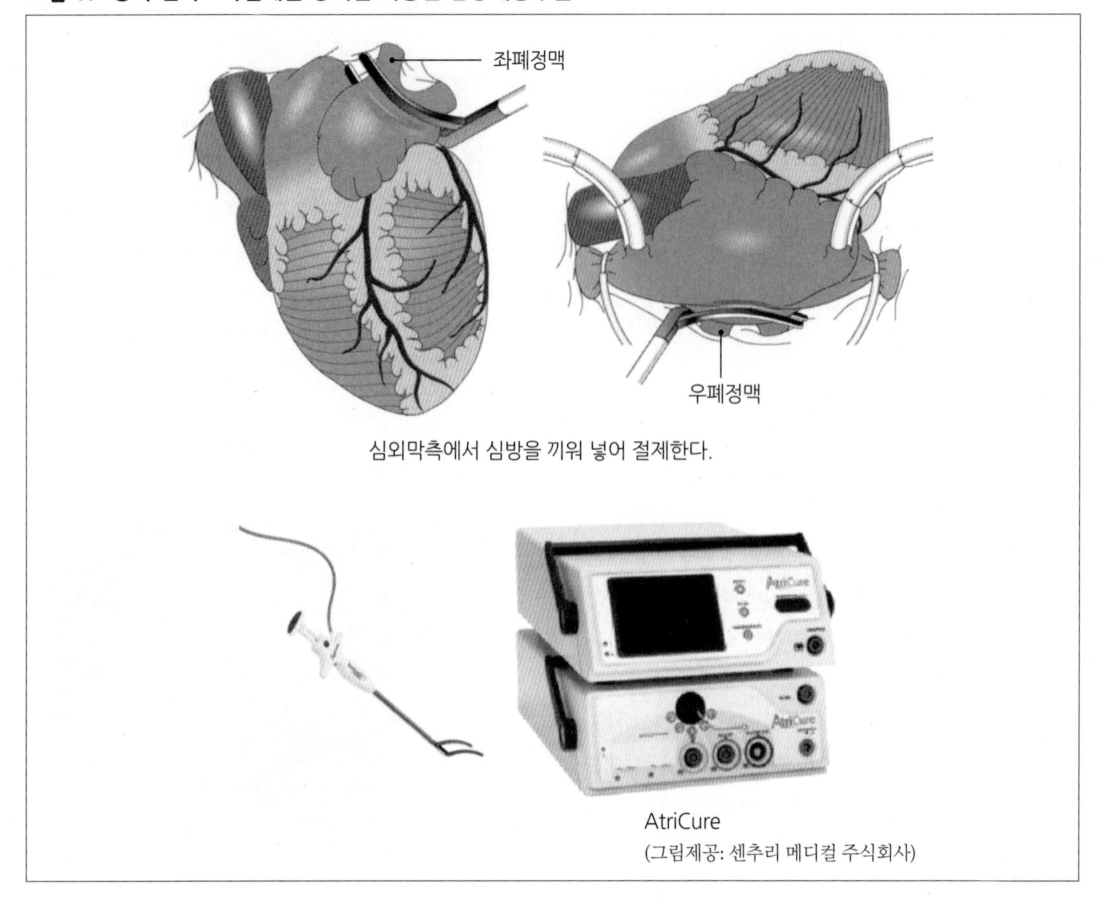

심외막측에서 심방을 끼워 넣어 절제한다.

AtriCure
(그림제공: 센추리 메디컬 주식회사)

으로, 자극전도를 조절하는 수술이다.

- 그 후 심방세동의 원인이 되는 이소성(異所性) 흥분부위의 대부분이 폐정맥내(특히 좌우의 상폐정맥)에 존재하는 것을 알고, 폐정맥격리술이 폐내막측으로의 전극도자절제술으로써 확대됨과 동시에 흉강경을 이용한 심외막측으로의 저침습외과치료법도 연구되고 있다(그림 17).
- 또한 최근에는 심방세동에 따른 색전증을 예방하는 데 중점을 두고 저침습 좌심이절제술이나 카테터적 좌심이 폐쇄술의 임상효과의 검토가 진행되고 있다.

간호 포인트

- 부정맥에는 많은 종류가 있으며 같은 환자라도 상태에 따라 다양한 부정맥을 나타내는 일이 있다. 중요한 포인트는 부정맥에 대한 치료의 필요성, 긴급성을 판단하는 것이며, 의사에게 긴밀한 보고, 연락, 상담을 하는 것이 중요하다.

(窪田博)

심부전

heart failure

point

- 심부전이란 심장의 펌프기능이 저하되어 말초주요장기에 충분한 혈액을 박출하지 못하는 상태이다.
- 상세한 병력을 환자·가족으로부터 청취하고 기초질환, 악화요인을 파악하는 것이 중요하다.
- 신체소견, 흉부X선, 심전도, 혈액검사, 심에코, 스완 간츠 카테터 등에 의해 검사·진단을 한다.
- 치료에 있어서는 심부전의 혈역학 상태에 따른 치료뿐만 아니라 원인질환의 진단·치료가 중요하다.

심부전이란

- 심부전이란「어떤 원인으로 심장의 펌프기능이 저하되어, 말초주요장기의 산소요구량을 독촉할 정도의 혈액량을 박출할 수 없는 상태」를 가리킨다. 그로 인해 폐, 전신정맥계 또는 양성맥계에 울혈을 초래하여 일상생활에 장해를 일으킨다. 심부전이란 하나의 병명은 아니고 거의 모든 심질환의 말기상태로 보이는 증후군이다. 임상적으로 급성심부전과 만성심부전, 좌심부전과 우심부전, 수축부전과 확장부전 등으로 분류된다.
- 심부전에서는 주의 깊게 병력을 알아두는 것이 중요하다. 심부전의 증상을 확실하게 알아두는 것뿐만 아니라 기초질환은 무엇인가, 악화요인은 무엇인가 하는 관점에서 병력청취를 하여, 심부전 발생의 원인을 명확하게 하는 것이 아주 중요하다. 급성심부전의 원인질환 및 발생악화요인은 표 1에 나타내었다[1].
- 심부전의 정도나 중증도를 나타낸 분류에는 자각증상으로 판단하는 NYHA(New York Heart Association)심기능 분류(표 2), 급성심근경색 시에는 타각(他覺)소견에 기초한 킬립(Killip)분류(표 3), 혈역학 상태지표에 의한 포레스터(Forrester)분류(그림 1)가 있다[1]. Forrester분류는 스완 간츠 카테터를 이용하여 혈역학 상태를 4군으로 분류하는 것이지만, 진찰소견으로 똑같은 혈역학 상태를 분류하는 것에 Nohria-Stevenson분류(그림 2)가 있다[1].
- 심부전은 병태에 의해 증상이나 치료가 다르기 때문에 우선 그 병태생리를 정확하게 진단하는 것이 중요하다.

증상

- 심부전의 증상은 ① 좌심부전에 의한 폐울혈의 증상, ② 우심부전 증상, ③ 심박출량 저하의 증상으로 크게 나눌 수 있다.
- 좌심부전에 의한 폐울혈의 증상은 좌심실확장말기압이나 좌심방압의 상승에 따른 폐정맥의 울혈 증상으로써 나타난다. 초기에는 운동 시에 숨이 차거나 심계항진, 쉬운 피로감뿐이고, 안정 시에는 증상이 없지만, 중증이 되면 발작성야간호흡곤란이나 기좌호흡을 일으켜 안정 시에도 호흡곤란이나 심계항진을 호소한다.
- 우심부전증상은 우심방압 상승에 따른 전신정맥울혈의 증상으로서 나타나고, 하지부종, 체중증가, 복부팽만감, 식욕부진, 오심·구토, 변비 등이 있다.
- 심박출량 저하의 증상으로서 쉬운 피로감, 손발이 차거나 집중력 저하, 수면장해, 피로/허약, 청색증, 신혈류량 변화에 따른 핍뇨·야간다뇨 등이 있다.

표 1 급성심부전의 원인질환 및 악화요인

1 만성심부전의 급성악화: 심근증, 특정심근증, 진구성 심근경색 등
2 급성관증후군
  a) 심근경색,불안정협심증: 광범위한 허혈에 의한 기능부전
  b) 급성심근경색에 의한 합병증(승모판폐쇄부전증, 심실중격천공 등)
  c) 우심실경색
3 고혈압증
4 부정맥의 급성발생: 심실빈맥, 심실세동, 심방세동·조동, 그 밖의 상실성빈맥
5 판막역류증: 심내막염, 건삭파열, 기존의 판막역류증의 악화, 대동맥박리
6 중증대동맥판협착
7 중증의 급성심근염(증형심근염)
8 다코츠보심근증
9 심낭압전, 압축성심낭염
10 선천성심질환: 심방중격결손증, 심실중격결손증 등
11 대동맥박리
12 폐(혈전)색전증
13 폐고혈압증
14 산욕성심근증
15 심부전의 악화요인
  a) 복약 적합성의 결여
  b) 수분·염분의 섭취과다
  c) 감염증, 특히 폐렴이나 패혈증
  d) 중증의 뇌장해
  e) 수술 후
  f) 신기능 저하
  g) 천식, 만성폐색성폐질환
  h) 약물남용, 심기능억제작용이 있는 약물의 투여
  i) 알코올 과음
  j) 갈색세포종
  k) 과로, 불면, 정동적·신체적 스트레스
16 고심박출량증후군
  a) 패혈증
  b) 갑상선중독증
  c) 빈혈
  d) 단락질환
  e) 각기심
  f) Paget병

순환기병의 진단과 치료에 관한 가이드라인. 급성심부전 가이드라인(2011년개정판) http://www.j-circ.or.jp/guideline/pdf/JCS2011_izumi_h.pdf(2013년2월열람)

표 2 NYHA(New York Heart Association) 분류

I 도	심질환은 있지만 신체활동에 제한은 없다. 일상적인 신체활동에서는 현저한 피로, 심계항진, 호흡곤란 또는 협심통을 일으키지 않는다.
II 도	경도의 신체활동의 제한이 있다. 안정 시에는 무증상. 일상적인 신체활동으로 피로, 호흡곤란 또는 협심통을 일으킨다.
III 도	고도의 신체활동의 제한이 있다. 안정 시에는 무증상. 일상적인신체활동 이하의 운동으로 피로, 심계항진, 호흡곤란 또는 협심통을 일으킨다.
IV도	심질환이므로 어떠한 신체활동도 제한을 받는다. 심부전 증상이나 협심통이 안정 시에도 존재한다. 약간의 운동으로 이러한 증상은 악화한다.
(부)	II s도: 신체활동에 약한 정도의 제한이 있는 경우 II m도: 신체활동에 중등도 제한이 있는 경우

순환기병의 진단과 치료에 관한 가이드라인. 급성심부전 가이드라인(2011년개정판) http://www.j-circ.or.jp/guideline/pdf/JCS2011_izumi_h.pdf(2013년2월열람)

표 3 Killip분류: 급성심근경색에 있어서의 심기능장해의 중증도분류

클래스 I	심부전의 징후 없음
클래스 II	경도~중등도심부전 라음청취영역이 전폐야의 50% 미만
클래스 III	중증심부전 폐수종, 라음청취영역이 전폐야의 50% 이상
클래스 IV	심원성쇼크 혈압 90mmHg 미만, 요량감소, 청색증, 차갑고 습한 피부, 의식장해를 동반한다.

순환기병의 진단과 치료에 관한 가이드라인. 급성심부전 가이드라인(2011년개정판) http://www.j-circ.or.jp/guideline/pdf/JCS2011_izumi_h.pdf(2013년2월열람)

검사, 진단

신체소견

- 부종: 우심부전의 주요 증상이며 하퇴부위에 가장 뚜렷하다.
- 경정맥팽창: 전신울혈의 결과 일어나는 것으로 팽창은 특히 경정맥에 있어서 관찰하기 쉽다.
- 심음: 청진상 Ⅲ음(심실충만음)에 의한 갤럽리듬(분마조율)의 청취가 특징이다.
- 폐청진: 아래쪽폐야를 중심으로 좌위에서 흡기 시에 수포음(coarse crackles)을 청취한다.

흉부X선검사

- 누운자세에서 촬영하면 흉수삼출액 등의 판별이 곤란해지기 때문에 가능하다면 앉아서 촬영한다.
- 만성심부전에서는 심장확대가 뚜렷한 경우가 많고 급성심부전에서는 폐울혈 소견이 현저하게 드러난다. 폐정맥압 상승에 의해 상엽의 폐

그림 1 Forrester의 분류

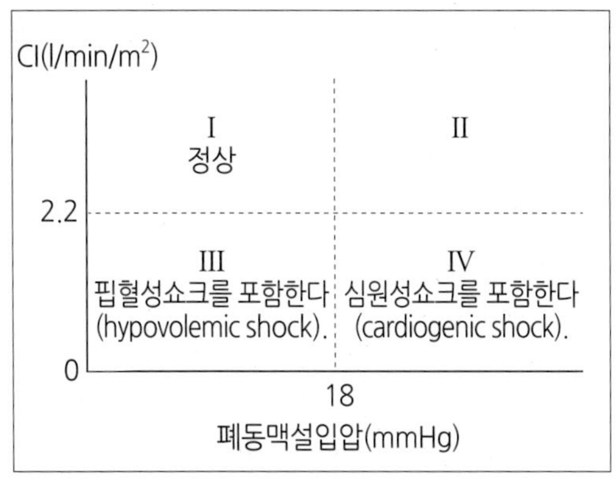

순환기병의 진단과 치료에 관한 가이드라인. 급성심부전 가이드라인(2011년개정판) http://www.j-circ.or.jp/guideline/pdf/JCS2011_izumi_h.pdf(2013년2월열람). CI=Cardiac Index

그림 2 Nohria-Stevenson의 분류

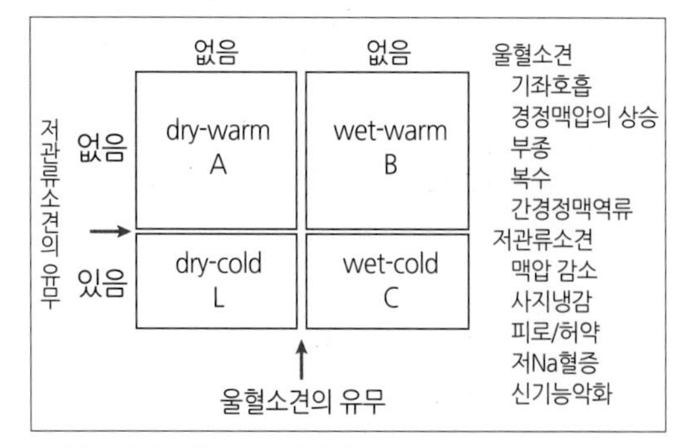

순환기병의 진단과 치료에 관한 가이드라인. 급성심부전 가이드라인(2011년개정판) http://www.j-circ.or.jp/guideline/pdf/JCS2011_izumi_h.pdf(2013년2월열람)

혈류의 재분포가 일어나 상폐야에서 폐정맥의 간질음영이 증강한다. 소엽간경계선의 출현이나 컬리B선(하엽의 선상음영), butterfly shadow(폐문부의 정맥음영) 등이 특징적이다.

심전도

- 심부전에 특이적인 소견은 없으나, 허혈성심질환이나 부정맥 등 심부전의 원인질환을 반영한 소견의 진단에 필요하다.

혈액검사

- BNP(brain natriuretic peptide: 뇌성나트륨이뇨펩티드)는 주로 심실에서 분비되는 호르몬이며, 심실의 부하에 따라 혈중농도가 상승한다. 심부전의 진단, 중증도, 치료효과·예후판정에 유용하다. 또한 BNP의 전구체인 proBNP가 단백분해효소에 의해 사람심장 속에서 생리활성을 갖는 BNP와 생리활동성을 갖지 않는 NT-proBNP로 분해되어 혈액 속에 방출되지만, NT-proBNP의 측정도 마찬가지로 심부전의 평가에 유용하다.
- 그 밖에, 신기능장해의 유무·정도, 간담도계효소·빌리루빈의 상승의 유무, 전해질, 갑상선기능의 체크 등도 중요하다.

동맥혈가스분석

- 호흡관리를 위해 동맥혈가스분석은 중요하다. 급성좌심부전에 있어서의 산도의 파악에도 유용하다.

심에코

- 심장의 형태와 기능을 비침습적으로 평가할 수 있는 유용한 검사다. 판막증 등의 기초 심질환의 진단에다 좌심실구출률 저하의 유무, 좌심방압상승의 유무, 폐고혈압의 유무, 우심방압상승의 유무 등 정보를 얻을 수 있다.
- 필요에 따라 심에코 이외의 MRI, CT, 핵의학검사 등 다른 영상검사도 이용된다.

스완 간츠 카테터

- 스완 간츠 카테터를 삽입하여 우방압이나 폐동맥압, 폐동맥쐐기압, 심박출량 등의 지표 를 얻음으로써, 혈역학 상태의 정확한 평가가 가능해 진다.

진단

- 울혈성심부전 진단기준(표 4)에 따라 문진이나 신체소견으로 진단한다[1]. 심부전의 진단과 함께 원인질환이나 중증도의 진단이 중요하다.

● 일본순환기학회 만성심부전 치료가이드라인(2010년 개정판)에 의한 심부전 진단의 흐름도를 그림 3에 나타내었다[2].

치료

● 심부전의 치료에서는 심부전의 혈역학 상태에 따른 치료뿐만 아니라, 원인질환의 진단·치료가 아주 중요하다. 원인질환의 진단·치료는 각 항을 참조로 하고, 본 책에서는 심부전의 혈역학 상태에 따른 치료에 관해서 급성심부전과 만성심부전으로 나누어 설명하겠다.

급성심부전

● 급성심부전에서는 원인질환의 진단·치료와 심부전의 혈역학 상태에 따른 치료를 동시에 신속하게 진행할 필요가 있다. 심폐소생의 필요성을 판단한 후에 폐울혈에 의한 호흡곤란이 심하면 반좌위에서 산소투여를 한 후에 필요에 따라 NPPV(noninvasive positive pressure ventilation: 비침습적 양압인공호흡), 기관삽관을 시행한다[3].

● 혈역학 상태에 따른 치료의 포인트는 ① 심박출량 저하의 유무, ② 폐울혈 유무의 2가지이다. 이들 평가목적으로 스완 간츠 카테터가 이용되며 혈역학 상태를 4군으로 분류하는 Forrester분류(그림 1)가 유용하다. 다만 스완 간츠 카테터법은 침습적 처치이기 때문에, 임상소견에서 똑같은 혈역학 상태 분류를 하는 Nohria-Stevenson분류(그림 2)도 이용된다.

● Forrester Ⅰ군, Nohria-Stevenson Profile A에서는 심박출량 정상으로 폐울혈도 볼 수 없다.

● Forrester Ⅱ군, Nohria-Stevenson Profile B에서는 심박출량은 유지되고 있지만, 폐울혈을 나타내기 때문에 이뇨제나 혈관확장제를 이용한다.

● Forrester Ⅲ군, Nohria-Stevenson Profile L에서는 폐울혈은 보이지 않지만, 심박출량의 저하를 나타내고 있기 때문에 심근수축제나 강심제가 주로 사용된다.

● Forrester Ⅳ군, Nohria-Stevenson Profile C에서는 심박출량이 저하하고 폐울혈을 나타내고 있기 때문에, 약물요법으로써는 강심제나 혈관확장제, 또는 양쪽 작용을 함께 가지고 있는 포스포디에스테라제(phosphodiesterase: PDE) 저해제 등을 혈역학 상태에 주의하여 사용한다.

● 약물치료에 의해서도 개선이 안 된다면 대동맥 내 벌룬 펌핑(intraaortic balloon pumping: IABP)이나 경피적 심폐보조(percutaneous cardiopulmonary support: PCPS) 등의 비약물요법을 도입한다.

만성심부전

● 좌심실수축기능장해를 기초로 하는 만성심부전에 있어서는 교감신경계, 레닌 안지오텐신 알도스테론계가 활성화되어 심부전의 악화, 사망 등의 이벤트로 이어진다고 생각할 수 있다. 따라서 이와 같은 신경내분비계를 저해하고 예후를 개선하는 것이 현재의 만성심부전

표 4 울혈성심부전의 진단기준(Framingham criteria)

대증상 2개나, 대증상 1개 및 소증상 2개 이상을 심부전이라고 진단한다.

[대증상]
- 발작성 야간호흡곤란 또는 기좌호흡
- 경동맥팽창
- 폐라음
- 심확대
- 급성폐수종
- 확장조기성갤럽(III음)
- 정맥압상승(16cmH_2O 이상)
- 순환시간 연장(25초 이상)
- 간경정맥역류

[소증상]
- 하퇴부종
- 야간 발작성 기침
- 노력성 호흡곤란
- 간종대
- 흉수증가
- 폐활량 감소(최대량의 1/3 이하)
- 빈맥(120/분 이상)

[대증상 또는 소증상]
- 5일 간의 치료에 반응하여 4.5kg 이상의 체중감소가 있는 경우, 그것이 심부전치료에 의한 효과라면 대증상 1개, 그 이외의 치료라면 소증상 1개로 간주한다.

순환기병의 진단과 치료에 관한 가이드라인. 급성심부전 가이드라인(2011년개정판) http://www.j-circ.or.jp/guideline/pdf/JCS2011_izumi_h.pdf(2013년2월열람)

그림 3 심부전진단의 흐름도

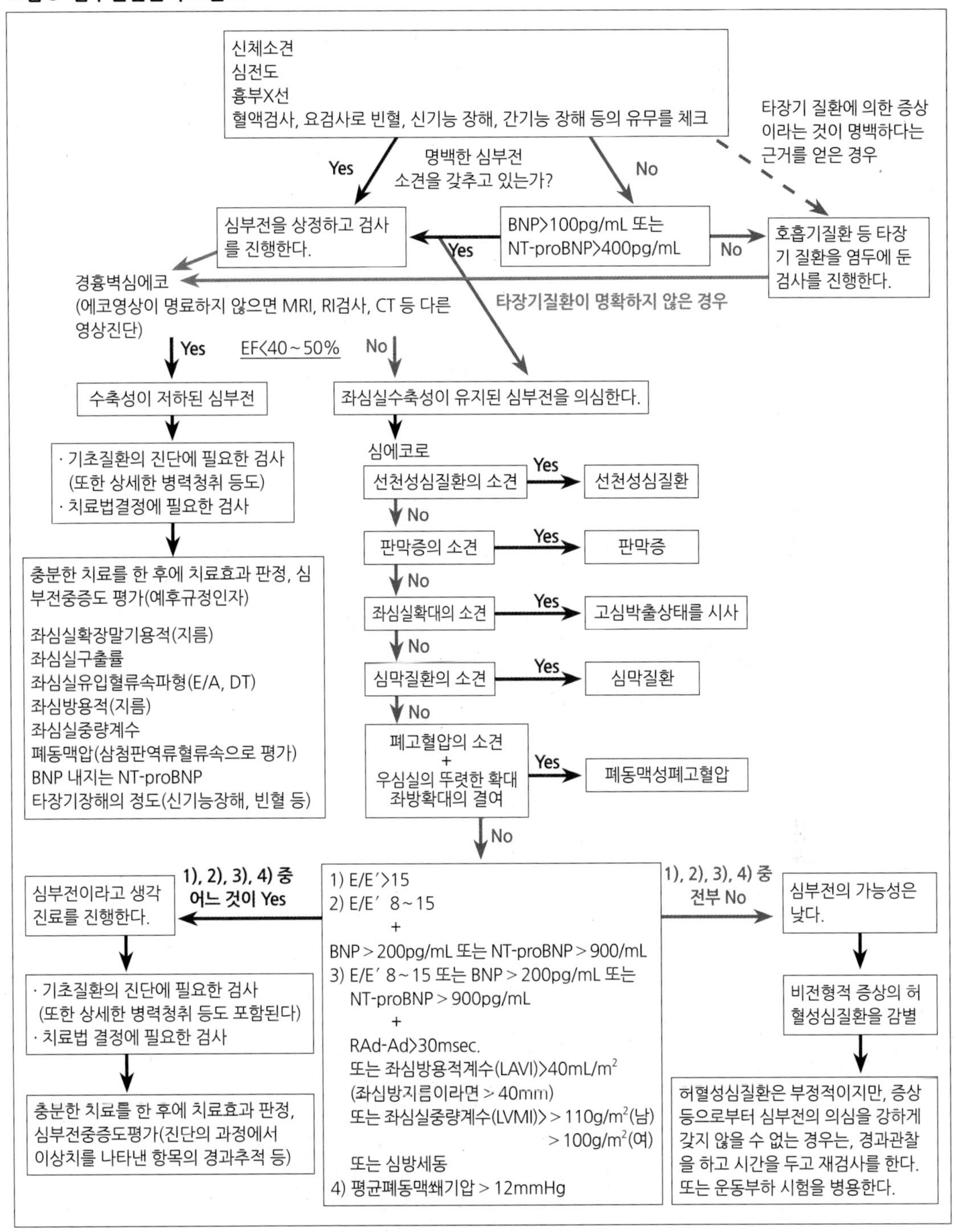

순환기병의 진단과 치료에 관한 가이드라인. 급성심부전 가이드라인(2010년 개정판)
http://www.j-circ.or.jp/guideline/pdf/JCS2011_izumi_h.pdf(2013년2월열람)

EF(ejection fraction): 좌실구출률
E/A: 심에코의 지표의 하나. 좌실유입혈류속파형의 확장조기의 E파와 심방수축기의 A파의 피크 혈류속의 비.
DT(deceleration time) 심에코의 지표의 하나. 좌실유입혈류속파형의 확장조기의 E파의 감속시간.
E/E'(early diastolic filling velocity/ peak early diastolic velocity of the mitral annulus): 좌실급속유입혈류속도/승모판윤최대확장조기운동속도. 심에코에서의 지표 의 하나. E/E'는 좌방압과 정비례한다.
RAd-Ad: 폐정맥혈류속파형의 심방수축기파의 폭(RAd)과 좌실유입혈류속파형의 심방수축기파의 폭(Ad)의 차. 심에코에서의 지표의 하나. 좌방압이나 좌실확장말기압이 상승하면 RAd는넓어지고, Ad는 좁아진다. 따라서 RAd-Ad는 증가한다.

치료의 중심으로 되어 있다.

1. 생활지도

- 염분제한(일반적으로는 6~7g/일 이하이며, 상태에 따라서 적절하게 조정 지도)이 중요하다.
- 기타 금연, 금주(節酒)도 지도하고 약물치료의 지속, 체중측정의 중요성을 교육한다.

2. 약물치료

- 일본순환기학회 만성심부전치료 가이드라인(2010년 개정판)에 의한, 심부전 단계별로 본 약물치료를 그림 4에 나타내었다[2].

a. Stage A

- 위험인자를 갖지만 심기능장해가 없는 상태이며, 고혈압, 내당능이상, 지질이상증, 흡연 등 각각의 위험인자의 시정·치료를 한다. 이들 위험인자를 따르는 고혈압이나 당뇨병이 있는 경우에는 적극적으로 ACE(angiotensin converting enzyme: 안지오텐신 변환효소)저해약을 개시한다.
- ACE저해제에 대한 수용성이 부족한 경우에는 ARB(angiotensin Ⅱ receptor blocker: 안지오텐신Ⅱ수용체 길항약)를 사용한다.

b. Stage B

- 무증상의 좌심실수축기능장해 상태이며, 우선 ACE저해제(부작용 등으로 사용 불가능한 사례에서는 ARB)이 적응이 된다. 심근경색 후의 좌심실수축기능부전이라면 β차단제의 도입을 고려하고, 심방세동에 의한 빈맥을 수반하는 예에서는 디기탈리스를 이용한다.

c. Stage C

- 중증심부전의 상태이며, NYHA Ⅱ도에서는 ACE저해제에다 β차단제를 사용하고, 폐울혈이나 전신부종 등 체액삼출율이 있는 경우에는 이뇨제를 사용한다. 동조율에서도 중증심실성부정맥을 동반하지 않는 비허혈성심근증에는 저용량 디기탈리스가 검토된다. 경구강심제가 추가되는 경우도 있지만 경구강심제는 위험한 부정맥을 유발할 가능성도 있기 때문에, 충분한 주의를 기울이면서 소량부터 사용한다.
- NYHA Ⅲ도에서는 Ⅱ도와 마찬가지로 ACE저해제, β차단제, 이뇨제, 디기탈리스를 이용하고, 항알도스테론제를 추가한다. 부정맥 악화에 충분히 주의를 기울이면서 경구강심제를 추가하는 경우도 있다.
- NYHA Ⅳ도에서는 입원 중에 카테콜라민, PDE저해제, 이뇨제, 심실수축제 등의 비경구투여를 하고 병태의 안정화를 도모한다. 병태가 안정화되면 ACE저해제, 항알도스테론제를 포함한 이뇨제, 디기탈리스 등 경구심부전치료제로 교체

그림 4 심부전의 중증도로 본 약물치료지침

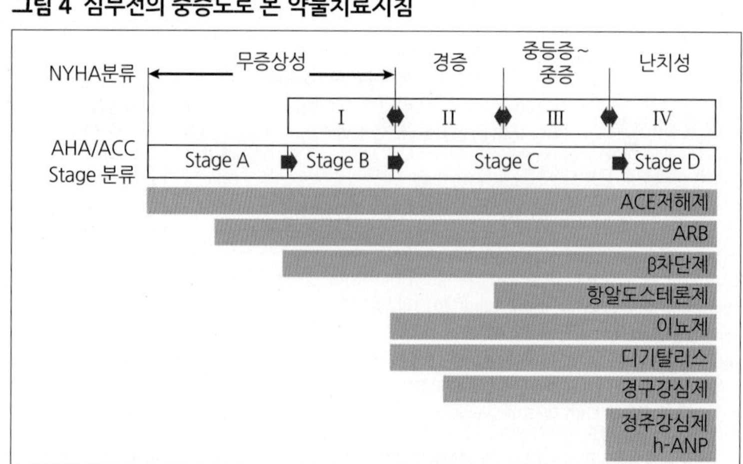

순환기병의 진단과 치료에 관한 가이드라인. 만성심부전 가이드라인(2010년 개정판)
http://www.j-circ.or.jp/guideline/pdf/JCS2010_matsuzaki_h.pdf(2013년2월열람)

하고 또한 β차단제 도입을 시도한다.

d. Stage D

- 치료저항성심부전의 상태이며 체액관리와 약물 치료가 적정한지 재검토한 후에 심장이식을 포함한 비약물요법의 적응에 대해서도 검토한다.
- 적극적 치료에 의해서도 예후의 개선을 기대할 수 없는 경우는 본인이나 가족의 동의하에 말기 환자간호가 선택되는 경우도 있다[2].

3. 비약물치료

a. 심장제세동기요법 (cardiac resynchronization therapy: CRT)

- 좌실내전도장해를 가진 중증 만성심부전 환자에서는 우심실과 좌심실 벽 측면에 리드를 유치하고, 좌심실을 우심실측(중격측)에서와 자유벽측에서 동시에 페이싱하여 수축의 차이를 시정하는 방법이 검토된다. 현재의 CRT의 적응은 QRS폭 120msec 이상, 좌실구출률 35% 이하, NYHA분류Ⅲ 또는 Ⅳ도의 중증심부전이다.
- 이식형제세동기(implantable cardioverter defibrillator: ICD)의 적응이 해당하는 경우는 이식형제세동기능도 부가한 CRT-D가 적응으로 된다.

b. 보조순환

- 약물요법으로 혈역학 상태를 유지할 수 없는 심부전에 대해서 IABP나 PCPS가 시행된다. 기타 혈액정화를 하는 경우도 있다.
- 말기심부전에서 심장이식의 적응이 있으면 보조인공심장의 장착도 검토된다.

c. 심장이식

- 심장이식 이외에 효과적인 치료법이 없는 말기심부전에 대해서 심장이식이 검토된다. 연령은 60세 미만이 바람직하다고 알려져 있다.

d. 기타

- 상기 이외의 비약물요법으로서는 운동요법, 수술요법(허혈성심질환에 대한 관상혈류재건술·좌심실성형술, 좌심실성형술 시행 시의 승모판폐쇄부전에 대한 수술, 중증판막증에 대한 수술, 압축성심낭염에 대한 심막절제술 등) 등을 들 수 있다.

간호 포인트

- 심부전의 진단·치료를 정확하게 하기 위해서는 혈역학 상태의 안정·증상의 완화와 병행하여 심부전의 기초질환과 악화요인을 확인하는 것이 아주 중요하다. 기초질환은 무엇인가, 악화요인은 무엇인가라는 관점에서 상세한 병력을 환자나 가족으로부터 청취한다.
- 심부전 환자의 간호에 있어서는 활력징후·모니터의 체크뿐만 아니라 신체소견을 정확하게 파악하는 것이 진단·치료 면에서 중요하다.
- 스완 간츠 카테터, IABP, PCPS 등의 침습적 처치에 대해서 이해하고 합병증에 유의하여 관리를 한다.
- 심부전에 의한 호흡곤란은 환자에게 죽음에 대한 두려움을 일으켜 불안을 증가시킨다. 또 모니터링류나 억제대 적용, 침습적 처치 등은 스트레스가 된다. 환자의 표정이나 행동, 말을 주의 깊게 관찰하고, 호소에 대해 상황을 정중하게 설명하는 일 등으로 불안·스트레스를 완화시키는 것이 중요하다.
- 만성심부전은 회복되어 퇴원한 후에 다시 악화하여 재입원하게 되는 경우도 많다. 퇴원 후에도 환자가 올바른 지식을 갖고 자기관리를 하는 것이 중요하다. 염분제한, 철저한 복약, 체중측정의 중요성, 금연, 절주 등의 교육·지도가 포인트가 된다.

(松下健一)

문헌

1. 순환기병의 진단과 치료에 관한 가이드라인. 급성심부전치료 가이드라인(2011년 개정판) http://www.j-circ.or.jp/guideline/pdf/JCS2011_izumi_h.pdf(2013년2월열람)
2. 순환기병의 진단과 치료에 관한 가이드라인. 만성심부전치료 가이드라인(2010년 개정판) http://www.j-circ.or.jp/guideline/pdf/JCS2010_matsuzaki_h.pdf(2013년2월열람)
3. 松田直樹: 심부전. 계통간호학강좌 전문분야Ⅱ 성인간호학[3] 순환기, 의학서원, 도쿄, 2012: 148-160.

고혈압
hypertension

point
- 고혈압증은 수축기혈압≧140mmHg 또는 확장기혈압≧90mmHg
- 뇌·순환기계 질환 등의 합병증이 일어나기까지는 무증상으로 경과하는 경우가 많다.
- 고혈압의 약 90%는 원인이 명확하지 않은 본태성 고혈압이며, 원인이 명확한 2차성 고혈압과 구별된다.
- 생활습관의 수정을 해도 고혈압이 시정되지 않는 경우 혈압하강제 치료를 시작한다.

혈압이상

- 혈압은 심박출량과 말초혈관저항으로 결정된다. 환자의 평상시 혈압을 알기 위해 신중해야 한다. 혈압은 낮과 밤, 육체적 활동, 감정변화 등에 따라 변동이 심하므로 한순간의 혈압으로 대표할 수 없다.
- 병원에서 혈압이 일시적으로 높은 경우 백의성고혈압 또는 단독진료실고혈압이라고 한다. 반대로 진료실에서는 정상이지만 가정에서나 활동 중 혈압이 높은 경우를 가면성 고혈압이라고 한다.
- 혈압의 이상은 여러 가지의 원인으로 수치가 변화되는 것이다. 본 항에서는 고혈압에 대해 설명하겠다.

고혈압이란

- 성인의 정상혈압은 수축기혈압<130mmHg 동시에 확장기혈압<85mmHg이다. 수축기혈압≧140mmHg 또는 확장기혈압≧90mmHg인 경우는 고혈압증이다(표 1).
- 혈압이 높으면 뇌졸중, 심근경색, 심질환, 만성신장병 등의 이환률 및 사망률이 높아진다. 또 젊은사람이나·고령자 모두 혈압이 높은 사람일수록 순환기질환 이환률·사망률이 높다.
- 고혈압은 뇌졸중이나 심질환의 큰 위험인자로 되어 있다. 염분과다에 의한 나트륨의 상승이나 수분정체가 일어나는 것도 혈관내의 볼륨을 늘려 혈압상승의 인자가 된다.
- 고혈압에 관련된 장기장해나 질환은 그 밖에도 다수 있으며 표 2에 나타내었다.

증상

- 고혈압자체는 증상 없이 지나가는 경우가 많다. 다만 혈압의 상승에 따라 두통, 현기증, 휘청거림 등의 증상을 호소하는 경우가 있다.

표 1 고혈압기준과 분류

분류	수축기혈압 (mmHg)		이완기혈압 (mmHg)
정상혈압	<120	동시에	<80
고혈압 전 단계	~139	또는	80~89
Ⅰ기 고혈압	140~159	또는	90~99
Ⅱ기 고혈압	≧160~	또는	≧100

이원로, 서정돈. 임상심장학 2판. 고혈압의 병리와 진단. 고려의학, 2007. 에서 인용

검사, 진단

- 고혈압 환자를 진찰할 때는 ① 본태성 고혈압인지 2차성 고혈압*1인지 진단한다, ② 심혈관 위험인자의 존재와 ③ 생활습관을 파악, ④ 심혈관질환의 합병이나 장기장해, ⑤ 가정혈압을 참고로 한 고혈압의 중증도를 체크해 놓는다.
- 고혈압의 90%는 원인을 알 수 없는 본태성 고혈압이지만 2차성 고혈압을 제외하는 것으로 진단한다.

문진

- 고혈압환자의 진료에는 표 3과 같은 병력을 청취하고 환자의 환경을 이해한다.

신체소견

- 고혈압에 수반되는 신체소견을 간과하지 않는 것으로 2차성 고혈압, 심부전징후, 동맥경화, 뇌·심혈관질환을 시사하는 소견을 확인한다 (표 4).

그림 1 성별, 연령별 국민의 혈압수준의 추이

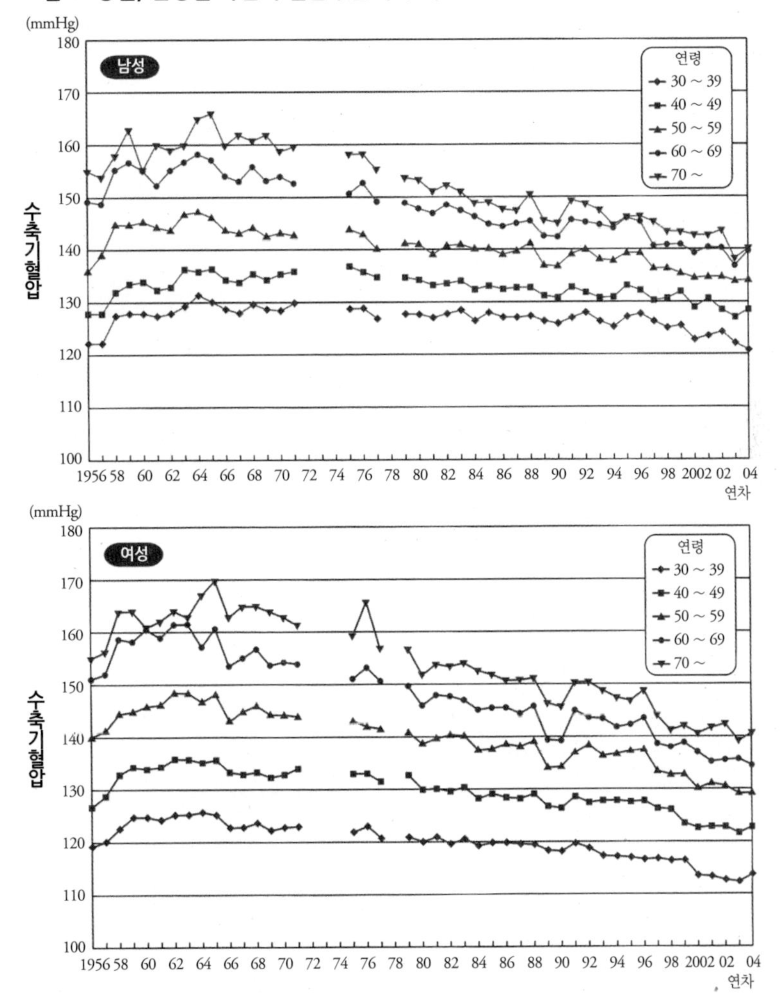

일본고혈압학회 고혈압치료 가이드라인 작성위원회 편: 고혈압치료 가이드라인 2009. 일본고혈압학회, 도쿄, 2009: 2.에서 인용

*1 2차성 고혈압: 다른 질환에 의한 결과로써 고혈압이 일어나는 병태로 고혈압환자의 5~10%를 차지한다고 알려져 있다. 신성고혈압(신성·신혈관성 등), 내분비성고혈압(부신·갑상선·부갑상선·하수체 등의 질환), 수면시무호흡증후군, 의원성고혈압(그테로이드·감초·경구피임약 등)이 있다.

표 2 고혈압관리계획을 위한 위험군분류에 이용하는 예후영향인자(장기장해/심혈관병)[2]

뇌	뇌출혈·뇌경색 무증상뇌혈관장해 일과성뇌허혈발작
심장	좌심실비대(심전도, 심에코) 협심증·심근경색·관동맥재건 심부전
신장	단백뇨(요미량 알부민배설을 포함) 낮은 eGFR(< 60mL/분/1.73m^2) 만성신장병(CKD)· 확립된 신질환(당뇨병성신증·신부전 등)
혈관	동맥경화성플라크 경동맥내막·중막벽 두께 > 1.0mm 대혈관질환 폐색성동맥질환(낮은 족관절상완혈압비: ABI < 0.9)
안저	고혈압성망막증

일본고혈압학회 고혈압치료 가이드라인 작성위원회 편: 고혈압치료 가이드라인 2009. 일본고혈압학회, 도쿄, 2009: 15.에서 인용

표 3 고혈압 환자의 문진항목

1. 고혈압 병력	고혈압이라고 들은 시기, 혈압의 정도, 치료경과
2. 고혈압요소와 임신력	가족력(고혈압·당뇨병·심혈관질환의 존재), 임신 시의 고혈압·당뇨병·단백뇨의 존재
3. 생활습관	운동, 수면, 음주, 음식, 흡연, 성격, 스트레스
4. 2차성 고혈압을 시사하는 정보	비만, 수면시 무호흡증후군(코골이·주간의 졸음·무호흡), 신장병(혈뇨, 단백뇨), 갈색세포종(발작성혈압상승·심계항진·발한), 원발성 알도스테론증/신혈관성고혈압(탈력·주기성사지마비)
5. 장기장해	뇌혈관질환(일과성뇌허혈발작·두통·현기증), 심장질환(호흡곤란·체중증가·하지부종·심계항진·흉통), 신장(다뇨·야간뇨·혈뇨·단백뇨), 말초동맥질환(간헐성파행·하지냉감)

*2 문진, 신체소견, 일반검사로부터 통상의 패턴과 다른 고혈압이라고 판단되는 경우는 2차성 고혈압 검사를 한다. 조조안정 시의 채혈로 혈장레닌 활성, 알도스테론, 코르티졸, ACTH, 카테콜아민3분획 등의 호르몬 검사, 24시간 축뇨 속의 메타네프린3분획, 또는 카테콜아민3분획, 복부에코 등을 한다. 수면시무호흡증후군의 스크리닝 검사로 야간경피 산소분압 모니터링을 한다.

일반검사

- 혈액검사, 일반 요검사, 흉부X선사진(그림 2), 심전도(그림 3) 등이 있다.

표 4 고혈압에 수반하는 신체소견

1. 전신과 비만도	신장·체중·BMI * ·복위·피부소견(복벽피부선조), 다모
2. 안면·경부	빈혈, 황달, 안저소견, 갑상선종, 경동맥혈관잡음, 경동맥팽창
3. 흉부	심장(심첨박동·두근거림을 촉지), 폐엽(라음)
4. 복부	혈관잡음, 간비대·압통, 신비대
5. 사지	동맥박동의 촉지, 냉감, 부종
6. 신경	사지의 운동장해, 감각장해, 건반사 항진

* BMI(body mass index, 체격지수): 체중(kg)/신장(m)^2
BMI≧25는 비만

- 문진, 신체소견, 일반검사에 의해 2차성 고혈압이 의심되는 경우는 특수검사*2를 한다.
- 고혈압의 존재 외 장기장해, 심혈관병의 유무에 의해 위험의 층별화가 이루어지고 있다. 위험이 높은 만큼 치료의 필요성이 높다.

치료

- 혈압치료의 대상은 혈압 140/90mmHg 이상의 환자, 당뇨병이나 만성신장병(CKD), 심근경색후 환자에서는 130/80mmHg 이상이다.
- 그림 4의 고혈압관리 계획에 따라 생활습관의 수정(표 5)을 했음에도 불구하고 고혈압이 시정되지 않는 경우는 혈압강하제치료를 개시한다.
- 연령이나 기저질환의 유무에 따라 혈압목표가 다르다(표 6).

주요 혈압강하제

- 혈압강하제로서 사용하는 약제는 Ca길항제, ARB(알도스테론수용체 길항제), ACE저해제, 이뇨제, β차단약제를 사용한다(표 7).
- 그 밖에도 α, β차단제, 중추성강압제 등이 있다.

그림 2 고혈압환자의 흉부X선영상

- 오랜 세월 고혈압이 지속되는 경우는 심근이 비대해지는 경우가 있으며, 그 결과 X선영상에서의 심확대(심흉곽비 50% 이상)를 동반하는 일이 있다.
- 중정도의 고혈압에 의해 폐혈관확장, 폐울혈을 일으키는 경우도 있다.

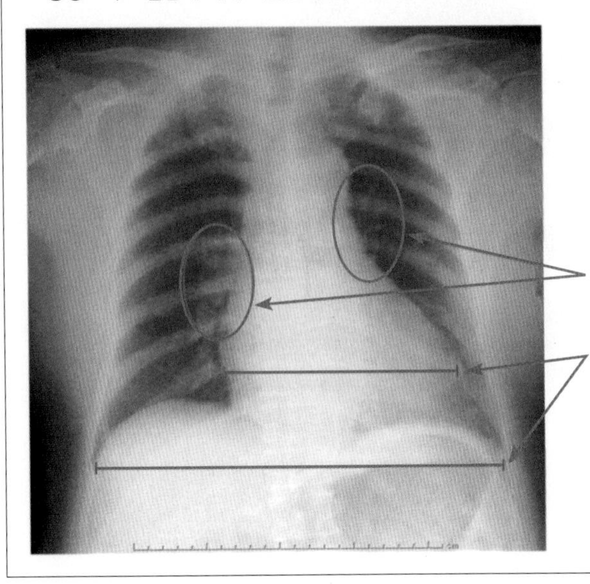

65세 남성. 고혈압으로 외래치료 중, 심확대(우제2궁과 좌제4궁의 확대)를 나타낸다. 가벼운 폐혈관확장을 나타낸다.

그림 3 고혈압환자의 심전도

- 좌심실비대의 소견이 출현할 수 있으며, 흉부유도에서 R파의 증고, V_5, V_6 유도에서 ST저하, 음성 T파의 출현 등을 나타낼 수가 있다.

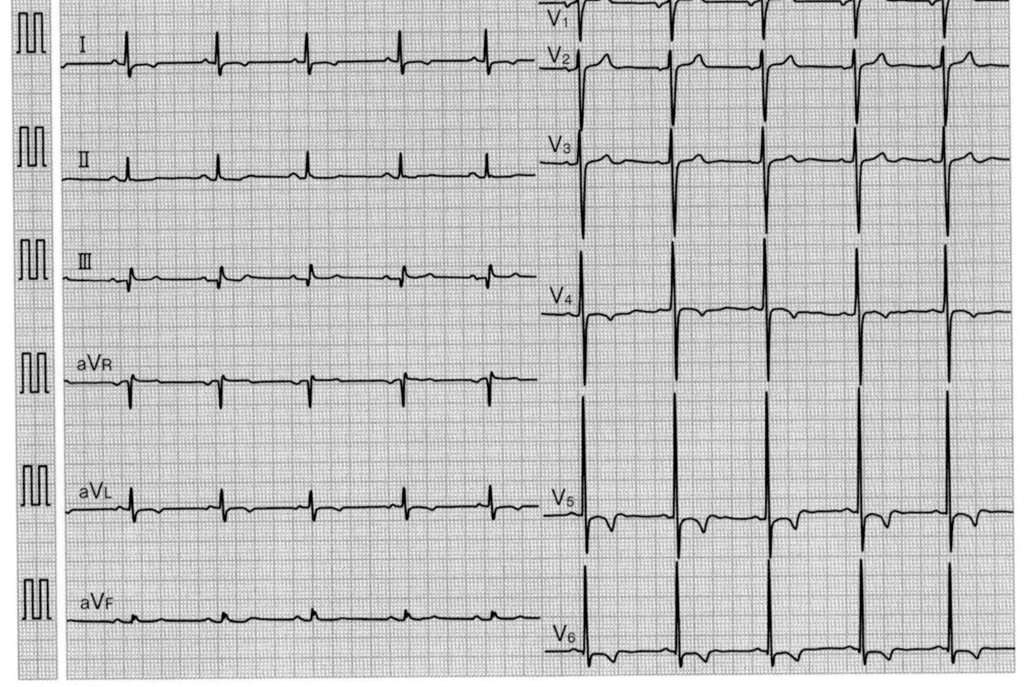

55세의 남성. 고혈압 치료 중, V 유도의 R파의 증고, V_5, V_6 유도의 스트레인형 ST-T저하, T파의 음전화를 나타낸다. 좌실비대의 소견과도 일치한다.

그림 4 초진 시의 고혈압관리 계획

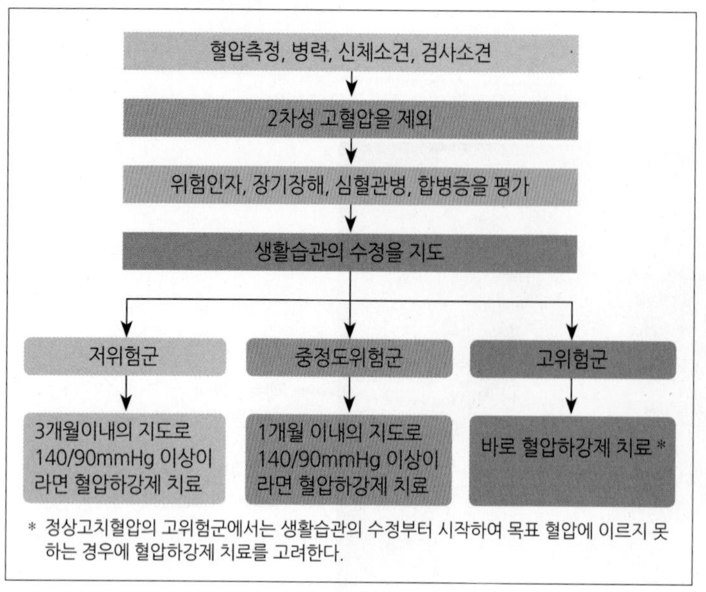

일본고혈압학회 고혈압치료 가이드라인 작성위원회 편: 고혈압치료 가이드라인 2009. 일본고혈압학회, 도쿄, 2009: 25.에서 인용

표 5 생활습관의 수정항목

1. 감염	6g/일 미만
2. 식염이외의 영양소	야채·과일의 적극적 섭취 * 콜레스테롤이나 포화지방산의 섭취를 삼가한다. 생선(생선기름)의 적극적인 섭취
3. 감량	BMI(체중(kg)÷신장(m)^2)가 25 미만
4. 운동	심혈관병이 없는 고혈압환자가 대상이고, 중등도 강도의 유산소운동을 중심으로 정기적으로 (매일 30분 이상을 목표로) 한다.
5. 절주	에탄올로 남성 20~30mL/일 이하, 여성 10~20mL/일 이하
6. 금연	금연지도, 금연외래

* 심각한 신장해를 동반하는 환자에서는 고칼륨혈증을 초래할 위험이 있으므로, 야채·과일의 적극적인 섭취는 권장하지 않는다. 당분이 많은 과일의 과잉섭취는 특히 비만자나 당뇨병 등의 칼로리 제한이 필요한 환자에서는 권하지 않는다.

일본고혈압학회 고혈압치료 가이드라인 작성위원회 편: 고혈압치료 가이드라인 2009. 일본고혈압학회, 도쿄, 2009: 32.에서 인용

표 6 혈압 하강 목표

청장년·중년자	130/85mmHg 미만
고령자	140/90mmHg 미만
당뇨병환자 CKD환자 심근경색후환자	130/80mmHg 미만
뇌혈관장해환자	140/90mmHg 미만

일본고혈압학회 고혈압치료 가이드라인 작성위원회 편: 고혈압치료 가이드라인 2009. 일본고혈압학회, 도쿄, 2009: 27.에서 인용

표 7 주요 혈압강하제의 대표적 약제, 금기 또는 사용례

혈압강하제	대표 적인 약제	금기	사용례
Ca길항제	니페디핀 아믈로디핀베실산염 아믈로디핀베실산염 딜티아젬염산염 베라파밀염산염 실니디핀	서맥 (비디하이드로피리딘계)	심부전
안지오텐신 II 수용체 길항제 (ARB)	칸데사탄 실렉시틸 로사탄칼륨 발사탄 테르미살탄 올메살탄 메독소밀	임신 고칼륨혈증	신동맥협착증
안지오텐신 변환효소 저해제 (ACE저해제)	레니베이스(에나라프릴 말레인산염) 아데커트(데라프릴염산염) 에이스콜(데모카프릴염산염) 타나트릴(이미다프릴 염산염) 코버실(페린드프리르에르브민)	임신 혈관신경성부종 고칼륨혈증	신동맥협착증
이뇨제(티아지드계)	플루이트란(트리클로르메티아지드)	통풍 저칼륨혈증	임신 당뇨병 위험 증가
β차단제	테노민(아테노롤) 세로켄(메토프로롤주석산염)	천식 고도서맥	폐색성폐질환 말초동맥질환
α차단제	미니프레스(프라조신) 하이트라신(테라조신) 카데날린(독사조신)	기립성저혈압	간기능장해

1. Ca길항제

● 칼슘이온의 유입통로를 억제하는 것으로 관동맥·말초혈관(동맥) 확장작용, 심근수축력의 억제, 자극전도계의 억제를 일으키는 것을 주작용으로 하고 있으며, 널리 이용되고 있다.

● 반사성빈맥, 두통, 부종을 동반할 때가 있다.

2. 안지오텐신 II 수용체 길항제(ARB)

● 안지오텐신 II 타입 I 수용체에 결합하여 혈관수축, 체액증가, 교감신경 활성항진 등의 혈압을 상승시키는 인자를 억제하는 것으로, 강압작용을 나타낸다. 심근경색후의 심장보호 효과나 심장비대 억제효과 이외에도 신(腎)보호효과가 있다고 알려져 있다.

● 신기능장해가 있는 환자(혈청 크레아티닌치 2.0mg/dL 이상)에게는 주의가 필요하다.

3. 안지오텐신 변환효소(ACE) 저해제

● 안지오텐신 I 에서 II 의 변환을 저해하고, 안지오텐신 II 의 생성을 억제하는 것으로 강압효과를 나타낸다. 안지오텐신에 의한 장기장해의 억제효과나 심근경색의 발생예방 효과 등이 있다고 알려져 있다.

● 부작용은 헛기침을 나타내는 경우가 있다.

4. 이뇨제

● 신장에서 나트륨이나 수분의 재흡수를 억제한다. 순환혈류량을 줄이고 혈관저항을 낮추는 것으로 강압효과를 나타낸다.

● 부작용은 저칼륨혈증, 당뇨병위험 증가, 고요산혈증 등이 있다.

5. β차단제

- 교감신경의 β자극에는 혈압을 올리는 작용이 있다. 따라서 이 β수용체를 차단하는 것으로 심박출량의 저하, 레닌생산억제, 중추에서의 교감신경억제 등의 효과로 혈압을 떨어뜨린다.
- 부작용은 서맥, 방실블록, 레이노 증상, 기관지천식 등 폐색성 폐질환이 있는 환자에게는 악화될 위험이 있으므로 주의가 필요하다.

6. α차단제

- 교감신경의 α수용체를 차단하는 것으로 혈압강하작용을 나타낸다. 갈색세포종인 환자에게는 적절한 처방이다.
- 부작용으로서 기립성 저혈압이 알려져 있다.

간호 포인트

- 고혈압은 뇌, 순환기계 질환 같은 합병증이 일어나기까지는 거의 자각증상이 없이 지나간다.
- 진찰실혈압이나 백의고혈압도 있을 수 있으므로 가정혈압도 적극적으로 측정하도록 해야한다.
- 처방된 혈압강하제는 혈압강하작용만이 아니고 장기보호 작용이나 합병증, 부작용의 유무에 따라 선택되고 있기 때문에, 환자의 전신상태도 파악할 필요가 있다.
- 혈압을 규정하는 요소는 수분이나 염분 등의 섭취도 관련되어 있으며, 혈압강하제에 의한 치료와 동시에 영양·생활지도도 중요한 포인트가 된다.

(谷合誠一)

문헌

1. Kubo M, Kiyohara Y, Kato I, et al. Trends in the incidence, mortality, and survival rate of cardiovascular disease in a Japanese Community: the Hisayama study. *Stroke* 2003; 34: 2349-2354.
2. 일본고혈압학회 고혈압치료 가이드라인 작성위원회 편: 고혈압치료 가이드라인 2009. 일본고혈압학회, 도쿄, 2009.

알아두어야 할 혈관질환의 지식

급성대동맥박리

acute aortic dissection

point

- 대동맥박리는 동맥벽이 중막층에서 두 층으로 박리되어, 본래의 동맥강 이외에 벽 내에 생긴 공간을 갖는 상태이다.
- 원인은 동맥의 취약성이나 배경인자가 검토되고 있지만 명확한 원인은 알 수 없다.
- 일반적으로 대동맥판 폐쇄부전증이나 심낭압전(심낭삼출액) 합병은 긴급수술을 해야한다.
- 수술은 대동맥 내막 파열부위의 완전절제를 포함한 인공혈관 치환술이다.

급성대동맥박리란[1, 2]

- 동맥벽이 중막층에서 두 층으로 박리되고, 본래의 동맥강(진강, true lumen) 이외에 벽내에 생긴 공간(가강, false lumen)을 가진 상태로 정의할 수 있다(그림 1).
- 진강과 가강은 내막과 중막의 일부를 포함한 동맥벽의 일부(flap)에서 형성되고, 양강은 균열(tear)된 곳을 통해 교통하고 있다.
- 균열부위는 진강에서 가강으로는 entry(엔트리), 가강에서 진강으로는 re-entry(리엔트리)라고 부른다.
- 원인은 동맥의 취약성(죽상동맥경화, 마르판[Marfan]증후군, 엘러스 단로스[Ehlers-Danlos]증후군 등)이나 배경인자(고혈압증, 등)가 검토되고 있지만, 명확한 원인은 밝혀지지 않았다.

증상

- 발생 직후부터 경미한 변화를 일으키기 때문에 광범위한 혈관에 병변이 진전되는 정도에 따라 다양한 증상을 나타낸다.
- 혈관의 상태를 ① 확장, ② 파열, ③ 협착 또는 폐색(분지관류 이상/malperfusion)으로 나누

그림 1 대동맥박리의 동맥벽 구조

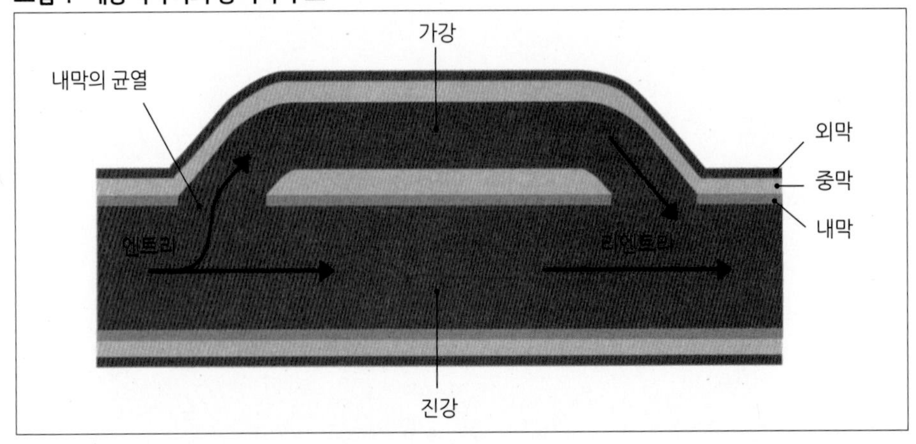

고 박리가 일어나고 있는 부위에 따라 달라진다(표 1).

검사·진단

분류[2, 3]

- 대동맥박리의 분류를 표 2 및 그림 2에 나타내었다. 박리의 범위나 Entry의 위치에 의해서 분류되며, 이 분류에 따라 임상적인 치료방침이 다르다. CT(그림 3) 등에 의해 이 분류를 확정하는 것이 아주 중요하다.

자연력[2, 4]

- 스탠포드(Stanford)분류에 있어서 A형 및 B형에 따라 증상발생 양상이 다르다. 스탠포드A형은 아주 예후가 불량한 질환이다.
- IRAD의 데이터에 의한 내과적 치료에 있어서 사망률은 발생에서 24시간에 약 20%, 48시간에 약 30%, 7일 간에 40%, 30일 간에 약 50%로 보고되어 있다.

표 1 대동맥박리의 증상

1. 확장	대동맥판폐쇄부전증	● 정도의 차이는 있지만 스탠포드A형에서 약 60~70%가 발생한다.
	벽내 혈종	● 만성기에 나타난다.
2. 파열	심낭압전	● 급성기에 있어서 대동맥박리의 사망원인으로서 가장 빈도가 높고(약 40%)위독하다. ● 상행대동맥에 박리가 존재하는 경우(스탠포드A형/드베이키 II 형)는 항상 발생할 가능성이 있다. ● 심낭압전은 박리된 대동맥의 심낭내파열 또는 절박파열에 의한 혈성삼출액 증가에 따라 일어난다.
	흉강 또는 타부위로의 출혈	● 파열에 의한 출혈은 어떤 박리범위에 따른 분류라도 일어날 수 있다. ● 파열빈도는 흉강>종격>후복막강의 순서
3. 분지동맥의 협착·폐색에 의한 말초순환장해 (malperfusion)	협심증/심근경색	● 관동맥의 malperfusion ● 합병빈도는 약 3~9% ● 발생하는 관상동맥은 우>좌
	뇌허혈	● 궁부분지(완두동맥, 좌총경동맥, 좌쇄골하동맥)의 malperfusion ● 합병빈도는 약 3~7% ● 완두동맥이 많다.
	상지허혈	● 완두동맥 또는 좌쇄골하동맥의 malperfusion ● 합병빈도는 약 2~15% ● 우상지가 많다.
	하반신마비	● 척수하부는 직접 대동맥에서 영양을 받고 있으며, 이 분지의 malperfusion이다. ● 합병빈도는 약 4% ● 일과성인 경우도 있다.
	장관허혈	● 복강동맥이나 상장간막동맥의 malperfusion ● 합병빈도는 약 2~7%
	신부전	● 신동맥의 malperfusion ● 합병빈도는 약 7% ● 좌우차는 명확하지 않다.
	하지허혈	● 장골동맥의 malperfusion 또는 대동맥의 협착/폐색에 의해 발증 ● 합병빈도는 약 7~18%
4. 기타		● 파종성혈관내응고증후군(disseminated intravascular coagulation: DIC); 급성기 및 만성기라도 나타나는 경우가 있다.

표 2 대동맥박리의 분류

1. Stanford분류
    - A형: 상행대동맥에 박리가 있는 것
    - B형: 상행대동맥에 박리가 없는 것
2. DeBakey분류
    - Ⅰ형: 상행대동맥에 박리가 있으며 대동맥궁에서 말초에까지 모두 침범된 경우
    - Ⅱ형: 상행대동맥에 박리가 국한되는 것
    - Ⅲ형: 하행대동맥에 박리가 있는 것
    - Ⅲa형: 복부대동맥에 박리가 미치지 않는 것
    - Ⅲb형: 복부대동맥에 박리가 미치는 것

순환기병의 진단과 치료에 관한 가이드라인. 대동맥류·대동맥박리진료 가이드라인 (2011년 개정판) http://www.j-circ.or.jp/guideline/pdf/JCS2011_takamoto_h.pdf(2013년2월열람)

그림 2 대동맥박리의 분류

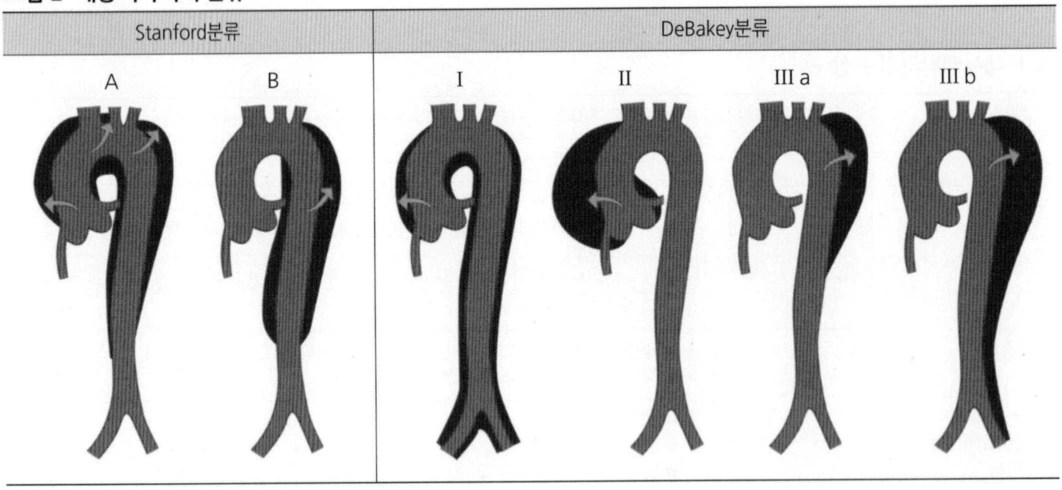

Stanford분류		DeBakey분류			
A	B	I	II	III a	III b

그림 3 위강개존형 급성대동맥박리(StandfordA형/DeBakey I 형)의 CT사진

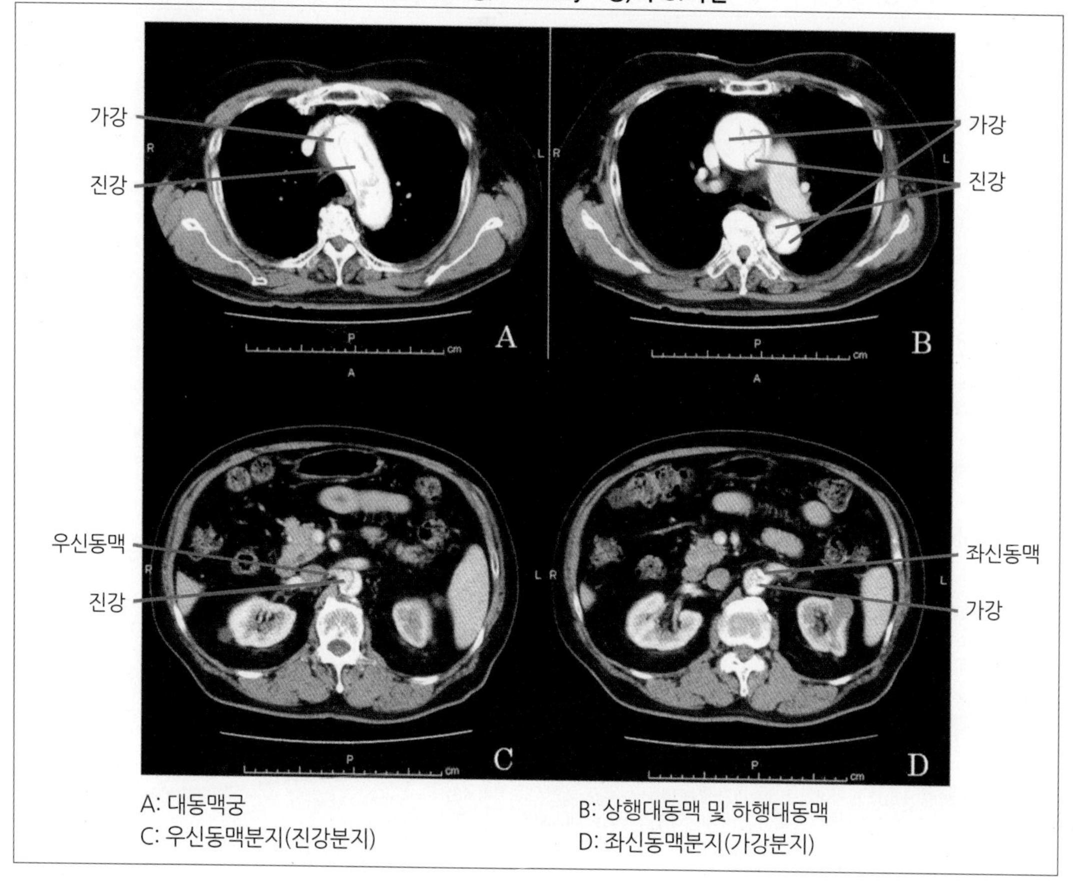

A: 대동맥궁
C: 우신동맥분지(진강분지)
B: 상행대동맥 및 하행대동맥
D: 좌신동맥분지(가강분지)

- 주요 사망원인은 파열, 심낭압전, 대동맥판폐쇄부전증, 분지관류이상(malperfusion)에 따른 급성심근경색, 뇌경색 및 장관허혈이다.
- 스탠포드A형의 내과적 치료는 예후가 불량하며, 긴급수술이 필요하다.
- 스탠포드B형은 내과적 치료에 의한 사망률은 30일 동안에 약 10.7%로 보고되어 있다.

치료

수술적응

- 스탠포드 분류별 급성대동맥박리의 치료기준을 표 3, 4로 나타냈다.
- 가강혈전폐색형인 스탠포드A형의 박리(그림 4)에 대한 수술적응기준은 일정한 견해는 없다. 그러나 일반적으로는 대동맥판폐쇄부전증이나 심낭압전(심낭삼출액 증가) 합병은 긴급수술의 적응이며, 대동맥 직경이 50mm 이상, 또 급성기 경과관찰 CT상(上), 상행-대동맥궁부에 궤양 모양 돌출상(ulcer like projection: ULP)이 나타났을 때는 아급성 수술을 한다.
- 스탠포드B형에 대한 치료는 기본적으로 내과적인 혈압강하를 하는 것이다.

수술[3, 5]

- 수술은 박리부위절제를 포함한 인공혈관치환술(그림 5)이다. 인공심폐의 확립에 있어서 혈류공급은 진강으로 함을 원칙적으로 하고 가강으로 흐르지 않도록 주의를 요한다.
- 각종 장기보호에 대한 보조수단은 대동맥류수술과 똑같이 한다. 박리에 따라 취약화된 대동맥은 문합부박리강폐쇄 및 철저한 보강을 하고 인공혈관문합으로 한다.

표 3 Stanford A형 대동맥박리에 대한 급성기치료에 있어서의 권장

Class I
1. 가강개존형 A형(I, II형, 역행성 III형) 박리에 대한 대동맥외과치료(긴급수술) (Level C)
2. 박리에 직접 관계가 있고, 중증합병증*을 가지며, 수술로 인해 그것이 완화되었거나, 또는 그 진행이 억제되었다고 생각되는 대동맥박리에 대한 대동맥외과치료 (Level C)
*가강의 파열, 재박리, 심낭압전, 의식장해나 마비를 수반하는 뇌순환장해, 심부전을 수반하는 대동맥판폐쇄부전, 심근경색, 신부전, 장관순환부전, 사지혈전색전증 등

Class IIa
1. 혈압조절, 통증에 대한 약물치료에 효과가 없는 대동맥박리, 가강폐색형 A형박리에 대한 대동맥외과치료 (Level C)
2. 상행대동맥의 가강이 혈전화 하고 합병증이나 지속적 동통을 수반하지 않는 A형박리에 대해 일정한 조건하(III-1-1-3), 내과치료를 개시 (Level C)
3. 대동맥긴급수술적응이 없는 급성대동맥박리에 수반되는 장관관류장해에 대한 외과적 또는 혈관내치료에 의한 혈류재건술 (Level C)

Class IIb
1. 중증의 뇌장해를 가진 사례에 대한 대동맥외과치료 (Level C)

Class III
1. 대동맥긴급수술적응이 있는 경우의 장기관류장해에 대한 혈류재건술 (Level C)

순환기병의 진단과 치료에 관한 가이드라인. 대동맥류·대동맥박리진료 가이드라인(2011년 개정판) http://www.j-circ.or.jp/guideline/pdf/JCS2011_takamoto_h.pdf(2013년2월열람)

표 4 Stanford B형 대동맥박리에 대한 급성기치료에 있어서의 권장

Class I
1. 합병증이 없는 가강개존형/ULP형/위강폐색형 B형박리에 대한 내과치료 (Level C)
2. 박리에 직접 관계가 있는 중증합병증*을 가지고, 수술에 의해 완화되거나 또는 그 진행이 억제되었다고 생각되는 대동맥박리에 대한 대동맥외과치료 (Level C)
*가강의 파열, 재박리, 심낭압전, 의식소실이나 마비를 동반하는 뇌순환장해, 심부전을 동반하는 대동맥판폐쇄부전, 심근경색, 신부전, 장관순환장해, 사지혈전색전증 등
3.대동맥긴급수술적응이 없는 가강개존형 B형박리에 있어서 하지혈류장해에 대한 외과적 또는 혈관내 치료에 의한 혈류재건술 (Level C)

Class IIa
1. 혈압조절, 통증에 대한 약물치료에 효과가 없는 대동맥박리에 대한 대동맥외과치료 (Level C)
2. 혈압조절에 대한 약물치료에 효과가 없는 대동맥박리에 대한 내과치료 (Level C)
3. 긴급수술적응이 없는 급성대동맥박리에 동반하는 장관관류이상에 대한 외과적 또는 혈관내치료에 의한 혈류재건술 (Level C)

Class IIb
1. 중독한 뇌장해를 가진 사례에 대한 대동맥외과치료 (Level C)

Class III
1. 합병증이 없는 B형박리에 대한 대동맥외과치료 (Level C)
2. 대동맥긴급수술적응이 있는 경우의 장기관류장해에 대한 혈류재건술 (Level C)

순환기병의 진단과 치료에 관한 가이드라인. 대동맥류·대동맥박리진료 가이드라인 (2011년 개정판) http://www.j-circ.or.jp/guideline/pdf/JCS2011_takamoto_h.pdf(2013년2월열람)

그림 4 가강혈전폐색형 대동맥박리의 CT사진

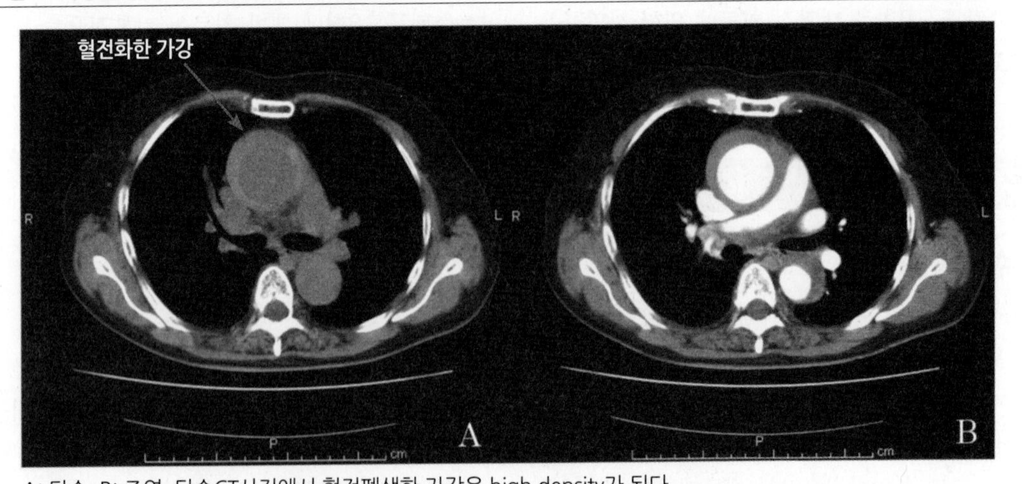

A: 단순, B: 조영. 단순CT사진에서 혈전폐색한 가강은 high density가 된다.

- 인공혈관치환술의 범위는 박리부위의 위치 및 분지관류이상을 동반하는 장기에 따라 다르다.
- 스탠포드A형에 대한 수술은 박리부위가 상행 또는 대동맥궁에 존재하면 상행치환 또는 박리의 위치에 따라 부분 또는 전체 대동맥궁치환술이 된다.
- 드베이키Ⅲ형 역행성박리에서 박리가 상행 또는 대동맥궁에 존재하지 않는 경우는 상행치환으로만 하고 있다.
- 관동맥의 분지관류이상의 합병시에는 관동맥 우회술을 한다(그림 6).
- 스탠포드B형에 대한 수술은 하행치환술 또는 흉복부치환술이 된다. 또 근래 TEVAR (thoracic endovascular aortic repair)을 시행한 증례의 보고도 있다.

간호 포인트

- 급성대동맥박리에 대해 인공혈관치환술을 하더라도 인공혈관치환부에서 말초측에 박리가 남아있는 경우가 있다. 원인은 가령 박리부위를 절제하더라도 재박리가 생겨 혈액이 가강 내로 유입되기 때문이다.

(遠藤英仁)

그림 5 상행대동맥 인공혈관치환술

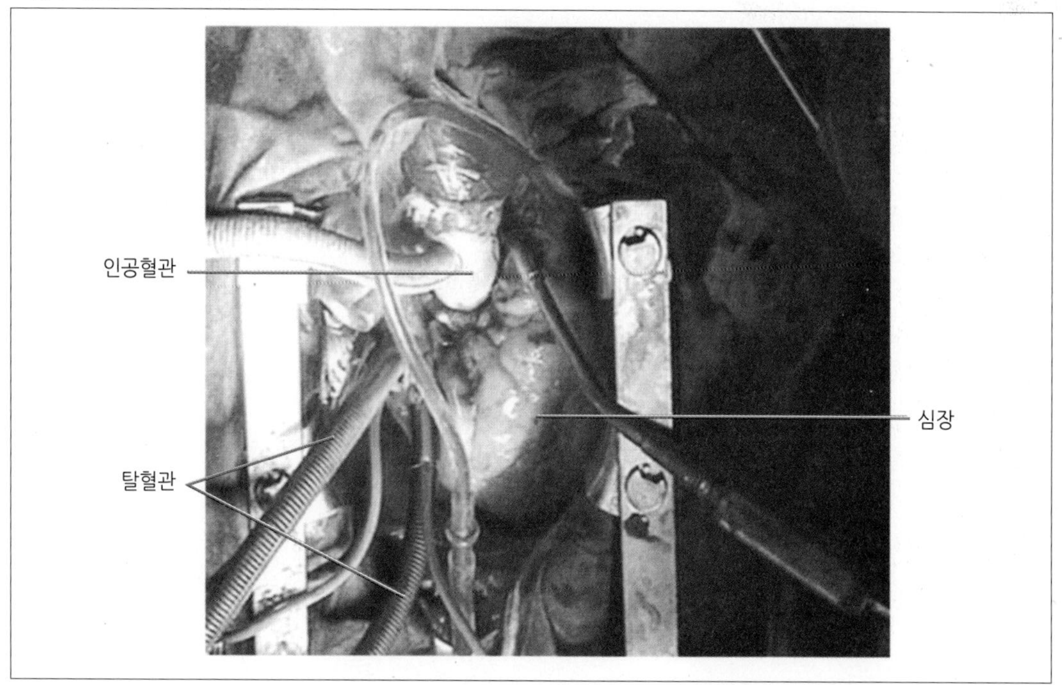

그림 6 술후 CT 사진

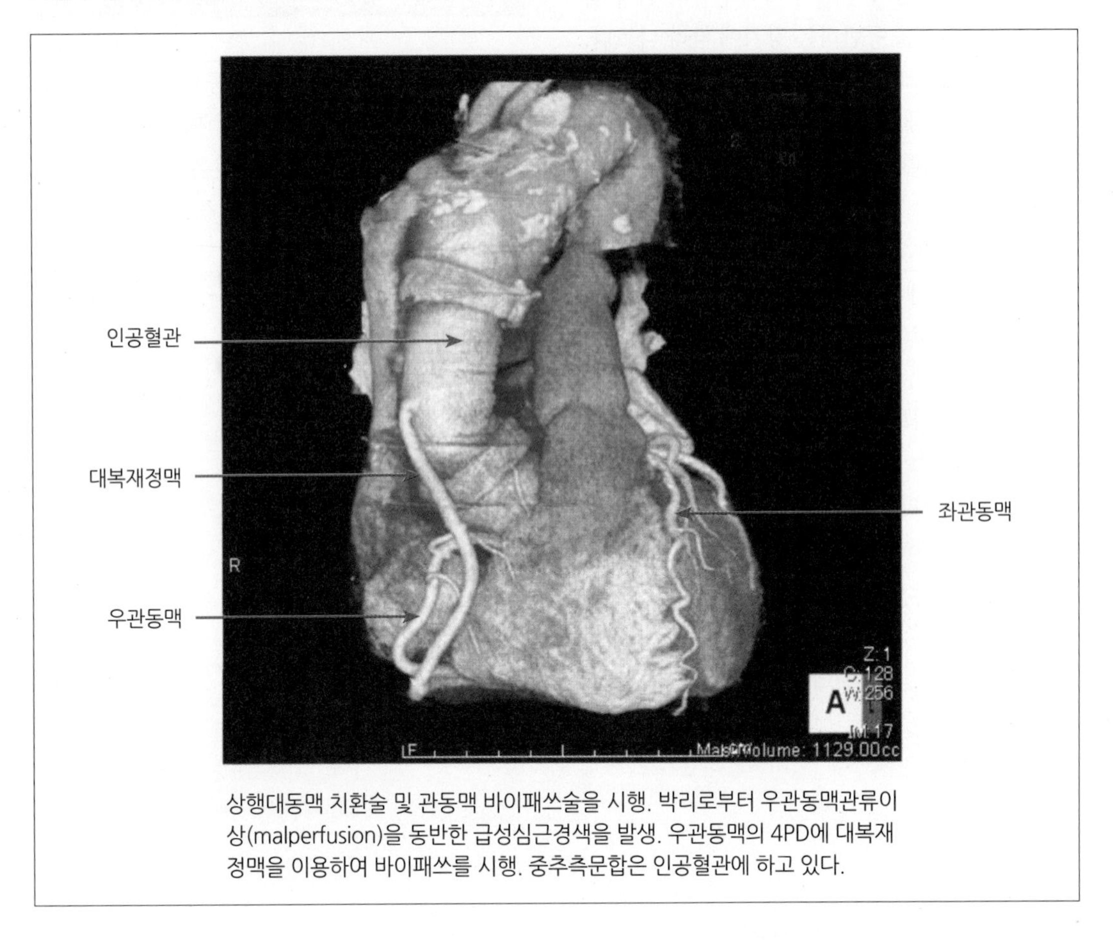

상행대동맥 치환술 및 관동맥 바이패쓰술을 시행. 박리로부터 우관동맥관류이상(malperfusion)을 동반한 급성심근경색을 발생. 우관동맥의 4PD에 대복재정맥을 이용하여 바이패쓰를 시행. 중추측문합은 인공혈관에 하고 있다.

문헌

1. 松尾汎: 정의·분류. 대동맥류·대동맥박리의 임상과 병리, 由谷親夫, 松尾汎 편, 의학서원, 도쿄, 2004:2-8.
2. 순환기병의 진단과 치료에 관한 가이드라인. 대동맥류·대동맥박리진료 가이드라인(2011년 개정판) http://www.j-circ.or.jp/guideline/pdf/JCS2011_takamoto_h.pdf(2013년2월열람)
3. Nicholas TK, Eugene HB, Donald BD, et al: cCardiac Surgery, 3rd Edition. Elsevier Science, USA. 2003; 1851-1900.
4. Hagan PG, Nienaber CA. Isselbacher EM, et al: The international registry of acute aortic dissection (IRAD). New insight into an old disease. JAMA 2000; 283:897-903.
5. 安田慶秀: 급성대동맥박리. 대동맥외과의 요점과 맹점, 高本眞一 감수·편, 文光堂, 도쿄, 2005: 280-284.
6. Sakata R, Fyjii Y, Kuwano H: Thorcic and cardiovascular surgery in Japan during 2009. Annual report by the Japanese association for thorcic surgery. Gen Thorac Cardiovasc surg 2011; 59: 636-667.

대동맥류

aortic aneurysm

point

- 대동맥류는 대동맥벽 일부가 확장된 상태이다.
- 무증상이 많지만 대동맥류의 확대 및 진행에 따라 통증이나 압박감이 나타난다. 대동맥류 파열시에는 갑작스런 흉배부통, 요통 및 복통 등의 동통증상을 동반하며, 출혈성 쇼크증상을 나타내는 경우도 있다.
- 내과적 치료는 대동맥류의 확대속도를 가능한 한 관리하는 것, 정기적 영상진단을 하여 수술의 적정시기를 감시하는 것이 목적이 된다. 기본은 동맥경화위험인자의 관리 및 운동제한 등이다.
- 외과적치료는 스탠트 그래프트 삽입술 또는 인조혈관치환술, 그 2개의 장점을 살린 하이브리드수술이 이루어지고 있다.

대동맥류란

- 대동맥벽 일부의 또는 전부가 확장된 상태라고 정의한다.
- 일반적으로 대동맥의 직경이 정상내경의 1.5배(흉부에서 4.5cm, 복부에서 3.0cm)를 넘은 경우에 동맥류라고 칭하고 있다[1,2].
- 동맥류는 ① 병리학적, ② 형태학적, ③ 원인별, ④ 부위별로 분류된다(표 1, 그림 1-3).
- 대동맥류는 파열 전에 치료를 하는 것이 중요하다. 특히 형태학적 분류상의 꽈리형 동맥류는 직경이 작더라도 쉽게 파열한다.
- 꽈리형 동맥류의 형성빈도가 높은 것은 원인별분류상은 감염성 및 외상성이며, 병리학적 분류상은 가성동맥류이다. 이들은 조급한 치료를 필요로 한다.

증상

자연 경과[3, 4, 5]

- 흉부대동맥류의 자연예후는 대동맥류의 확대율 및 파열이 깊게 관련되어 있으며, 극히 예후가 불량하다.
- 대동맥류직경에 의한 파열률은 흉부에서는 5cm 이상에서 약 30%, 복부에서는 5cm 이상에서 25~37%로 보고되어 있다.

임상증상

- 대동맥류 자체의 증상은 무증상이 많다. 그러나 대동맥외막에는 지각신경이 존재해서 대동맥류의 확대 및 진행에 따라 통증이나 압박감이 나타난다.
- 주로 임상증상이 출현하는 원인은 대동맥류에 의한 주변장기압박에 따른 것이다(표 2). 주변장기압박에 의한 증상으로 우발적으로 대동맥류가 발견되는 경우가 있다.

파열증상

- 대동맥류 파열시에는 갑작스런 흉배부통, 요통 및 복통 등의 통증을 수반하고 출혈성쇼크증상을 나타내는 경우도 있다. 주변장기의 압박에 의해 객혈 또는 토혈을 일으키기도 한다.

표 1 대동맥류의 분류

병리학적 분류	
진성(true aneurysm)	● 동맥류벽이 동맥벽 성분으로 구성되어 있다.
가성(pseudoaneurysm)	● 3층구조가 파열되고 동맥류가 형성되어 있다. ● 쉽게 파열한다.
박리성(dissectimg aneurysm)	● 동맥벽이 중막층에서 두 층으로 박리되고 본래의 동맥강(진강)이외에 벽내에 생긴 강(가강)을 갖는 것

형태학적 분류	
방추상류(fusiform type)	● 전반적으로 확장되어 동맥류를 형성한 것
꽈리형(saccular type)	● 일측성으로 돌출된 꽈리를 형성한 것 ● 병리학적으로 진성 및 가성이 있다. ● 작아도 쉽게 파열한다.
대동맥판윤확장증(annuloaortic ectasia)	● 대동맥판폐쇄부전증을 동반하여 서양배 모양의 형태를 취한다.

원인별 분류	
동맥경화성(atherosclerotic)	● 가장 많은 원인이다. ● 동맥경화의 원인에서도 죽상동맥경화가 가장 많다.
감염성(infected)	● 감염성의 원인에서는 세균성이 가장 많다. ● 감염성동맥류는 명확한 동맥류를 형성하기 전에 파열되는 것이 많지만, 병리학적으로는 가성동맥류를 형성한다. ● 조기수술의 적응이며 난치성이다.
외상성(traumatic)	● 외부압력에 의한 혈관손상에 따라 동맥류를 형성한다. ● 가성동맥류를 형성하고 조기수술의 적응이 되는 경우가 많다.
염증성(inflammatory)	● 대동맥의 염증성질환으로서 매독성 대동맥염, 거세포성 동맥염, 혈관 베체트병 등이 있다.
선천성(congenital)	● 결합조직성질환이다, 말판(Marfan)증후군 및 엘러스 단로스(Ehlers-Danlos)증후군이 있다. ● 대동맥축착증도 동맥류로 발전하는 경우가 있다.

존재부위별 분류	
흉부대동맥류(thoracic aortic aneurysm)	● 횡격막상의 대동맥류·대동맥판윤확장증(annuloaortic ectasia: AAE) · 상행대동맥류(ascending aortic aneurysm) · 대동맥궁동맥류(arch aortic aneurysm) · 하행대동맥류(descending aortic aneurysm)
흉복부대동맥류 (thracoabdominal aortic aneurysm)	● 횡격막상하의 연속된 동맥류 · Crawford분류에 의해 나뉘어지고 있다.
복부대동맥류(abdominal aortic aneurysm)	● 횡격막하의 대동맥류 · 신동맥상대동맥류(supra-renal type) · 신동맥하대동맥류(infra-renal type)

검사·진단

- 대동맥류의 확정진단에는 영상검사가 필수이다(표 3, 그림 4).

치료

내과적 치료

- 내과적 치료에 의해, 형성된 대동맥류가 치유되는 일은 없다.
- 내과적 치료의 주된 목적은 ① 대동맥류의 확대 속도를 가능한 한 관리하는 것, ② 정기적 영상진단을 하여 수술의 적정시기를 확인하는 것이 목적이 된다.
- 기본적으로는 동맥경화위험인자의 관리(고혈압, 당뇨병, 고지혈증, 고요산혈증, 비만, 흡연) 및 운동제한 등이다.

외과적 치료

1. 수술적응

- 대동맥류 파열시의 수술성적은 개선되는 경향에 있지만 아직까지 불량하며, 파열 전에 외과적 치료를 하는 것이 중요하다. 위에서 서술한 자연경과를 고려하여 수술적응기준이 결정된다.

그림 1 대동맥류의 병리학적 분류

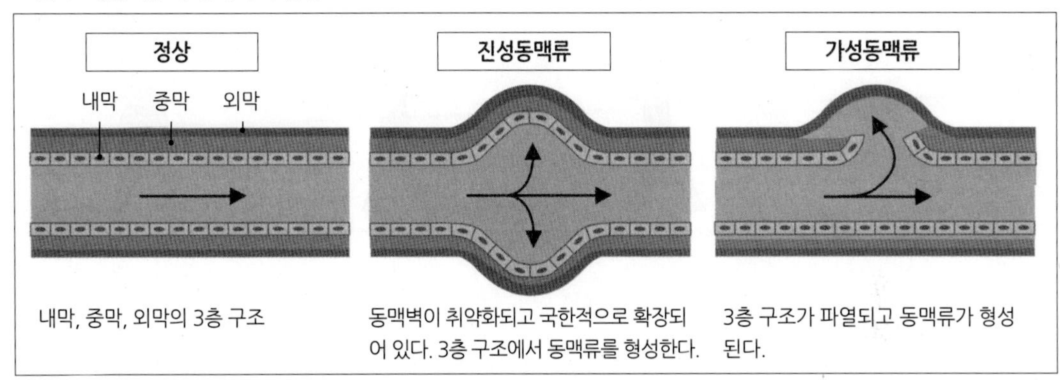

그림 2 형태학적 분류

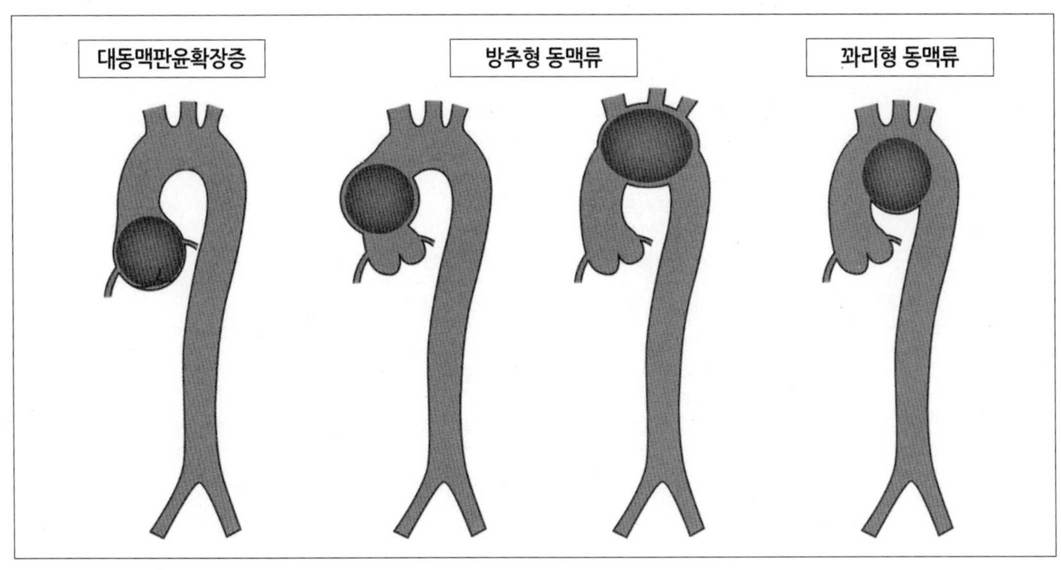

그림 3 존재부위별 분류

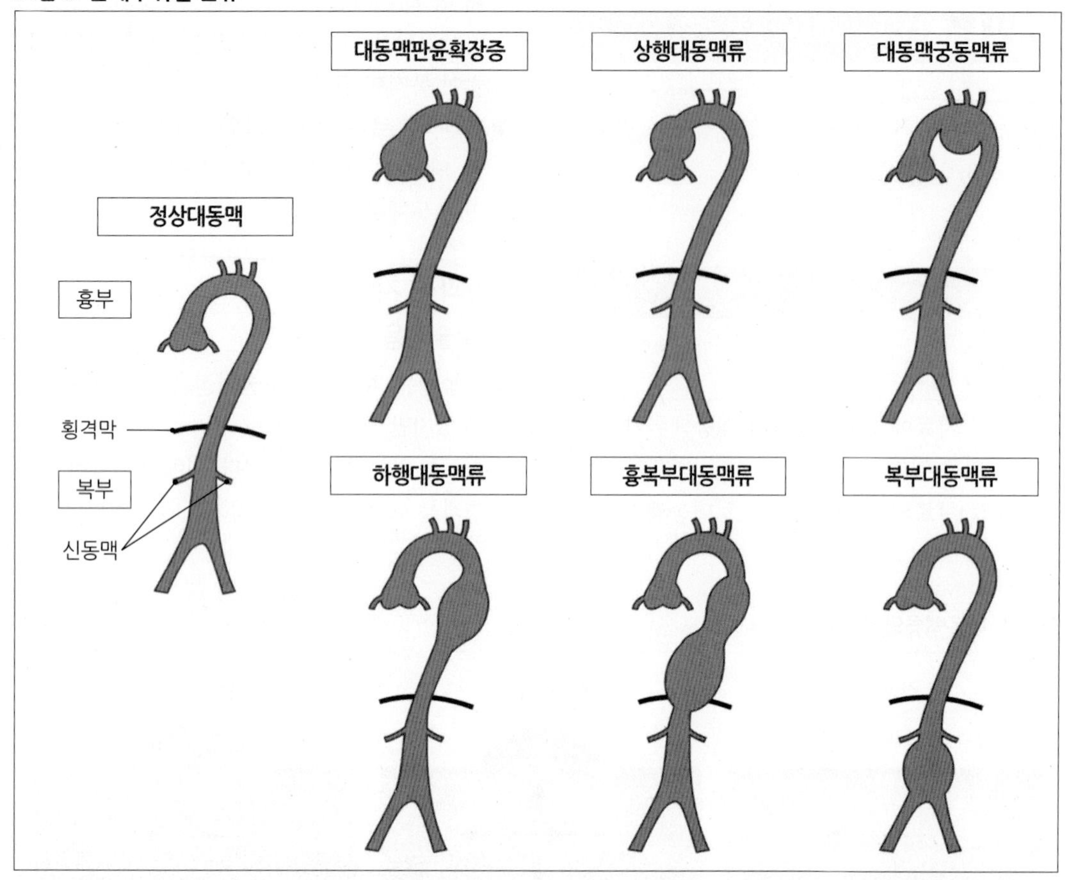

표 2 주변장기압박증상

대동맥류	증상
대동맥류	● 증상
상행대동맥류	● 상대정맥증후군: 상대정맥, 무명정맥의 압박 ● 호르너(Horner)증후군: 상악신경절의 압박
대동맥궁동맥류	● 쉰목소리: 좌반회신경의 압박 ● 호흡기증상: 기도의 압박. 기침, 호흡곤란, 반복성폐렴, 피가 섞인 객담 등의 증상이 있다. ● 객혈: 동맥류-기관지루에 의해 나타난다. 동맥류의 파열
하행대동맥류	● 호흡기증상: 기도의 압박 ● 연하장해: 식도의 압박 ● 폐성심장: 폐동맥의 압박 ● 토혈: 동맥류-식도루에 의해 나타난다. 동맥류의 파열
흉복부 또는 복부대동맥류	● 복부분지의 압박에 의해 허혈증상을 나타낸다.
기타	● 골파괴: 격심한 통증을 보이는 경우가 있다. · 상행대동맥류: 부우전흉부늑골, 흉골 · 하행대동맥류: 흉추, 좌배부늑골 ● 심부전, 부정맥: 대동맥판윤확장증에 따른 대동맥판폐쇄부전증을 병발하는 경우가 있다.

● 흉부 및 흉복부대동맥류의 수술적응(진성동맥류이면서 방추형 동맥류, 말판증후군을 제외한다)으로서는 ① 최대크기 > 60mm, ② 확대속도 > 5mm/6개월이지만, 비교적 타당한 기준으로서 생각되고 있다. 복부대동맥류는 크기가 > 5cm로 한다.
● 꽈리형동맥류(진성류)는 그 크기에 상관없이 파열하는 경우가 있어서 확대경향 또는 주변장기 압박증상이 존재하는 경우는 수술적응으로 하고 있다.
● 가성동맥류(감염성, 외상성 등에 의한)는 파열의 위험성이 아주 높아 신속하게 조기의 외과적치료가 이루어진다.
● 말판증후군은 대동맥벽 중막에 낭포성 중막괴사를 동반하는 선천적 결합조직질환이다. 대부분의 시설은 최대단경 > 4.5～5.0cm에서 수술적응으로 하고 있다.

2. 수술

● 각 동맥류에 대한 접근방법은 대동맥류의 존재부위에 따라 다르다.
● 상행 및 대동맥궁동맥류에의 도달방법은 흉골정중절개법이 시행된다.

표 3 주요 영상검사

주요 검사	목적 및 특징
흉부단순X선	● X선으로 동맥류의 확정진단은 곤란하지만 동맥류를 의심하고 다음으로 추가검사를 하는 데 중요한 초기검사이다. ● 대동맥궁에 관해서는 double shadow가 보이는 경우가 있다. ● 대동맥의 석회화 ● 심비대(심부전, 심낭액 증가), 폐울혈, 흉수 등 ● 대동맥박리에 있어서 종격의 확대
CT	● 단순*; 유경(瘤徑), 대동맥의 석회화(동맥류 자체, 예측문합부) ● 조영; 동맥류의 형태, 벽재혈전, 파열에 의한 동맥 외로 조영제 누출 ● MDCT(multidetector-row CT: 3DCT); 류의 형태, 대동맥분지와 동맥류의 위치관계
MRA	● 동맥류의 형태, 대동맥분지와 동맥류의 위치관계
대동맥조영	● 꽈리의 형태, 대동맥분지와 동맥류의 위치관계→근래 비침습적 검사인 MDCT/MRA를 하는 경우가 많다.
에코	● 주로 복부대동맥류에 시행된다.

* 가강혈전색전형 급성대동맥박리에서는 단순CT에서 가강부는 high density가 된다.

그림 4 대동맥류의 CT사진

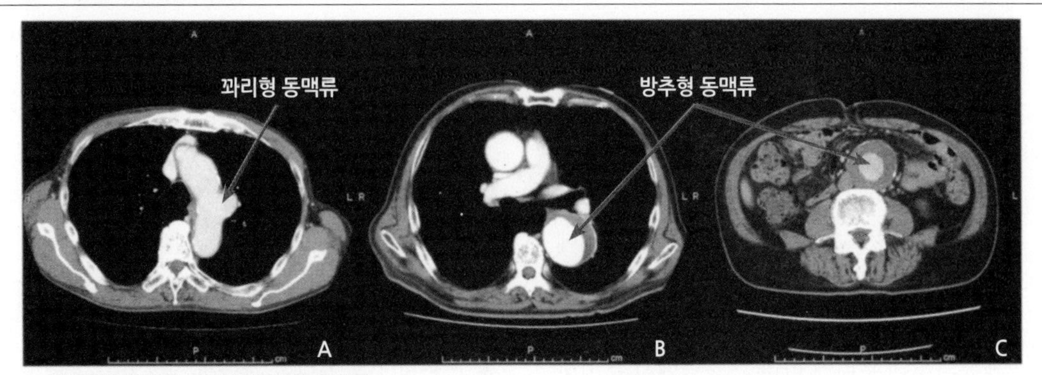

A: 대동맥궁동맥류: 진성류/꽈리형 동맥류
B: 하행대동맥류: 진성류/방추형 동맥류
C: 복부대동맥류: 진성류/방추형 동맥류

5 알아두어야 할 혈관질환의 지식

- 원위대동맥궁동맥류, 하행대동맥류에는 좌늑간개흉으로 시행된다.
- 흉복부대동맥류에 대해 전(全)치환술을 필요로 하는 경우는 좌늑간개흉에서 경복직근후복막경로를 취한다. 이와 같은 절개선을 Stoney's spiral (skin) incision이라고 한다[6,7].
- 일반적으로 대동맥류에 대한 수술방법은 혈관내 조작에 의해 시행하는 스탠트그래프트 삽입술(thoracic endovascular aortic repair: TEVAR, endovascular aortic repair: EVAR) 또는 인공심폐를 이용한 인공혈관치환술, 또는 그 2개의 장점을 살린 하이브리드 수술이 시행되고 있다.

a. 스탠트그래프트삽입술

- 스탠트그래프트삽입술(그림 5)은 경카테터적 혈관조작에 의해 시스내에 수납된 스탠트그래프트를 대동맥류 부위까지 보내고 동맥류 부위에서 그래프트를 삽입함으로써 대동맥류를 격리하는 방법이다.
- 대동맥류는 절제하지 않고 남지만 동맥류 내에 혈액이 유입되지 않음으로써, 대동맥류의 축소 또는 확대방지가 되면서 파열을 막는다.
- 카테터조작으로 대동맥류의 치료를 하며 보다 저침습적인 치료법이기 때문에 고령자 또는 고위험자에게 효과적이다. 그러나 대동맥류 부위(대동맥궁부분지, 복부분지 등), 시스삽입 경로의 굵기(대퇴 및 장골동맥)등의 해부학적 적응을 충분히 검토해야 한다.

b. 인공혈관치환술

- 인공혈관치환술(그림 6)은 대동맥류에 대해 가장 많이 시행되고 있는 수술방법이다.
- 일반적으로 이용되는 인공혈관은 폴리에스테르제(데이크론)이며, 폴리에스테르제 인공혈관은 구멍이 있으므로 젤라틴 또는 콜라겐에 의해 덮여서 혈액의 누출을 방지하고 있다.

c. 재건술

- 동맥류의 존재부위에 따라 대동맥에서 분지하고 있는 동맥 등의 재건을 필요로 한다.
- 상행대동맥 치환술은 분지재건을 필요로 하지 않지만, 대동맥기부 치환술은 대동맥판 치환술+상행대동맥 치환술+관상동맥재건을 한다.
- 대동맥궁인공혈관 치환술은 3분지의 재건을 한다.
- 하행대동맥인공혈관 치환술은 늑간동맥의 재건, 흉복부대동맥인공혈관 치환술은 복부분지의 재건, 복부대동맥인공혈관 치환술에서는 하장간막동맥 또는 내장골동맥의 재건을 한다.
- 동맥류 부위와 재건분지동맥에 의해 면밀한 전략을 짜내어 수술을 시행하는 것이 중요하다.

3. 장기보호[8, 9]

- 대동맥류 수술에서는 대동맥의 혈류를 차단하고 인공혈관재건을 하기 때문에 장기의 허혈장해를 예방하기 위한 보조수단방법이 이용된다.

a. 저체온순환정지법

- 저체온순환정지법이란 전신을 저체온으로 함으로써 대사를 억제하여 장기보호와 혈류차단 시간의 연장을 꾀하는 방법이다.
- 완전체외순환으로 하고 전신냉각으로 하여 심부체온에서 목표 온도를 측정한다(20℃; 저체온, 16～18℃; 초저체온).
- 저체온순환정지법은 시간제한이 있으며, 특히 뇌허혈허용시간은 약 30～40분으로 되어 있다.

b. 뇌보호법

- 뇌에 대해 지속적으로 혈액을 관류시키고 뇌허혈시간의 연장을 하는 방법으로써 선택적뇌관류법(selective cerebral perfusion: SCP)과 역행성뇌관류법(retrograde cerebral perfusion: RCP)이 있다.
- SCP는 궁부3분지에 각각 새로운 캐뉼라를 삽입하여 혈액을 관류시키며, RCP는 체외순환 확립 시에 삽입되어 있는 상대정맥으로 혈액을 정맥측에서 관류시키는 방법이다.
- 각각의 방법은 장점 및 결점이 있으므로 사례에서 뇌보호법의 선택을 검토하는 것이 중요하다.
- 근래 RCP를 개량한 간헐적 정맥압증강 역행성 뇌관류법(intermittent pressure augmented-RCP: IPA-RCP)이 개발되어 임상도입 되고 있다.

c. 복부장기보호법

- 흉복부 또는 복부대동맥류에 대한 수술에 있어서 복부 주요분지 재건을 동반하는 경우에 이용된다.
- 저체온순환정지하에서 정상적인 간, 신기능이라면 약 60분의 혈류감소는 불가역적인 장해를 남기지 않는다고 알려져 있지만, 대동맥류의 해부 등에 의해 허혈시간의 연장을 필요로 하는 경우도 있다. 그와 같은 사례에 대해 새로운 캐뉼라를 복부분지에 삽입하여 각 장기의 허혈을 예방한다.
- 각 분지의 허혈시간을 단축할 목적으로 분절차단법이 시행된다.

그림 5 스탠트그래프트삽입술의 수술 전후 투시 및 조영소견

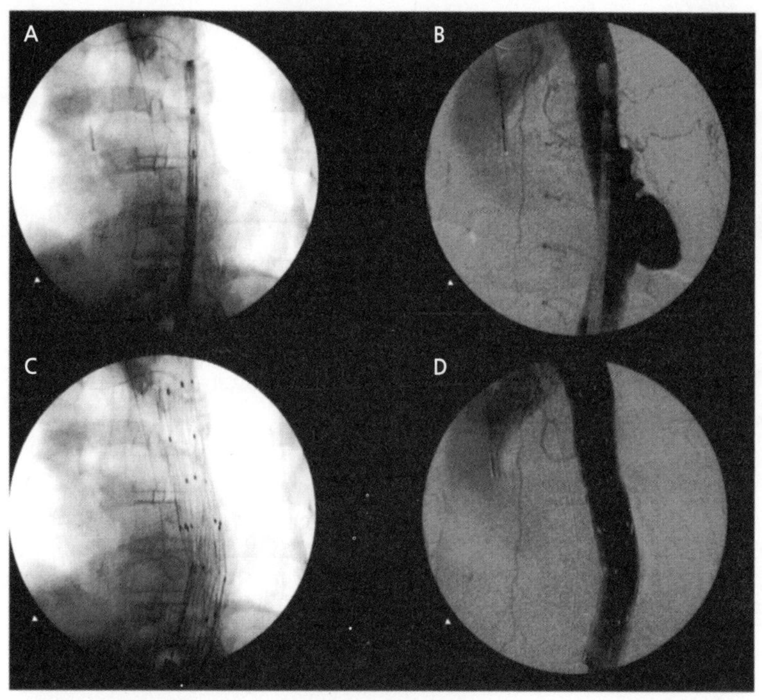

A 스탠트그래프트 확장전 투시: 확장 전의 스탠트그래프트
B 스탠트그래프트 확장전 조영: 하행대동맥의 꽈리형 동맥류가 조영된다.
C 스탠트그래프트 확장후 투시: 확장된 스탠트그래프트
D 스탠트그래프트 확장후 조영: 인공혈관으로 입구부가 폐색되었기 때문에 동맥류는 조영되지 않는다.

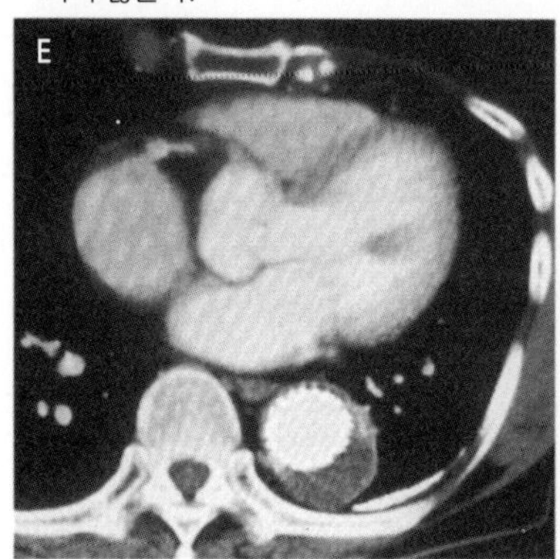

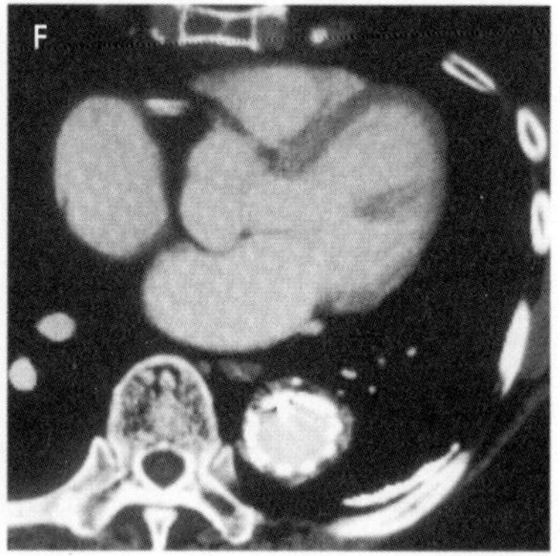

E 스탠트그래프트 유치 후 CT: 동맥류내는 혈전화하고 있다.
F 스탠트그래프트 유치3년 후 CT: 동맥류내 혈전은 흡수되고 동맥류는 위축되었다.

그림 6 상행대동맥 인공혈관 치환술

대동맥궁 인공혈관 치환술

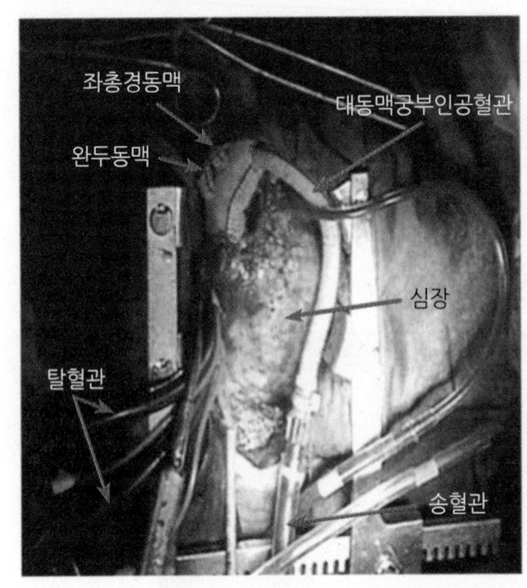

하행대동맥 인공혈관 치환술

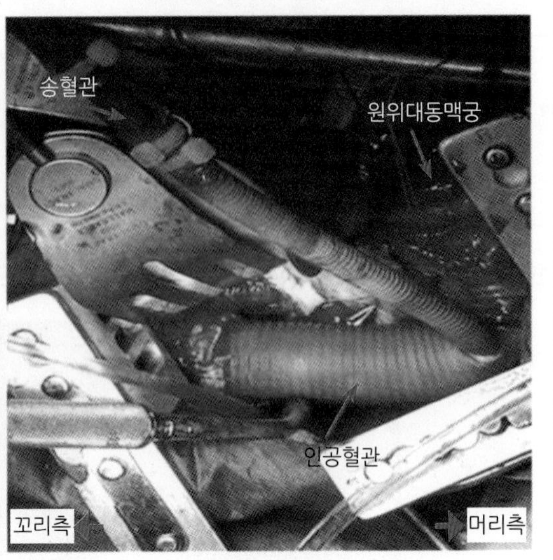

간호 포인트

- 조기이상이 합병증을 피하기 위해 중요한 포인트이다.
- 충분한 혈압강하요법을 하고 심장재활을 진행한다.

(遠藤英仁)

문헌

1. 松尾汎: 정의·분류. 대동맥류·대동맥박리의 임상과 병리. 由谷親夫, 松尾汎 역, 의학서원, 도쿄, 2004: 2-8.
2. 川田志明: 대동맥류. 병이 보인다 순환기질환, 의료정보과학연구소 편, 메딕미디어, 도쿄, 2003: 222-227.
3. 순환기병의 진단과 치료에 관한 가이드라인. 대동맥류·대동맥박리진료가이드라인 (2011년 개정판) http://www.j-circ.or.jp/guideline/pdf/JCS2011_takamoto_h.pdf(2013년2월열람)
4. 西部俊哉, 安藤太三: 흉부대동맥류 자연예후와의 관계. 대동맥외과의 요점과 맹점, 高本眞一, 文光堂, 도쿄, 2005: 54-56.
5. 宮田哲郎: 복부대동맥류 자연예후와의 관계. 대동맥외과의 요점과 맹점, 高本眞一, 文光堂, 도쿄, 2005: 63-64.
6. 師田哲郎: 개흉법. 대동맥외과의 요점과 맹점, 高本眞一, 文光堂, 도쿄, 2005: 186-187.
7. 大北裕: 외과적치료법. 대동맥류·대동맥박리의 임상과 병리, 由谷親夫, 松尾汎, 의학서원, 도쿄, 2004: 88-90.
8. 安田慶州, 数井暉久, 碓永章彦, 외: 대동맥외과에 있어서의 인공심폐. 대동맥외과의 요점과 맹점. 高本眞一, 文光堂, 도쿄, 2005: 109-126.
9. Nicholas TK, Eugene HB, Donald BD, et al: *Cardiac Surgery*. 3rd Edition. Elsevier New York. 2003: 1851-1900.
10. Sakata R, Fujii Y, Kuwano H: Thoracic and cardiovascular surgery in Japan during 2009: Annual report by the Japanese association for thoracic surgery. *Gen Thorac Cardiovasc Surg*. 2011: 59: 636-667

급성동맥폐색

acute arterial occlusion

point

- 동맥폐색 중에서 급성동맥폐색은 폐색에 이르는 시간이 짧고 증상이 강해 혈관외과 영역의 긴급수술에서는 가장 빈도가 높다.
- 혈전이 떨어져 나가 말초동맥을 막아버리는 색전증과, 폐색성 동맥경화증이나 혈관염의 협착부위가 갑자기 혈전성폐색을 일으켜 발생하는 혈전증이 있다.
- 5P: 통증(pain), 창백(pallor), 맥박소실(pulselessness), 감각이상(paresthesia), 운동마비(paralysis)의 증상이 알려져 있다.
- 초음파를 이용한 족배동맥이나 후경골동맥의 혈관음청취는 필수이며, 동맥초음파음이 검출되면 측부혈행로의 존재를 추정할 수 있다.

급성동맥폐색이란

- 동맥폐색 중에서 폐색에 이르는 시간이 짧고 증상이 강한 것을 급성동맥폐색이라 하고, 치료도 급한 경우가 많아 혈관외과영역의 긴급수술에서는 가장 빈도가 높다.
- 심장의 좌심계를 비롯하여 동맥의 상류부에 형성된 혈전이 떨어져 나가 혈류를 타고 말초동맥을 막아버리는 색전증(그림 1)과, 이전부터 존재한 폐색성 동맥경화증이나 혈관염의 협착부위가 갑자기 혈전성 폐색을 일으켜 증상이 나타나는 혈전증(그림 2)이 있다.
- 색전의 원인은 약 80%가 심장에서 가장 빈번히 발생하고, 심방세동에 의한 좌심방내혈전이나 심근경색 후의 좌심실벽재혈전으로 생긴다. 비심인성의 색전원인으로서 흉부·복부 대동맥류의 벽재혈전이나 죽종, 또한 죽상동맥경화병소의 궤양에 부착한 혈전도 원인이 된다.

증상

- 갑자기 발증하는 5P의 증상이 알려져 있다(표 1).
- 처음에는 전반의 3개가 생기고 점차로 후반의 2개의 신경장해가 나타난다(그림 3).
- 증상 발현 후 6시간 이상 경과하면 신경과 근육에 불가역성변화를 일으켜 근수축에 이르는 경우도 있으므로, 근수축이 나타나기 전(골든타임: 대부분 6~8시간 이내)에 혈행재건술을 하는 것이 중요하다.

검사, 진단

- 임상에서는 초음파를 이용한 족배동맥이나 후경골동맥의 혈관음청취는 필수이고, 동맥초음파음이 검출되면 측부혈행로의 존재를 추정할 수 있다.
- 족부의 용수압박에 의한 정맥 구출음의 초음파에 의한 검출이나 족배정맥이나 대복재정맥의 혈액구출후의 재충만도 측복혈행로의 평가에 유용하다. 이들 소견을 기초로 예후판정의 분류가 이루어지고 있다(표 2).
- 심전도로 심방세동의 유무도 반드시 진단한다.

표 1 급성동맥폐색의 5P

1. 동통(pain)
2. 창백(pallor)
3. 맥박소실(pulselesswness)
4. 감각이상(paresthesia)
5. 운동마비(paralysis)

치료

- 진단확정후 전례(全例)에서 2차 혈전의 형성을 예방하기 위해 헤파린을 5,000~8,000단위 정주한다.
- Ⅰ이나 Ⅱa에서는 시간적 여유가 있으므로 동맥조영을 하고 진단과 병변을 명확하게 한다.
- 혈전증에서는 항응고요법 등으로 허혈상태를 안정시킨 후 우회 수술을 하는 것이 이상적이지만, Ⅱb나 Ⅲ에서는 즉시 수술을 시행하고 혈전을 카테터 등으로 제거한 후에 폐색부분에 대하여 우회 수술이나 혈관내치료를 한다

그림 1 동맥색전증

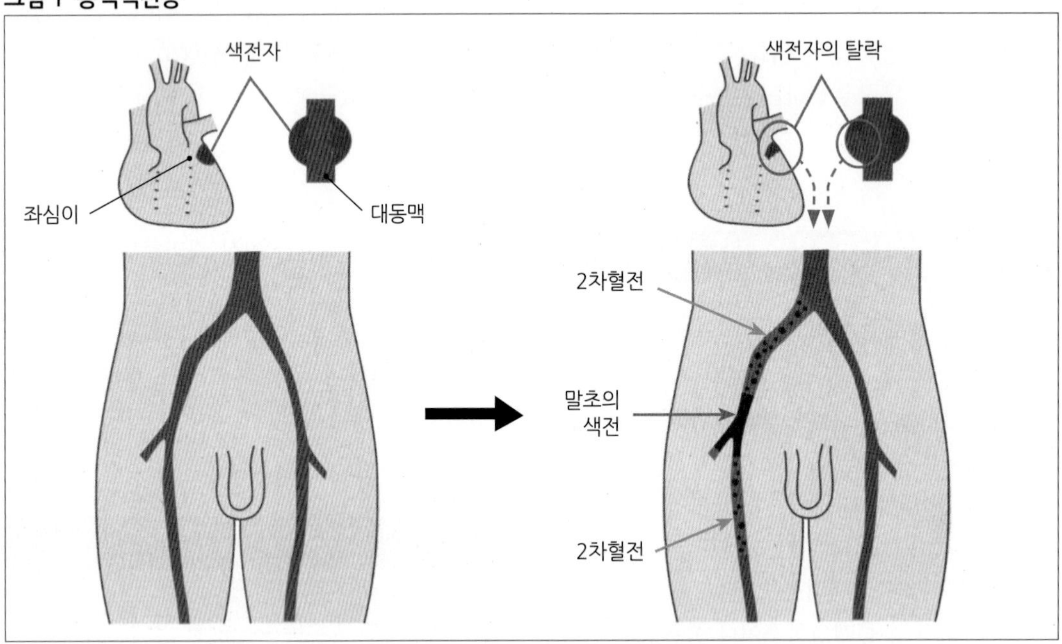

그림 2 폐색성 동맥경화증의 급성증악(혈전증)

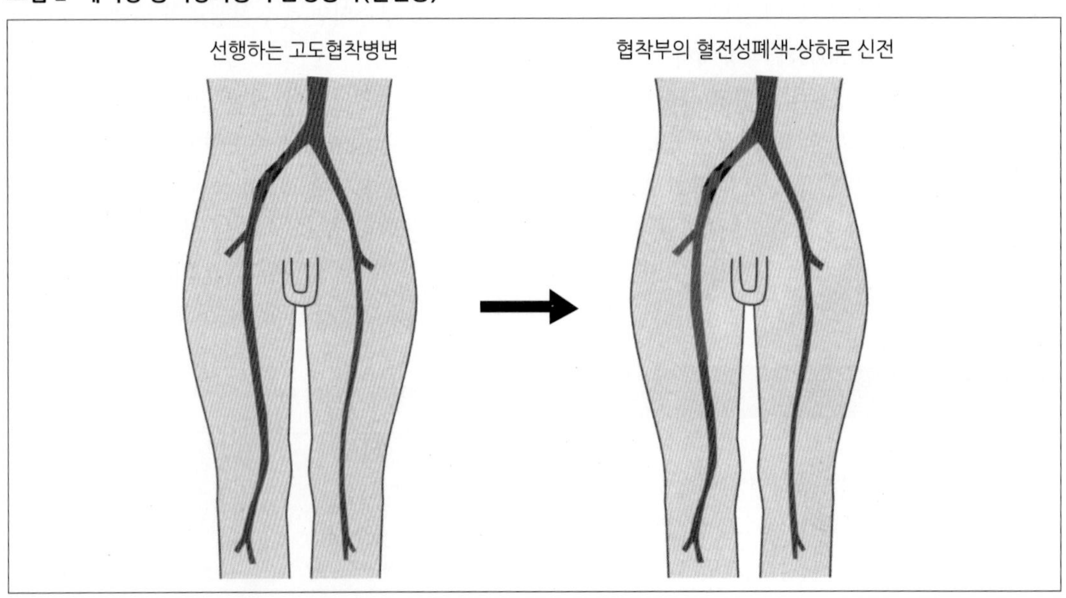

(그림 4).

- 색전증에서는 중증도에 따라 가급적 신속하게 풍선이 있는 카테터(포가티카테터)로 혈전색전제거술을 하지만(그림 5, 6), 동맥조영 등의 소견에 따라서는 혈관내치료를 선택하는 경우도 있다.

표 2 급성동맥폐색의 예후판정의 분류

I	즉각적인 위기는 없음	감각이상과 운동마비는 없고, 동정맥의 초음파음을 청취할 수 있다.
Ⅱa	경계형	혈류개선을 위해 치료를 한다. 발가락의 감각이상은 가벼운 증상이며 운동마비는 없다.
Ⅱb	즉시형	즉시 혈류재건술로 사지를 구할 수 있다. 감각이상의 범위가 넓어지고 운동마비도 나타난다. 동맥초음파음은 소실되고 정맥초음파음은 청취 가능
Ⅲ	불가역형	대량의 조직상실과 항구적인 신경장해가 일어난다. 중도(重度)의 감각이상과 운동장해 근육 경직이 보이고, 동정맥의 초음파음이 소실된다.

합병증

- 골든타임을 넘긴 단계에서 혈류재건이 이루어지면, 허혈·재관류장해를 일으킨다. 조직의 혈관투과성 항진·부종에 의해 견고한 근막으로 둘러싸인 하지에서는 조직내압이 30mmHg 이상이 된다. 이것으로 인해 허혈이 더욱 진행(컴파트먼트증후군)되므로 주저하지 말고 근막절개술을 한다.
- 하지전체로서의 근장해(횡문근융해)의 양이 많은 경우에는 대사성근신증후군(myonephropathic metabolic syndrome: MNMS)을 일으킨다. 근에서 방출된 마이오글로빈에 의해 소변은 적갈색을 띠며 요세관장해에서 급성신부전이 된다. 사이토카인도 방출되어 호흡장해에서 다장기부전으로 진전하는 경우도 있다. 혈중칼륨치나 CK치, 마이오글로빈치를 참고로 하여 중증도를 추정하고 조기에 혈액정화를 도입해도 중증례의 사망률은 높다. 따라서 급성동맥폐색으로 불가역성변화를 일으키고 있는 근조직의 양이 상당히 많은 경우(1지(肢) 전체 이상)에는,

그림 3 급성동맥폐색일 때의 하퇴·족부의 증상

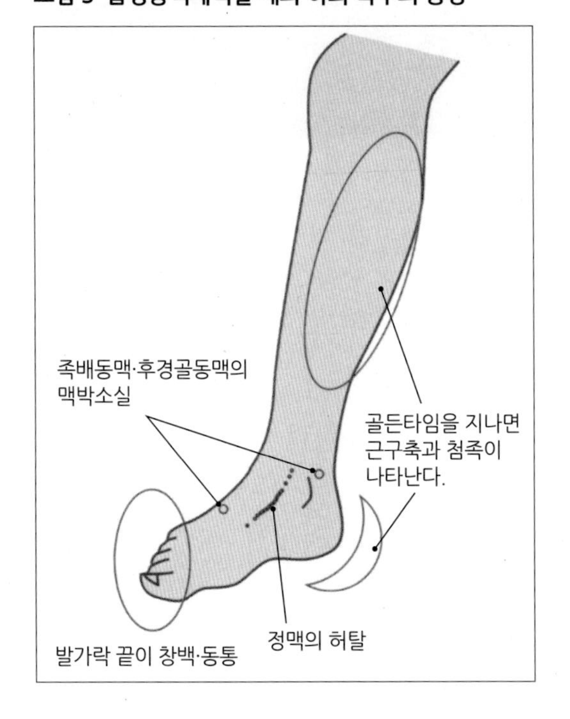

그림 4 우회수술

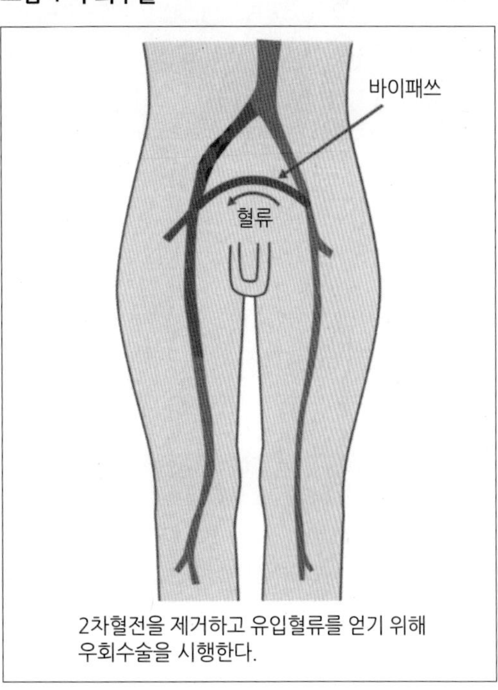

2차혈전을 제거하고 유입혈류를 얻기 위해
우회수술을 시행한다.

그림 5 혈전색전제거술

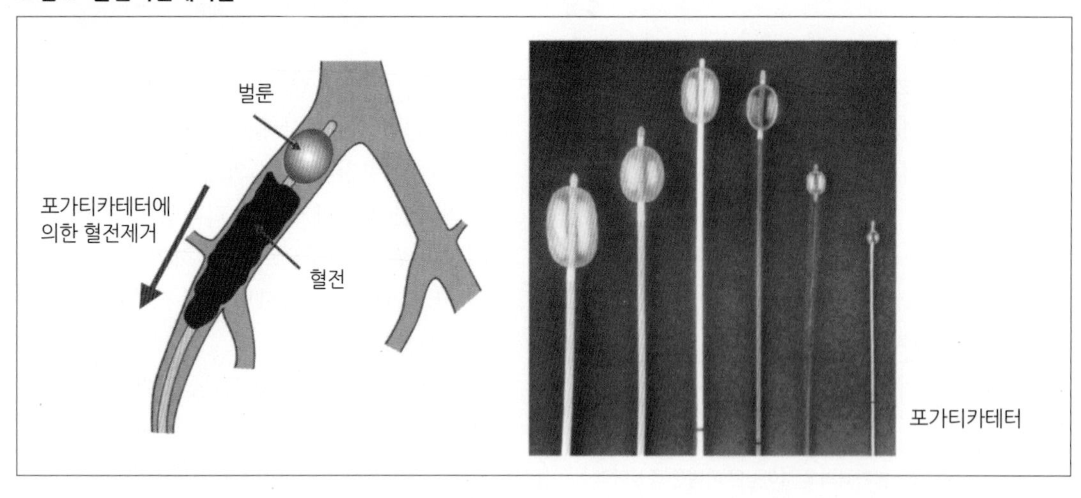

그림 6 혈전제거 술전·술후의 MRA

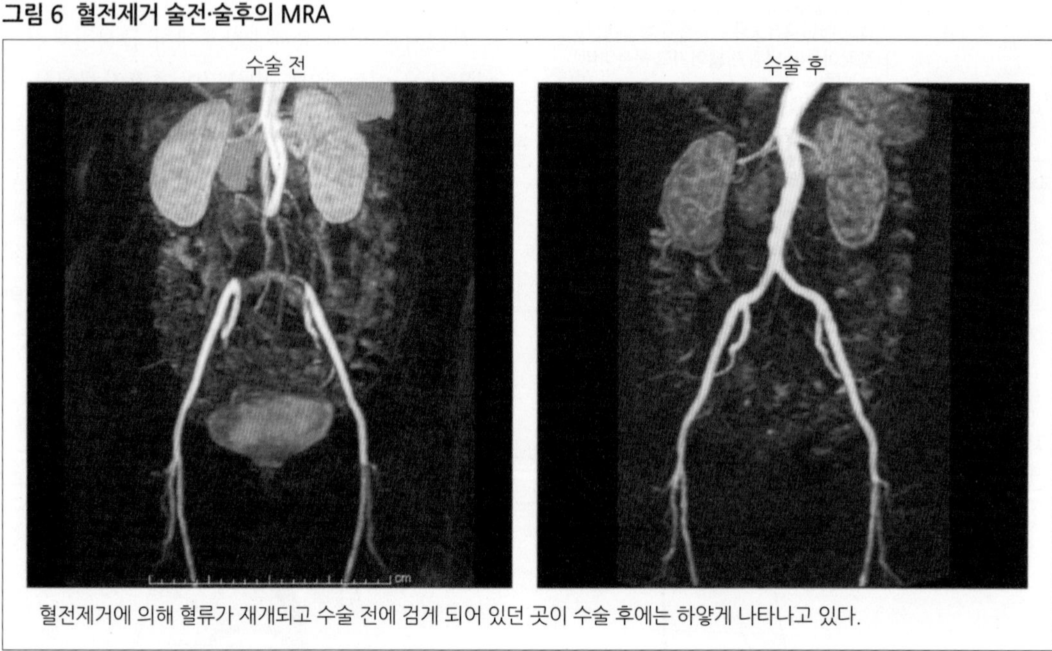

혈전제거에 의해 혈류가 재개되고 수술 전에 검게 되어 있던 곳이 수술 후에는 하얗게 나타나고 있다.

생명을 유지하기 위해 하지의 혈류재건을 포기하고 하지절단을 택하지 않을 수 없다.

간호 포인트

- 급성동맥폐색은 증상발생 후 짧은시간에 불가역성의 변화를 일으키는 경우도 많다. 사례에 따라 시기를 놓치지 말고 신속한 대응을 필요로 하기 때문에, 간격을 두지 말고 치밀하게 관찰하는 것이 중요하다.

(布川雅雄)

폐색성동맥경화증

ASO: arteriosclerosis obliterans

point

- 동맥경화에 의해 동맥에 폐색이나 협착이 일어난다. 병변의 호발부위는 복부대동맥 원위부에서 장골동맥, 천대퇴동맥이지만, 당뇨병합병에서는 하지의 동맥도 쉽게 일어난다.
- 50세 이후의 남성에게 많으며, 흡연이나 당뇨병, 고지혈증, 고혈압증, 만성신부전과 관련이 있다.
- 일반적으로 혈관내치료가 선택되고, 병변이 고도·복잡할수록 우회술이 선택되지만 중증허혈지(肢)인 경우에는 혈관내치료가 우선적으로 선택되는 경향이 있다.

폐색성동맥경화증이란

- 동맥경화에 의해 심장으로부터 상하지의 끝까지 동맥의 어딘가에 폐색이나 협착이 일어나고, 그로 인해 말초의 혈행이 방해를 받아 허혈의 정도에 따라 여러 가지의 증상이 나타난다.
- 일반적으로 복부대동맥원위부에서 장골동맥, 천대퇴동맥이 병변의 호발부위지만, 당뇨병 합병에서는 하퇴 이하의 동맥도 일어나기 쉽다.
- 50세 이후의 남성에게 많고 흡연이나 당뇨병, 고지혈증, 고혈압증, 만성신부전과 관련이 있다. 동맥경화는 전신의 동맥에 일어나므로 허혈성심질환이나 뇌혈관장해의 합병도 많다.

증상

- 동맥의 폐색·협착병변이 존재하더라도 측부혈행로가 발달된 경우에는 무증상이다.
- 고령자로 행동범위가 작은 환자에서는 간헐성 파행이 잘 나타나지 않는다.
- 동맥의 폐색범위가 넓어지고 허혈이 진행되면 안정시 통증을 볼 수 있게 되며, 또한 미세한 외상 등이 계기가 되어 하지말단 등에 허혈성 궤양이나 괴사를 일으킨다(그림 1).

임상에 기초한 분류

- 병태의 정도를 나타내기 위해 임상증상에 기초한 폰테인(Fontaine)분류가 널리 사용되고 있다(표 1).

간헐성 파행의 구조

- 동맥의 폐색이 있어도 측부혈행로를 통한 혈류로 안정 시에는 증상이 없는 경우가 있다. 그러나 운동을 하면 혈류의 필요량을 충족시킬 수 없게 되고, 혈류의 부족으로 생기는 대사산물 때문에 동통이 출현하여 멈춰 서게 된다.
- 운동을 중지하면 측부혈행로를 통한 혈류로 대사산물은 쓸려 나가고 동통이 소실되어 다시 보행이 가능해진다.

그림 1 궤양, 괴사

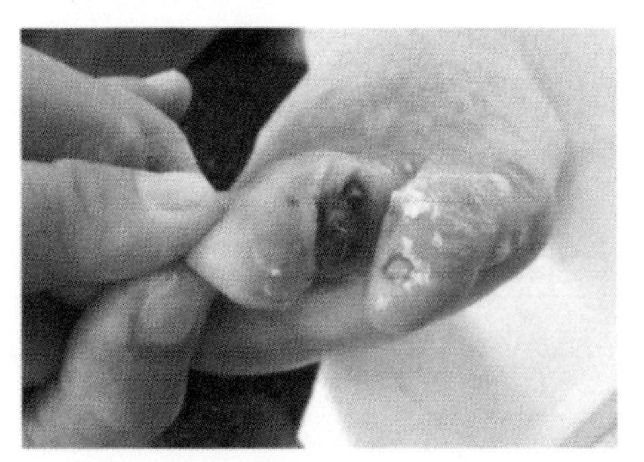

폐색성동맥경화증에 의한 허혈성궤양(좌제4지간)

- 이 보행과 멈춤을 반복하는 것이 간헐성파행이지만, 유사한 증상이 허리척주관협착증에서도 일어나므로 확인이 중요하다.

안정시 통증과 궤양·괴사의 중증허혈지(肢)

- 동맥폐색이 긴 구간에서 몇 군데에나 미치면 측부혈행로도 모자라게 되고 허혈상태가 진행된다.
- 안정시 통증이란 야간취침 시 등에 하지부의 통증이 출현하는 병태를 가리킨다.
- 누워있을 때에는 심장과 족부의 높이에 차(정수압)가 없어지고, 취침 시에는 신체혈압도 내려가기 때문에 말초의 관류압이 저하하고 허혈성인 통증이 생긴다. 통증으로 깨어나게 되며 기좌위를 취함으로써 관류압이 상승하여 동통이 감소한다.
- 이와 같은 상태가 되면 아주 사소한 발가락의 외상도 치유하기 어렵게 되어 궤양을 형성하고 또한 괴사하게 된다.
- 당뇨병의 합병사례도 많고, 감염의 합병도 높은 비율로 볼 수 있게 되어 그 경우는 발가락 절단의 위험이 증가한다.

진찰, 검사

- 우선 하지의 맥박을 촉지한다. 대퇴동맥과 슬와동맥, 후경골동맥, 족배동맥의 맥박의 유무를 확인하고 동맥폐색부위를 추정한다.
- 족부말단이 창백하거나 발적, 청색증 등 색조의 변화, 피부온도의 저하에도 주의를 기울인다. 이들 소견은 좌우차를 반드시 확인한다.

표 1 폰테인(Fontaine)분류

등급	증상
1도	무증상
2도	간헐성파행
3도	안정시통증
4도	궤양·괴사

- 하지의 혈류를 평가하는 간편한 임상검사로써 족관절수축기혈압(ankle blood pressure: ABP)이나, 체혈압과의 비율인 족관절상완혈압비(ankle brachial pressure index: ABI)가 있다.
- ABI의 정상치는 0.9~1.3으로 보통은 족관절부위의 혈압이 상완혈압보다 약간 높다. ABI치와 임상증상의 대비를 함과 동시에 치료전후로 비교하여 치료의 유효도를 판단하는 지표 가 된다.
- ABP에 관해서는 폰테인 3, 4도에서 약 50mmHg 이하가 된다.
- 폐색이나 협착 범위를 명확하게 하는 데는 동맥조영검사(IADSA, 그림 2)나 MRI가 필요하다.

치료

- 기본적으로 양성질환이므로 치료목적은 하지의 기능개선과 하지절단의 회피이다.
- 간헐성 파행에서는 철저한 금연과 운동요법, 약물요법을 우선 생각하지만, 파행 개선의 가능성이 높을 경우에는 혈행재건술을 고려한다.
- 중증허혈지에서는 보존적 치료를 할 여유가 없는 경우가 많아 조기에 혈행재건술을 선택한다.
- 일반적으로 폐색병변이 짧고 석회화가 가벼워 동맥분기부에 관계되지 않는 경우에는 혈관내치료가 선택되며, 병변이 고도로 복잡할수록 우회술이 선택되지만 중증허혈지의 경우에는 즉시 혈역학 상태의 개선을 얻을 수 있는 혈관내치료가 제1선택이 되는 경향이 있다.
- 약물요법은 항혈소판제의 복용을 하며 혈행재건술의 유무에 상관없이 필수이며, 평생의 복용이 필요하다. 항혈소판제는 허혈성심질환이나 뇌혈관장해의 진전억제에도 효과가 있어 생명예후의 개선에 도움이 된다.
- 사소한 상처가 쉽게 낫지 않고 감염도 쉽게 유발되기 때문에 손톱을 깊게 깎지 않도록 하고 청결에 신경을 쓴다.

그림 2 대동맥장골동맥 영역의 고도 협착 병변(IADSA)

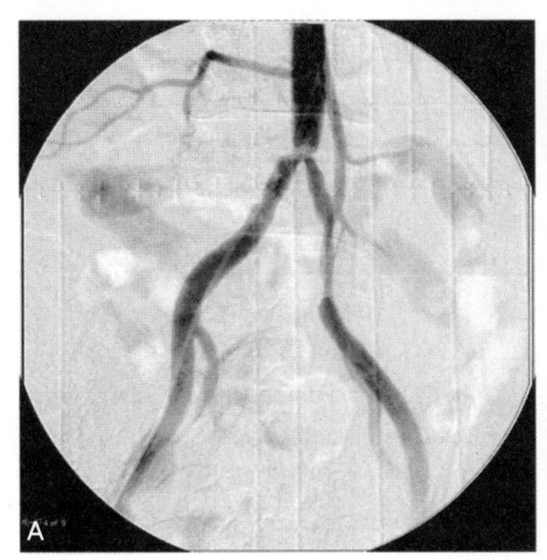

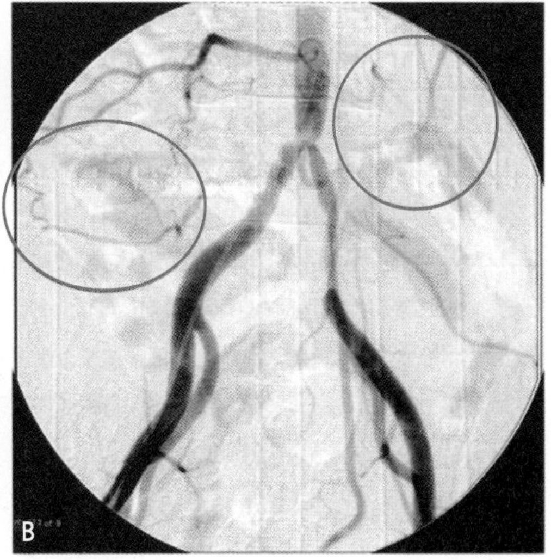

느린 영상(B)에서는 측부혈행로가 나타난다.

예후

- 허혈성심질환이나 뇌혈관장해의 합병이 많으며, 예후는 결코 좋지 않다.
- 중증허혈지의 5년 생존률은 40% 정도이고 10년 생존률은 10% 미만이다.
- 간헐성파행의 경우라도 10년 생존률은 50% 정도이다.

간호 포인트

- 환자의 요구나 ADL, 사회적 기대에 따른 치료 방침을 선택한다.
- 본 질환이 전신적동맥경화의 일부분 증상이라는 것을 숙지하고 허혈성심질환이나 뇌혈관장해에도 주의를 기울일 필요가 있다.

(布川雅雄)

버거씨병

Buerger's disease

point

- 버거씨병은 폐색성혈전혈관염이라고도 하며, 청년·장년기의 흡연자 남성에게 호발하는 사지(四肢)만성동맥폐색증이다.
- 하지 및 상지의 말초동맥 폐색에 의한 허혈이 증상의 중심이며 허혈의 정도에 따라 사지의 냉감·저린 감, 간헐성 파행, 안정시 통증, 궤양·괴사 등의 ASO과 같은 증상을 나타낸다.
- 금연지도가 치료의 근간을 이룬다. 금연이 지켜지지 않으면 다른 치료법이 효과가 있어도 증상의 악화, 재발을 반복할 가능성이 높다.

버거씨병이란

- Buerger병(버거씨병)은 폐색성혈전혈관염(thromboangiitis obliterans: TAO)이라고도 하며, 청년·장년기의 흡연남성에게 호발하는 사지만성동맥폐색증이다.
- 버거씨병의 원인으로써 세균감염, 알레르기, 반복외상, 응고선용계의 이상, 호르몬 이상, 자기면역 등을 들고 있지만, 아직까지 밝혀지지 않고 있다.
- 버거씨병 환자의 대부분이 흡연자라는 점에서 흡연이 증상 발생에 깊게 관여하고 있을 것이라고 생각되지만, 인과관계는 명확하지 않다. 최근에는 흡연과 치주병의 관련성에서 만성적인 치주병균감염이 원인이라고 하는 보고도 나오고 있다.

증상

- 하지 및 상지의 말초동맥의 폐색에 의한 허혈이 주요증상이다. 허혈의 정도에 따라 사지의 냉감·저린 감, 간헐성파행, 안정시 통증, 궤양·괴사 등의 ASO와 같은 증상을 나타낸다.
- ASO와의 감별이라는 점에서 상지의 이환, 족저의 파행, 허혈성 홍반, 유주성 정맥염이 버거씨병의 진단에 유용하다.
- ASO에서는 하지의 이환이 대부분인데 비해, 버거씨병에서는 상지의 허혈증상을 약 40%에 볼 수 있으며, 상지이환의 유무는 ASO와의 감별에 중요한 소견이 된다.
- 간헐성파행은 하퇴동맥이 주요원인인 경우에는 족저에 일어나고, 폐색이 슬와·대퇴동맥에 있으면 비복부에 나타난다. 버거씨병에서는 주로 말초동맥의 병변이 있으므로 족저 혹은 비복부에 파행을 초래하는 경우가 많다. 한편 ASO에서는 보다 중추측에 병변이 호발하기 때문에 비복부나 둔부, 대퇴부의 파행이 자주 나타난다.
- 허혈성 홍반은 사지말단 정맥계의 울혈에 의한 것이라고 생각되고 있으며, 피부는 적자색(버거색)을 나타낸다. 이 소견은 유주성 정맥염(하퇴부위의 피하정맥에 보이는 유통성인 색상경결, 발적)과 함께 본질환의 정맥계에의 관여를 나타내는 것이다.

검사, 진단

- 남성에게 많고(남 : 여 = 9 : 1), 거의 전례가 흡연자이다.
- 발생연령은 30대부터 40대가 많다. 진단은 진단기준(표 1)에 근거하여 이루어지지만, 이 중에서 여성, 비흡연자, 50대 이상의 사례에서는

감별진단이 필요하다.

- 영상진단으로써는 혈관조영이 중요하며 사지 말초의 동맥의 폐색이 있는 부위보다도 중추 측의 동맥벽이 고르고 평활하며, 폐색양식이 끊기는 모양, 끝이 가늘어지는 모양이라는 것, 코일 모양, 브릿지 모양의 측부혈행로의 발달이 보인다는 것 등이 특징으로 되어 있다(그림 1).

치료

- 금연지도가 치료의 근간을 이룬다는 것은 말할 것까지도 없다. 금연이 지켜지지 않으면 다른 치료법이 주효한다고 해도 증상의 악화, 재발을 반복할 가능성이 아주 높기 때문이다.
- 가벼운 상태에서는 항혈소판제나 혈관확장제 등의 약물요법을 하게 된다.
- 안정시 통증이나 궤양을 가진 중증허혈증인 경우에 대해서는 혈행재건술(우회술)을 한다. 그러나 병변이 광범위하게 말초에 도달해 있어서 문합에 적합한 동맥이 없다거나, 우회수술의 재료가 되는 자가정맥이 염증 때문에 사용불능이라는 등의 이유로 재건술의 적응이 되는 사례는 제한되어 있다.
- 혈행재건의 적응이 안 되는 사례에 대해서는 피부혈류의 증가를 목적으로 해서 교감신경절 절제가 이루어지는 경우도 있다. 또 만성기에는 보행을 주체로 한 운동요법도 중요하다.

표 1 버거씨병의 진단기준

1. 자각증상	① 사지의 냉감, 저린 감, 레이노 현상 ② 간헐성파행 ③ 손발가락의 안정시 동통 ④ 손발가락의 궤양, 괴사(특발성탈저) ⑤ 유주성정맥염(피하정맥의 발적, 경결, 동통 등)
2. 이학소견	① 사지, 손발가락의 피부온의 저하(서모그래피에 의한 피부온 측정, 근적외선분광계에 의한 피부·조직효소대사의 측정) ② 말초동맥박동의 감약, 소실 ③ 족관절압의 저하(도프라혈류계로 측정)
3. 혈액생화학검사소견	버거씨병에 특징적인 검사소견은 없다.
4. 화상소견(혈관조영)	① 사지말초 주간동맥의 다발성 분절적 폐색 ② 2차혈전의 연장에 의해 만성폐색의 상을 보인다. ③ 벌레 먹은 모양, 석탄침착 등의 동맥경화성 변화는 나타나지 않는다. ④ 폐색은 끊기는 모양, 끝이 가늘어지는 모양으로 된다. ⑤ 측부혈행로로써 브릿지 모양 또는 코일 모양 측부혈행로가 보인다.
5. 감별진단	① 폐색성동맥경화증 ② 외상성동맥혈전증 ③ 슬와동맥포착증후군 ④ 슬와동맥외막낭종 ⑤ SLE * 의 폐색성 혈관병변 ⑥ 강피증의 폐색성 혈관병변 ⑦ 혈관베체트
6. 진단의 판정	① 흡연력을 가지고 있으며 상기의 자각증상·이학소견·화상소견을 나타낸다. ② 동맥경화증이나 당뇨병의 합병은 원칙적으로 나타나지 않는다. ③ 여성례, 비흡연자, 50세 이상의 증례에서는 감별진단은 보다 엄밀하게 한다. ④ 상기의 감별진단에서 해당질환을 부정한다. 이상의 항목을 만족시키는 경우 버거씨병이라고 판단한다. 확정진단에는 혈관조영소견이 중요하다.

* SLE(systemic lupus erythematosus): 전신성 에리테마토데스

그림 1 버거씨병의 혈관조영 소견

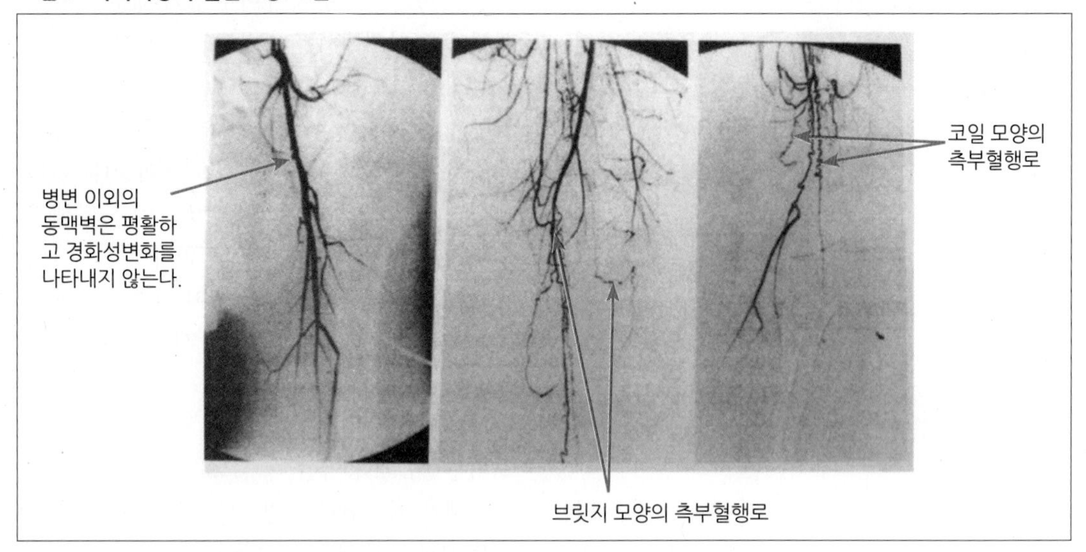

간호 포인트

- 버거씨병의 치료에 있어서는 금연지도가 가장 중요하며, 그 중요성에 관해서 충분히 설명한다.
- 환지를 두툼한 양말이나 장갑 등으로 보호하고 보습에 노력하며 외상에 주의하도록 지도한다.

(細井溫)

하지정맥류

varicose veins

point

- 기본적으로 양성질환이지만 장기간 방치한 경우에는 울혈성 궤양을 일으키고, 일상생활에 지장을 초래할 가능성도 있다.
- 장시간 서있을 경우 하지의 나른함이나 무거운감, 부종, 피부의 소양감, 야간 취침 중의 경련 등을 많이 볼 수 있다. 질병상태가 진행되면 만성적인 피부의 순환장해, 영양장해에 기인하는 증상(습진, 울혈성 피부염 등)이 출현한다.
- 탄력붕대, 탄력스타킹에 의한 압박요법은 근본치료는 되지 않으나 정맥류치료의 기본이며 현재도 널리 이용되고 있다.

하지정맥류란

- 하지정맥류는 혈관질환 중에서도 일상의 진료에 있어서 가장 빈도가 높은 질환이다.
- 기본적으로 양성질환이지만 장기간 방치한 경우에는 울혈성 궤양을 일으키고, 일상생활에 지장을 초래할 가능성도 있는 만성진행성 병이다.
- 정맥류의 진료에 있어서는 그 병태나 중증도를 정확하게 파악하고, 초기 단계부터 적절한 치료를 하는 것이 중요하다.

병태

- 하지의 정맥에는 피하를 주행하는 표재정맥, 근막하·근육내 등의 심부를 지나는 심부정맥, 또한 표재와 심부를 연결하는 천통지(교통지)의 3개의 계가 있다. 각각의 정맥에는 판막이 존재하여 밑에서 위로는 흐르지만 위에서 밑으로의 역류를 차단하여 한쪽 방향의 흐름을 만들고 있다. 또 천통지의 판은 표재에서 심부로 흐르도록 만들고 있다.
- 하지정맥혈의 구출을 담당하는 것은 하퇴비복부의 근육군(venous heart, 제2의 심장으로도 불린다)으로, 보행 등의 리드미컬한 운동을 할 때에는 근수축 시에 주로 심부정맥내의 혈액이 중추로 올려지고, 근이완 시에는 표재정맥에서 천통지를 거쳐 심부정맥으로 혈액이 유입된다(그림 1).
- 정상적인 정맥판기능과 하퇴근의 펌프작용에 의해 서있는 상태에서도 중력에 저항하여 하지로부터 심장으로 혈액을 환류하는 흐름이 형성되어 있다.
- 표재정맥 또는 천통지의 판막기능이 손상되면 혈액의 역류, 울혈이 일어나고 정맥압이 항진한

그림 1 하지의 정맥환류

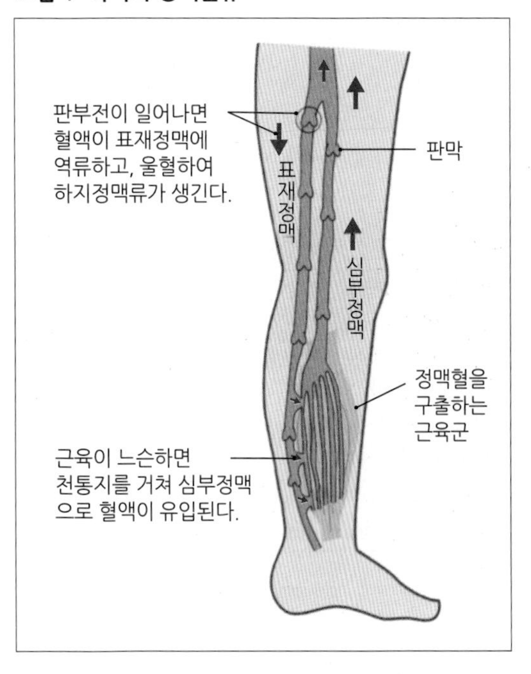

상태가 오래 지속됨에 따라 표재정맥은 점차로 확장, 구불구불한 정맥류를 일으킨다(표 1).

- 심부정맥혈전증의 발생 후에 표재정맥의 정맥류를 일으키는 경우도 있다. 이것은 심부정맥이 폐색해 있기 때문에 대상성으로 표재정맥이 확장되고 최종적으로 정맥류화 된 것으로 2차성 정맥류라고 부른다. 한편 전술한 표재정맥의 판막부전에 기인하는 정맥류는 1차성 정맥류라고 한다.

원인

- 여성은 임신·출산을 계기로 하여 발생하는 경우가 많고, 남성은 서서 하는 일이 원인이 되어 있는 경우가 많다. 또 부모 자식 간에 정맥류가 보이는 경우도 자주 경험을 하기 때문에 유전적 소인의 관여도 지적되고 있다.

증상

중증도

- 역류에 의한 하지의 정맥울혈이 수반되는 증상이 주로 발생한다.
- 장시간 서있을 경우 하지의 나른함이나 무거운 느낌, 부종, 피부의 소양감, 야간취침 중의 하퇴근의 경련(쥐) 등이 많이 보이는 증상이다. 정맥류에서는 통상 강한 통증을 일으키는 것은 드물지만 정맥류내에 혈전을 일으키면(혈전성 정맥염이라고 한다), 국소의 열감·동통을 수반하고 통증 때문에 보행에 장해를 가져오는 경우도 있다.
- 병상이 진행되면 만성적인 정맥고혈압에 따르는 피부 순환장해, 영양장해에 기인하는 증상이 출현한다. 습진, 울혈성피부염, 색소침착, 지방피부경화증 등이 그것에 해당된다.
- 더욱 진행되면 난치성 정맥성 궤양을 형성하기에 이른다. 궤양은 하퇴의 1/3 이하의 gaiter area라고 불리는 영역에 발생하는 경우가 많다.
- 이들 임상소견을 총합하여 임상적 중증도를 결정하지만 중증도분류로써는 CEAP분류(표 2)가 널리 이용되고 있다. 임상적중증도는 치료방침을 결정할 때에 중요한 지표의 하나가 된다.

검사

브로디에 트렌델렌버그 테스트

- 브로디에 트렌델렌버그 테스트(brodie-Trendelenburg test)는 외래에서 간편하게 시행할 수 있는 이학적 검사법으로써 오래 전부터 이용되어 왔으며, 복재정맥판부전의 평가에 유용하다.
- 누운상태에서 환자를 일으켜 정맥을 공허하게 한 후 대퇴상부에 구혈대를 감아 표재정맥을 긴박한 상태에서 입위로 한다(그림 2).
- 기립 후에는 정맥류가 출현하지 않고 구혈해제 직후에 정맥류가 팽창하면 대복재정맥의

표 1 정맥류의 형태학적 분류

거미줄 모양 정맥류 (web type)	직경 1mm 이내의 피내정맥의 확장에 의한다.
그물망 모양 정맥류 (reticular type)	직경 2~3mm의 피부직하의 소정맥의 확장을 나타낸다.
분지정맥류 (segmental type)	복재정맥의 말초분지가 확장된다.
복재정맥류 (saphenous type)	복재정맥본간 또는 그 주요분지의 확장을 나타낸다.

표 2 하지정맥류의 임상적중증도분류(CEAP분류)

class 0	시촉진상, 정맥질환을 나타내지 않는 것
class 1	reticular type, web type의 정맥류
class 2	segmental type, saphenous type의 정맥류(류의 직경 3mm 이상)
class 3	하지부종을 수반하는 정맥류(피부변화를 나타내지 않는다.)
class 4	색소침착, 경화 등의 피부변화를 수반하는 정맥류
class 5	상기 증상에 궤양구흔을 나타내는 정맥류
class 6	상기 증상에 더하여 현재 울혈성 궤양을 나타내는 정맥류

판부전이 존재하는 것을 가리킨다.

도프라혈류계 검사

- 도프라 효과를 응용하여 역류를 확인하는 방법이다.
- 검사는 입위에서 시행하고 역류의 유발에는 하퇴 밀킹법을 이용한다.
- 검색하는 정맥의 바로 위 피부에 프로브를 대고 비복근부를 용수(用手)적으로 압박한다.
- 판부전이 있으면 압박해제 후에 길게 꼬리를 끄는 역류음이 명료하게 들린다.

초음파 검사법

- 정맥류의 형태나 주행, 역류의 부위 및 정도를 총합적으로 평가할 수 있는 검사법으로 아주 유용하다(그림 3).
- 역류의 범위나 천통지부전의 유무, 주요분지의 위치 등을 정확하게 파악할 수 있으므로 수술 전의 표시 등에 이용되고 있다.

치료

압박요법

- 탄성붕대, 탄성스타킹에 의한 압박요법은 정맥류 치료의 기본이며, 현재에도 폭넓게 이용되고 있다.
- 수술요법 같은 근치성은 없지만 병상의 진행을

그림 2 브로디에 트렌델렌버그 테스트

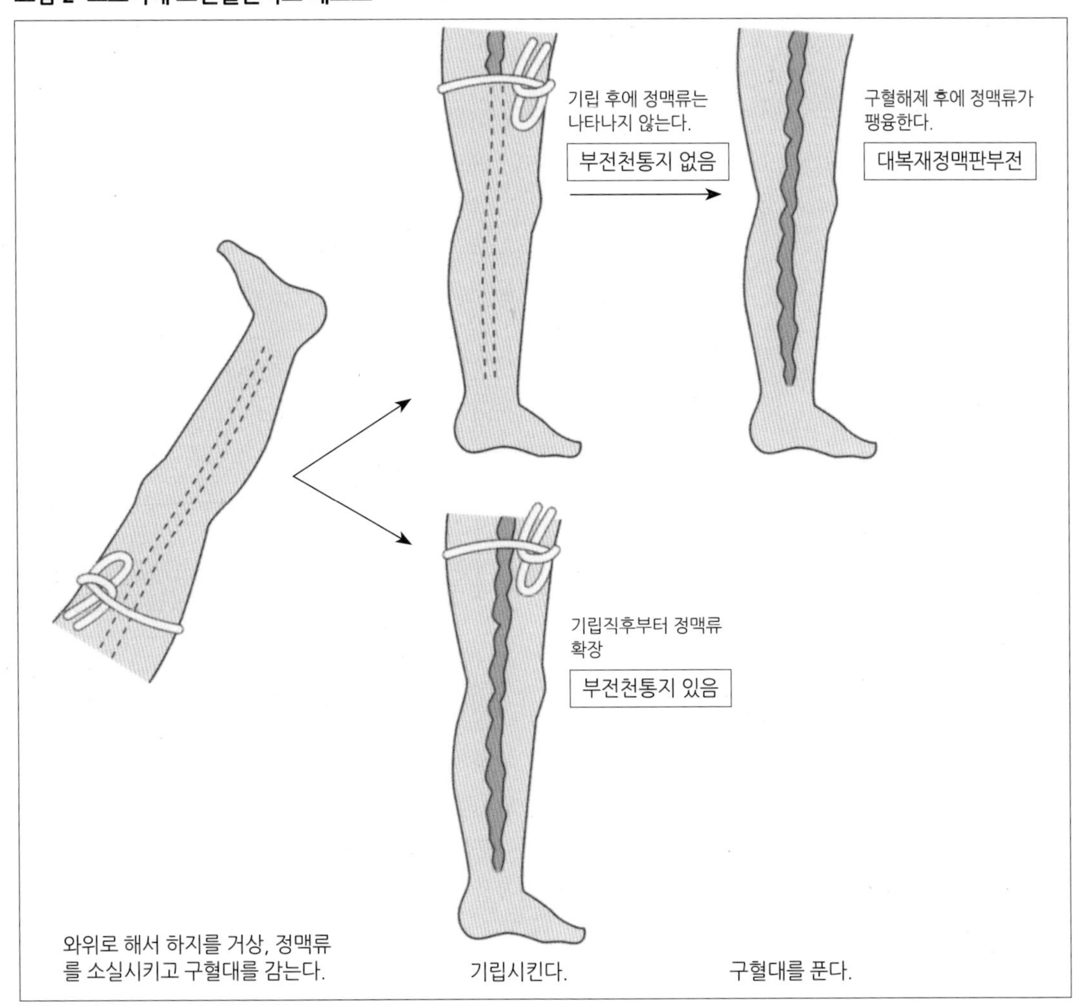

그림 3 대복재-대퇴정맥접합부의 초음파단층상

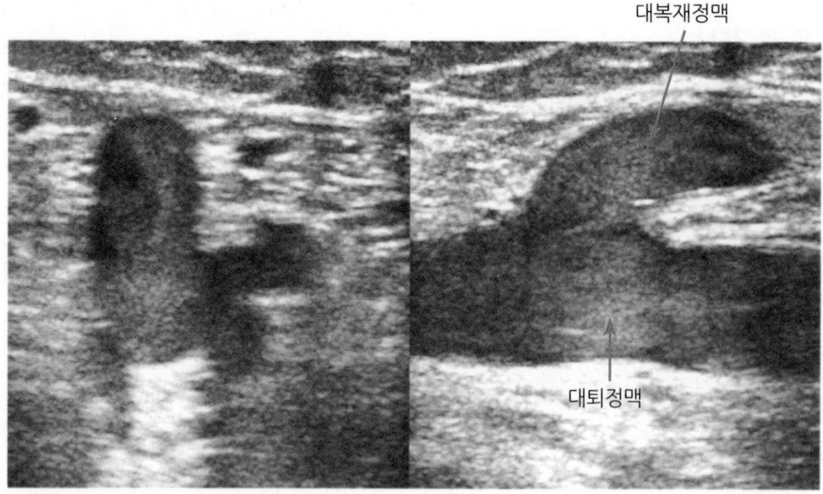

초음파단층상(B모드)에서 대복재정맥이 대퇴정맥에 합류하는 부위를 동정할 수 있다. 또한 칼라도프라를 이용하면 혈류의 방향이 색으로 표 시되기 때문에 역류의 유무도 진단할 수 있다.

막는다는 예방적 관점과 정맥울혈에 의한 증상을 경감할 수 있다는 점에서 유용성이 높다.

- 가벼운 사례뿐만 아니라 궤양을 동반하는 중증사례에 있어서도 적절한 탄력스타킹과 붕대를 조합하여 국소 압박을 강화함으로써 궤양의 상피화를 얻을 수 있다.

경화요법

- 경화요법은 혈관내에 경화제를 주입하여 폐색시키는 방법으로 거미줄 모양 또는 그물망 모양 정맥류, 분지정맥류 등의 경증례가 좋은 적응이다.
- 복재정맥본간에 역류를 나타내는 증례에 대해서는 경화요법으로만 치료하면 재소통·재발은 반드시 일어나므로, 고위결찰술이나 스트리핑 수술(복재정맥발거술)의 병용이 필요하다고 한다.

외과치료

- 복재정맥의 판부전에 기인하는 정맥류에서 색소침착이나 하퇴궤양 등을 가진 증례는 원칙적으로 스트리핑 수술의 적응이다. 본법은 현행 치료법 중에서 가장 재발률이 낮고 근치성이 뛰어나지만, 입원이나 마취의 필요성도 포함하여 가장 침습적이다. 또 수술 후의 복재신경장해나 제거부위의 피하출혈 등의 합병증이 문제가 되고 있다. 근래 수술 전의 초음파검사에 의한 상세한 평가로 역류가 없는 본간하퇴부분을 보존하는 선택적 스트리핑 수술이 표준술식으로 되고 있으며, 수술 후 신경장해의 감소에 기여하고 있다.
- 최근에는 스트리핑을 대신하는 수술식으로써 혈관내 레이저 소작술이 도입되어 주목을 받고 있다. 본 술식은 저침습으로 국소마취하에 당일에 시행이 가능하며 혈관폐색율도 높다고 알려져 있다.

간호 포인트

- 하지정맥류는 양성질환이며 치명적이 될 가능성은 극히 적다는 것을 충분히 설명했다.
- 하지의 부종, 피부변화의 유무 등을 관찰하고 임상적중증도(CEAP분류)를 파악해 둔다.
- 수술 후에는 복재신경장해나 피하출혈의 유무를 확인한다.

(細井溫)

그 밖에 알아두어야 할 지식

심도자술(검사와 치료)

diagnostic and therapeutic cardiac catheterization

point

- 도자 검사·치료 모두 경피적 접근을 하는 침습적 수기이며, 검사와 치료에서는 목적과 위험이 다르다. 환자의 전신관리, 모니터링에 주의가 필요하다.
- 검사에는 우심방압이나 우심실압, 우심실 확장 말기압 등을 측정하는 우심 카테터법과, 대동맥압, 좌심실압, 좌심실확장 말기압 등을 측정하는 좌심 카테터법이 있다.
- 대표적인 치료는 경피적 관동맥형성술(PCI)이며 급성심근경색에 있어서는 재관류법으로써 스탠트를 사용한 PCI가 우선적인 치료법이다.

심도자 검사란

- 심도자 검사란 가늘고 특수한 플라스틱 관(카테터)을 경피적으로 동맥, 정맥을 통해 심장 및 대혈관에 삽입하고 조영제를 주입하여 X선 촬영을 하고 심내강이나 관상동맥(이하, 관동맥)의 형태학적 이상을 검출하거나 심장내강의 압력, 산소포화도를 측정하고 혈역학 상태를 파악하여 심장의 수축기능이나 확장기능, 판막기능의 이상, 관상동맥의 협착의 유무 등을 조사하는 침습적 검사다(그림 1). 때로는 심근을 채취하여 병리학적으로 검사하는 심근생검 등을 한다.
- 카테터를 이용한 관상동맥치료(percutaneous coronary intervention: PCI, 경피적 관상동맥형성술)가 발달하였다. PCI에서는 검사와 마찬가지로 경피적 접근을 하지만 검사와 치료는 목적과 위험도가 다르다.
- 심장도자 검사로서 각종 동정맥의 형태를 관찰하는 심혈관 조영검사(좌[심]실조영, 대동맥

그림 1 카테터 검사실의 풍경

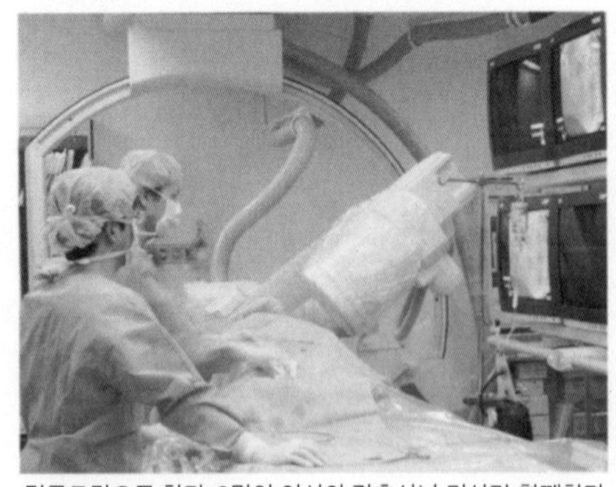

멸균조작으로 한다. 2명의 의사와 간호사나 기사가 함께한다.

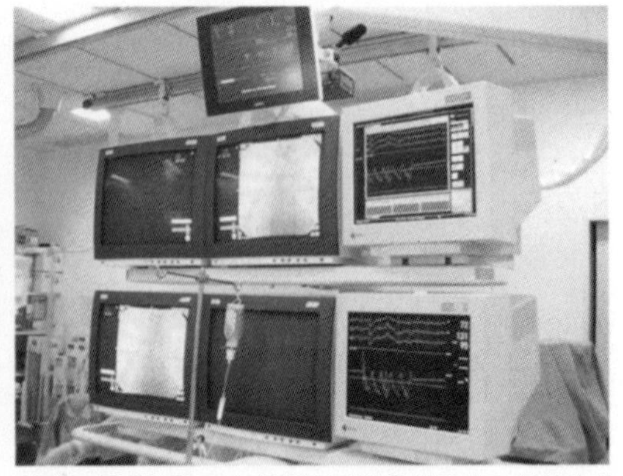

심전도, 동맥압을 모니터하면서 영상을 확인하고, 검사와 치료를 한다.

교린대학의학부순환기내과카테터반

조영, 관상동맥조영, 우[심]실조영, 폐동맥조영 등)외에 혈역학 검사, 전기생리학 검사, 심내막심근생검, 혈관내초음파 검사, 혈관내시경 검사 등이 있다.

- 심도자 검사는 경피적으로 동정맥에 카테터를 삽입하고 심장 및 대혈관에 직접 카테터를 넣어 심장혈관의 압력측정이나 조영을 하기 때문에 항상 일정한 위험을 동반한다. 따라서 침습적 검사라고 불린다.
- 심장카테터 검사·치료에서는 다른 장기의 검사(복부혈관촬영, 뇌혈관촬영 등)와 달리 항상 심전도 모니터와 카테터 끝의 압력을 모니터하면서 시행한다.

검사법

우심카테터법

- 대퇴정맥, 내경정맥, 쇄골하정맥, 상완정맥 등의 정맥에서 중심정맥을 향하여 폐정맥카테터를 삽입하는 방법이다.
- 폐정맥카테터란 심기능을 연속적으로 측정하기 위해 사용하는 카테터의 하나이다. 두 명의 발명자의 이름을 따서 명명한 스완 간츠 카테터가 자주 사용된다(그림 2).
- 심기능이상을 진단하기 위해 안정상태일 때 시행하지만, 쇼크, 급성심부전, 저심박출증후군 등의 치료를 할 때도 시행한다.
- 측정하는 항목은 우심방압(RAP), 좌심실압(RVP), 우심실확장말기압(RVEDP), 폐동맥압(PAP), 폐동맥쐐기압(PAWP), 심박출량(CO)이나 심계수(CI)* 등이 있다.
- 일시적으로 인공심박동을 할 때도 우심장계로 접근한다.

좌심카테터법

- 대퇴동맥, 상완동맥, 요골동맥으로 삽입한다. 목적에 따라 사용하는 카테터를 선택한다.
- 측정하는 항목은 대동맥압(AOP), 좌심실압(LVP), 좌심실확장말기압(LVEDP), 좌심

그림 2 스완 간츠 카테터

1회측정용

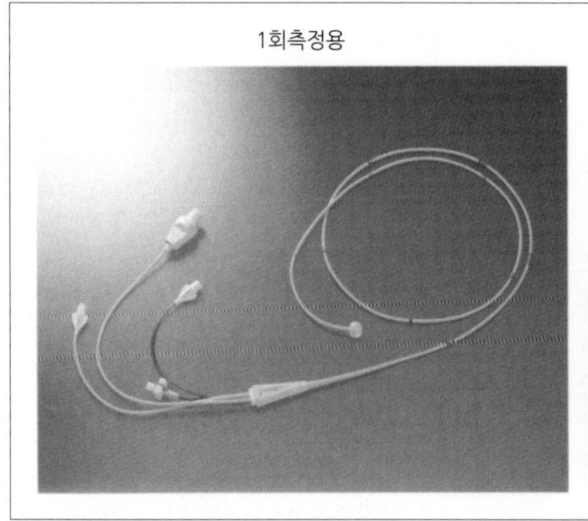

연속측정용

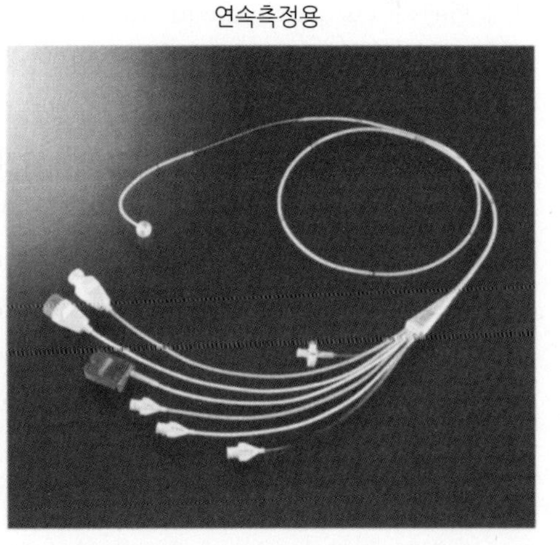

그림제공: 에드워드 라이프사이언스 주식회사

* 우방압(RAP): right atrial pressure 우실압(RVP): right ventricular pressure 우실확장말기압(RVEDP): right ventricular end-diastolic pressure 폐동맥압(PAP): pulmonary artery pressure 폐동맥설입압(PAWP): pulmonary artery wedge pressure 심박출량(CO): cardiac output 심계수(CI): cardiac index 대동맥압(AOP): aortic pressure 좌실압(LVP): left ventricular pressure 좌실확장말기압(LVEDP): left ventricular end-diastolic pressure 좌실구출률(LVEF): left ventricular ejection fraction 좌실확장말기용적계수(LVEDVI): left ventricular end-diastolic volume index 좌실조영(LVG): left ventriculography 관동맥조영(CAG): coronary angiography

실구출률(LVEF), 좌심실확장말기용적계수(LVEDVI)* 등이 있다.

- 좌심실조영(LVG), 관상동맥조영(CAG)*도 같은 방법으로 이루어진다.
- 대혈관이나 좌심실내강 등 어떤 공간을 한 번에 조영하기 위해서는 피그테일 카테터가 이용되며, 관동맥을 조영하기 위해서는 주로 주드킨스형카테터가 이용된다.

심도자 치료란

- 심도자 치료는 심장카테터 검사법에서 이루어지는 것과 같은 카테터법을 이용해서 하는 치료법이다.
- PCI가 대표적이다. 혈전 등에 의해 협착된 관상동맥을 확장하고 혈류의 증가를 꾀하는 치료법으로, 이전에는 PTCA(percutaneous transluminal coronary angioplasty)라고 불렸지만 현재는 PCI로 알려져 있다.
- 심도자 치료로써 PCI이외로는, 관상동맥 이외의 혈관인 경동맥이나 하지동맥을 벌룬카테터를 이용하여 확장하는 치료를 총칭해서 경피적 혈관확장술(percutaneous transluminal angioplasty: PTA)이 있다. 상심실빈맥, 심방조동, 심방세동, 심실빈맥 등의 빈맥증부정맥에 대해서 전기적 소작법을 하는 카테터어블레이션이 있다. 또 카테터를 이용한 대동맥판치환술(transcatheter aortic valve replacement: TAVR 또는 transcatheter aortic valve implantation: TAVI)이 시작되고 있다. 앞으로 점점 카테터를 이용한 심장혈관치료가 발전할 것이라고 생각한다.
- 치료대상이 되는 부위에 특이적인 합병증이 발생할 위험이 있다. 경동맥이라면 뇌경색이 가장 중독하다. 카테터어블레이션으로는 심실벽의 천공·천통과 그에 따르는 심낭압전, 심실세동 등의 중증부정맥, 완전방실블록 등의 위험이 있다.

PCI

- PCI의 구체적인 방법으로서는 협착된 관동맥 병변부에 가늘고 부드러운 가이드와이어를 통과시키고, 그 와이어를 따라 벌룬카테터를 병변부까지 보내 벌룬을 팽창시켜서 병변을 넓힌다(그림 3). 벌룬확장만 하는 가장 간단한 치료로, POBA(plain old balloon angioplasty)라고 하며 스텐트(그림 4)를 유치하는 현재의 방법과 구별된다. POBA로는 확장된 부위에서 관동맥병변이 떨어져 나가거나 병변국소가 해리되어 급성폐색을 일으킬 수도 있고, 근성혈관인 관동맥이 다시 갑자기 좁아질(recoil) 수도 있기 때문에 이것을 예방하는 목적으로 확장된 부분에 스탠트라는 금속링을 유치한다.
- 병변부의 석회화가 강해서 벌룬으로의 확장에는 너무 단단한 경우, 로터블레이터라는 다이아몬드칩을 묻힌 드릴 모양의 선단칩을 고속회전시켜 석회화병변을 깎아내는 치료법도 있다. 스텐트를 마지막에 유치하고 종료한다.
- 급성심근경색의 치료에 있어서는 재관류요법으로써 카테터에 의한 혈전흡인을 한 후 스텐트를 사용한 PCI가 제1선택치료법으로써 시행된다.

PCI의 합병증

- PCI의 합병증과 금기는 대부분이 심도자 검사와 동일하다. 다만 PCI에서는 사용하는 카테터의 굵기가 더 굵고 또 PCI수기에 특유한 합병증이 발생한다.
- 심도자 검사의 합병증의 빈도는 총계로 1% 정도, 주요 합병증은 0.5% 이하라고 되어 있다.
- PCI에서는 사용하는 카테터의 굵기가 보다 더 굵고 천자부의 혈관손상이 크기 때문에 수술후부터 쉽게 출혈이 일어난다. 따라서 전용 지

그림 3 카테터 검사실의 풍경

POBA의 흐름

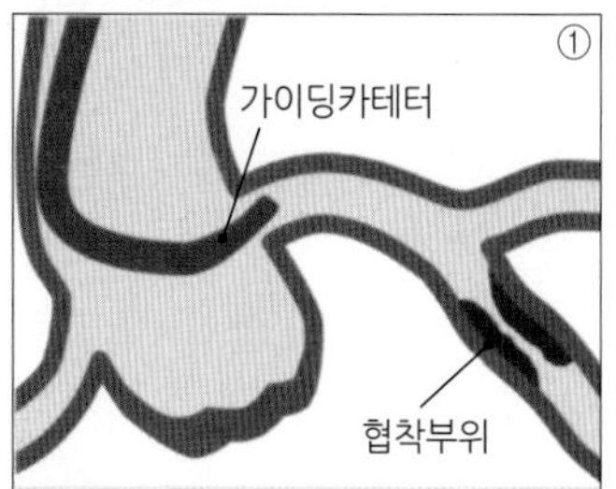

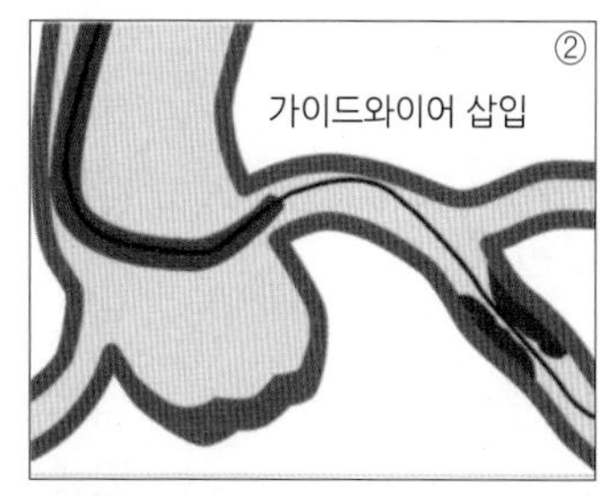

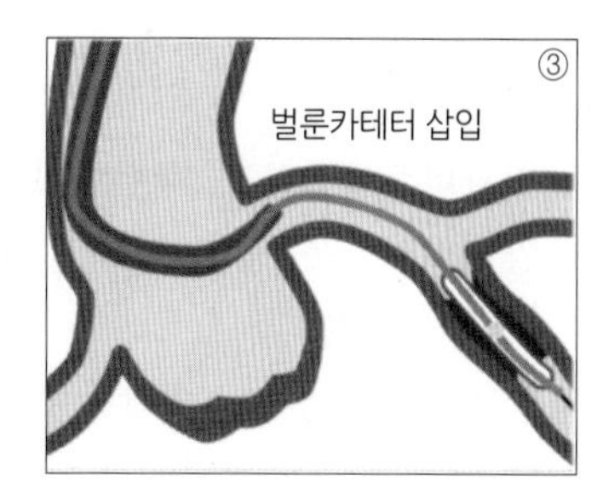

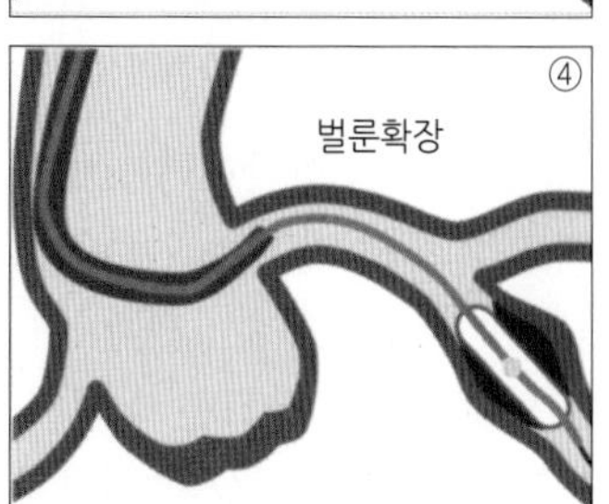

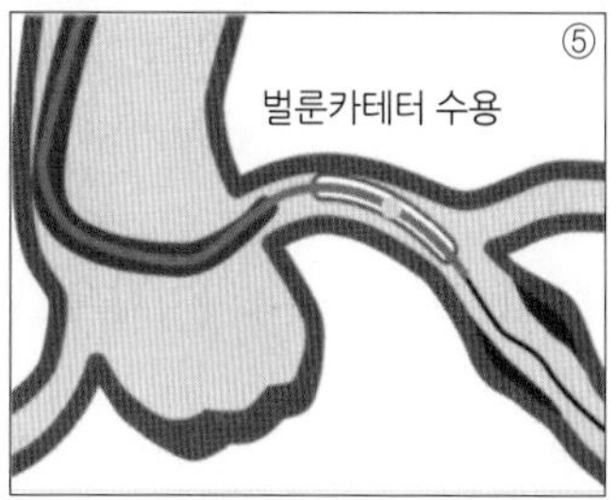

스텐트유치의 흐름

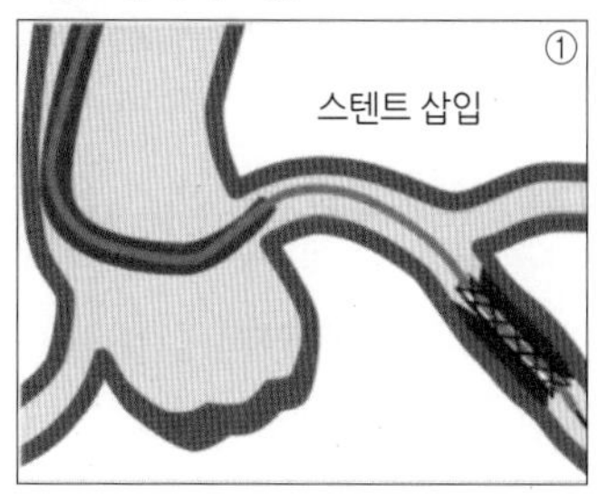

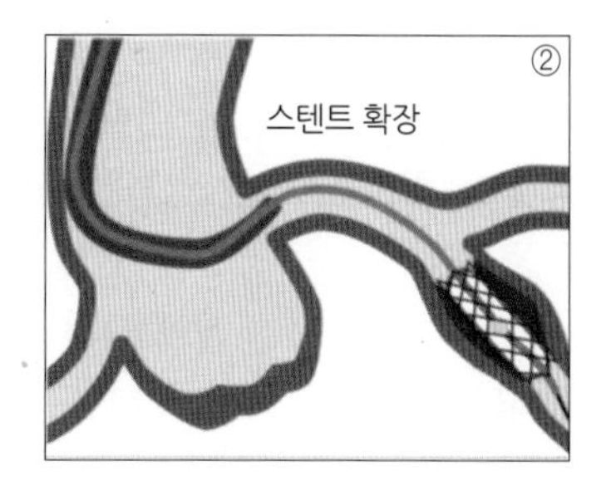

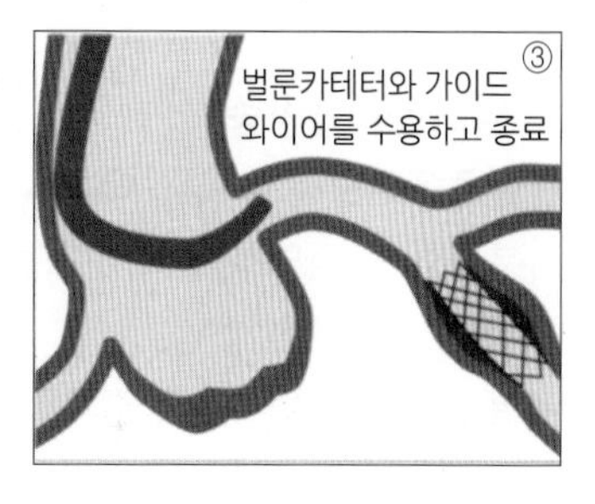

그림 4 스텐트

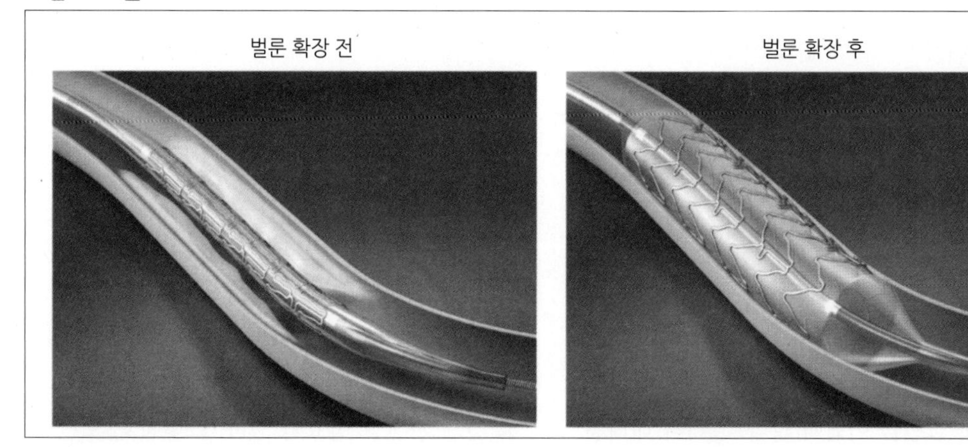

그림제공: Abott사

혈기구가 개발되어 있다.

1. 혈압저하

- 혈관미주신경반사, 탈수, 심낭압전, 조영제의 알레르기반응, 출혈 등을 혈압저하의 원인으로서 들 수 있다.
- 조영제를 이용하면 혈관확장작용, 삼투압이뇨에 따라 탈수가 일어나기 쉬우므로 충분한 수액으로 대처한다. 혈관미주신경반사에서는 생리식염수로 수액을 유지하고 황산아트로핀을 정맥주사 한다.
- 조영제의 알레르기 반응이 의심될 때는 바로 아드레날린을 이용한다.
- 출혈은 다음에 나오는 말초혈관합병증으로서 발생하는 경우가 있다.

2. 말초혈관합병증

- 말초동맥혈전, 가성동맥류, 후복막출혈, 천자부출혈, 동정맥루, 심부정맥혈전증 등을 들 수 있다.
- 혈전증의 예방에는 항응고요법이 중요하며 미리 예정한 항응고약을 잊지 말고 사용한다.
- 후복막출혈은 빈혈이 진행될 때까지 나타나지 않아 발견이 늦어지는 경우가 있다. 대량의 출혈은 빈맥과 혈압저하만 진행되고 수치상의 빈혈은 수액 등으로 혈관내의 혈액이 희석되지 않는 한 이상수치로 되지 않기 때문에 수치에만 의존하여 판단하면 발견이 늦다. 따라서 검사 후의 관리에서는 미리 정해진 활력징후를 측정할 때 배부통이나 합병증의 발생을 염두에 두고 검사전의 상태와 비교를 하여 의심되면 바로 CT검사를 포함한 정밀검사를 개시해야 한다.
- 출혈에서 가장 자주 만나는 것은 천자부위에서의 출혈이다. 상완동맥, 요골동맥으로 시술한 경우에는 천자부위의 피하조직이 적기 때문에 발견이 그만큼 어렵지 않다. 그러나 대퇴동맥으로 시술한 경우에는 피하에 대량의 출혈이 있기까지 발견이 늦어지는 경우가 있다. 대퇴부의 둘레에 좌우차가 나올 만큼 굵어질 때까지 발견되지 않는 경우가 있으므로 주의를 요한다.
- 고령자에서는 상완동맥으로 시술한 경우에도 피하조직이 취약하여 출혈을 감지하지 못하는 경우가 있다. 검사 후의 관찰을 할 때에 고령자는 호소가 적어 환자의 호소에만 의지하고 있으면 발견이 늦어지므로 관찰자는 자신의 눈으로 확인하는 것이 중요하다.
- 천자부위에서의 출혈을 조기에 발견하는 방법은 시술자가 천자할 때에 천자부위의 소절개(피절)를 함과 동시에 피부표면에서 혈관천자부위까지 충분한 피하터널을 만드는 것이다. 그렇게 해놓으면 만에 하나 혈관상의 천자부위에서 출혈이 있는 경우에도 혈액이 피하에 고이지 않고 피부표면으로 나오기 때문에 소량일 때 발견할 수 있다.
- 전신의 동맥혈관계의 색전증은 중대하고 결코 드물지 않은 합병증이다. 고령자에게 많으며 대동맥의 동맥경화가 뚜렷한 환자에 대해서 시행하는 카테터 검사에서는 대동맥내를 카테터가 통과할 때에 대동맥벽의 죽상경화병변에 상처를 입혀 대량의 콜레스테린결정체를 떨어지게 하여 아래쪽에 위치한 장기에 색전증을 발생시키는 일이 있다. 뇌경색, 신경색, 장간막 괴사, 하지동맥색전증이 의심되는 증상이나 징후가 나타나면 즉시 대처가 필요하다.

3. 심장합병증

- 검사 중에 심장천공, 관상동맥박리, 심근경색이 보이는 경우가 있다. 이런 종류의 합병증의 발생을 확인하는 것이 조기대응의 첫걸음이다.
  - 심장천공: 심장초음파 검사로 진단을 한다. 심낭삼출액 증가가 소량이고 혈역학 상태에 영향이 없으면 경과를 관찰해도 된다. 다음 날 이후에 악화되는 일이 있으므로 계속 주의깊게 관찰할 필요가 있다. 그렇지 않으면 심막천자술을 준비한다.
  - 관상동맥박리: 카테터 끝이 관상동맥에 존재

하는 죽종 등 내막조직에 들어가고, 그때 조영제를 주입하거나 했을 때 발생한다.
· 심근경색: 혈전이나 공기에 의한 관상동맥색전이나 관상동맥연축으로 인해 발생한다.

- PCI에서는 가이드와이어에 의한 관상동맥천공, 벌룬확장이나 스텐트확장에 의한 관상동맥파열, 관상동맥박리, 그에 따른 급성관상동맥폐색과 급성심근경색, 심낭압전이 발생하는 경우가 있다. 때로는 심장혈관외과에 의한 대응이 필요한 경우가 있다. 심장혈관외과와의 연계를 취할 수 있도록 평소부터 연락을 긴밀하게 해두는 것이 중요하다(심장치료팀 구축).

4. 부정맥

- 심실빈맥, 심실기외수축, 심방기외수축, 심방세동, 동성서맥 등. 심실빈맥이나 심실기외수축은 좌심실내에 카테터가 들어가고 심근에 닿았을 때 발생하기 쉽다. 좌심실내에서 대동맥으로 제거하면 대부분 소실된다. 카테터 끝의 위치를 바꾸기만 했는데 소실되는 경우도 있다.
- PCI 중에 발생하는 급성심근경색을 계기로 심실빈맥이나 심실세동을 발생시키는 경우가 있으며, 제세동기를 포함하여 응급대응을 준비해 놓을 필요가 있다.

5. 신경합병증

- 뇌색전, 대퇴신경장해, 정중신경마비 등이 일어날 수 있다.
- 뇌색전은 카테터내의 혈전이나 공기색전에 의한 것, 또 대동맥벽에서 플라크가 말초로 날아와 발생하는 것이 있다. 또 경동맥계의 혈관협착부위에서 우발적으로 발생한 혈소판혈전이 말초의 뇌동맥에 날아가 색전증을 발병하는 일이 있다. 신경장해는 혈종 등에 의한 압박으로도 발생한다.

6. 신장합병증

- 요오드 조영제 투여 후 72시간 이내에 혈청크레아티닌 수치가 전수치보다 0.5mg/dL 이상 또는 25% 이상 증가한 경우에 조영제에 의한 신증(contrast induced nephropathy: CIN)으로 정의한다.
- CIN은 심각한 경우에는 신부전에 이르고 인공투석을 해야 하는 경우가 있다. 조영제 사용 시술 전부터 충분한 수액을 보충하여 예방을 한다. 또 사전에 시그마트를 점적정주하면 조영제신증의 발생을 감소시킬 수 있다는 보고가 있다.

7. 조영제알레르기

- 조영제의 사용에 의한 알레르기반응은 자주 중대한 합병증을 일으킨다.
- 아나필락시스 쇼크나 후두부종은 급속하게 악화된다. 환자상태의 급격한 변화를 조기에 확인하는 것이 가장 중요하고, 아드레날린 투여나 긴급기관절개 등 신속한 대응이 필요하다.

8. 감염

- 천자부위의 감염 외 세균성내막염 등에도 주의한다.
- 검사 전에 심장판막증의 존재나 그것을 시사하는 심잡음이 청취될 때에는, 미리 원인이 되는 병태를 명확하게 해두고 예방적 항생제 투여를 가이드라인에 따라해야 한다.

9. 스텐트혈전성폐색

- 스텐트혈전증은 관동맥내의 혈액이 스탠트의 금속부분에 접촉하여 혈소판응집이 발생하고 혈전이 형성되어 급속하게 스텐트 내강이 혈전으로 폐색해버리는 현상이다. 발생하는 시기에 따라 아급성스텐트혈전증, 지방성스텐트혈전증으로 나눈다.
- 스텐트혈전증을 예방하는 데에는 저용량 아스피린과 티에노피리딘계 항혈소판약의 2종류의 항혈소판약을 사용해야 한다.
- 일반적인 스텐트(베어메탈스텐트)에서는 최저 1개월 간, 약제용출 스텐트에서는 약 1년 간의 계속적인 약물복용이 필요하다.

표 1 심장카테터 검사·치료의 금기

절대적 금기	완전한 이해력을 가진 환자가 검사에 동의하지 않은 경우
상대적 금기	1. 조절할 수 없는 심실흥분성 항진 2. 저칼륨이나 디기탈리스중독이 시정되고 있지 않은 경우 3. 관리되고 있지 않은 고혈압 4. 발열성질환의 합병 5. 조절되지 않는 급성심부전 6. 응고부전이나 출혈경향 7. 조영제나 국소마취 알레르기 8. 중증 신부전

금기

- 표 1의 상태는 카테터검사 및 치료를 중지 내지는 연기해야만 한다.
- 절대금기에서는 검사·치료는 실시할 수 없다.

간호 포인트

- 카테터검사·치료 전의 관리와 시행 후의 관리로 나눌 수 있다(159~164페이지 「심장카테터 검사」참조).
- 카테터 검사·치료 전에는 환자의 전신상태 관리가 중요하다. 동의서를 받고, 고령자에 있어서는 전신의 동맥경화에 기인하는 질환이 카테터 검사·치료 직전에도 일어날 수 있기 때문에, 환자의 의식상태를 포함하여 입원 시와 비교해서 환자의 상태에 변화가 없는지 확인한다.
- 카테터 검사·치료 후에는 검사 중·치료 중인 환자의 상태에 대해서 검사실의 간호사로부터 인계를 받아 정보를 알아두는 것이 중요하다. 검사·치료의 내용과 그 결과에 대해서도 파악해 두는 것이 중요하다.
- 시술 후의 관리에서 중요한 점은 이상을 느꼈을 때는 반복해서 관찰할 것, 이상하다고 생각한 시점에 재빨리 담당의사, 당직의사에게 연락하는 것이 중요하다. 카테터 실내에서는 완전모니터체제이지만, 병실에서는 사람수가 모자라고 모니터 체제가 불충분하므로 주의가 필요하다.

(吉野秀朗)

문헌

1. 순환기병의 진단과 치료에 관한 가이드라인. 안정관동맥질환에 있어서 대기적PCI의 가이드라인(2011년 개정판) http://www.j-circ.or.jp/guideline/pdf/JCS2011_fujiwara_h.pdf(2013년1월열람)

심장재활

cardiac rehabilitation

point

- 심장병을 발병한 시점부터 평생에 걸친 장기적이고 포괄적인 프로그램이며, 급성기, 회복기, 유지기로 분류된다.
- 의사·간호사·물리치료사·영양관리사·약제사·운동지도사·심리요법사 등 다직종 간의 의사소통이 중요하다.
- 심폐운동부하시험으로 산출된 METs를 참고로 퇴원 후의 생활에 맞는 지도를 한다.
- 재활 시행 전·시행 중은 활력징후에 주의하고 합병증이 나타난 경우에는 중지한다.

심장재활이란

- 심장재활은 의학적인 평가, 운동프로그램의 처방, 관상동맥질환의 위험인자(당뇨병, 고혈압, 고지혈증 등)의 시정, 금연지도, 교육 및 심리 상담으로 이루어진 장기적이고 포괄적인 프로그램이다.
- 신체기능의 회복과 함께 심리·사회적인 상황의 개선이나 관상동맥질환의 위험인자의 시정, 동맥경화의 진행·재발 예방을 목적으로 하여 이루어진다.
- 심장재활은 팀의료이며 의사·간호사·물리치료사·영양사·약제사·운동지도사·심리요법사 등의 여러 전문직에 의해 실시되어 다직종 간의 커뮤니케이션을 꾀하는 것이 중요하다.

심장재활의 진행 방법

- 심장재활은 다음의 3단계로 나누어 생각할 수 있다(표 1).
  - · 제1기: 급성기의 재활
  - · 제2기: 퇴원 또는 사회복귀까지의 재활
  - · 제3기: 사회복귀 후의 재활

표 1 심장재활의 시기적 구분

시기구분	급성기(phase I)	회복기(phase II)		유지기(phase III)
		회복기 조기(early phase II)	회복기 후기(late phase II III)	
재활의 형태	입원(CCU 또는 병동)	입원감시하(재활실) ~외래감시하	외래감시하~가정에서	지역시설감시하 ~가정에서
재활의 내용	· 급성기합병증의 감시 · 치료 · 단계적 신체동작부하 · 심리 지지 · 동기부여	· 예후 위험 평가 · 운동 지구력 평가 · 운동요법 · 교육·생활지도 · 카운셀링	· 운동요법 · 2차 예방	· 운동요법 · 2차 예방
재활의 목표	일상생활	퇴원·가정복귀	사회복귀·복직	평생에 걸친 질적인 생활의 유지

제1기(급성기)

- 제1기(급성기)는 조기이상을 목적으로 하여 수일~10일 시행된다.
- 단계적인 부하에 의해 안전을 확인하면서 실시해 가는 것이 중요하다(표 2, 3).
- 단계적인 부하시험으로써 수동좌위, 자동좌위, 입위, 병실보행, 그리고 복도보행부터 서서히 거리를 늘려간다.
- 급성기 재활에 있어서는 재활의 여러 동작에 있어서의 안전을 확인하고 다음 단계로 진행한다. 그때 전후의 혈압·맥박·자각증상을 확인한다(표 4).
- 퇴원 전에는 샤워부하, 입욕부하 등을 한다.

제2기(회복기)~제3기(유지기)

- 제2기(회복기)의 재활에서의 운동은 주로 심폐운동부하시험(그림 1)에 기초한 운동처방에 따라 실시된다. 운동처방에서는 ① 운동의 종류, ② 운동강도, ③ 운동의 시간, ④ 운동의 빈도가 설정된다.
- 제2기(회복기)의 재활에서 평생에 걸친 재발예방, 제3기의 재활으로 연결되는 것이 중요하다.

1. 운동의 종류

- 에르고미터나 트레드밀, 보행, 수중보행 등 지구적이고 큰 근육을 사용하는 유산소운동으로 개인이 강도를 조절할 수 있는 것이 바람직하다.
- 국소적이고 가벼운 근력 트레이닝, 지구력트레이닝도 골격근이나 운동시말초순환 등에 효과가 있다.

2. 운동의 강도

- 피로하지 않고 오래 계속할 수 있는 운동레벨, 효과적인 유산소운동이 가능한 레벨이 유효하다고 알려져 있다.
- 구체적으로는 최대산소섭취량의 40~80%, 최대심박수의 55~85%에 해당하는 강도가 설정된다.

그림 1 심폐운동부하시험

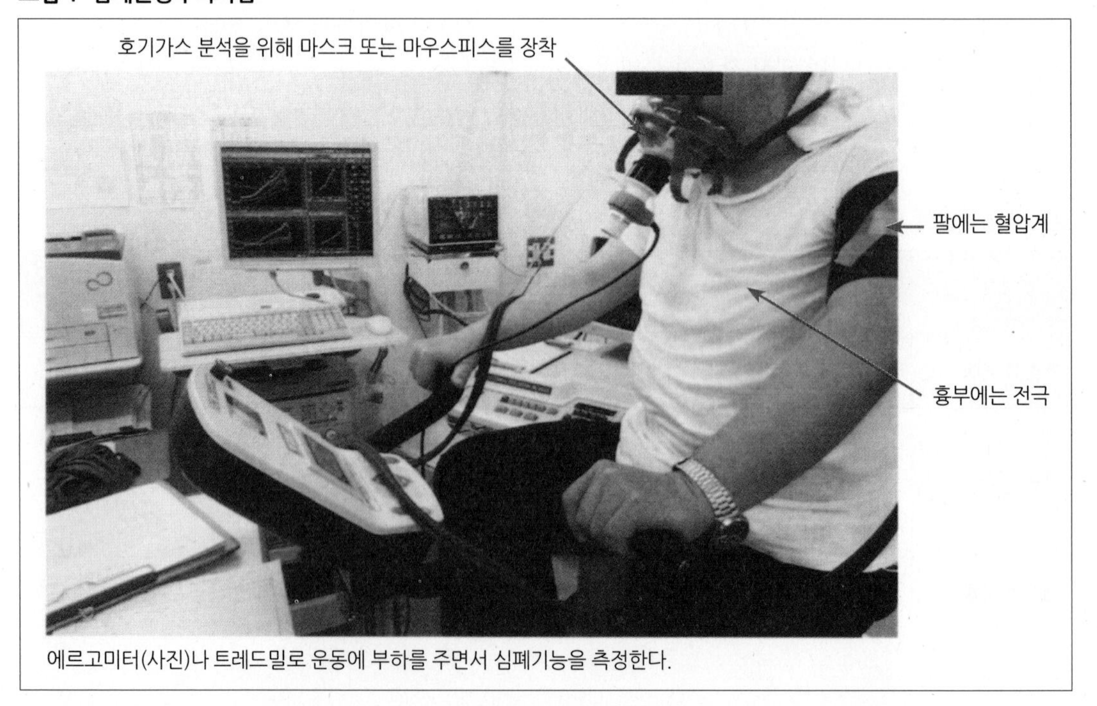

에르고미터(사진)나 트레드밀로 운동에 부하를 주면서 심폐기능을 측정한다.

3. 운동시간

- 1회의 20～60분간, 최저라도 10분간, 일반적으로는 20～30분간 계속한다.
- 가벼운 운동일 때는 길게, 힘들다고 느낄 때는 짧게 한다.
- 운동 전후에는 준비운동(워밍업)과 정리운동(쿨링 다운)을 한다.

4. 운동의 빈도

- 주 3～5회가 권장되고 있다.

표 2 급성심근경색 14일간 임상적 경로(clinical path)(국립순환기병연구센터)

<table>
<tr><th>병일</th><th>PCI 후 1일째</th><th>2일째</th><th>3일째</th><th>4일째</th><th>5일째</th><th>6일째</th><th>7일째</th><th>8일째</th><th>9일째</th><th>10일째</th><th>11일째</th><th>12일째</th><th>13일째</th><th>14일째</th></tr>
<tr><td>달성목표</td><td>· 급성심근경색 및 카테터검사에 따른 합병증을 예방한다.</td><td>· 급성심근경색 및 카테터검사에 따른 합병증을 예방한다.</td><td>· 급성심근경색에 따른 합병증을 예방한다.</td><td>· 심근허혈이 일어나지 않는다.</td><td colspan="3">· 심근허혈이 일어나지 않는다.
· 복약 자기관리가 가능하다.
· 퇴원 후의 일상생활의 주의점에 관해서 이해할 수 있다.</td><td colspan="3">· 심근허혈이 일어나지 않는다.
· 퇴원 후의 일상생활의 주의점에 관해서 이해할 수 있다.</td><td colspan="3">· 아최대부하로 허혈이 없다.
· 퇴원 후의 일상생활의 주의점에 관해서 말할 수 있다.</td><td>퇴원</td></tr>
<tr><td>부하검사·재활</td><td>· 압박대 제거, 상처소독</td><td>· 실내배변 부하</td><td>· 요카테터 제거</td><td>· 말초정맥라인제거·화장실배설 부하</td><td>· 200m 보행 부하시험: 합격 후 200m 보행 연습 1일 3회·영양상담 의뢰</td><td colspan="2">· 심장재활 의뢰
· 심장재활 개시일의 확인</td><td colspan="7">· 심장재활에서 사전테스트
· 심재활 예에서는 500m 보행 부하 시험
· 심장재활실에서 운동요법(심장재활 예에서는 마스터싱글 시험 또는 입욕 부하시험)</td></tr>
<tr><td>안정도</td><td>· 압박대 제거 후 침상자유</td><td>· 실내자유</td><td>· 부하 후 화장실까지 보행 가능</td><td>· 200m 병동 내 자유</td><td colspan="10">· 아최대부하 시험합격 후는 입욕가능 및 원내 자유</td></tr>
<tr><td>식사</td><td colspan="3">· 순환기질환 보통식(1600kcal, 염분 6g)
· 음수량지시</td><td colspan="11">· 순환기질환 보통식(1600kcal, 염분 6g)
· 음수제한 없음</td></tr>
<tr><td>배설</td><td>· 유치카테터
· 배변: 휴대용 변기</td><td>· 유치카테터
· 배변: 휴대용 변기</td><td colspan="12">· 배뇨·배변: 화장실사용</td></tr>
<tr><td>청결</td><td>· 세면 침대위
· 전신 닦기 도움</td><td colspan="2">· 세면: 세면대 사용
· 전신 닦기 도움</td><td colspan="2">· 세면: 세면대 사용
· 닦기, 등부위만 도움</td><td colspan="2">· 세면: 세면대 사용
· 희망에 맞춰 닦기</td><td colspan="7">· 세면: 세면대 사용
· 환자의 희망에 맞춰 입욕</td></tr>
</table>

순환기병의 진단과 치료에 관한 가이드라인. 심혈관질환에 있어서의 재활에 관한 가이드라인(2012년 개정판) http://www.j-circ.or.jp/guideline/pdf/JCS2012_nohara_h.pdf(2013년2월열람)

표 3 심장외과수술 후 재활 진행표의 예(일본의 복수의 시설을 참고)

스테이지	실시일	운동내용	병동리하비리	배설	기타
0	/	수족의 자타동운동·수동좌위·호흡연습	수족의 자동운동, 호흡연습	침대위	연하장해 확인
Ⅰ	/	단좌위	단좌위 10분×___회	침대위	
Ⅱ	/	서서·발로 밟기(체중측정)	서서·발로 밟기×___회	휴대용	
Ⅲ	/	실내보행	실내보행×___회	실내화장실가	실내 자유
Ⅳ-1	/	병동내 보행(100m)	100m보행×___회	병동내 화장실가	병동내 자유
Ⅳ-2	/	병동내 보행(200～500m)	200～500m보행×___회	원내 화장실가	원내 자유, 운동부하시험
Ⅴ	/	계단 오르내리기(1분)	운동요법실로		유산소운동을 중심으로 한 운동요법

순환기병의 진단과 치료에 관한 가이드라인. 심혈관질환에 있어서의 재활에 관한 가이드라인(2012년 개정판) http://www.j-circ.or.jp/guideline/pdf/JCS2012_nohara_h.pdf(2013년2월열람)

표 4 급성심근경색에 대한 급성기 재활 부하시험의 판정기준

1. 흉통, 호흡곤란, 심계항진 등의 자각증상이 없을 것 2. 심박수가 120bpm 이상이 되지 않을 것, 또는 40bpm 이상 증가하지 않을 것 3. 위험한 부정맥이 없을 것 4. 심전도 1mm 이상의 허혈성ST저하, 또는 현저한 ST상승이 없을 것 5. 실내변기 사용시까지는 20mmHg 이상의 수축기 혈압상승·저하가 없을 것 (다만 2주일 이상 경과한 경우는 혈압에 관한 기준은 마련하지 않는다)

부하시험에 불합격인 경우는 약물추가 등의 대책을 실시한 후 다음 날에 다시 같은 부하시험을 한다.

순환기병의 진단과 치료에 관한 가이드라인. 심혈관질환에 있어서의 재활에 관한 가이드라인(2012년 개정판) http://www.j-circ.or.jp/guideline/pdf/JCS2012_nohara_h.pdf(2013년2월열람)

운동강도의 기준

- 운동강도의 단위로써는 METs(메츠도)(metabolic equivalents)가 이용되고 있다.
- 이 단위는 체중 70kg의 서구인 남성의 좌위안정시의 체중 1kg당 산소소비량을 1MET로 규정(1MET=3.5mL/분/kg)하고 있으며, 산소소비량으로 일상생활에서의 운동강도의 기준으로 하고 있다.
- 표 5는 일상생활에서 운동강도를 METs로 나타내고 있다. 심폐운동부하시험에서 산출된 METs를 참고로 퇴원 후의 생활에 맞춘 지도를 할 수 있다.

각 질환별 재활의 포인트

심근경색의 재활

- 심근경색 후의 합병증(부정맥, 심부전 등)이 없는지를 확인하고 진행해 나간다. maxCK(CK의 최대치)에서 추정된 심근경색소의 범위나 정도를 파악한다.
- 완전혈류복원이 이루어져 있는지 확인한다.
- 재발 예방을 위해 위험인자의 조절, 환자교육도 중요하다.

개심술 후의 재활

- 개심술의 종류를 파악한다. 관동맥우회술이라면 완전혈류복원이 되어있는가를 확인한다. 판막치환술 후라면 와파린 복용을 하고 있는지를 확인한다. 판막형성술 후라면 혈압의 상승에 주의한다.
- 개심술 후는 부정맥이 출현하기 쉽기 때문에 재활 전에 부정맥의 유무를 확인한다. 감염징후나 빈혈, 심막삼출액의 유무도 확인해둔다.
- 재활 진행에 방해가 되지 않도록 상처통증의 조절이 이루어지고 있는지 배려할 필요가 있다.
- 수술 후 3개월은 상지에 과대한 부하가 걸리는 운동은 피한다. 관절범위운동(range of motion: ROM)은 수술 후 조기에 개시하는 쪽이 좋다.
- 합병증이 없으면 수술 다음 날부터 호흡물리치료를 하여 호흡기합병을 예방한다.
- 혈압 상승에 주의가 필요하다. 수축기혈압을 안정시 130mmHg, 운동부하 후 150mmHg 이하에서 재활을 진행해 간다.

대동맥박리의 재활

- 대혈관술 후의 재활과 마찬가지로 혈압의 상승에 주의가 필요하다.
- 재활시작기준으로써 부하 전 혈압이 130 mmHg 미만, 부하의 합격기준은 부하후혈압이 150mmHg 미만이다.

만성심부전의 재활

- 심부전이 조절되고 있는 것을 확인하고 과부하가 되지 않도록 주의한다.
- 경과 중에는 항상 자각증상, 체중, 심박수 증가, 혈중 BNP의 변화에 유의하고 심부전이 증악한 경우에는 중지한다.

표 5 일상활동의 기준

METs	일상생활	취미	운동	일
1~2	식사, 세면, 재봉, 뜨개질, 자동차 운전	라디오나 텔레비전 감상, 독서, 트럼프, 바둑, 장기	아주 천천히 걷는다(1.6km/시).	일반사무
2~3	지하철 등에 서서 타기, 조리, 빨래 조금, 대걸레로 바닥 닦기	볼링, 분재손질, 골프(카트이용)	천천히 평지보행(3.2km/시), 2층까지 천천히 오르기	수위(관리인), 악기연주
3~4	샤워하기, 10kg의 짐을 지고 걷기, 취사 일반, 이불개기, 무릎 꿇고 바닥 닦기	라디오체조, 낚시, 배드민턴, 골프	조금 빨리 걷기(4.8km/시), 2층까지 오르기	기계조립, 용접작업, 택시·트럭의 운전
4~5	10kg의 물건을 안고 걷기, 간단한 풀베기, 한쪽 무릎 세우고 바닥 닦기, 부부생활, 입욕	도예, 댄스, 탁구, 테니스, 캣치볼, 골프(골프연습장)	빨리 걷기(5.6km/시)	페인트칠, 벽지바르기, 간단한 목수일
5~6	10kg의 물건을 한 손으로 들고 걷기, 원예(가벼운 흙으로)	계류낚시, 아이스스케이트	아주 빨리 걷기(6.5km/시)	목수일, 농작업
6~7	삽으로 지면을 파기, 눈치우기	포크댄스, 가벼운 크로스컨트리(4km/시)		
7~8		수영, 등산, 스키	조깅(8.0km/시)	
8~	계단으로 10층 이상 오르기	각종 스포츠 경기		

● 인공심박동기나 이식형제세동기를 삽입 중인 환자는 심박동기의 설정에도 주의를 기울인다.

간호 포인트

● 재활 시행 전의 몸 상태, 활력징후에 유의한다. 부정맥, 혈압저하 등의 합병증이 출현한 경우 신속하게 중지한다.

● 시행 중의 활력징후, 자각증상에도 주의를 하고 과부하가 되지 않도록 한다.

● 퇴원 후의 생활에 따라서 개별적인 간호를 하기 위한 정보를 수집하고 가족도 포함하여 지도를 한다.

지도의 실제

● 퇴원 전까지 또는 외래통원 중의 심장재활을 할 때 개개의 환자에게 맞는 지도를 해나간다. 팜플렛이나 심장재활노트 등의 도구도 이용한다.

식생활

● 식사요법은 적절한 체중유지를 목표로 해서 표준체중으로 산출한 적절한 칼로리의 섭취, 염분의 섭취, 지질의 섭취에 관해서, 식사 섭취 상황이나 외식의 이용상황 등, 개개의 생활을 고려하면서 교육한다.

● 변비로 힘을 주는 것은 혈압상승의 계기가 되므로 배변조절에 주의한다.

목욕

● 목욕은 4, 5METs 상당의 에너지 소비량에 해당된다고 하며, 급성기 프로그램에 있어서도 퇴원 전에 많이 이루어진다.

● 겨울철의 차가운 탈의실이나 욕실은 혈압을 상승시키고 또한 욕조의 뜨거운 물이 한층 혈압을 올려 심장에 부담을 주기 때문에, 욕실이나 탈의실을 따뜻하게 데워 놓도록 지도를 한다.

● 욕조에 들어가기 전에 심장의 먼 곳부터 차례로 따뜻한 물을 끼얹고 욕조에 천천히 몸을 담그도록 한다. 욕조의 물의 온도는 약간 미지근한 38~40℃가 적당하며, 입욕시간은 길어야 20분으로 한다.

● 식사 직후나 음주 후의 입욕도 위험하기 때문에 삼가도록 교육한다.

금연교육

● 흡연은 질병이나 사망의 원인 중에서 예방이 가능한 유일한 것이며, 금연은 오늘날 가장 확실하면서도 단기적으로 심질환이나 사망을 극적으로 줄일 수 있는 방법이다.
● 흡연습관의 본질은 니코틴 의존증이며, 본인의 의지력만으로 장기간의 금연이 가능한 흡연자는 아주 적다는 것이 밝혀졌다. 입원 중의 의료종사자의 금연교육도 중요하지만, 금연이 곤란한 경우는 전문성이 높은 금연외래의 소개나 금연 보조약의 사용도 검토한다.

성생활

● 성생활에 대한 에너지 소비량은 5METs정도라고 생각된다. 심질환 환자는 성행위에 따르는 병재발의 불안 때문에 성생활의 저하를 초래하는 일이 많다. 또 불안이나 고민에 대해서 의료종사자에게 털어놓을 수 없는 경우도 많다. 퇴원 전에 운동부하시험을 실시하여 문제가 없으면 성생활의 복귀가 가능하다는 것을 알리는 것이 중요하다.
● 음주나 과식을 했을 때, 과로시의 성행위는 심부하를 높이기 때문에 피하도록 지도한다.

차량운전

● 차량 운전 자체에서의 산소소비량은 1MET 정도이지만, 심박수나 혈압은 운전중의 심리상태나 교통사정, 야간운전에 의해 크게 변화한다. 장시간의 운전이나 야간 운전에서는 무리하지 않고 휴식을 충분히 취하는 등의 주의가 필요하다.

이상시·긴급시의 대응

● 니트로글리세린은 평소에 반드시 휴대하는 것으로 하고, 흉통발작 출현시에 사용방법에 대해서 설명한다.
● 니트로글리세린의 사용에 의해 혈압저하를 일으키는 경우도 있으므로, 누워서 기대거나 걸터앉는 등의 체위로 복용하도록 설명한다.
● 니트로글리세린이 주효하지 않는 경우는 재발작의 위험성이 높아 구급차를 요청할 것을 본인·가족에게 설명한다.
● 1차응급처치에 대해서 가족 함께 교육한다.

(合田あゆみ)

문헌

1. 순환기병의 진단과 치료에 관한 가이드라인. 심혈관 질환에 있어서의 재활에 관한 가이드라인 (2012년 개정판) http://www.j-circ.or.jp/guideline/pdf/JCS2012_nohara_h.pdf(2013년2월열람)

알아두어야 할 순환기 치료약

순환기 영역에서 사용되는 주요 치료약을 정리해 보았다. 기본적으로 상품명(일반명)으로 기록하고 있다.

질환별 치료약

협심증·심근경색

1. 항혈소판제

- 항혈소판제는 혈소판의 작용을 억제함으로써 혈전을 예방하고 혈액이 잘 흐르게 하는 약이며 허혈성심질환의 재발을 예방한다. 아스피린(Aspirin), 클로피도그렐황산염(Clopidogrel), 티클로피딘염산염(Ticlopidine 또는 Cilostazol) 등이 있다.
- 항혈소판제를 복용하고 있으면 쉽게 출혈이 일어나므로 발치나 수술 등을 할 때에는 주의가 필요하다.

2. 질산염제제

- 질산염제제는 관동맥을 확장시켜 심근으로의 산소운반을 돕는 한편 심근에서 사용되는 산소량을 줄임으로써 심장의 산소부족을 해소한다. 니트로글리세린(Nitroglycerine), Isosorbide dinitrate, Isosorbide 5-mononitrate 등이 있다.
- 협심증발작시에 이용하는 니트로글리세린으로 설하정이나 스프레이가 있다. 협심발작이 일어났을 때 또는 발작의 예방으로써 1정을 혀 밑에 밀어 넣는다. 약 3분 정도에 효과가 나타나며 효과는 20분 정도 지속된다. 2정을 섭취해도 효과가 없으면 불안정협심증이나 심근경색일 가능성이 있으므로 의료기관을 방문하도록 환자에게 설명한다.
- 불안정협심증이나 심근경색의 급성기 치료에서는 주사약이 사용된다.

3. 기타

- 심근경색의 재발예방, 심근보호목적으로 β차단제, 안지오텐신변환효소저해제(ACE저해제), 안지오텐신 II 수용체 길항제(ARB), 스타틴제제가 사용된다.
- 관상동맥에서 연축성협심증의 치료에는 Ca길항제가 사용된다.

고혈압

- 고혈압에 있어서의 약물치료는 그림 1과 같이 이루어진다.
- 혈압강하제의 적응과 금기에 기초하여 선택되며 목표 혈압에 도달할 때까지 증량된다(표 1, 2).

심부전

- 만성심부전의 약물요법은 중증도에 따라 그림 2와 같은 약물요법을 시행한다.

부정맥

- 항부정맥제는 표 3과 같은 종류가 있다.
- 항부정맥제는 항상 부정맥의 출현에 주의가 필요하다. 약투여 중의 QT연장을 계기로 하는 토르사드 드 포인트(torsades de pointes)형의 다형성심실빈맥과 QRS폭 연장시에 생기는 심실빈맥 등이 나타나는 경우가 있다. 혈청전해질이나 다른 약과의 병용에 주의가 필요하다.
- 신기능장해나 간기능장해가 있는 경우에는 혈중농도가 상승하기 쉽다.

카테콜라민 제제

- γ(감마)는 체중[kg]과 시간[min] 당의 약제투여의 양[μg]이다.

γ를 구하는 계산식 γ=μg/kg/min

- 같은 효능을 나타내는 중량속도를 체중환산한 것으로 체중이 정해지면 1γ가 몇mg/시인가 결정되기 때문에, 1γ는 그 환자 고유의 수치가 된다. 카테콜라민제제를 투여할 때는 γ에 기초하여 투여된다.

그림 1 고혈압에 있어서의 약물치료[1]

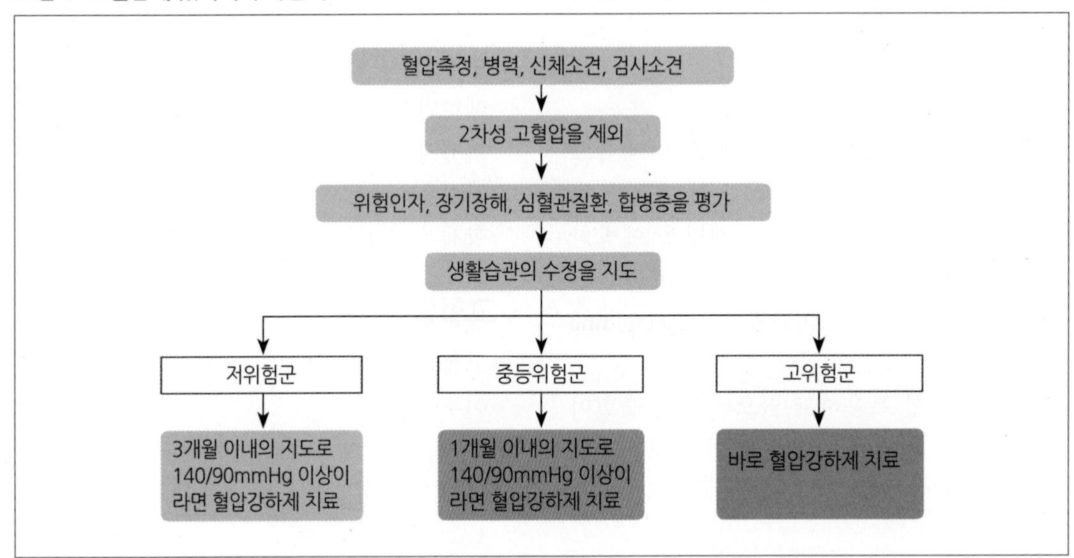

* 정상고치혈압의 고위험군에서는 생활습과의 수정부터 개시하고, 목표 혈압에 도달하지 못하는 경우에 혈압강하제 치료를 고려한다.

표 1 주요 혈압강하제의 적극적인 적응

	Ca길항제	ARB/ACE저해제	이뇨제	β차단제
좌심실비대	●	●		
심부전		●	●	●
빈맥	●			●
협심증	●			●
심근경색 후		●		●
단백뇨		●		
신부전		●	●	
뇌혈관장해만성기	●	●	●	
당뇨병/대사성 장해		●		
고령자	●	●	●	

표 2 주요 혈압강하제의 대표적 약제, 금기 또는 신중사용례

혈압강하제	대표적 약제 상품명(일반명)	금기	신중사용례
Ca길항제	아달라트(니페디핀) 아믈로딘(아믈로디핀베실산염) 노르바스크(아믈로디핀베실산염) 헤르벳사(딜티아젬염산염) 와소란(베라파밀염산염) 코닐(베니디핀염산염) 카르블록(아제르니디핀) 아테레크(실니디핀)	서맥 (비디하이드로피리딘계)	심부전
안지오텐신 Ⅱ 수용체 길항제 (ARB)	블로프레스(칸데사탄 실렉시틸) 뉴로탄(로사탄칼륨) 디오반(발사탄) 미카르디스(테르미살탄) 올메텍(올메살탄 메독소밀)	임신 고칼륨혈증	신동맥협착증
안지오텐신 변환효소 저해제 (ACE저해제)	레니베이스(에나라프릴 말레인산염) 아데커트(데라프릴염산염) 에이스콜(데모카프릴염산염) 타나트릴(이미다프릴 염산염) 코버실(페린드프리르에르브민)	임신 혈관신경성부종 고칼륨혈증	신동맥협착증
이뇨제(티아지드계)	플루이트란(트리클로르메티아지드)	통풍 저칼륨혈증	임신 내인성이상
β차단제	아티스트(카베디롤) 메인테이트(비소프로롤프말산염) 테노민(아테노롤) 세로켄(메토프로롤주석산염)	천식 고도서맥	내인성이상 폐색성폐질환 말초동맥질환

그림 2 심부전의 중증도에서 본 약물치료지침

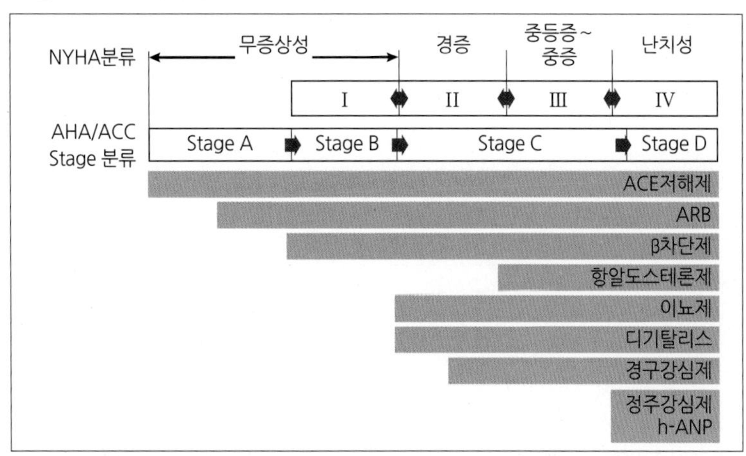

순환기병의 진단과 치료에 관한 가이드라인. 만성심부전가이드라인(2010년개정판)
http://www.j-circ.or.jp/guideline/pdf/JCS2010_matsuzaki_h.pdf(2013년2월열람)

정주카테콜라민제제

1. 도파민염산염(Dopamin)

- 도파민염산염은 내인성카테콜라민이며, 노르아드레날린의 전구물질이다. 혈압의 유지와 이뇨효과를 기대할 수 있다.
- 용량에 따라 다음과 같은 작용이 있다(표 4).

2. 도부타민염산염(Dobutamin)

- 도부타민염산염은 합성카테콜라민이며 강력한 교감신경의 β_1자극작용을 갖고 심박출량을 증가시킨다.

3. 노어아드레날린(Noradrenalin)

- 내인성카테콜라민이며 강력한 α작용과 β_1작용을 가진다.
- 혈압이 상승하기 때문에 승압목적으로 사용된다.

4. 아드레날린(Adrenalin)

- 노어아드레날린과 마찬가지로 강력한 α작용과 β_1작용을 가진다.
- 심폐소생, 알레르기질환, 쇼크의 대응에 이용된다.
- 심폐소생시는 1mg을 3~5분 간격으로 정주

표 3 항부정맥약의 Vaughan Williams분류

분류		작용구조		대표 적인 약제 상품명(일반명)
Ⅰ군	Ⅰa	Na채널 억제작용	활동전위 지속시간연장	아미살린(프로카인아미드염산염) 리스모단(디소피라미드인산염) 시베놀(시벤졸린호박산염) 피메놀(피르메놀염산염수화물) 마지마린 황산키니딘(키니딘황산염수화물)
	Ⅰb		활동전위 지속시간불변	멕시틸(멕실레틴염산염) 아스페논(아프린딘염산염) 페니토인 키시로카인(리드카인염산염)
	Ⅰc		활동전위 지속시간불변	프로논(프로파페논염산염) 탄보콜(프레카이니드초산염) 선리듬(필시카이니드염산염수화물)
Ⅱ군		β차단작용		인데랄(프로프라놀롤염산염) 나디크(나도롤)
Ⅲ군		칼륨채널억제 활동전위지속시간연장		안카론(아미오다론염산염) 소타코르(소타롤염산염) 신비트주(니페칼란트염산염)
Ⅳ군		Ca길항작용		와소란(베라파밀염산염) 헤르벳서(딜티아젬염산염) 베프리코르(베프리딜염산염수화물)

표 4 도파민염산염의 용량과 작용

용량	작용수용체	특기사항
저용량(2~5γ)	도파민수용체	신동맥, 관동맥의 확장을 일으키고, 이뇨작용이 일어난다. 심장, 말초혈관에는 거의 작용하지 않는다.
중용량(5~10γ)	β>α	β_1작용에 의해 심수축이 증대하며, α작용이 가해짐으로써 혈관저항이 증대하고 신혈류도 감소한다.
고용량(10~γ)	α>β	α작용에 의해 말초혈관을 수축시키며, 혈압을 상승시킨다. 신혈관도 수축하고 이뇨작용은 소실, 심박수가 증가한다.

해 나간다.

경구 강심제

- 경구 투여가능한 카테콜라민이나 PDEⅢ저해약에 해당하는 약제이다.

1. 디곡신

주요 상품명 디고신

- Na/k-ATPase를 저해하고 세포내 Na농도를 높임으로써 Na/Ca교환계를 부활시켜 심수축력을 증가시킨다. 또 방실전도도 저해한다.
- 혈중농도를 모니터하면서 사용한다.
- 디기탈리스중독은 PAT with block이나 분상(盆狀)ST저하라는 심전도변화가 유명하지만, 증상으로서는 소화기증상이나 시각장해가 많다.

항응고제

와파린(Wafarin, 와파린칼륨)

- 혈전색전증의 치료 및 예방에 이용되며 판막증에 대한 판치환술후나 심방세동이 원인이 되는 뇌색전증예방, 혹은 심부정맥혈전증에 의한 폐색전증예방목적에 사용된다.
- 프로트롬빈시간의 INR수치로 효과를 모니터링한다.
- 혈액응고인자 중 제Ⅱ, Ⅶ, Ⅸ, Ⅹ인자의 생합성에 관여하는 비타민K를 길항함으로써 혈액의 응고를 방지한다.
- 비타민K를 많이 함유한 낫토 등의 식품을 섭취하면 와파린 투여 중의 응고능에 영향을 미치기 때문에 그들 식품의 섭취는 금지된다.

(合田あゆみ)

문헌

1. 일본고혈압학회 고혈압치료 가이드라인 작성위원회 편: 고혈압치료 가이드라인2009. 일본고혈압학회, 도쿄, 2009.
2. 순환기병의 진단과 치료에 관한 가이드라인. 만성심부전가이드라인(2010년개정판) http://www.j-circ.or.jp/guideline/pdf/JCS2010_matsuzaki_h.pdf(2013년2월열람)

색인

ㄱ

가강 ········ 220
가정혈압 ········ 212
각 ········ 201
—블록 201
간헐성파행 ········ 239
감염성심내막염 ········ 178, 182, 194
감염징후 ········ 71, 192
강심제 ········ 267
개심술 ········ 47
갤럽리듬 ········ 206
결합조직장해 ········ 178
경장영양 ········ 76
경구강심제 ········ 210
경구섭취 ········ 75
경련 ········ 5
경식도심에코법 ········ 145
경정맥팽창 ········ 206
경피적 관동맥형성술 ········ 171, 250
경피적 심폐보조 ········ 208
경피적 혈관확장술 ········ 252
경화요법 ········ 248
경흉벽심에코법 ········ 144
고압알람 ········ 16
고칼로리수액 ········ 2
고혈압 ········ 210, 212, 263
관상동맥(관동맥) ········ 171
—우회술 48, 171, 252
—조영 159, 251
—천공 255
—파열 255
—박리 254, 255
궤양 ········ 246
균혈증 ········ 182
금연지도 ········ 243, 262
급성관동맥폐색 ········ 255
급성관상동맥증후군 ········ 168
급성대동맥박리 ········ 220
급성대동맥판폐쇄부전증 ········ 178
급성동맥폐색 ········ 235
급성심근경색 ········ 170, 255
급성심낭염 ········ 186
급성심부전 ········ 205, 208
급성좌심부전 ········ 92
기계판막 ········ 47, 181
기관삽관 ········ 208
기외수축 ········ 197
기이맥 ········ 190
기좌호흡 ········ 93, 205
기흉 ········ 3, 118
긴장성기흉 ········ 119

ㄴ

내인성이상 ········ 210
노어아드레날린 ········ 266
뇌관류법 ········ 232
뇌색전 ········ 255
뇌성나트륨이뇨펩티드 ········ 180, 207
뇌증 ········ 5
니트로글리세린 ········ 262

ㄷ

단광자방출형컴퓨터단층촬영 ··· 157
단백누출성위장증 ········ 186
단층심에코법 ········ 143
당뇨병 ········ 210, 240
대각지 ········ 171
대동맥 ········ 223
—내 벌룬 펌핑 208
—류 133, 227
—박리 134, 178, 220
—압 251
—조영 159
—판막 178
—판윤확장증 228
대복재정맥 ········ 71
대사성근신증후군 ········ 237
도관 ········ 174
도부타민 ········ 170
도플러심에코법 ········ 143
도플러혈류계검사 ········ 247
동결절 ········ 23
동맥경화 ········ 178, 239
—성 관상동맥병변 168
—성 판막질환 178
동맥관개존증 ········ 182
동맥류 ········ 227
동맥천자 ········ 3
동맥폐색 ········ 235
동맥혈가스분석 ········ 207
동맥혈산소분압 ········ 96
동맥혈이산화탄소분압 ········ 96
동기능부전증후군 ········ 22, 105, 199
동방블록 ········ 199
동성서맥 ········ 199
동정지 ········ 22, 114, 199
동통 ········ 68
둔각지 ········ 171
드베이키분류 ········ 221
디곡신 ········ 267
디기탈리스 ········ 210

ㄹ

레닌안지오텐신알도스테론계 ··· 210
로마노 워드증후군 ········ 198
류마티스열 ········ 178
—속발성판막증 178
리엔트리 ········ 197, 220
—성심방빈맥 203

ㅁ

마노미터 7
마스터 이단계 시험 138
만성심부전 205
말초혈관저항 212
맥박 85
맥파 21
메이즈수술 203
모니터심전도 18
모비츠 I 형 방실블록 200
모비츠 II 형 방실블록 201
무균조작 59
무기폐 125
무증후성심근허혈 168
무통성 홍반 184
미량원소 5
밀킹 65

ㅂ

발열 4, 72
발작성빈맥 197
발작성상실빈맥(PSVT) 197
발작성야간호흡곤란 93, 205
방사성의약품 156
방사하는 통증 169
방실결절 23
—회귀성빈맥(AVNRT) 197
—지 18
방실블록(AC블록) 111, 200
방실해리 201
방실회귀성빈맥(AVRT) 197
배액관 54, 192
—의 관리 54
—의 제거 67
—의 삽입 57
배액량 62
배액백 63
배액의 성상 62
배합변화 17
백벨브마스크 34
백의성고혈압 212
버거씨병 242
베크의 3증상 190
벤케바하형 방실블록 201
벽측심막 189
벽측흉막 121
보조순환 211
복부대동맥류 77
본태성 고혈압 213
부잡음 95
부정맥 18, 85, 108, 170, 193, 196, 263
—원성우실심근증(ARVC) 197
부종 100, 206
부하심근혈류신티그라피 154
분마조율 206
불안정협심증 168
브로디에 트렌델렌버그 테스트 246
브루가다증후군 201
비지속성심실빈맥(NSVT) 198
비침습적 양압인공호흡 208
빈맥성부정맥 196
빈호흡 94

ㅅ

사이퍼닝 14
사지유도 24
산소요법 99
산증 207
삼첨판 178
—폐쇄부전증 178
상대정맥 23
상처감염 74
색전증 235
—혈전혈관염 242
생체판막 47, 181
서맥빈맥증후군 199
서맥성부정맥 198
서호흡 94
석회화 190, 252
선천성 QT연장증후군 198
선천성 심질환 92, 193
성인선천성심질환 193
션트 92
속발증 194
쇼크 89, 115
—의 5P 116
쇼트런 110
수분섭취배설관리 78
수액 3
—루트 3
—펌프 10
수축부전 205
수술 후 감염증 71
스완 간츠 카테터 78, 160, 205, 207, 251
스탠포드분류 221
스텐트 252
—그래프트 232
—그래프트삽입술 232
—유치 252
—혈전증 255
승모판 178
—일탈증후군 182
—폐쇄부전증 178
—협착증 178
실신 104
심계수 251
심계항진 84
심근경색 168, 170, 254, 263
심근괴사 170
심근리모델링 170
심근신티그라피 154
심근증 178
심근허혈 169, 178
심낭 189
—배액 54
—삼출액 186, 189
—압전 189, 255
—액 증가 190
—천공 191
심내막 182
심막 186, 189
—강 189
—개창술 191
—비후 190
—절개술 191
심박수 21, 28
심박출량 207, 212, 251

심방기외수축(PAC) ·············· 109
심방세동(Af) ······ 22, 110, 196, 203
심방조동(AF) ······ 22, 111, 196, 203
심부전 ·············· 93, 193, 205, 263
심부정맥 ··························· 245
—혈전증 53, 246
심실기외수축(PVC) ·············· 109
심실빈맥(VT) ··· 22, 105, 113, 197
심실세동(VF) ··········· 22, 113, 196
심실중격결손증 ····················· 182
심실중격지 ························· 171
심실중격천공 ················· 176, 177
심에코 ······························ 142
심외막마찰음 ·························· 95
심음영 ······························ 190
심잡음 ································ 95
심장성부종 ························· 102
심장이식 ··························· 211
심장재동기요법 ·············· 203, 211
심장재활 ··························· 257
심장카테터 ························· 250
—검사 159
—치료 252
심장핵의학검사 ····················· 154
심전계 ································ 24
심전도 ························· 23, 135
—모니터링 18, 105
—파형 21, 28
심정지 ································ 31
심천공 ······························ 254
심파열 ······························ 176
심폐소생 ······················ 39, 208
심폐운동부하시험 ················· 258
심확대 ······························ 207
심흉곽비 ··························· 152

ㅇ

아나필락시스 쇼크 ·············· 255
아드레날린앉 ······················· 266
아스피린 ······························ 45
안정시 통증 ························ 240
안정운동성협심증 ················· 168
안지오텐신변환효소 저해제 ········ 210, 217
안지오텐신Ⅱ 수용체 길항제 ··· 217
암성심막염 ························· 189
압박요법 ··························· 247
압축성심낭염 ······················ 186
야간다뇨 ··························· 205
약제용출 스텐트 ·················· 255
양실페이싱 ························· 203
언더센싱 ······························ 44
에르고미터 ························· 138
엔트리 ······························ 220
연속파도플러법 ···················· 143
연하장해 ······························ 77
염증징후 ······························ 71
영양관리 ······························ 75
예각지 ······························ 171
오버센싱 ······························ 44
오슬러결절 ························· 184
와파린 ························· 45, 267
와파린칼륨 ························· 267
완전각블록 ························· 201
완전방실블록 ······················ 201
요당 ···································· 4
—배설역치 5
요량 ··································· 78
—측정 79
욕창 ································· 103
우각 ···························· 23, 201
우심방 ······························ 196
—압 207, 251
우심부전 ··························· 205
우심실 ······························ 196
—압 251
—조영 159
—지 171
—확대 178
—확장말기압 251
우심카테터법 ················ 160, 251
운동부하심전도 ···················· 137
운동성협심증 ······················ 168
운동시 호흡곤란 ····················· 93
울혈성심부전 ··········· 94, 101, 180
유두근기능부전 ···················· 178
유두근파열 ························· 176
응고계 ································ 45
이뇨기 ································ 79
이뇨제 ···················· 208, 210, 217
이상파형 ······························ 30
이상호흡 ······························ 95
이식형 제세동기 ·················· 202
이식형 심박동기 ···················· 40
이차성 고혈압 ····················· 213
인공심폐 ··························· 188
인공판 ························· 47, 181
인공판막치환술 ······················ 47
인공혈관치환술 ·············· 223, 232

ㅈ

자극전도계 ··················· 108, 196
자동체외제세동기 ···················· 38
자전거에르고미터 ·················· 138
잠재성WPW증후군 ··············· 198
장기보호법 ························· 233
장측심막 ··························· 189
장측흉막 ··························· 121
장폐색 ································ 77
저단백혈증 ························· 186
저알부민혈증 ······················ 186
전기생리학적검사 ················· 202
전기적 제세동 ······················· 31
전종격배액 ··························· 55
전해질 ································· 5
전흉부통 ··························· 170
정맥류 ······························ 246
정맥성궤양 ························· 246
정맥혈전색전증 ······················ 53
제2대각지 ·························· 171
제2유도 ······························· 19
제모 ···························· 32, 161
제벨-랑쥐 닐슨증후군 ··········· 198
제세동 ································ 31
—기 32
—용패드 34
제인웨이병변 ······················ 184
조기이상 ······················· 69, 126
조기흥분증후군 ···················· 198
족관절상완혈압비 ··········· 132, 240

족관절수축기혈압 ……………… 240
좌각 ……………………… 23, 201
좌심방 ……………………… 196
　—압 187
좌심부전 ……………………… 205
좌심실 ……………………… 196
　—구출률 251
　—압 251
　—조영 159, 251
　—확대 178
　—화장말기압 251
　—확장말기용적계수 251
좌심카테터법 ……………… 160, 251
좌전하행지 ……………………… 171
좌회선지 ……………………… 171
주사기펌프 ………………… 10, 14
죽종 ……………………… 235
중심정맥압 ……………………… 5
중심정맥영양법 ………………… 3
중심정맥카테터 ………………… 2
중증허혈지 ……………………… 240
증식증 ……………………… 182
지속성심실빈맥(SVT) …… 198, 203
지질이상증 ……………………… 210
진강 ……………………… 220
진구성심근경색 ………………… 170
진료실혈압 ……………………… 212
진전약 ……………………… 34
진통제 ……………………… 69
질산염제제 ……………………… 263

ㅊ

천통지 ……………………… 245
청색증 ……………… 97, 194, 205
청진 ……………………… 95
체외식 심박동기 ………… 40, 201
체위배액 ……………………… 126
체인 스토크스 호흡 ……………… 94
체표면가산심전도 ……………… 139
측부혈행로 ……………………… 239
치사성부정맥 …………… 20, 197

ㅋ

카디오버전 ……………………… 31
카운터쇼크 ……………………… 31
카테콜라민 ……………… 210, 264
카테터 ……………………… 2, 74
　—관련혈류감염 4
　—어블레이션 202, 252
　—열 4, 74
컬러Doppler법 ……………… 143
코로트코프음 ……………………… 129
쿠스마울징후 …………… 186, 190
클로필도그렐 ……………………… 48
킬립분류 ……………………… 205

ㅌ

탄력붕대 ……………………… 247
탄력스타킹 ……………… 53, 247
텔레미터 ……………………… 18
토르사드 드 포인트 ………… 197
트레드밀법 ……………………… 138
트로카카테터 ……………………… 56
특발성심실빈맥 ………………… 197

ㅍ

판막 ……………………… 182
　—증 47, 178
판막치환술 ……………………… 180
판막성형술 ……………………… 47
패혈증 ……………………… 4, 74
퍼킨제섬유 ……………………… 23
펄스도플러법 ……………………… 143
페이스메이커 ……………… 40, 201
　—부전 44
페이싱 ……………………… 40, 201
　—페일러 44
　—부전 44
　—와이어 41
폐고혈압 ……………………… 92, 194
폐동맥 ……………………… 251
　—쐐기압 187, 251
　—압 207, 251
　—조영 159
　—카테터 78, 251
　—판막 178
폐색성동맥경화증 ……………… 239
폐수종 ……………………… 92
폐울혈 ……………… 153, 205, 208
폐합병증 ……………………… 126
폐혈전색전증 ……………… 53, 90
포가티카테터 ……………………… 237
포레스터 분류 ……………… 205
포스포디에스테라제 저해제 … 208
포터블X선촬영 ………………… 149
폰테인 분류 ……………………… 239
표재정맥 ……………………… 245
프라이밍 ……………………… 16
플럭추에이션 ……………………… 65
피하배액 ……………………… 55
핍뇨 ……………………… 205
　—기 78

ㅎ

하지정맥류 ……………………… 245
항부정맥제 ……………………… 263
항알도스테론제 ………………… 210
항응고제 ……………………… 254
항응고요법 ……………… 45, 254
항혈소판제 …………… 46, 255, 263
항혈소판요법 ……………………… 45
항혈전요법 ……………………… 45
허혈성심질환 …………… 134, 168
헤모글로빈 ……………………… 98
헤파린 ……………………… 45
현기증 ……………………… 104
혈관확장제 ……………………… 208
혈당치 ……………………… 5
혈류감염 ……………………… 4
혈소판 ……………………… 45
혈압 ……………… 21, 128, 212
　—강하제 214, 264
　—계 128
　—측정 128, 212
　—파형 21
혈액응고인자 ……………………… 46

혈전 235
—색전제거술 237
—예방 53
—증 235
—형성과정 46
혈행재건 235
혈흉 62
협심증 168, 263
호흡곤란 91
호흡성이동 8, 65
호흡수 21
호흡음 95
호흡훈련 126
홀터심전도 139
확장부전 205
환기보조 34
후천성 QT연장증후군 198
후측벽지 171
후하행지 171
흉강배액 55
흉강배액용장치 58
흉강천자 57
흉골압박 39
흉부X선검사 148
흉부대동맥류 77
흉부배액관 58
흉부유도 24
흉수 121, 153
흉통 87
흡연 210
흡인압 65
히스속 23

약어·구문(歐文)

12유도심전도 23, 135
1도 방실블록 22, 111, 201
2도 방실블록 22, 112, 201
3-way 8
3도 방실블록 22, 105, 112, 201
3유도 19
5유도 19
β차단제 210, 218

A

ABI(ankle brachial pressure index) 132, 240
ABP(arterial blood pressure) 240
ACE(angiotensin converting enzyme) 210
ACS(acute coronary syndrome) 168
Adams-Stokes증후군 107
AED(automated external defibrillator) 38
AH블록 200
AOP(aortic pressure) 251
AR(aortic regurgitation) 182
ARB(angiotensin II receptor blocker) 210
ASO(arteriosclerosis obliterans) 239

B

BNP(bladder neck contracture) 179, 207

C

Ca길항제 217
CABG(coronary artery bypass grafting) 48
CAG(coronary angiography) 251
CI(cardiac index) 251
CM_5유도 19
CO(cardiac output) 251
CRT(cardiac resynchronization therapy) 203, 211
CTR(cardiothoracic ratio) 152
CVC(central venous catheter) 2
CVP(central venous pressure) 5

E

EPS(electrophyramidal symptoms) 202

H

HV블록 200

I

IABP(intraaortic balloon pumping) 208
ICD(implantable cardioverter defibrillator) 202

L

LGL증후군 198
LVEDP(left ventricular end-diastolic pressure) 251
LVEDVI(left ventricular end-dias-tolic volume index) 251
LVG(left ventriculography) 252
LVP(left ventricular pressure) 251

M

M모드심에코법 143
MNMS(myonephropathic metabolic syndrome) 237
MR(mitral regurgitation) 182

N

NASA유도 19
NPPV(Noninvasive positive pressure ventilation) 208
NYHA심기능분류 94, 180, 205

P

P파 23
PAP(pulmonary artery pressure) 251
PAWP(pulmonary artery wedge pressure) 251
PCI(percutaneous coronary intervention) 171, 250

PCPS(percutaneous cardiopulmonary support) ······························ 208
PDA(patent ductus arteriosus) ·· 182
PDE(phosphodiesterase) ········· 208
POBA(plain old balloon angioplasty) ·· 252
PQ시간(간격) ························ 28
PTA(percutaneous transluminal angioplasty) ························ 252

Q

QRS파 ································ 28
QT시간(간격) ························ 28
QT연장증후군 ····················· 198

S

SPECT(single-photon emission computed tomography) ········· 157
SpO_2 ·································· 21
ST부분 ································ 28

T

T파 ······································ 28

V

VSD(ventricular septal defect) ··· 182

W

WPW증후군 ················· 198, 203

보고 배우는 순환기

See & Learn, Circulatory System

첫째판 인쇄 2016년 6월 10일
첫째판 발행 2016년 6월 20일

감　　수 MICHIMATA Yukihiro
편　　집 KUBOTA Hiroshi, OOTSUKI Naomi, HIRASAWA Eiko
옮 긴 이 조용애
발 행 인 장주연
출판·기획 김봉환
편집디자인 박선미
표지디자인 군자출판사
발 행 처 군자출판사
등록 제4-139호(1991.6.24)
본사 (10881) **파주출판단지** 경기도 파주시 회동길 338(서패동 474-1)
전화 (031) 943-1888　　팩스 (031) 955-9545
홈페이지 | www.koonja.co.kr

MITE WAKARU JUNKANKI KEA
by MICHIMATA Yukihiro (supervisor), KUBOTA Hiroshi (ed.), OOTSUKI Naomi (ed.), HIRASAWA Eiko (ed.)

* 파본은 교환하여 드립니다.
* 검인은 역자와의 합의 하에 생략합니다.

ISBN 978-89-6278-404-6
정가 25,000원